DANS LA MÊME COLLECTION

André Billy : *L'Abbé Prévost.*
Georges-Roux : *Napoléon III.*
Frédéric Grendel : *Beaumarchais.*
René Guerdan : *François Ier.*
Paul Guth : *Mazarin.*
André Maurois : *Balzac.*
Jean Orieux : *Bussy-Rabutin.*
— *La Fontaine.*
— *Talleyrand.*
— *Voltaire.*
Fresnette Pisani-Ferry : *Le Général Boulanger.*
François Porché : *Baudelaire.*
Henri Troyat : *Gogol.*
Jacques Weygand : *Weygand, mon père.*

CATHERINE LA GRANDE

DU MÊME AUTEUR

Romans isolés :

FAUX JOUR (Plon)
LE VIVIER (Plon)
GRANDEUR NATURE (Plon)
L'ARAIGNE (Plon) *Prix Goncourt 1938*
LE MORT SAISIT LE VIF (Plon)
LE SIGNE DU TAUREAU (Plon)
LA TÊTE SUR LES ÉPAULES (Plon)
UNE EXTRÊME AMITIÉ (La Table Ronde)
LA NEIGE EN DEUIL (Flammarion)
LA PIERRE, LA FEUILLE ET LES CISEAUX (Flammarion)
ANNE PRÉDAILLE (Flammarion)
GRIMBOSQ (Flammarion)
LE FRONT DANS LES NUAGES (Flammarion)

Cycles romanesques :

LES SEMAILLES ET LES MOISSONS (Plon)
I — Les Semailles et les moissons
II — Amélie
III — La Grive
IV — Tendre et violente Élisabeth
V — La Rencontre
LES EYGLETIÈRE (Flammarion)
I — Les Eygletière
II — La Faim des lionceaux
III — La Malandre
LA LUMIÈRE DES JUSTES (Flammarion)
I — Les Compagnons du Coquelicot
II — La Barynia
III — La Gloire des vaincus
IV — Les Dames de Sibérie
V — Sophie ou la fin des combats
LES HÉRITIERS DE L'AVENIR (Flammarion)
I — Le Cahier
II — Cent un coups de canon
III — L'Éléphant blanc
TANT QUE LA TERRE DURERA... (La Table Ronde)
I — Tant que la terre durera...
II — Le Sac et la cendre
III — Étrangers sur la terre
LE MOSCOVITE (Flammarion)
I — Le Moscovite
II — Les Désordres secrets
III — Les Feux du matin

Nouvelles :

LA CLEF DE VOÛTE (Plon)
LA FOSSE COMMUNE (Plon)
LE JUGEMENT DE DIEU (Plon)
DU PHILANTHROPE A LA ROUQUINE (Flammarion)
LE GESTE D'ÈVE (Flammarion)
LES AILES DU DIABLE (Flammarion)

Biographies :

DOSTOÏEVSKI (Fayard)
POUCHKINE (Plon)
L'ÉTRANGE DESTIN DE LERMONTOV (Plon)
TOLSTOÏ (Fayard)
GOGOL (Flammarion)

Essais, voyages, divers :

LA CASE DE L'ONCLE SAM (La Table Ronde)
DE GRATTE-CIEL EN COCOTIER (Plon)
SAINTE-RUSSIE, *réflexions et souvenirs* (Grasset)
LES PONTS DE PARIS, *illustré d'aquarelles* (Flammarion)
NAISSANCE D'UNE DAUPHINE (Gallimard)
LA VIE QUOTIDIENNE EN RUSSIE AU TEMPS DU DERNIER TSAR (Hachette)
LES VIVANTS, *théâtre* (André Bonne)
UN SI LONG CHEMIN (Stock)

HENRI TROYAT
de l'Académie française

CATHERINE LA GRANDE

FLAMMARION

Il a été tiré de cet ouvrage :

CINQUANTE-CINQ EXEMPLAIRES SUR PUR FIL
DES PAPETERIES D'ARCHES
DONT CINQUANTE EXEMPLAIRES NUMÉROTÉS DE 1 A 50
ET CINQ EXEMPLAIRES, HORS COMMERCE, NUMÉROTÉS DE I A V

CENT DIX EXEMPLAIRES SUR VÉLIN ALFA
DONT CENT EXEMPLAIRES NUMÉROTÉS DE 51 A 150
ET DIX EXEMPLAIRES, HORS COMMERCE, NUMÉROTÉS DE VI A XV

Il a été tiré en outre :

QUARANTE-CINQ EXEMPLAIRES SUR VÉLIN ALFA
NUMÉROTÉS S.L. 1 A S.L. 45
RÉSERVÉS AUX BIBLIOPHILES DES SÉLECTIONS LARDANCHET

Le tout constituant l'édition originale

ISBN 2-08-064028-3

La plupart des textes — lettres, rapports, mémoires — cités dans le présent ouvrage ont été écrits par leurs auteurs russes directement en français, langue universelle à l'époque de Catherine II. Je les ai reproduits sans en redresser les fautes de style ou de syntaxe, afin de laisser à ces témoignages d'un autre temps, sous un aspect parfois rocailleux, tout leur piquant et toute leur authenticité.

H. T.

CHAPITRE PREMIER

FIGCHEN

Ils espéraient un fils. C'est une fille. La future Catherine II de Russie naît le 21 avril 1729, à Stettin, en Poméranie, et reçoit les prénoms de Sophie-Frédérique-Augusta. Désolée de n'avoir pas su donner le jour à un garçon, la jeune mère, Johanna-Elisabeth, ne s'attendrit guère au-dessus du berceau. Elle est du reste convaincue qu'avec sa beauté et son entregent elle aurait pu accéder à un plus haut destin. Née Holstein-Gottorp, n'est-elle pas apparentée à la maison ducale de Holstein, dont la branche aînée peut prétendre à la couronne de Suède[1] ? Au lieu de la brillante ascension dont elle rêvait, elle a dû se contenter d'un parti modeste. C'est sa famille qui, sans la consulter, a arrangé le mariage. A quinze ans, elle a épousé le prince Christian-Auguste d'Anhalt-Zerbst, de vingt-sept ans plus âgé

1. Certains historiens ont soutenu que Sophie, la future Catherine II, était en réalité la fille naturelle de Frédéric II de Prusse, lequel, à l'époque, n'était que prince-héritier et n'avait que seize ans! D'autres, non moins ingénieux, lui ont donné pour père le comte Ivan Betski. Ces assertions ne se fondent sur aucun document sérieux et procèdent de l'idée un peu simpliste qu'un personnage aussi exceptionnel que Catherine II ne pouvait avoir des parents de qualité moyenne.

qu'elle. Un bien petit personnage, en vérité, un de ces princes obscurs et désargentés qui pullulent dans l'Allemagne émiettée du XVIIIe siècle. Général-major dans l'armée prussienne, ce brave homme, ami de l'ordre, de l'économie et de la religion, entoure Johanna d'une tendresse qui ne saurait lui suffire. Passionnée d'intrigues mondaines, elle enrage de sa pauvre place dans la société. La vie de garnison, au fin fond de la province, lui paraît d'une monotonie humiliante. Heureusement, peu après la naissance de Sophie, la famille peut s'installer dans le château fort de Stettin. C'est une sorte de promotion. Autre événement faste : l'année suivante, Johanna accouche enfin d'un garçon. Dieu l'a entendue ! Elle reporte sur le nouveau-né l'affection et la fierté dont elle a privé sa fille. Celle-ci, toute petite encore, souffre amèrement de se voir préférer son cadet [1].

D'abord confiés à des nourrices, les enfants passent bientôt aux mains des gouvernantes. On manque de draps au château, mais on sait tenir son rang pour l'essentiel. Précepteurs, maîtres de danse, maîtres de musique, domestiques aux emplois mal définis, dames d'honneur et gentilshommes de la chambre entourent la famille. Puisque les Anhalt-Zerbst sont princes, il importe que, malgré leur pauvreté et leur insignifiance, les plus jeunes représentants de la maison soient initiés aux usages des cours européennes. Dès qu'ils sont capables de se mouvoir sans trop s'empêtrer dans leurs atours, on leur apprend à faire la révérence et à baiser dévotieusement un pan de la robe des personnes considérables. Très tôt, Johanna fait respirer à Sophie l'air des salons. Elle la traîne aux bals, aux banquets, aux mascarades qui se donnent, de loin en loin, dans les grandes familles de la région. Habillée en femme malgré son jeune âge, comme le veut la mode du temps, « Figchen », ainsi qu'on appelle familièrement Sophie, étonne déjà son entourage par la

1. Son premier frère, Wilhelm-Christian-Frédéric, né en 1730, mourra en 1742, son deuxième frère, Frédéric-Auguste, né en 1734, mourra en 1793, sa sœur, Elisabeth-Augusta-Christine, née en 1742, mourra en 1745.

vivacité de ses reparties. Robe à panier décolletée sur une poitrine plate, bras anguleux sortant d'une emmanchure de dentelle et poudre dans les cheveux, elle se trouve, un jour de réception, devant Frédéric-Guillaume Ier de Prusse et, nullement émue, refuse d'effleurer de ses lèvres le bord de l'habit royal. « Son habit est si court que je ne puis y atteindre! » s'écrie-t-elle pour se justifier. Le roi observe gravement : « La fillette est impertinente! » Elle a quatre ans à l'époque. Johanna conclut de cet incident que sa fille est une révoltée, une orgueilleuse, et que rien ne l'intimidera jamais. C'est, pense-t-elle, un trait de caractère qu'il faut combattre chez une enfant dont l'avenir ne peut se concevoir que dans le mariage, autrement dit dans la soumission. Aussi se montre-t-elle de plus en plus intransigeante envers Figchen, alors qu'elle redouble de chaleur envers son fils. « Pour moi, écrira Catherine dans ses *Mémoires, je n'étais que soufferte,* et souvent on me rembourrait (rembarrait) avec passion et emportement, pas toujours avec justice[1]. » Et encore : « Mon père, que je voyais moins souvent, me croyait un ange; ma mère ne se souciait pas beaucoup de moi. »

La froideur de sa mère, l'éloignement de son père (si digne, si austère, si occupé!) exacerbent en elle la soif d'être aimée. Ce besoin d'affection et d'adulation est d'autant plus vif qu'elle se juge laide. Dans sa petite enfance, elle a souffert d'impétigo et il a fallu lui couper les cheveux à plusieurs reprises pour la débarrasser de ses croûtes. A sept ans, une pleurésie a failli lui coûter la vie. Lorsqu'elle a été en état de se lever, on a constaté une déviation de sa colonne dorsale. « Mon épaule droite était devenue plus élevée que la gauche, l'épine du dos allait en zigzag et le côté gauche faisait un creux. » Les médecins se

1. Catherine a commencé la rédaction de la première version de ses *Mémoires,* en français, à quarante-deux ans, le 21 avril 1771. D'autres versions ont suivi. Le texte s'interrompt brusquement sur les événements de 1759. Une publication complète des *Mémoires* a été faite en 1953 par les soins de Mme Dominique Maroger, préface de Pierre Audiat.

déclarant incompétents devant cette mystérieuse déformation, on fait appel à un rebouteux, qui n'est autre que le bourreau de Stettin. Sans hésiter, cet homme redoutable ordonne que, tous les matins, à six heures, une fille à jeun vienne frotter l'épaule et le dos de l'enfant avec de la salive. Puis il lui confectionne un corset qu'elle ne doit quitter ni de jour ni de nuit, sauf pour changer de linge. Ce supplice dure près de quatre ans. Enfin, quand la fillette atteint ses onze ans, son dos se redresse, sa santé s'améliore, elle sent en elle un regain de gaieté et de force.

Pourtant, si sa complexion s'est raffermie, son visage demeure ingrat. Un long nez, un menton pointu, une maigreur de chat écorché, elle sait déjà que ces imperfections physiques la défavoriseront dans la course au mariage. Mais elle a également remarqué que la brillance de son regard et la rapidité de son esprit charment ses interlocuteurs plus, peut-être, que ne le ferait une figure aux traits réguliers. Cette constatation l'incite à donner une attention extrême à l'étude et à la lecture. L'influence de sa gouvernante, Elisabeth, ou Babet Cardel, est déterminante sur ce point. Française, fille d'un huguenot réfugié en Allemagne après la révocation de l'édit de Nantes, Babet Cardel, aux dires de l'enfant « savait presque tout sans avoir rien appris ». Sophie ne lui ménage pas les compliments dans ses *Mémoires :* « Modèle de vertu et de sagesse; elle avait l'âme naturellement élevée, l'esprit cultivé, le cœur excellent; elle était patiente, douce, gaie, juste, constante... » Son enthousiasme pour Babet restera si vivace que, dans sa vieillesse même, écrivant à Voltaire, elle s'enorgueillira du titre d' « élève de Mlle Cardel ».

En vérité, l'enseignement de Mlle Cardel est très divers : ainsi, entre deux dictées, recommande-t-elle à Sophie de prendre garde à toujours tenir son menton en retrait : « Elle trouvait que je l'avais excessivement pointu et qu'en l'avançant je heurterais quiconque me rencontrerait. » Quant à l'esprit de son élève, Mlle Cardel l'orne sans effort en lui faisant lire Corneille, Racine, Molière, La Fontaine. Elle lui communique, jour après jour, l'amour de la langue française, dont, à l'époque, aucune personne de qualité ne peut se passer. Et aussi le goût du trait rapide, de la gaieté primesautière, de l'alacrité dans l'écriture et la conversation. Son ascendant sur Figchen est tel que la fillette, par contraste, en vient à détester son professeur d'allemand, le pesant et pédant Wagner. Par moments, elle a l'impression que sa langue maternelle prend source à Paris et non à Stettin. Elle a, bien entendu, nombre d'autres précepteurs, dont un pasteur luthérien nommé Dowe, qui l'initie à la religion et lui donne quelques lumières sur la théologie. Mais, au lieu d'accepter tout bonnement la leçon, l'enfant veut comprendre et pose des questions embarrassantes. Pourquoi des hommes vertueux, tels que Titus ou Marc Aurèle, ont-ils été damnés sous prétexte qu'ils ont ignoré la Révélation? Qu'est-ce au juste que le chaos originel? Qu'entend-on par circoncision? Comment concilier la bonté immense de Dieu avec la terrible épreuve du Jugement dernier? Le pasteur se fâche, refuse de répondre, menace son élève des verges, et Babet Cardel intervient en hâte pour dissiper l'orage. Ce qui inquiète le plus le ministre de la religion, c'est la propension de la fillette à rechercher aux dogmes sacrés une explication rationnelle. Il y voit le signe d'un esprit de morgue. A part ce défaut, il doit convenir que son élève est sage, appliquée, douée d'une mémoire exceptionnelle et disposée à avaler en vrac toutes les connaissances humaines. De tous les précepteurs qui concourent à l'éducation de Figchen, seul le professeur de musique est déçu. Elle n'a aucune oreille et ne prend nul plaisir aux mélodies les plus suaves. Cette fâcheuse allergie l'accompagnera au long de son existence. « Rarement la musique est autre chose que du bruit à mes oreilles », dira-t-elle.

Quand elle a bien travaillé avec Mlle Cardel, elle éprouve l'envie irrésistible de dépenser son trop-plein d'énergie. Contrairement aux autres fillettes de son âge, elle déteste jouer à la poupée. Les minauderies autour d'un bébé de bois colorié l'agacent. Elle ne se sent aucune aptitude pour poser à la petite maman devant un berceau en miniature. Seuls le mouvement, l'action l'intéressent. Ses parents, malgré leur situation princière, lui permettent d'inviter les enfants de la bonne bourgeoisie locale. La cour du sévère château de Stettin retentit alors de rires et de piaillements. Parfois aussi toute la marmaille se déverse dans la rue. Figchen affectionne les jeux violents. Ne va-t-elle pas jusqu'à tirer les oiseaux? Garçonnière, inventive et turbulente, elle prend volontiers le commandement de la petite troupe qui s'agite autour d'elle. Ses camarades se plaisent à lui reconnaître une âme de chef.

Mais, à ces divertissements puérils, elle préfère encore les voyages. Sa mère, avide de plaisirs mondains, s'ennuie tellement à Stettin, que tous les prétextes lui sont bons pour s'en échapper avec son mari et ses enfants. Il y a tant de familles alliées aux Anhalt-Zerbst et aux Holstein-Gottorp en Allemagne! Les invitations pleuvent de tous côtés. On va de château en château, à Zerbst, à Hambourg, à Brunswick, à Eutin, à Kiel et même à Berlin. Partout, on trouve des parents bien disposés, un minimum de confort et une atmosphère de potins de cour. Au hasard des conversations, Figchen apprend à connaître la généalogie de tous les rois et de tous les princes d'Europe. Il lui semble qu'elle pénètre dans une vaste confrérie, dont les liens de sang traversent les frontières. Petite princesse allemande, elle est plus proche d'un prince suédois inconnu que d'un roturier allemand de son voisinage. Avant même d'avoir reçu le moindre signe du destin, elle se sent appelée à évoluer dans le monde de ceux qui règnent et non de ceux qui obéissent. Sa vocation précède de loin l'occasion. En 1739, ses parents l'emmènent à Kiel pour paraître à une fête que donne le cousin de sa mère, Adolphe-Frédéric de Holstein-Gottorp[1]. Johanna est fière d'appartenir à l'une des plus grandes familles d'Allemagne et, chaque fois qu'elle se retrouve parmi *les siens,* elle regrette davantage la médiocrité de son mariage. Superficielle et

1. Futur roi de Suède.

infatuée, c'est avec de forts battements de cœur qu'elle voit sa fille, âgée de dix ans, échanger quelques mots avec le jeune Pierre-Ulric de Holstein, dont on dit qu'il est l'un des héritiers possibles pour le trône de Suède ou pour celui de Russie.

Le garçon, qui a un an de plus que Figchen, est petit, malingre, contrefait. Sa conversation est décevante. Il n'a rien lu et ne s'intéresse qu'aux exercices militaires. Mais il est le petit-fils de Pierre le Grand. Cette circonstance lui confère une sorte d'auréole. En tout cas, les mères de filles à marier — et parmi elles Johanna — le dévisagent avec une déférente convoitise. Figchen surprend des chuchotements complices : ces dames, en catimini, supputent les chances d'une union entre les deux enfants. Ne sont-ils pas cousins au troisième degré par les Holstein? Figchen elle-même s'abandonne au rêve. Sa naissance lui interdit, selon le code familial, une mésalliance avec quelque jeune homme charmant mais ne possédant pas de suffisants quartiers de noblesse. Et sa laideur et sa pauvreté risquent d'écarter d'elle les prétendants sérieux. Il y a un grand choix de princesses en Europe. De quoi satisfaire tous les goûts et toutes les politiques. Dans cette compétition sourde pour les trônes, Figchen considère froidement qu'elle a peu d'atouts. Pourtant elle a confiance en son étoile. Quand on a du caractère, il suffit, lui semble-t-il, de désirer ardemment quelque chose pour l'obtenir à la longue. Même lorsqu'il s'agit de la grâce physique. Oui, on peut devenir belle à force de volonté. En quittant Pierre-Ulric, elle se sent comme régénérée. Et en effet sa glace lui révèle, de mois en mois, une tournure plus agréable. Parfois même elle se surprend à se trouver jolie. « L'extrême laideur dont j'avais été douée me quittait », écrira-t-elle. Dans sa treizième année, elle est svelte, bien proportionnée, et ses yeux d'un bleu noir ont un tel éclat que l'observateur en oublie le long nez et le menton pointu. Un jour, elle entend l'intendant de son père dire, à propos du mariage de la princesse Augusta de Saxe-Gotha avec le prince de Galles : « Eh bien! en vérité, cette princesse-là a été beaucoup plus mal élevée que la nôtre;

elle n'est point belle non plus, et la voilà pourtant qui est destinée à devenir reine d'Angleterre : qui sait ce que la nôtre deviendra? » Une autre fois, à Brunswick, chez la duchesse douairière, un chanoine illuminé, qui pratique la chiromancie, affirme voir trois couronnes dans la main de Figchen. La fillette prend la prédiction très au sérieux. « Le titre de reine, écrira-t-elle, tout enfant que j'étais, me flattait l'oreille. Depuis ce temps, les gens qui m'entouraient me raillaient de lui (le jeune Pierre-Ulric de Holstein) et, peu à peu, je m'habituai à me croire destinée à lui. »

Ainsi, à mesure que les mois passent, la pensée de la Russie obsède davantage l'esprit de la fille et de la mère. Leur méditation parallèle s'appuie sur les liens de parenté qui unissent la maison de Holstein, dont se réclame Johanna, et la famille impériale russe. La fille aînée de Pierre le Grand, Anne, ayant épousé le duc Charles-Frédéric de Holstein-Gottorp, en a eu un fils, ce jeune Pierre-Ulric que Figchen a rencontré à Kiel. Quant à la deuxième fille de Pierre le Grand, Elisabeth, elle a été fiancée à l'un des frères de Johanna, le jeune et charmant Charles-Auguste de Holstein-Gottorp. Il est mort, emporté par la variole, peu de temps après les fiançailles, et Elisabeth, dit-on, ne se console pas de cette fin prématurée. Les désordres amoureux auxquels elle s'est abandonnée depuis ne sont que façon de s'étourdir. Privée du jeune prince auquel elle aurait voulu consacrer sa vie, elle ne s'est pas mariée et continue à entretenir des relations affectueuses avec la famille du défunt.

Soudain, le 6 décembre 1741, coup de tonnerre : la fiancée inconsolable de Charles-Auguste vient, par une de ces révolutions de palais si fréquentes en Russie, de mettre fin au règne du petit Ivan de Brunswick et à la régence de sa mère. Elisabeth Ire, fille de Pierre le Grand, monte sur le trône de Russie. Avec ivresse, Johanna se dit que, sans cette maudite variole qui a terrassé son frère, elle serait aujourd'hui la belle-sœur d'une impératrice. Aussitôt, elle écrit à la tsarine pour lui présenter ses félicitations et l'assurer de son dévouement. On lui répond avec bienveillance. Le mois suivant, nouvelle surprise : l'impératrice fait venir de Kiel à Saint-Pétersbourg le jeune Pierre-Ulric et le proclame son héritier. Du coup, la Russie se rapproche de Stettin. Le sang des Holstein, le sang de la propre mère de Figchen, participe au triomphe. Figchen elle-même prend un vif intérêt à ces événements lointains. Il lui semble parfois que des puissances occultes se concertent derrière son dos.

Simple coïncidence ou conséquence d'une mystérieuse promotion sur l'échiquier européen? au mois de juillet 1742, le roi de Prusse Frédéric élève le père de Figchen à la dignité de feld-maréchal. En septembre, la mère de Figchen reçoit des mains d'un secrétaire de l'ambassade de Russie une effigie de la tsarine dans un cadre enrichi de diamants. A la fin de l'année, Figchen, conduite par sa mère, pose, à Berlin, pour l'excellent peintre français Antoine Pesne. L'artiste a pour consigne de rechercher la ressemblance tout en imprimant le plus de grâce possible à son pinceau. Le portrait léché, sucré est destiné à renseigner l'impératrice Elisabeth sur les qualités physiques de la jeune fille. Il prend la route de Saint-Pétersbourg, tandis que le modèle retourne à Stettin. Entre-temps, le général Korf et un autre gentilhomme de la cour de Russie, le comte Sievers, ont demandé à voir la petite princesse pour faire leur rapport en haut lieu. Ils emportent un second portrait dans leurs bagages. Toute cette agitation trouble fort l'esprit de Figchen. Elle a de plus en plus conscience d'être le frêle enjeu d'une énorme partie diplomatique : « Cela me mit martel en tête, et, dans mon particulier, je me destinai à lui (Pierre-Ulric) parce qu'il était, de tous les partis qu'on proposait, le plus considérable. » Pour prendre patience, elle se répète qu'elle a, sans doute, de nombreuses rivales et que, de tous côtés, des ambassadeurs zélés expédient à Saint-Pétersbourg les portraits des plus nobles demoiselles à marier d'Europe. Elle imagine l'impératrice hésitant, les sourcils froncés, dans une galerie de tableaux où cinquante beautés sourient, à qui mieux mieux, sur la toile. Mais, dans ses rêves, la prédiction du chanoine triomphe des observations contraires. Comme pour l'encourager dans ces prévisions optimistes, la branche aînée des Anhalt s'éteint et son père ainsi que son oncle deviennent conjointement princes régnants. Cela renforce la position de la famille dans la course à la couronne. Cette couronne, si Figchen y pense jour et nuit, elle ne se soucie guère de ce qu'il y a dessous. Peu lui importe que Pierre-Ulric soit disgracieux et sot. L'amour ne compte pour rien dans ses calculs d'avenir. Ce qui l'intéresse, c'est le trône, non le lit.

Pourtant, à treize ans, elle manifeste déjà une robuste sensualité. Bien que ni Babet Cardel, ni sa mère, ni personne de son entourage ne l'ait éclairée sur le mystère des rapports physiques, elle éprouve souvent de brusques flambées de désir, des attendrissements incertains, des besoins de contact charnel dont elle ne s'explique pas la cause. La nuit surtout, cette frénésie la saisit. Alors, elle se met à califourchon sur son oreiller et, ainsi qu'elle l'écrira plus tard, « galope », dans son lit, « jusqu'à l'extinction de ses forces ». Ces chevauchées nocturnes apaisent son trouble, calment ses nerfs. Le vertige passé, elle redevient une enfant sage, préoccupée non point d'amour mais de carrière. Elle y a quelque mérite, car l'un de ses oncles, Georges-Louis, séduit par la fraîcheur de cette adolescente à peine sortie de l'enfance, s'est mis à lui faire la cour. De dix ans plus âgé qu'elle, il l'étourdit de déclarations passionnées et l'entraîne loin de ses parents pour lui voler de légers baisers. Flattée, Figchen se laisse faire. N'est-ce pas la preuve qu'elle peut plaire à un homme autre que son père? Pourquoi son petit cousin Pierre-Ulric se montrerait-il plus difficile que son oncle Georges-Louis? Mais les semaines passent et la cour de Russie demeure muette. De son côté, Georges-Louis, poussé à bout par les réticences de la fillette, lui propose, tout à trac, de l'épouser. Leur parenté n'est pas un obstacle. Les unions de ce genre sont fréquentes dans la haute aristocratie européenne. Figchen hésite à abandonner le rêve russe pour la réalité allemande. « Mon père et ma mère ne voudront pas », dit-elle. Puis elle feint d'accepter, « sous la clause que mon père et ma mère n'y mettront aucun empêchement ». Du coup, les baisers de l'oncle deviennent plus ardents. « Mais, affirmera-t-elle, à quelques embrassements près, tout se passa fort innocemment. » Georges-Louis se contient dans l'espoir que le temps travaillera pour lui et Figchen consent à ces jeux puérils dans l'espoir qu'ils ne dureront pas et que l'appel tant désiré lui viendra du Nord.

Le 1er janvier 1744, toute la famille, réunie à Zerbst, autour d'une table, fête le début de l'année par un joyeux repas, lorsqu'une estafette, accourue de Berlin, remet au prince Christian-Auguste un paquet de lettres. Le prince trie le courrier et tend à sa femme une enveloppe portant l'adresse suivante : « Personnel! Très urgent! A la très haute et bien née princesse Johanna-Elisabeth d'Anhalt-Zerbst, en son château de Zerbst. »

Johanna rompt les cachets, commence à lire et un doux émoi la saisit. La lettre est écrite par Brümmer, grand maréchal à la cour du grand-duc Pierre-Ulric, à Saint-Pétersbourg : « Par ordre exprès et spécial de Sa Majesté impériale l'Impératrice Elisabeth Petrovna, je dois vous prévenir, Madame, que cette Auguste Souveraine souhaite que Votre Altesse, accompagnée de la Princesse, sa fille aînée, se rende le plus tôt possible et sans perdre de temps dans ce pays, dans la ville où la Cour impériale pourra se trouver... Votre Altesse a trop de lumières pour ne point comprendre le véritable sens de l'empressement que Sa Majesté peut avoir à la voir bientôt ici, ainsi que la Princesse, sa fille, dont la rumeur dit tant de belles choses... »

La lettre, très longue, précise que la princesse Johanna ne pourra, sous aucun prétexte, se faire accompagner par son mari et que sa suite ne devra comporter qu'une dame d'honneur, deux femmes de chambre, un officier, une cuisinière et trois ou quatre laquais. Ordre lui est donné, en outre, de garder le secret sur le lieu de destination. Les frais du voyage seront, bien entendu, à la charge de l'impératrice : une traite de dix mille roubles sur un banquier de Berlin est d'ailleurs jointe à la lettre. C'est peu, mais il importe, dit Brümmer, de ne pas conférer trop d'éclat à ce déplacement, pour éviter d'attirer la curiosité des personnes mal intentionnées. Une fois en Russie, la princesse et sa fille seront traitées avec tous les égards dus à leur rang.

L'agitation de Johanna à cette lecture est si évidente, que Figchen, assise à côté d'elle, jette à la dérobée un regard sur la lettre. Les mots : « accompagnée de la Princesse, sa fille aînée », lui sautent aux yeux. Immédiatement elle comprend que son destin se joue. Mais Johanna n'entend pas mettre sa fille dans la confidence. Elle quitte la table et se retire avec son mari pour un entretien à huis clos. Deux heures ne se sont pas écoulées qu'une seconde estafette arrive à bride abattue, apportant, cette fois, une lettre du roi de Prusse Frédéric. Si Brümmer n'a pas indiqué clairement les motifs de l'invitation impériale, Frédéric, lui, lève le voile :

« Je ne vous cacherai pas qu'ayant une estime particulière pour vous ainsi que pour la Princesse votre fille, j'ai toujours souhaité lui préparer une fortune extraordinaire. Aussi me suis-je demandé s'il n'était pas possible de la marier à son cousin au troisième degré, le grand-duc de Russie... »

Cette phrase, Johanna la relit dix fois pour bien se pénétrer de son importance. Son cœur bat d'un orgueil démesuré, et cependant elle est inquiète. Après tout, il ne s'agit, pour l'instant, que d'un vœu de Frédéric. L'impératrice, elle, ne formule pas une demande en mariage officielle, mais une simple invitation à venir la voir. On prie Figchen à la cour de Russie pour la mettre à l'épreuve. Si l'essai ne se révèle pas concluant, on la renverra en Allemagne, et la honte de cette union manquée rejaillira sur toute la famille. Le père de Figchen va plus loin dans son appréhension. A supposer que Figchen soit agréée, elle devra sans doute, pour épouser le grand-duc, se convertir à la foi orthodoxe russe. Cela, Christian-Auguste, luthérien convaincu, ne peut l'admettre. Et même si, par extraordinaire, elle garde sa religion, quelle sera sa vie dans ce pays lointain et barbare? Comment faire confiance à l'impératrice Elisabeth, alors qu'elle vient de jeter en prison une princesse allemande, Anne de Brunswick, et son fils, le petit tsar Ivan? En devenant la bru de cette souveraine omnipotente, violente et dévergondée, Figchen ne risque-t-elle pas de s'engager dans un destin tragique? Ce qu'on raconte sur les mœurs de la cour, en Russie, a de quoi, dit Christian-Auguste, faire reculer d'horreur les parents les plus désireux d'établir leur fille. Johanna convient qu'il y a là matière à réflexion. Mais, rétorque-t-elle, a-t-on le droit, quand on est une princesse d'Anhalt-Zerbst, de refuser un mariage qui sert les intérêts du pays? Devenue belle-mère du grand-duc, elle saura œuvrer en coulisse pour le rapprochement de la Russie et de la Prusse. Un avenir politique s'ouvre déjà devant elle, à travers la frêle personnalité d'une enfant de quatorze ans. Enfin, elle qui a tant souffert de sa vie obscure dans un trou de province va pouvoir donner la mesure de son esprit de diplomatie! Le roi de Prusse Frédéric le lui laisse entendre dans sa lettre. C'est à elle qu'il écrit, non à Christian-Auguste. Il la considère donc comme le vrai chef de la famille. Ainsi ballottés entre l'enthousiasme et la peur, les parents de Figchen multiplient les conciliabules qui ne mènent à rien. Tenue à l'écart de leurs discussions, la jeune fille, qui en soupçonne la teneur, s'irrite de n'être pas consultée sur une affaire qui la concerne de si près. Trois jours durant, elle assiste à cette agitation, surprend des chuchotements, scrute les visages pour essayer de savoir de quel côté vient le vent. Puis, à bout de patience, elle va trouver sa mère et lui dit que tout ce mystère autour de la fameuse lettre est absurde et qu'elle se doute bien de quoi il retourne. « Eh bien! Mademoiselle, lui dit sa mère, puisque vous êtes si savante, vous n'avez qu'à deviner le reste du contenu de cette lettre d'affaires de douze pages! » Dans l'après-midi, Figchen remet à sa mère une feuille de papier sur laquelle elle a écrit en grosses lettres :

Augure de tout
Que Pierre III sera ton époux!

Frappée de saisissement, Johanna considère sa fille avec une admiration mêlée de crainte et, par acquit de conscience, lui parle du dérèglement des mœurs en Russie. Rien n'est sûr là-bas, il n'y a pas de si haut personnage qui ne soit menacé de se retrouver, du jour au lendemain, en prison ou en Sibérie, la politique avance de coup d'État en coup d'État, de flaque de sang en flaque de sang. Avec fermeté, Figchen répond que ce chaos ne l'effraie pas et que Dieu l'aidera certainement dans sa démarche. Quand elle a une idée en tête, la foudre même ne la ferait pas reculer. « Mon cœur me dit que tout ira bien », conclut-elle. Alors sa mère murmure, embarrassée : « Mais mon frère Georges, que dira-t-il ? » Elle est donc au courant de l'idylle entre Figchen et son oncle ! C'est la première fois qu'elle y fait allusion devant sa fille. Démasquée, Figchen rougit et réplique : « Il ne peut souhaiter que ma fortune et mon bonheur ! » Pas une seconde elle n'a songé à mettre en balance ce « soupirant transi » et le grand-duc Pierre. La promesse de régner un jour sur vingt millions de sujets vaut bien le sacrifice d'une amourette enfantine. Froidement la jeune fille le dit à sa mère, et celle-ci, ébranlée, lui demande de garder le secret sur leur conversation.

Reste à convaincre Christian-Auguste, qui s'obstine à refuser toute idée d'un changement de confession pour son enfant. C'est Johanna qui mènera la bataille. Elle argumente si bien, que son mari finit par céder en se réservant de donner à Figchen des recommandations précises sur la conduite à tenir, en Russie, tant dans les affaires de la cour que dans celles de la religion. Ayant arraché le consentement de son époux, Johanna le presse d'écrire, séance tenante, une lettre d'acceptation en bonne et due forme et confie le pli à une estafette, avec ordre de le porter au plus vite à Berlin. Puis elle se tourne vers les préparatifs. Pour tout le monde, dans le château et dans le voisinage, il s'agit d'un simple voyage d'agrément. Mais les allées et venues des messagers, les mines graves des maîtres, l'importance des bagages, tout excite la curiosité des serviteurs. On flaire dans l'air une promesse de mariage. La chère Mlle Cardel fera-t-elle partie de la suite? Non. On la laissera à Zerbst. Ne partiront que M. de Lattdorff, Mlle de Kayn, quatre femmes de chambre, un valet de chambre, un cuisinier et plusieurs sous-ordres. Désolée, Babet Cardel supplie son élève de lui révéler au moins le but de l'expédition. Malgré les larmes de cette gouvernante tendrement aimée, Figchen demeure inébranlable. La future épouse d'un grand-duc doit, lui semble-t-il, savoir tenir sa langue en toute circonstance. En se taisant devant Babet Cardel, elle a l'impression de faire déjà son apprentissage de gardienne de secrets d'État. Comme sa gouvernante, après avoir pleuré, se fâche tout rouge et l'accuse de n'avoir pas confiance en elle et même de ne pas l'aimer, elle réplique avec noblesse qu'elle a donné sa parole et que les principes, chez elle, l'emporteront toujours sur le sentiment.

Le 10 janvier 1744, neuf jours après que l'invitation est parvenue au château, le prince Christian-Auguste, Johanna et Figchen prennent la route. N'ayant pas été convié en Russie, le prince, mortifié dans son orgueil de père, a du moins tenu à accompagner sa femme et sa fille jusqu'à Berlin. Là, on marquera une courte halte, selon l'exigence du roi de Prusse. Organisateur des transactions matrimoniales, Frédéric II veut voir la future fiancée du grand-duc pour se faire une opinion sur ses chances de plaire et la mère de celle-ci pour l'instruire du rôle secret qu'elle devra jouer à la cour de Russie. La perspective de pouvoir un jour, grâce à sa beauté et à son habileté, tirer les fils de la politique européenne enchante Johanna, au point que, pour un peu, elle se considérerait comme le principal personnage du trio. Ce qui l'angoisse, pour l'instant, c'est la question de la garde-robe. Christian-Auguste, avec son avarice habituelle, a refusé de se lancer dans des dépenses de chiffons. Du reste, le temps aurait manqué pour constituer un trousseau convenable aux voyageuses. Johanna ne possède que deux robes de cour. Une dérision! Quant à Figchen, elle part pour un destin de rêve sans même avoir une toilette de cérémonie dans ses bagages. « Deux ou trois robes, une douzaine de chemises, autant de bas et de mouchoirs », c'est tout ce qu'emporte la future fiancée du grand-duc. Il est vrai que l'impératrice est, dit-on, très généreuse. A Saint-Pétersbourg, la mère et la fille ne manqueront de rien. Mais à Berlin, comment paraître sans déchoir? Étranger à ces soucis de coquetterie, Christian-Auguste fait une tête d'enterrement. Sa fille monte au zénith et il rumine son anxiété et son humiliation. Avant de grimper dans la berline, il a remis solennellement à Figchen le traité d'Heineccius dénonçant les erreurs de la religion orthodoxe grecque et un cahier écrit de sa main : *Pro memoria*. Dans ce texte, rédigé en hâte, à l'intention de l'enfant qui le quitte peut-être pour toujours, il se demande si elle ne pourrait pas, « par un ménagement quelconque », devenir l'épouse du grand-duc Pierre-Ulric sans abjurer la foi luthérienne. Par ailleurs, il lui recommande de se montrer déférente et docile envers les personnes influentes de sa nouvelle patrie, de ne jamais contrecarrer le bon plaisir du prince, son époux, de ne se confier « à aucune dame » de son entourage, de ne pas se mêler aux affaires du gouvernement, « afin que le Sénat ne s'aigrisse pas ». Ces préceptes, il les a déjà énoncés, à plusieurs reprises, de vive voix, devant elle. Et Figchen, sur le moment, a reconnu leur sagesse. Les mettra-t-elle en pratique, quand elle sera à pied d'œuvre? Elle ne le sait pas, elle ne veut pas y penser. Tout ce qui lui arrive tient de la fantasmagorie. Enfermée dans la voiture entre son père ombrageux et sa mère exaltée, elle a de la peine à croire qu'elle a réellement quitté Babet Cardel, ses cahiers, ses camarades de jeux, son enfance, et qu'elle roule, à grands cahots, vers l'avenir d'intrigues, de gloire et de domination dont elle a si longtemps rêvé.

CHAPITRE II

EN ROUTE

Le roi Frédéric II de Prusse est monté sur le trône quatre ans plus tôt, à la mort de son père, Frédéric-Guillaume Ier, le terrible « Roi-Sergent », réorganisateur de l'armée. Agé de trente-deux ans, le nouveau souverain a vite gagné l'estime des princes allemands par son esprit éclairé, sa grande culture, son énergie et sa lucidité politique. Conscient de la menace que représentent pour son pays la Russie au nord, l'Autriche à l'est, il recherche obstinément un accord avec la Russie. Mais, sous l'influence du chancelier Bestoujev, l'impératrice Elisabeth s'est d'abord déclarée antiprussienne. Quand il a été question de trouver une fiancée pour le grand-duc Pierre-Ulric, tout l'entourage de la tsarine s'est ému. Le clan de Bestoujev a insisté pour que l'impératrice choisît une princesse saxonne, la princesse Marianne, seconde fille du roi de Pologne, ce qui aurait permis de réunir la Russie, la Saxe, l'Autriche, l'Angleterre, la Hollande, bref les trois quarts de l'Europe, contre la Prusse et la France. Le clan opposé, ou clan français, dirigé de loin par Frédéric de Prusse, s'est efforcé de faire échouer cette combinaison. Évidemment, Frédéric II aurait pu proposer sa propre sœur, la princesse Ulrique, un parti très sortable. Il s'est refusé à cet holocauste. « Rien n'aurait paru plus dénaturé, écrira-t-il, que de sacrifier une princesse du sang royal de Prusse pour débusquer une Saxonne. » En revanche, la petite princesse Sophie d'Anhalt-Zerbst lui a semblé une bonne candidate. Ni trop voyante ni trop terne. Avec des parents peu encombrants. Il l'a lancée sur le marché. L'Allemand Brümmer, précepteur du grand-duc, et le médecin de cour, le Français Lestocq, se sont chargés de vanter à l'impératrice les avantages de cette solution.

Elisabeth convient que Sophie, appartenant à une maison secondaire, sera sans doute plus docile qu'une personne de haute naissance. Le portrait peint par Antoine Pesne montre que la jeune fille a de la santé et du charme. Enfin elle est issue de cette lignée des Holstein qui est si chère à la tsarine depuis la mort de son fiancé Charles-Auguste. Sans cette perte tragique, Sophie serait aujourd'hui sa nièce. Et Pierre-Ulric est son neveu. On se trouve en famille. Elle ordonne à Brümmer d'expédier une invitation à Johanna et à sa fille. Frédéric II a gagné la première manche. Mais l'affaire n'est pas réglée pour autant. Cette petite Sophie est-elle digne de porter tous les espoirs de la Prusse? Dès l'arrivée des voyageurs, le roi veut voir l'enfant. Johanna, affolée, fait répondre que Sophie est malade. Le deuxième et le troisième jour, même réponse. Le roi, impatienté, refuse de croire à cette excuse. Pourquoi lui cache-t-on sa « candidate »? Est-elle laide? Manque-t-elle d'esprit? Pressée de questions, Johanna finit par avouer qu'il y a un obstacle majeur à la présentation de la jeune fille : elle n'a pas de robe de cour. Immédiatement, le roi lui fait envoyer la robe d'une de ses sœurs. Figchen s'habille en tremblant et se précipite au palais, où tous les invités sont déjà réunis dans l'attente de son arrivée. Certes, elle a l'habitude des salons, mais, cette fois-ci, l'enjeu est si important qu'elle éprouve du mal à discipliner les battements de son cœur. Frédéric II l'accueille dans l'antichambre et son visage s'éclaire à la vue de l'enfant gracile, aux yeux émerveillés, qui lui fait la révérence.

Elle est très intimidée et cet embarras ajoute à sa grâce. Après quelques mots échangés avec elle, Frédéric II pense qu'il a misé juste. Le repas est très long. Quand on se lève, le prince Ferdinand de Brunswick, frère de la reine, apprend à Sophie qu'elle est invitée, pour le soir même, à souper, à la table du roi. Elle le dit aussitôt à sa mère qui réplique, vexée : « Cela est singulier, car je suis invitée à la table de la reine! » Johanna ne comprend pas que, dans cette conjoncture, le roi s'intéresse davantage à sa fille qu'à elle-même. Après tout, c'est elle le cerveau, Figchen n'est qu'un pion sur l'échiquier. Sa surprise devient stupeur, le soir, au souper, lorsqu'elle voit Figchen installée non seulement à la table du roi, mais à côté de Sa Majesté en personne. D'abord paralysée par ce voisinage auguste, Figchen s'enhardit très vite et soutient la conversation avec tact et vivacité. Frédéric II, pour la mettre à l'aise, multiplie les questions. « Il me demanda mille choses, parla opéra, comédie, vers, danse, que sais-je, moi! enfin mille discours qu'on pourrait tenir à une enfant de quatorze ans... La compagnie ouvrait de grands yeux de ce que Sa Majesté était en conversation avec une enfant. » Épanouie dans sa belle robe d'emprunt, le rose aux joues, le cœur battant vite, Figchen sent tous les regards dirigés sur elle. Comme pour consacrer son triomphe, le roi la prie de passer une assiette de confiture à quelque gentilhomme qui se trouve derrière sa chaise, et dit très haut à l'intention du courtisan : « Recevez ce don de la main des Amours et des Grâces! » Ce compliment, prononcé en public par le roi de Prusse, transporte Figchen. Elle s'en souviendra, mot pour mot, à trente ans de distance. Vraiment, elle a l'impression de vivre l'aventure de Cendrillon, tirée de son obscurité, lancée dans les lumières du bal et captivant tous les cœurs, à commencer par celui du prince. Demain, il faudra rendre la robe. Mais d'autres fastes l'attendent, elle en est sûre, au-delà des frontières.

Quelques jours plus tard, on quitte Berlin. A Schwedt, sur l'Oder, Figchen prend congé de son père qui, n'étant pas invité en Russie, doit regagner Stettin. Malgré l'excitation du voyage, elle est bouleversée par cette séparation. Il lui semble qu'elle ne reverra jamais cet homme bon et simple. Elle ne se trompe pas. Quant à lui, au comble de l'émotion, il répète en pleurant : « Sois fidèle à ton culte, mon enfant! N'oublie pas de lire mes instructions! » Elle promet tout ce qu'il veut, à travers des ruisseaux de larmes. Seule Johanna garde la tête froide.

Pour déjouer les intrigues du parti adverse en Russie, il a été convenu que les deux princesses voyageraient sous un faux nom. Les papiers de Johanna portent la mention : « Comtesse de Reinbeck. » Ce mystère ajoute, pense-t-elle, du piment à l'expédition. Les quatre lourdes berlines qui emportent la mère, la fille, leur suite et leurs bagages sont inconfortables et mal suspendues. En outre, la saison n'est pas propice aux déplacements. Il ne neige pas encore, mais le froid est très vif, malgré le petit brasero qui brûle dans la voiture. Emmitouflées dans des fourrures, la figure couverte d'un masque pour se réchauffer le nez et les joues, les femmes s'abîment dans une somnolence apathique. Parfois, de brusques cahots leur brisent les reins. Elles gémissent. On vient de verser dans une fondrière. Le cocher jure. Un temps d'arrêt, dans le vent glacial. Et, de nouveau, en route. Les étapes sont longues, monotones, épuisantes. Et ce n'est pas dans les maisons de poste prussiennes qu'on peut espérer trouver bonne table et bon gîte. « Comme les chambres n'étaient pas chauffées, écrira Johanna, nous devions nous réfugier dans la chambre du maître de poste lui-même, laquelle n'était pas très différente d'une porcherie : le mari, la femme, le chien de garde, les poules et les enfants dormaient pêle-mêle dans des berceaux, dans des lits, derrière les poêles, sur des matelas. » Figchen souffre d'une indigestion pour avoir bu trop de bière. Après Memel, le voyage devient encore plus difficile. On a maudit les maisons de poste : il n'y en a plus! On les regrette. Force est de s'adresser aux paysans pour louer des chevaux de rechange. Il en faut vingt-quatre pour traîner le convoi. Cela soulève, chaque fois, des discussions, des marchandages qui irritent fort Johanna. Derrière les voitures à roues, on a attaché des traîneaux, en prévision de la neige.

A Mitau, où les voyageuses arrivent enfin, exténuées, il y a une garnison russe. Son commandant, le colonel Voïeïkov, se présente à Johanna avec beaucoup de civilité, lui fait les honneurs de la ville et l'informe qu'il est chargé de l'accompagner à Riga. Le lendemain, aux abords de Riga, Figchen et sa mère sursautent, dans leur berline, en entendant une série de détonations. Voïeïkov leur donne l'explication de cette pétarade. La garnison tire des salves en leur honneur. Le convoi s'arrête. Le prince Simon Kirillovitch Narychkine, grand maréchal de la cour, ancien ambassadeur à Londres, et le prince Dolgorouki, vice-gouverneur, paraissent devant les deux princesses allemandes, les saluent très bas, leur offrent, de la part de l'impératrice, des pelisses de zibeline et les prient de monter dans un traîneau d'apparat qui les conduit à vive allure jusqu'au château. Là, des valets en livrée les précèdent, à pas mesurés, pour leur montrer leurs appartements.

Encore étourdies par la soudaineté du dépaysement, Johanna et Figchen changent rapidement de robe et rejoignent, dans les salons, l'assistance chamarrée qui les attend. Devant ces têtes inclinées, Johanna se sent au faîte des honneurs. Venant après la grossièreté des maîtres de poste, les marques de respect dont on l'entoure ici la récompensent de toutes ses fatigues. « Quand je vais à table, écrira-t-elle, les trompettes dans la maison, les tambours et les flûtes, les hautbois de la garde du dehors font carillon... Il n'entre pas dans mon idée que tout cela est pour la pauvre moi, pour qui, en d'autres endroits, on sonne à peine la caisse et, en d'autres, pas du tout. » De son côté, Figchen scrute avidement cet univers nouveau. Autour d'elle, on parle français, allemand, et pourtant elle est en Russie. Dans cette Russie qui a été la patrie de Pierre le Grand et qui sera peut-être, un jour, sa patrie, à elle. Enfin elle est à pied d'œuvre. A partir de maintenant, chaque pas compte. Il ne faut plus qu'elle bronche sur un seul caillou.

Après avoir visité Riga, les voyageuses, sous la conduite de Narychkine, se remettent en route. On va à Saint-Pétersbourg, où, par ordre de l'impératrice, les invitées se reposeront et compléteront leur garde-robe avant de rejoindre la cour qui se trouve présentement à Moscou. L'organisation du convoi donne toute satisfaction à Johanna. Elle est accompagnée de plusieurs officiers, d'un écuyer, d'un maître d'hôtel, d'un confiturier, de quelques cuisiniers, d'un sommelier avec son aide, d'un préposé au café, de huit laquais, de deux grenadiers, et de deux fourriers. Un escadron de cuirassiers ouvre la route. Autour de la voiture principale, galope un détachement du régiment de Livonie. Le traîneau que l'impératrice a mis à la disposition de ses invitées est très spacieux, tendu de drap rouge galonné d'argent, avec un lit de plume, des coussins de damas, des couvertures de satin et d'autres de fourrure précieuse. La neige, le soleil, le tintement des clochettes, tout entretient les deux princesses dans une sensation agréable d'irréalité. Peu après Riga, le somptueux cortège croise quelques traîneaux noirs, misérables, aux rideaux baissés, convoyés par des soldats. Sophie veut savoir qui sont ces voyageurs invisibles. Narychkine se trouble et répond évasivement qu'il s'agit, sans doute, de la famille du duc Antoine-Ulric de Brunswick. Plus tard, Sophie apprendra que le petit tsar détrôné Ivan VI et sa mère, l'ex-régente Anne, ont été effectivement enlevés, ce jour-là, à Riga pour être conduits à Oranienbourg et enfermés dans une forteresse. Ainsi, tandis qu'elle rêve à la généreuse tsarine qui l'attend à Moscou pour édifier peut-être sa fortune, les victimes innocentes de cette même femme se trouvent à deux pas d'elle, sur la route enneigée, dans la caisse d'un traîneau entouré de soldats. L'itinéraire de la gloire côtoie celui de la déchéance. Le destin joue à présenter aux yeux de celle qu'il élève la tragédie de ceux qu'il vient d'abattre.

Le 3-14 février (il faut compter maintenant selon le calendrier julien, en retard de onze jours sur le calendrier grégorien utilisé dans le reste de l'Europe) le convoi arrive à Saint-Pétersbourg, et s'arrête devant le perron du palais d'Hiver[1]. Il est midi. Soleil et gel, tout scintille, des coupoles des églises au cours de la Néva, prise sous les glaces. Quand les princesses, qui sont en voyage depuis plus d'un mois, mettent pied à terre, des salves d'artillerie éclatent, tirées de la forteresse Saint-Pierre et Saint-Paul, de l'autre côté du fleuve. Au bas de l'escalier, se pressent les courtisans et les diplomates qui n'ont pas suivi l'impératrice à Moscou. Quatre dames d'honneur entourent Sophie. « Arrivée dans mon appartement, écrira Johanna à son mari, on me présenta mille personnes. J'avais la langue sèche de froid. Je dîne seule avec les dames et messieurs que Sa Majesté impériale m'a donnés ; je suis servie en reine. »

D'emblée, elle se plonge avec volupté en pleine intrigue de cour. Resté à Saint-Pétersbourg, l'ambassadeur de France, marquis de La Chétardie, qui a été l'amant de l'impératrice et dirige en sous-main la faction française favorable à un mariage avec la petite Sophie d'Anhalt-Zerbst, étourdit Johanna de compliments et l'assure qu'elle est appelée à jouer un rôle éminent dans la conclusion des alliances. Il faut, dit-il, abattre l'affreux Bestoujev qui est un fanatique du rapprochement avec l'Autriche. Et, pour cela, profiter rapidement de l'avantage qu'offre l'arrivée en Russie de la future fiancée de l'héritier du trône. Le 10 février est le jour anniversaire de la naissance du grand-duc. En voyageant sans ménager les chevaux, on pourrait être à Moscou pour cette date. L'impératrice serait sensible à cet empressement. Tant pis pour la fatigue ! Johanna, galvanisée, prie Narychkine de hâter les préparatifs du départ. Dans cette aventure, elle se soucie peu de Figchen. Cependant elle écrira à son mari, dans son étrange jargon mi-allemand mi-français : « *Figchen southeniert die fatige besser als ich* » (« Figchen supporte la fatigue mieux que moi »). Et, au roi Frédéric II : « Ma fille supporte admirablement la fatigue ; comme un jeune

1. Il ne s'agit pas du palais d'Hiver que l'on peut voir aujourd'hui et qui fut construit par Rastrelli sur l'ordre d'Elisabeth, mais du palais d'Hiver de Pierre Ier qui se trouvait sur l'emplacement de l'actuel musée de l'Ermitage.

soldat qui méprise le danger, ne le connaissant pas, elle se réjouit de la grandeur qui l'entoure. » Son principal souci est que Figchen surmonte toutes les épreuves sans tomber malade, car la plus légère indisposition de la fiancée du grand-duc peut être exploitée contre elle par les adversaires de la cause prussienne. L'impératrice n'acceptera jamais une bru de santé délicate. Il faut donc faire vite et se bien porter.

Avant de plier bagage, Sophie a le temps de visiter la ville avec ses dames d'honneur. Elle tombe en plein carnaval. Une foule lente et joyeuse entoure les baraques de foire. Mais ce ne sont pas les balançoires multicolores ni les ours dressés qui attirent la jeune fille. Sa plus grande émotion, elle l'éprouve devant les casernes de la garde, lieu historique d'où, trois ans plus tôt, Elisabeth est partie pour conquérir le trône. Elle voit les farouches grenadiers du régiment Préobrajenski, qui ont accompagné la tsarine dans la nuit du 5 au 6 décembre 1741. Elle se fait montrer le chemin qu'ils ont parcouru jusqu'au palais d'Hiver, aux cris de : « Vive notre petite mère Elisabeth! » Le récit qu'ils lui font de ce coup d'État l'enflamme d'un enthousiasme prémonitoire. C'est à regret qu'elle revient aux exigences du moment. Sa mère s'impatiente. Tout est prêt pour le départ. On se met en route de nuit. A l'aube, la piste blanche se fond avec le ciel blanc. Une fois de plus, Sophie est saisie par l'immensité de la plaine russe. Tout, dans ce pays, est démesuré : les distances, le froid, les passions politiques. Johanna se plaint faiblement. Depuis quelques minutes, elle sent ses yeux se geler, ses narines se hérisser de glaçons. Heureusement, la vue de l'escorte russe qui galope aux côtés des traîneaux lui rappelle qu'elle est la mère de la future fiancée du grand-duc, la tante de l'héritier du trône de Russie, l'agent secret du roi Frédéric de Prusse, la confidente et l'alliée de l'ambassadeur de France...

Les traîneaux volent sur la neige vierge. On marche de jour et de nuit. A soixante-dix verstes de Moscou, on attelle seize chevaux au traîneau des deux princesses. En traversant un hameau, l'équipage, lancé ventre à terre, accroche l'angle d'une masure. Une grosse barre de fer, tombant de la toiture, heurte Johanna à la tête et à l'épaule. Elle pousse un grand cri et pense que sa mission est compromise. Comment lutter contre Bestoujev avec une bosse sur le crâne et une douleur au côté? Sophie la rassure. On ne voit rien. Pas même un bleu. En revanche, deux grenadiers du régiment Préobrajenski gisent dans la neige, la tête en sang. Ils se tenaient sur le devant du traîneau et ont amorti le choc. Réunis autour du convoi arrêté, les paysans chuchotent : « C'est la promise pour le grand-duc qu'on mène. » Voïeïkov leur ordonne de s'occuper des deux blessés. Le cocher fouette les chevaux.

Le 9-20 février, vers huit heures du soir, le cortège de trente traîneaux arrive enfin à Moscou et s'arrête au Kremlin, devant l'escalier de bois du palais habité par la tsarine. Cinquante jours se sont écoulés depuis que Johanna a reçu, à Zerbst, l'invitation d'Elisabeth de Russie. Et elle est sur le point de rencontrer cette femme qui fait trembler un empire. Au dernier relais, elle et Figchen ont revêtu les toilettes de cour que l'impératrice leur a offertes. « Je me souviens que j'avais un habit juste-au-corps et sans panier, d'une moire couleur de rose et argent », écrira Catherine dans ses *Mémoires*. Conduites dans leurs appartements par le prince de Hesse-Hombourg, les deux princesses ont à peine le temps de se rafraîchir que déjà le grand-duc Pierre-Ulric accourt. En le voyant, Figchen a un pincement au cœur. La face longue, l'œil saillant, la bouche molle — une physionomie de dégénéré. Il était moins laid, moins souffreteux dans son souvenir. A-t-il changé depuis leur entrevue? Ou l'a-t-elle inconsciemment idéalisé dans ses rêves? En tout cas, il manifeste une grande joie à recevoir sa tante et sa cousine. Après leur avoir souhaité la bienvenue en allemand, il les invite à se rendre auprès de Sa Majesté impériale.

Le cortège traverse une enfilade de salles, pleines de dignitaires aux brillants uniformes et de dames de la cour dont les robes, aussi élégantes qu'à Versailles, font loucher Johanna.

Elle marche sur des nuages, au bras du grand-duc Pierre. Derrière, s'avance Figchen, au bras du prince de Hesse-Hombourg. Comme la tête de la procession arrive dans la salle d'audience de l'impératrice, la porte opposée s'ouvre à deux battants et Elisabeth de Russie paraît. Une grande et belle femme de trente-cinq ans, le teint vermeil, opulente, robuste, engoncée dans sa robe à paniers, en glacé d'argent à galons d'or. On raconte qu'elle est très coquette et possède quinze mille toilettes dans le goût français et cinq mille paires de souliers. « Elle avait sur la tête une plume noire placée sur le côté, en droite ligne, et elle était coiffée en cheveux avec quantité de diamants », notera Sophie. La jeune fille doit faire appel à tout son sang-froid pour ne pas s'évanouir devant cette divinité parée comme une châsse. Mais elle surmonte vite son désarroi. La conscience de son rôle la soutient. Elle incline le buste et plie les genoux dans la plus gracieuse des révérences, à la française. A côté d'elle, Johanna, éblouie, balbutie un compliment à l'impératrice, la remercie pour ses bontés et lui baise la main. Habituée à ce genre d'hommage, Elisabeth n'en est pas moins, elle aussi, très émue. En regardant Johanna, elle retrouve des traits de son fiancé défunt. Et, quand elle reporte les yeux sur Sophie, elle est frappée par son air de fraîcheur, de soumission et d'intelligence. A première vue, le choix est excellent. Ce benêt de Pierre aura un morceau de roi dans son lit. Saura-t-il rendre cette enfant heureuse? Aucune importance. Pendant cette longue entrevue, qui se déroule d'abord dans la salle d'audience puis dans la chambre à coucher de la tsarine, Sophie a l'impression d'être examinée sur toutes les coutures, déshabillée, palpée, pesée par une acheteuse à l'œil circonspect. Elle s'y attendait. Cela fait partie du métier de princesse à marier. Autour d'elle, courtisans et diplomates observent la scène. La satisfaction qui se lit sur le visage altier d'Elisabeth renforce l'optimisme du clan favorable à la France et à la Prusse avec, à la tête de la coalition, l'ambassadeur de Prusse, Mardefeldt, le marquis de La Chétardie et le médecin de Sa Majesté, Lestocq.

En revanche, le vice-chancelier Bestoujev, qui tient pour l'Autriche, l'Angleterre et la Saxe, essaie de cacher son dépit derrière un sourire contraint.

Le lendemain, 10-21 février, jour anniversaire de la naissance du grand-duc, l'impératrice apparaît à la foule de ses courtisans, vêtue, cette fois, d'un habit brun brodé d'argent, et « la tête, le cou, le bustier » couverts de bijoux. Le grand veneur, comte Alexis Razoumovski, la suit, portant, sur une assiette d'or, les insignes de l'ordre de Sainte-Catherine. Il est, depuis plusieurs années, l'amant attitré de l'impératrice. On l'a surnommé « l'empereur de la nuit ». « C'était un des plus beaux hommes que j'aie vus de ma vie », notera Catherine dans ses *Mémoires*. En fait, ce « bel homme » est un paysan ukrainien, doué d'une voix remarquable, qu'Elisabeth a fait engager comme chantre dans sa chapelle privée avant de l'attirer dans sa chambre à coucher. Toutes sortes de dignités et de titres, y compris celui de comte, ont récompensé les services nocturnes du chanteur. Certains chuchotent même qu'un mariage secret l'unit à la tsarine. Par extraordinaire, il ne se sert pas de son ascendant sur elle pour se mêler de politique. Figchen contemple avec un étonnement respectueux ce personnage considérable : un homme mûr, aux traits réguliers, à l'œil enjôleur et au front couronné d'une perruque poudrée. Sans savoir au juste en quoi consistent les fonctions du favori, elle voit en lui un serviteur mystérieux des désirs de Sa Majesté, une sorte d'énorme friandise ambulante. Puisqu'il est du goût de la tsarine, il doit avoir, pense-t-elle, des vertus surnaturelles, sublimes. Prête à tout accepter d'une cour qui la fascine, elle ne songe pas encore à critiquer. Elle tâche de s'instruire. L'impératrice semble, ce jour-là, d'excellente humeur. A la fois solennelle et souriante, elle s'avance vers Figchen et sa mère, et leur passe l'ordre de Sainte-Catherine. Mmes Tchoglokov et Vozontzov, toutes deux « dames à portrait » de l'impératrice [1], épinglent la décoration

1. On appelait « dames à portrait » les personnes qui, par leur parenté avec la famille impériale ou par leurs mérites exceptionnels étaient autorisées à

en forme d'étoile sur la poitrine des princesses allemandes. Chacun, autour d'elles, paraît ému. « Nous vivons comme des reines, ma fille et moi », écrira Johanna à son mari. Déjà, en pensée, elle voit Figchen mariée au grand-duc, elle-même conseillant la tsarine pour le plus grand bien de la Prusse, et Bestoujev « culbuté ».

porter, sur leur vêtement de cour, une miniature de Sa Majesté, dans un cadre de diamants.

CHAPITRE III

LES MARCHES DU TRÔNE

Les bontés de l'impératrice continuent de pleuvoir sur les deux princesses. Johanna n'en revient pas d'avoir un chambellan, des dames d'honneur, des pages attachés à sa personne. La vie à Moscou est une succession de fêtes, de bals, de soupers dont la magnificence lui tourne la tête. Dans ce carrousel de visages et de noms, Sophie, en revanche, garde toute sa lucidité. Après un instant de vertige, elle observe, elle se renseigne, elle tâche de deviner les tenants et les aboutissants de chacun. Elle a déjà compris qu'il lui faut, à tout prix, s'initier aux arcanes de la cour, si elle veut, un jour, se mouvoir avec aisance dans ce milieu brillant et frelaté. A Stettin, elle a rêvé devant le portrait de l'impératrice, superbe dans sa robe d'apparat, le buste rebondi et le regard bleu-noir. Pour la préparer à un hypothétique « destin russe », sa mère lui a enseigné à vénérer cette souveraine puissante et magnanime. Or, la réalité est bien différente. Sophie l'apprendra peu à peu, au hasard des confidences murmurées par les uns et les autres. Qui est la vraie Elisabeth de Russie? Belle, gourmande, sensuelle, indolente, elle a eu, dans son jeune âge, un sentiment très tendre pour son fiancé (le frère de Johanna) et, après la mort de celui-ci, s'est lancée dans les aventures galantes les plus basses. Les amants se succédaient dans son lit. Dignitaires de la cour, ambassadeurs, cochers, laquais, officiers de la garde, tout lui était bon. En 1730, à la mort de Pierre II, le petit-fils de Pierre le Grand, l'occasion s'était présentée à elle de monter sur le trône, puisque, sa sœur Anne étant décédée, elle était la seule descendante directe de l'empereur. Trop occupée par sa vie amoureuse, elle avait préféré s'effacer au profit d'une nièce de Pierre le Grand [1], une autre Anne, veuve du duc de Courlande. Celle-ci, n'ayant pas d'enfants, imagina de s'assurer un héritier en la personne du fils de sa nièce, une troisième Anne, duchesse de Mecklembourg. En 1740, à la mort de l'impératrice Anne, « l'héritier », âgé de quelques mois, fut proclamé empereur sous le nom d'Ivan VI, et sa jeune mère, Anne de Mecklembourg, entourée de tout un conseil allemand, assura la régence. A la cour, le parti russe, fortement soutenu par les représentants de la France, s'indignait de voir un arrière-petit-neveu de Pierre le Grand incarner le pouvoir impérial, alors qu'Elisabeth, la propre fille de Pierre le Grand et de Catherine Iere, était reléguée dans l'ombre. Le marquis de La Chétardie, ambassadeur de France, et le médecin Lestocq, qui comptaient l'un et l'autre parmi les amants d'Elisabeth, la persuadèrent que, si elle n'agissait pas très vite, la régente, Anne de Mecklembourg, la ferait arrêter et jeter dans un couvent. Effrayée, Elisabeth consentit enfin à prendre les devants. Les officiers de la garde Préobrajenski lui étaient acquis. En un tournemain, le petit tsar Ivan VI, Anne de Mecklembourg et son mari, le duc de Brunswick, furent saisis et enfermés dans une forteresse.

Devenue impératrice, Elisabeth présenta, dans son nouveau rôle, un bizarre mélange de paresse et d'entêtement, de coquetterie et de cruauté, de piété et de dévergondage. Ses débordements amoureux, son goût des orgies et sa passion maniaque de la toilette (elle ne portait jamais deux fois la même robe) ne l'empêchaient pas de craindre Dieu et de vénérer les

1. La fille d'Ivan, le frère aîné de Pierre le Grand.

icônes. Elle teignait ses cheveux et ses sourcils en noir, se couvrait de bijoux et ne tolérait pas qu'une autre femme essayât de briller à côté d'elle. Bien que parlant couramment le français, l'italien et l'allemand, elle était peu instruite et assez mal élevée. Elle avait supprimé la peine de mort à son avènement, par bonté d'âme, mais avait infligé à plusieurs dignitaires le simulacre du châtiment suprême avant de les envoyer en Sibérie et, en 1743, avait fait trancher la langue aux comtesses Lopoukhine et Bestoujev, compromises dans un complot. « Sa Majesté a un goût marqué pour les liqueurs fortes, écrira le chevalier d'Éon, agent secret de Louis XV. Il lui arrive d'être incommodée au point de tomber en syncope. Il faut alors couper sa robe et ses corsets. Elle bat ses serviteurs et ses femmes. » Vaniteuse, susceptible, rancunière, elle ne s'occupait des affaires publiques que par intermittence et au gré de sa fantaisie. Mais ses ministres tremblaient devant elle, car ils la savaient capable, dans un mouvement d'humeur, de les expédier directement de leur bureau dans une forteresse. En deux ans de règne, son caractère, à la fois autoritaire et instable, s'était affirmé au point que les diplomates étrangers la considéraient comme la personne la plus difficile à comprendre et à circonvenir. Malgré la légèreté de sa conduite privée, elle ne doutait pas un instant de la légitimité, quasi divine, de son pouvoir sur le peuple russe. Il lui parut donc indispensable, dès le début, d'assurer sa postérité. N'ayant pas d'enfant et ne pouvant en avoir, elle pensa à son neveu, Charles-Pierre-Ulric de Holstein, le fils de sa sœur Anne défunte, le petit-fils de Pierre le Grand. Le garçon malingre et presque demeuré était élevé à Kiel, par des officiers holsteinois. Dressé militairement, il faisait l'exercice, dès l'âge de sept ans, avec un fusil et une épée à sa taille, montait la garde, apprenait le jargon des casernes. A neuf ans, promu sergent, il se tenait, l'arme au bras, à la porte de la salle où son père banquetait avec des amis. Tant de plats succulents défilaient devant lui, qu'il retenait difficilement des larmes de convoitise. Au deuxième service, son père le fit relever de son poste, lui conféra publiquement le grade de lieutenant et lui ordonna de s'asseoir parmi les invités. Frappé de bonheur, l'enfant en perdit l'appétit et ne put rien avaler. Il dira plus tard que cet événement fut *le plus beau jour de sa vie*. En 1739, à la mort de son père, ce fut l'Holsteinois Brümmer, grand maréchal de la cour ducale, qui devint son précepteur en chef. Une brute bornée et maniaque, « un dresseur de chevaux ». Sans égard pour la santé délicate de son élève, il le punissait en le privant de nourriture ou en l'obligeant à rester agenouillé sur des pois secs, si bien que, d'après son autre précepteur, Stehlin, « ses genoux devenaient rouges et enflaient ». Un jour, Stehlin dut intervenir pour empêcher Brümmer de frapper le petit prince à coups de poing. Terrorisé, Pierre-Ulric appelait la garde à son secours. Parfois, menacé par Brümmer, l'enfant vomissait de la bile. A ce régime, il devenait peureux, sournois, retors, dissimulé. Lorsque l'impératrice Elisabeth le fit venir à Moscou, en février 1742, elle fut déçue par l'adolescent de quatorze ans, contrefait au physique comme au moral, que lui présentait Brümmer. Elle qui aimait les mâles de sang riche se demandait avec angoisse si ce pauvre déchet humain saurait se tenir assis sur un trône. Il ne parlait couramment que l'allemand. Il était de religion luthérienne. Il n'avait pas la moindre disposition pour gouverner un pays. Tant pis. Il fallait faire avec ce qu'on avait sous la main. Avant tout, assurer l'avenir de la dynastie des Romanov. Baptisé Pierre Fédorovitch selon le rite orthodoxe, le neveu de l'impératrice fut proclamé grand-duc et successeur au trône de Russie. Or, il méprisait sa nouvelle religion, se moquait des popes, rechignait à apprendre le russe, regrettait son ancienne patrie. Bref, Elisabeth ayant balayé de sa route la famille Mecklembourg, qui, aux yeux du peuple, représentait l'influence allemande, adoptait bizarrement pour héritier un autre Allemand. Et elle lui offrait une Allemande comme fiancée!

Cette fiancée, malgré son jeune âge, a le jugement sûr. Accueillie avec joie par le grand-duc Pierre, elle est sensible, certes, à la sympathie qu'il lui témoigne, mais elle le trouve puéril dans ses propos et incertain dans ses sentiments. Ce qui le réjouit dans leur rencontre, c'est qu'il a enfin une camarade de son âge avec qui bavarder. « Pendant ce court espace de temps, écrira Catherine dans ses *Mémoires,* je vis et je compris qu'il ne faisait pas beaucoup de cas de la nation sur laquelle il était destiné à régner, qu'il tenait au luthérianisme, qu'il n'aimait pas ses entours et qu'il était fort enfant. »

Mis en confiance par l'intérêt poli que Sophie paraît prendre à sa conversation, il lui avoue qu'il la trouve très gentille, comme parente, mais qu'il en aime une autre, une demoiselle Lopoukhine, qui a été malheureusement renvoyée de la cour après que sa mère, convaincue de machination politique, a eu la langue coupée et a été exilée en Sibérie. Il ajoute innocemment qu'il aurait bien épousé cette jeune fille, mais qu'il s'est résigné à l'épouser elle, Sophie, « parce que sa tante le désire ». « J'écoutais ces propos de parentage en rougissant, le remerciant de sa confiance prématurée, écrira Catherine, mais, au fond de mon cœur, je regardais avec étonnement son imprudence et manque de jugement sur quantité de choses. » La voici fixée. Elle ne doit s'attendre à aucune surprise heureuse du côté du cœur. Cela, elle le pressentait déjà en partant pour la Russie. Ce n'est pas pour vivre un grand amour qu'elle a fait le voyage, mais pour réaliser une œuvre politique. Elle n'a pas quinze ans, et cependant, au lieu de suivre sa mère dans le papillotement des intrigues mondaines, elle prépare son avenir avec une obstination studieuse, dans l'ombre. Dès l'abord, elle a compris que, pour plaire à l'impératrice, pour s'imposer aux dignitaires, pour gagner la sympathie des petits et des grands, elle doit devenir aussi russe que si elle était née sur cette terre. Alors que son imbécile de cousin, le grand-duc Pierre, indispose son entourage en affectant toujours des manières allemandes, elle s'applique à l'étude accélérée de la langue russe et de la religion orthodoxe. Son maître en instruction religieuse est Siméon Thodorski, prêtre fin, cultivé, aux idées larges. Parlant l'allemand avec aisance, il explique à Sophie que la foi orthodoxe n'est pas si éloignée qu'on le dit de la foi luthérienne et qu'elle ne trahira pas la promesse faite à son père en passant d'un culte à l'autre. La jeune fille ne demande qu'à se laisser convaincre. Dieu, pense-t-elle, ne peut lui en vouloir de changer de confession quand l'empire de Russie est l'enjeu de cette volte-face. Pour préparer le terrain, elle écrit à son père qu'il n'existe pas d'antinomie doctrinale entre les deux religions. Seul « le culte extérieur » est différent. Ce « culte extérieur », évidemment, la déroute un peu par sa pompe orientale. Élevée dans la sévérité luthérienne, elle voit, dans cet univers de dorures, d'encens, d'icônes, de cierges, de génuflexions et de chants mystiques, une mise en scène nécessaire à la « brutalité du peuple », selon sa propre expression. Mais, ce qui importe, c'est l'élan de l'âme et non le rituel dont s'accompagne cette exaltation. Christian-Auguste, surpris par la rapidité du changement, a beau écrire à sa fille qu'elle doit « envisager cette épreuve sans légèreté », elle a déjà choisi son camp.

Son désir de « russification » est si vif, que son professeur de russe, Adodourov, ne tarit pas d'éloges sur le zèle de son élève. Elle le supplie de prolonger ses leçons au-delà de l'heure prescrite. Pour se perfectionner dans la connaissance de la langue, elle se lève la nuit, en chemise et pieds nus, s'installe devant ses cahiers et apprend par cœur des listes de mots. Elle prend froid. Sa mère lui reproche d'abord de « se dorloter » et lui ordonne de cacher son malaise aux yeux d'une cour qui guette les moindres défaillances de la fiancée du grand-duc. Elle obéit, mais sa fièvre augmente, elle tombe évanouie et les médecins diagnostiquent une pneumonie aiguë. La vie de la princesse est en danger. Immédiatement, le clan antifrançais de Bestoujev reprend espoir. Si Sophie trépasse, on pourra avancer une autre candidature, favorable celle-ci à la coalition austro-anglaise. Mais l'impératrice affirme que, quoi qu'il arrive, elle ne veut pas d'une princesse saxonne. Et Brümmer confie à La Chétardie que, « dans l'extrémité fâcheuse que l'on doit envisager », il a déjà pris ses précautions en pressentant, pour le grand-duc, une princesse de Darmstadt, « charmante de sa figure », que le roi de Prusse avait proposée « dans le cas où la princesse de Zerbst ne réussirait pas ».

Pendant qu'on lui cherche ainsi une remplaçante, Sophie claque des dents au fond de son lit, transpire à grande eau, se plaint d'une douleur au côté et subit les criailleries de sa mère qui se dispute avec les médecins. Ils veulent saigner la malade et Johanna s'y oppose. C'est en saignant son frère, le fiancé de l'impératrice, qu'on l'a tué, dit-elle. On décide d'en référer à Elisabeth. Elle fait ses dévotions au couvent de Troïtsa. Cinq jours plus tard, elle arrive avec son factotum Lestocq, rabroue Johanna, qui a osé tenir tête aux hommes de l'art, et ordonne la saignée. Lorsque le sang jaillit, Sophie perd connaissance. Elle revient à elle dans les bras de l'impératrice. Malgré son extrême faiblesse, elle mesure sa chance. Tout à coup, elle a une mère. Et c'est Elisabeth de Russie! Pour la récompenser de son courage, Elisabeth lui fait cadeau d'un collier de diamants et d'une paire de boucles d'oreilles. Johanna estime l'ensemble à vingt mille roubles. Mais, dans sa hâte de voir guérir la jeune fille, l'impératrice prescrit saignée sur saignée. Plus de seize en vingt-sept jours. Johanna proteste. L'impératrice la consigne dans ses appartements.

A la cour cependant, nul n'ignore plus que c'est en passant ses nuits à apprendre le russe que la petite princesse a contracté sa maladie. En quelques jours, elle devient chère à tous ceux que rebutent les manières tudesques du grand-duc Pierre. Comme son état ne s'améliore guère, sa mère veut appeler au chevet de la malade un pasteur luthérien. Dévorée de fièvre, épuisée par les saignées et les jeûnes, Sophie, dans un extraordinaire sursaut de volonté, murmure : « A quoi bon? Faites venir plutôt Siméon Thodorski. Je parlerai volontiers avec celui-ci. » Et, en effet, Siméon Thodorski vient apporter les consolations de la religion orthodoxe à la douce fiancée luthérienne du grand-duc. L'impératrice est émue aux larmes. Le propos de Sophie est répété dans toute la ville.

A mesure que la jeune fille gagne du terrain dans le cœur de son entourage, sa mère, par ses maladresses, suscite des inimitiés de plus en plus nombreuses. Ne s'avise-t-elle pas de réclamer à son enfant mourante certaine étoffe bleu pâle, à fleurs d'argent, cadeau de l'oncle Georges-Louis? Sophie la lui donne à contrecœur. Tout le monde, en la voyant si docile, s'indigne de l'égoïsme de Johanna. Pour consoler la jeune fille, l'impératrice lui fait envoyer un lot de tissus plus riches encore que celui dont elle s'est privée. Ces marques d'affection confirment Sophie dans l'idée que, si elle guérit, on ne la renverra pas à Zerbst. Avec ténacité, malgré son extrême faiblesse, elle continue à faire son profit de tout ce qu'elle voit, de tout ce qu'elle entend. Souvent, les yeux clos, elle feint de dormir pour surprendre la conversation des dames de la cour que l'impératrice a chargées de la veiller. « Elles disaient entre elles ce qu'elles avaient sur le cœur, et, par là, j'apprenais quantité de choses. »

Peu à peu, en dépit des potions et des saignées, Sophie reprend des forces. Le mal est enfin conjuré. Elle va pouvoir remonter sur la brèche. Le 21 avril 1744, jour anniversaire de ses quinze ans, elle reparaît en public. « J'étais devenue maigre comme un squelette, écrira-t-elle, j'avais grandi, mais mon visage et mes traits s'étaient allongés; les cheveux me tombaient et j'étais d'une pâleur mortelle. Je me trouvais moi-même laide à faire peur et je ne pouvais retrouver ma physionomie. L'impératrice m'envoya, ce jour-là, un pot de rouge et m'ordonna de m'en mettre. »

Quelques jours plus tard, marchant obstinément vers le but qu'elle s'est fixé, elle écrit à son père pour lui annoncer qu'elle a l'intention de se convertir bientôt à la religion orthodoxe :

« Comme je ne trouve presque aucune différence entre la religion grecque et la religion luthérienne, je me suis résolue (après avoir regardé dans les gracieuses instructions de Votre

Altesse) de changer, et lui enverrai au premier jour ma confession de foi. Je puis me flatter que Votre Altesse en sera contente. »

En traçant ces phrases cérémonieuses, elle sait pertinemment qu'à leur lecture son père éprouvera un profond chagrin. Mais pour elle, maintenant, Zerbst est si loin, son passé allemand semble appartenir à une autre, elle est tout entière tournée vers sa nouvelle famille, vers son nouveau pays. Pourvu que sa mère, qui se remue, intrigue, complote, ne vienne pas tout gâcher! Johanna reçoit à présent dans son salon les pires ennemis du vice-chancelier Bestoujev : Lestocq, La Chétardie, Mardefeldt, Brümmer... Elle est plus nerveuse et plus bavarde que jamais. Elle croit avoir la tête politique. Elle ne remarque pas que l'impératrice, depuis quelque temps, lui montre beaucoup de froideur.

Au mois de mai 1744, Elisabeth et sa cour se rendent de nouveau au couvent de Troïtsa. Sophie, Johanna et le grand-duc Pierre reçoivent l'ordre de rejoindre Sa Majesté sur place. A peine sont-ils arrivés, que l'impératrice convoque Johanna dans son appartement. Lestocq les suit. Tandis que le trio discute derrière les portes closes, Sophie et Pierre, assis sur le rebord d'une fenêtre, coude à coude et les jambes pendantes, bavardent gaiement. Mûrie par la maladie, Sophie se sent plus proche du monde des adultes que de l'univers puéril où se meut encore son cousin, amateur de soldats de plomb et colporteur de ragots d'office. Gamin mal élevé, mal embouché et mal aimé, il ne la considère pas comme sa fiancée, ni même comme une jeune fille. Il n'a pas la moindre prévenance pour elle. Et pourtant il recherche sa compagnie. Pendant qu'elle rit des sottises qu'il lui débite, la porte s'ouvre, Lestocq, médecin et conseiller de l'impératrice, reparaît en coup de vent, le visage tragique, et dit brutalement à Sophie : « Cette grande joie va cesser immédiatement! Vous n'avez qu'à faire vos paquets! Vous repartirez tout de suite pour rentrer chez vous! » Le souffle coupé par cette apostrophe insolente, Sophie se tait, cependant que le grand-duc demande des explications. « C'est ce que vous saurez après ! » dit Lestocq, et il s'en va, l'air important. Immédiatement, Sophie pense à un faux pas de sa mère. « Mais, si votre mère est fautive, vous ne l'êtes pas », dit le grand-duc. « Mon devoir est de suivre ma mère et de faire ce qu'elle m'ordonnera », répond-elle. Dans son for intérieur, elle espère que le grand-duc la suppliera de rester. Mais il n'en a même pas l'idée. Elle ou une autre... « Je vis clairement qu'il m'aurait quittée sans regret, écrira-t-elle dans ses *Mémoires*. Pour moi, voyant ses dispositions, il m'était à peu près indifférent, mais la couronne de Russie ne me l'était pas. » Est-ce l'écroulement de son rêve ? Va-t-il falloir retourner à Zerbst, la tête basse ? Tenaillée par l'angoisse, Sophie devine que son avenir se joue dans la minute, derrière les portes qui se sont refermées sur sa mère et sur l'impératrice. Enfin, voici la tsarine qui sort de sa chambre. Elle a le visage en feu, l'air irrité, le regard vindicatif. Derrière elle, trotte Johanna, bouleversée, « les yeux rouges et mouillés de pleurs ». Instinctivement, les deux jeunes gens sautent à bas de la haute fenêtre où ils étaient juchés. Leur précipitation semble désarmer la colère de l'impératrice. Elle sourit de leur mouvement enfantin et les embrasse. L'espoir renaît dans le cœur de Sophie. Tout n'est pas perdu, puisque Elisabeth fait la différence entre la mère coupable et la fille innocente.

Après le départ de la tsarine, Sophie apprend enfin, de sa mère éplorée, les raisons de ce grand éclat. Tandis que Johanna complotait, avec les amis de la France et de la Prusse, pour renverser le vice-chancelier Bestoujev, celui-ci faisait intercepter et déchiffrer la correspondance secrète de La Chétardie, lequel, bien qu'officiellement en congé, possédait encore les prérogatives d'ambassadeur. Dans ses lettres, fort irrévérencieuses, La Chétardie critiquait la paresse, la légèreté de l'impératrice, son goût immodéré de la toilette, citait à l'appui de ses dires l'opinion de Johanna et la présentait comme un agent au service du roi Frédéric. Ayant réuni assez de preuves contre ses adversaires, Bestoujev met les documents sous les yeux de la tsarine. Ivre de colère, elle ordonne que La Chétardie soit expulsé de Russie dans les vingt-quatre heures, convoque Johanna et déverse sur sa tête un flot d'injures. C'est la ruine du crédit de la princesse d'Anhalt-Zerbst à la cour. Ses intrigues l'ont perdue. Un grand vide se creuse autour d'elle. Personne n'ose plus fréquenter son salon. Pourtant elle n'est pas reconduite à la frontière. Par égard pour sa fille, on la laisse végéter dans son appartement. Elle enrage de la victoire de son ennemi Bestoujev qui, du coup, a été nommé chancelier. Son dépit est si vif, qu'elle s'en prend à Sophie, dont l'égalité d'humeur l'exaspère. Elle l'accable de sarcasmes, d'insultes, elle lui reproche leur abaissement à toutes deux. Stoïque, Sophie reprend la trame déchirée par la maladresse de Johanna. Renouer les fils, racheter les erreurs, regagner les sympathies. Livrée à elle-même, dans cette cour étrangère, au cœur d'un pays dont elle ignore les mœurs et comprend à peine la langue, affublée d'une mère fâcheuse et vaniteuse, privée d'amis, de conseils, entourée de chausse-trapes, elle ne perd pas de vue le chemin qu'elle a choisi. Séduire l'impératrice, puisqu'il ne faut pas songer à séduire Pierre, et fléchir le terrible Bestoujev, puisqu'il est impossible de le renverser. En vérité, après un moment de panique, il lui semble qu'elle est sortie à son avantage de cette crise qui a perdu Johanna. Comme si, par contraste avec les menées sournoises de la mère, la candeur de la fille paraissait plus touchante aux yeux de la tsarine. Certaine, cette fois, de tenir le bon bout, Sophie redouble d'ardeur dans l'étude de la langue russe et de la religion orthodoxe. L'orage s'éloigne. On reparle de conversion et de fiançailles. On avance des dates. On discute gravement les phases des deux cérémonies. Sophie s'évertue à regarder tendrement le pitoyable Pierre, au teint pâle, à l'œil torve et à la poitrine creuse. L'étincelle jaillira-t-elle entre eux? Non, le grand-duc se prépare à prendre femme avec autant d'indifférence que s'il s'apprêtait à changer d'habit. « Le cœur ne me prédisait rien de bon, écrira Catherine dans ses *Mémoires,* l'ambition seule me soutenait. J'avais au cœur je ne sais quoi qui ne m'a jamais laissé douter un seul instant que je parviendrais à devenir impératrice de Russie, de mon chef. »

CHAPITRE IV

FIANÇAILLES

Par ordre de l'impératrice, la date du 28 juin 1744 est enfin retenue pour la conversion de Sophie à la religion orthodoxe. Le lendemain, 29 juin, jour des saints Pierre et Paul, on célébrera les fiançailles de la jeune catéchumène et du grand-duc Pierre. A l'approche de ces deux cérémonies, Sophie ressent un mélange d'exaltation et d'angoisse. Sur le point d'être exaucée, elle se demande soudain si elle n'a pas fait fausse route. Quelles épreuves lui réserve ce surcroît d'honneurs? Pourtant elle ne laisse rien paraître de son trouble. « Elle dormit fort bien toute la nuit, écrit sa mère, marque certaine de la tranquillité de son âme. »

Une foule nombreuse se presse dans la chapelle impériale, lorsque Sophie apparaît dans une robe « adrienne » semblable à celle de l'impératrice, en gros de Tours rouge galonné d'argent, un ruban blanc serrant ses cheveux non poudrés. « Je dois dire qu'elle me parut belle », note sa mère. Toute l'assistance est frappée par l'élégance de cette petite jeune fille brune, au teint pâle, aux yeux bleus, au maintien noble et modeste. Elle lit en russe, avec un fort accent germanique, « cinquante feuillets *in-quarto* » et récite par cœur, d'une voix ferme, sans buter sur les mots, le symbole de sa nouvelle foi. L'impératrice en pleure d'émotion et les courtisans, ne pouvant faire moins, y vont, eux aussi, de leur larme. Au milieu de l'attendrissement général, Sophie veut paraître heureuse, sereine et forte : « Pour moi, je tins bon et on m'en loua. » Ce jour-là, elle change de prénom. Elle aurait certes pu être baptisée orthodoxe sous le prénom de Sophie, d'un usage courant dans son nouveau pays. L'impératrice s'y oppose, obsédée par le souvenir de sa tante, la demi-sœur de Pierre le Grand, la redoutable régente Sophie, qu'il a fallu jeter dans un couvent pour mettre fin à son appétit de pouvoir. Catherine, en revanche, est le prénom de la propre mère de l'impératrice. Peut-on imaginer un choix plus heureux? Mais, en Russie, toute personne porte, en plus de son prénom, le prénom de son père. Or, le père de la nouvelle Catherine s'appelle Christian-Auguste. Catherine Christianovna ou Catherine Avgoustovna aurait une consonance étrangère qui rappellerait fâcheusement la régente Anne Léopoldovna, mère du petit Ivan VI, qu'Elisabeth a détrôné. La future fiancée du grand-duc s'appellera donc Catherine Alexeïevna, autrement dit Catherine fille d'Alexis, ce qui doit contenter tous les cœurs slaves. Ainsi le père de Sophie, qui n'a pas été invité à la fête, ne figurera même pas en nom dans la confirmation de sa fille. Débaptisée, rebaptisée, déracinée, transplantée, russifiée, elle fait peau neuve. Du moins en apparence. En réalité, elle sait bien qu'il n'y a pas de différence fondamentale entre la Sophie d'hier et la Catherine d'aujourd'hui. Simplement, elle a franchi une étape de plus sur la voie qu'elle s'est tracée. Au sortir de l'église, elle reçoit de l'impératrice un collier et une broche de brillants. Mais, épuisée par la cérémonie, elle demande la permission de ne point paraître au repas. C'est qu'il lui faut, à tout prix, réparer ses forces en prévision des réjouissances qui vont suivre.

Le lendemain matin, jour des fiançailles, à peine a-t-elle ouvert les yeux, qu'on lui apporte un portrait de l'impératrice et un autre du grand-duc, tous deux enrichis de brillants. Une fois habillée, elle se rend chez Elisabeth, qui la reçoit, couronne en tête et manteau impérial sur les épaules. Le cortège s'organise. Devant, marche l'impératrice, sous un dais d'argent massif porté par huit généraux-majors. Catherine et le grand-duc lui emboîtent le pas. Derrière eux, viennent Johanna, la princesse de Hombourg et les dames de cour « selon leur rang ». La procession descend lentement l'escalier d'honneur du palais, le *krasnoïé kriltso*, passe entre deux haies de régiments de la garde et, traversant la place, pénètre dans la cathédrale où le clergé barbu, doré et déférent accueille sa souveraine. Elisabeth conduit les deux jeunes gens sur une estrade, tendue de velours, au milieu de l'église. L'archevêque Ambroise de Novgorod célèbre les fiançailles. La cérémonie dure quatre heures, pendant lesquelles toute l'assistance demeure debout. Les jambes de Catherine s'engourdissent. Elle vacille de fatigue. Enfin on échange les bagues. « Celle qu'il me donna valait douze mille roubles, écrira Catherine, et celle qu'il reçut de moi, quatorze mille. » Après quoi, on tire le canon. Les cloches de Moscou sonnent à la volée. La petite princesse d'Anhalt-Zerbst est devenue « grande-duchesse de Russie », « Altesse impériale ». Elle accueille cette élévation avec un calme souriant, une digne modestie. Johanna, cependant, bouillonne. Il lui semble toujours qu'on ne la traite pas avec tous les égards dus à la mère de l' « héritière » du trône. Pour le repas de fiançailles, elle exige de s'asseoir avec le couple grand-ducal, à côté de la tsarine. Sa place, dit-elle, n'est pas auprès des autres dames de la cour. L'impératrice s'offusque de cette prétention, Catherine souffre en silence de la nouvelle inconvenance de sa mère, le maître de cérémonie ne sait où donner de la tête. Enfin, on dresse pour Johanna une table à part, dans un cabinet à baie vitrée, face au trône. Elle y dîne « dans une espèce d'incognito ».

Le soir, elle aura sa revanche, au bal. Elle est admise à danser sur le tapis étendu devant le trône, tapis que seules la tsarine, Catherine et la princesse de Hesse doivent en principe fouler aux pieds en exécutant le menuet. Les cavaliers de ces dames sont le grand-duc Pierre, les ambassadeurs d'Angleterre, d'Holstein, de Danemark et le prince de Hesse. Les autres courtisans évoluent autour de ce périmètre sacré. Le bal a lieu dans la *Granovitaïa palata,* ou salon à facettes, dont les murs taillés rappellent l'intérieur d'une grenade. Un énorme pilier central soutient le plafond bas. Des valets en livrée à la française, perruque poudrée et bas blancs, veillent aux portes. La musique est assourdissante. Courbettes et baisemains se multiplient. Johanna note qu'à la fin sa main droite porte « une tache rouge de la grandeur d'un florin d'Allemagne » à cause de tous les baisers qui l'ont effleurée. « On était presque étouffé par la chaleur et la foule », écrira, de son côté, Catherine.

La fête terminée, les faveurs de l'impératrice redoublent. Cadeaux de bijoux et d'étoffes précieuses, mais aussi don de trente mille roubles pour les menues dépenses de la nouvelle grande-duchesse[1]. L'énormité de la somme éblouit Catherine. Elle n'a jamais disposé du moindre argent de poche. Immédiatement, elle envoie quelques subsides à son père pour qu'il puisse faire soigner son jeune frère malade. Elle a désormais sa propre cour, que l'impératrice a constituée soigneusement pour la distraire : chambellans, gentilshommes de la chambre, dames et demoiselles d'honneur, tous sont jeunes et gais. Et aucun n'appartient à la coterie qui naguère entourait Johanna. Il y a même, parmi eux, le fils du chancelier Bestoujev. Maintenant, quand la princesse d'Anhalt-Zerbst veut voir sa fille, elle doit se faire annoncer. Souvent, un chambellan assiste à l'audience. L'étiquette oblige Johanna à marquer de la déférence envers celle qu'hier encore elle n'eût pas hésité à souffleter pour un écart de conduite. Humiliée par ce renverse-

1. Un rouble or valait à l'époque, d'après Castéra, cinq livres tournois. D'autre part, bien qu'il soit très difficile d'établir une équivalence entre les monnaies de l'ancien régime et les nôtres, on estime, sur la base de la valeur présente du napoléon, que la livre tournois correspondrait aujourd'hui à douze francs. Donc, le rouble or du temps de Catherine représenterait soixante de nos francs actuels.

ment hiérarchique, elle se plaint de tout, et d'abord de la petite cour trop frivole, trop rieuse à son gré, qui s'agite autour de Catherine. Dans les appartements du grand-duc et de la grande-duchesse, on s'amuse d'un rien, on joue à colin-maillard, on saute, on danse, on court, on démonte un clavecin pour faire des glissades sur la pente du couvercle. En se livrant à ces amusements enfantins, Catherine essaie de gagner l'affection de celui qui bientôt sera son époux. L'impératrice le comprend et encourage la jeune fille dans son entreprise de séduction. Mais Brümmer, le précepteur du grand-duc, est d'un avis différent. Il demande à Catherine de l'aider à « redresser » le caractère de son élève. Elle s'y refuse. « Je lui dis que cela m'était impossible et que, par là, je lui deviendrais aussi odieuse que tous ses entours l'étaient déjà. » D'instinct, elle a compris que, pour conquérir Pierre, elle doit prendre le contre-pied de ses éducateurs. Si, recherchant une amie, il trouve en elle une gouvernante, tout est perdu. Pendant qu'elle s'efforce ainsi de préparer un bonheur auquel elle ne croit guère, Johanna, infatigable, se fait de nouveaux amis. Mais, une fois de plus, elle les choisit mal. Les gens qui s'assemblent autour d'elle déplaisent à l'impératrice. Entichée du chambellan Ivan Betski[1], qu'elle connaît de longue date, elle s'affiche avec lui au point que toutes les mauvaises langues de la cour parlent d'une liaison. Catherine en est informée. Cependant elle est impuissante à raisonner Johanna, pour qui l'ombre et la modération sont des notions indignes d'une femme de qualité.

Ayant eu son content de fêtes, de bals, de banquets, l'impératrice s'apprête à partir pour la ville sainte de Kiev. L'exercice de la piété a toujours fait bon ménage, chez elle, avec le goût des divertissements païens. Le plaisir la conduit à la prière et la prière la dispose au plaisir. Bien entendu, le grand-duc, la grande-duchesse et Johanna seront du voyage. A cette perspective, Catherine est partagée entre l'excitation de la

1. Ivan Betski était le beau-frère du prince de Hesse.

découverte et la crainte qu'une bévue de sa mère ne la desserve encore aux yeux de la tsarine.

Il y a environ mille verstes entre Moscou et Kiev. L'énorme caravane, faite de carrosses pour les voyageurs et de charrettes pour les bagages, se traîne sur les routes sèches de juillet. Les jours passent, les villages succèdent aux villages, l'horizon recule indéfiniment et on est toujours en Russie. A croire que l'empire d'Elisabeth n'a pas de limites. Assise dans sa voiture, avec sa mère et son fiancé, Catherine regarde avidement le paysage, par la portière, et se pénètre d'une impression d'immensité et de force. Sans doute n'y a-t-il rien de plus grand au monde que ce pays qui est désormais le sien. L'impératrice suit, à quelques jours d'intervalle. Elle est, dit-on, de méchante humeur et a expédié en exil plusieurs personnes de son entourage. Huit cents chevaux de rechange attendent, à chaque station, l'arrivée de la caravane. Au relais de Koseletz, le grand-duc Pierre casse par mégarde, « en sautant çà et là pour me faire rire », dira Catherine, le couvercle de la cassette de Johanna. Celle-ci, exaspérée, le traite de « petit garçon mal élevé ». Il lui répond qu'elle se conduit comme une « furie ». Catherine, cherchant à apaiser sa mère, reçoit d'elle une rebuffade si violente, qu'elle fond en larmes. « Depuis ce moment, le grand-duc prit ma mère en grippe, écrira-t-elle, et jamais il n'oublia cette querelle ; ma mère, de son côté aussi, lui garda noise... J'eus beau travailler à les adoucir l'un et l'autre, je n'y réussis que dans des circonstances momentanées, l'un et l'autre avaient toujours quelque sarcasme à lâcher tout prêt pour se picoter ; ma situation devenait tous les jours plus épineuse par là. » Malgré le peu d'intérêt qu'elle porte à son fiancé, Catherine se sent plus proche de lui que de sa mère. Après tout, son avenir, c'est lui et la gigantesque Russie et non Johanna et la minuscule principauté d'Anhalt-Zerbst.

Enfin l'impératrice arrive elle-même à Koseletz et les festivités reprennent. On danse à perdre haleine et on joue aux cartes. Certains soirs, il y a jusqu'à cinquante mille roubles de mises sur les différentes tables. Les dames rivalisent de somptuosité dans leur toilette, mais sont logées à l'étroit. Catherine et sa mère couchent dans la même chambre, et leur suite, pêle-mêle, dans le vestibule.

Puis toute la cour, en grand arroi, se transporte à Kiev. Là, plus encore qu'à Moscou, Catherine est frappée par la beauté solennelle des cérémonies religieuses. Et aussi par la ferveur du menu peuple qui se prosterne au passage des processions. Aux dorures des icônes et des chasubles, répond la grisaille des paysans haillonneux, des pèlerins illuminés, des mendiants chanteurs de psaumes. Le contraste entre la richesse de l'Église et la pauvreté des fidèles étonne la petite princesse allemande, habituée à la stricte ordonnance des temples luthériens. C'est un monde inconnu qui surgit à ses yeux, le monde des profondeurs. Tout à coup, elle découvre, derrière la double magnificence de la croix et du trône, la prodigieuse misère d'une nation innombrable, asservie et obscure. Marchant à pas lents aux côtés du grand-duc, derrière les bannières saintes, elle glisse de vifs regards du côté de la foule et ressent l'antinomie terrible entre tant de splendeur et tant d'abaissement. Ce n'est encore de sa part qu'une simple curiosité, comme on en éprouve devant des animaux sauvages. Mais cette curiosité s'accompagne d'un malaise. Sa première vraie leçon de russe, c'est maintenant, à Kiev, qu'elle la prend, sans le savoir. Mais déjà la vie de la cour la ressaisit dans son tourbillon. Quand les portes des salons se referment sur elle, il lui semble qu'elle a rêvé cette plongée dans la sombre épaisseur du pays. Soudain, après avoir donné un grand bal pour sa fête, l'impératrice ne tient plus en place. Tout l'ennuie. Il faut changer de décor. Finis, Kiev, ses églises, ses couvents, ses prêtres, ses catacombes. Sa Majesté ne songe plus qu'à regagner Moscou, après s'être donné l'illusion de purifier son âme par un pèlerinage.

A Moscou, Catherine retrouve la médisance, la préséance, les intrigues, la légèreté, la poudre aux yeux et les croche-pieds. « On me comptait pour une enfant, écrira-t-elle dans ses

Mémoires. J'étais fort craintive de déplaire et faisais mon possible pour gagner ceux avec qui je devais passer ma vie. Mon respect et ma reconnaissance pour l'impératrice étaient extrêmes, je la considérais comme une divinité exempte de tout défaut; aussi disait-elle qu'elle m'aimait presque plus que le grand-duc. » Et, de fait, l'impératrice apprécie chez la nouvelle grande-duchesse le mélange du sérieux et de la gaieté, de la volonté et de la soumission. Catherine, à cette époque-là, tout en apprenant son métier de personnage public, est passionnée de danse. Chaque jour, dès sept heures du matin, le maître de ballet français Landé vient, avec son violon de poche, pour lui enseigner les derniers pas à la mode en France. Il revient à quatre heures de l'après-midi. Et, le soir, Catherine émerveille la cour par la grâce de ses évolutions dans les bals et les mascarades.

Certaines de ces mascarades sont d'ailleurs d'un goût douteux. Ainsi l'impératrice a-t-elle décidé que, tous les mardis, les hommes se déguiseraient en femmes et les femmes en hommes. Maladroits et grotesques dans leurs grandes robes à paniers, les hommes maudissent en silence la lubie de leur souveraine, cependant que les femmes se désolent de paraître à leur désavantage dans des vêtements masculins étriqués. Mais Sa Majesté, elle, est enchantée : elle sait que ce genre de travesti lui sied à ravir. « Il n'y avait de parfaitement bien que l'impératrice elle-même, écrira Catherine, à qui l'habit d'homme allait au mieux : elle était d'une grande beauté dans cet habillement. » En vérité, les mascarades sont un prétexte à grimaces et à bousculades. Danseurs et danseuses, empêtrés dans leurs costumes d'emprunt, tombent les uns sur les autres. Un soir, Catherine, renversée au cours d'une figure, se retrouve à quatre pattes sous la robe à paniers du chambellan Sievers et son rire juvénile divertit toute l'assistance.

Mais, à quelques jours de là, elle éprouve soudain le froid de la défaveur impériale. Pendant un entracte, au théâtre, Elisabeth s'entretient avec son conseiller Lestocq sans cesser de regarder, avec colère et insistance, du côté de la loge où se trouvent Catherine, Johanna et le grand-duc. Peu après, Lestocq se présente devant Catherine et lui annonce sèchement que l'impératrice est furieuse contre elle parce qu'elle a fait trop de dettes. Au temps où Sa Majesté n'était que princesse, elle avait à cœur de se montrer économe, « parce qu'elle savait que personne ne paierait pour elle », précise l'émissaire, d'un ton hargneux. Suffoquée, Catherine ne peut retenir ses larmes. Au lieu de la consoler, Pierre donne raison à la tsarine, et Johanna s'écrie que tout cela est la conséquence de la trop grande liberté laissée à une fille de quinze ans.

Le lendemain, Catherine demande ses comptes et constate qu'elle doit, en effet, dix-sept mille roubles. Dans son innocence, elle a cru que la donation dont l'a gratifiée naguère l'impératrice n'aurait pas de fin. Elle a dépensé à la légère, certes, mais pouvait-elle faire autrement ? Quand elle est arrivée en Russie, elle n'avait que quatre robes au fond de sa malle, alors qu'à la cour on change d'habit trois fois par jour. Les premiers temps, elle s'est servie des draps de lit de sa mère sans se plaindre. Mais, dès qu'elle en a eu les moyens, elle a voulu monter son propre ménage. En outre, elle a très vite compris que, dans cette société étrangère et hostile, de petits cadeaux pouvaient lui gagner l'amitié des personnes influentes. Elle a donc comblé de présents les gens de son entourage. Sans oublier sa mère, pour apaiser son humeur acariâtre ! Ni le grand-duc, pour se l'attacher plus sûrement ! Elle voit dans ce reproche de gaspillage une manœuvre de l'implacable Bestoujev, qui ne sait qu'inventer pour la perdre dans l'opinion de Sa Majesté. Hier encore, elle se considérait comme « la préférée » d'Elisabeth, sa fille spirituelle en quelque sorte, et voici qu'elle reçoit de sa protectrice un reproche blessant pour son honneur et inquiétant pour son avenir. Naïvement, elle s'étonne qu'une aussi grande souveraine puisse prendre plaisir à l'humilier. Le double visage de l'impératrice, qui charme et terrorise tour à tour, lui est révélé à cette occasion, et elle comprend l'angoisse des ministres et des courtisans dont la fortune dépend d'un caprice d'en haut. Jour après jour, par sa gentillesse et sa diplomatie, elle s'efforce de rentrer en grâce auprès de la tsarine. Et celle-ci, après un accès de fureur, se radoucit jusqu'à oublier l'incident.

Là-dessus, voilà le grand-duc qui attrape la rougeole. « Cette maladie, écrira Catherine, le fit grandir considérablement de corps, mais son esprit était toujours très enfant. » Pendant sa convalescence, il s'amuse à faire faire l'exercice militaire, devant son lit, à ses valets de chambre, à ses nains et même à Catherine, qu'il a gratifiée d'un grade dans son armée personnelle. Ses précepteurs le grondent pour son inconséquence, et il les injurie, les renvoie. Son caractère devient de plus en plus ombrageux. Conscient des prérogatives de son rang et de son âge (il a seize ans !), il refuse désormais de se laisser commander. « J'étais la confidente de ses enfantillages, note Catherine, et ce n'était pas à moi à le corriger ; je le laissais dire et faire. » Son extrême douceur désarme Pierre. Sans éprouver pour elle le moindre penchant sensuel, il se trouve bien en sa compagnie. A elle seule, peut-être, il ose parler librement. Et elle, de son côté, tout en le jugeant avec une lucidité impitoyable, reconnaît que, dans cette cour étrangère, c'est encore auprès de lui qu'elle se sent le plus en sécurité. Tant de choses les rapprochent ! Ils ont tous deux le même âge, ils parlent tous deux l'allemand, ils sont tous deux égarés dans ce pays qu'ils connaissent mal, ils doivent faire tous deux leur apprentissage du pouvoir dans l'ombre tutélaire de l'impératrice.

Dès que le grand-duc est sur pied, la cour quitte Moscou pour Saint-Pétersbourg. La neige est tombée en abondance. Il fait très froid. On voyage en traîneaux. Au relais de Khotilovo, le grand-duc est pris de frissons. Sa fièvre monte rapidement. Des taches apparaissent sur sa figure. Brümmer interdit aux princesses l'accès de la chambre, car le malade présente déjà tous les symptômes de la petite vérole. C'est un fléau terrible à l'époque. Le propre frère de Johanna, l'irremplaçable fiancé de la tsarine, en est mort. Pour soustraire Catherine à la contagion, sa mère décide de continuer la route avec elle, en laissant le grand-duc à la garde de sa cour personnelle. En même temps, elle fait envoyer un courrier à l'impératrice. Celle-ci, qui était déjà arrivée à Saint-Pétersbourg, repart en hâte pour Khotilovo. Les princesses croisent son traîneau au milieu de la nuit, sur la piste enneigée. Leur ayant demandé des nouvelles de son neveu, Elisabeth poursuit son chemin en brûlant les étapes. Cette femme qui, en tant de circonstances, se montra frivole, cruelle, égoïste, ne craint pas, cette fois, de s'exposer à un danger mortel par simple sens du devoir. A peine arrivée à Khotilovo, elle s'installe au chevet du malade et prétend le soigner elle-même. Les remontrances de son entourage n'entament pas sa décision. Même la menace d'être défigurée ne suffit pas à l'écarter, elle si fière de sa beauté, du lit où Pierre grelotte de fièvre. Elle restera auprès de lui pendant six semaines.

Devant ce qu'elle entend dire du courage de l'impératrice, Catherine regrette un peu d'avoir, par docilité filiale, accepté de suivre sa mère au lieu de demeurer à Khotilovo. A Saint-Pétersbourg, il lui semble déjà que, prévoyant la mort du grand-duc, certains courtisans se détournent d'elle. Et, en effet, si Pierre succombe, elle n'est plus rien. Son avenir se joue loin d'elle, dans une chambre étouffante, parmi des fioles de médicaments. Impuissante à influer sur le cours du destin, elle en est réduite à prier Dieu et à envoyer à l'impératrice des lettres respectueuses et tendres pour s'informer de la santé de son fiancé. Ces lettres, elle les écrit en russe, ou, plus exactement, elle recopie le texte, conventionnel et ampoulé, que son professeur de russe Adodourov rédige pour elle. Sans doute l'impératrice n'est-elle pas dupe du subterfuge, mais elle est touchée par les attentions de cette enfant qui met tant de zèle à oublier qu'elle est allemande.

La cour, qui est revenue dans la capitale sans la tsarine, bourdonne et complote. Johanna, pressentant la ruine de ses espoirs, cherche à tout propos querelle à sa fille. Dans l'attente des événements, Catherine trompe son inquiétude en écoutant les sages conseils du comte de Gyllenborg, envoyé officiel de la cour de Suède[1]. Elle l'a déjà rencontré à Hambourg et le jeune diplomate (il n'a que trente-deux ans) a été conquis, en quelques minutes, par l'intelligence de la jeune fille. Ici, il lui reproche son goût du luxe et des plaisirs. « Vous ne pensez plus qu'aux ajustements, lui dit-il. Reprenez donc l'assiette naturelle de votre esprit. Votre génie est né pour les grandes actions et vous donnez dans toutes ces puérilités. Je veux parier que vous n'avez point eu de livre en main depuis que vous êtes en Russie ! » Et il l'engage à lire, au plus vite, la vie de Cicéron, Plutarque et les *Considérations sur les causes de la grandeur des Romains et de leur décadence,* de Montesquieu. Elle se jette, à corps perdu, dans cette prose gravissime et, mise en appétit par le commerce des beaux esprits, décide de rédiger un essai littéraire sur elle-même, intitulé *Portrait d'un philosophe de quinze ans.* Ayant pris connaissance du texte, le comte de Gyllenborg, enchanté, le rend à l'auteur en y adjoignant douze pages de commentaires et d'avis destinés à élever et à raffermir l'âme de la jeune fille[2]. Dans sa solitude et son désarroi, elle est tout heureuse de trouver un mentor si bien disposé. Elle lit et relit ses préceptes, elle s'en pénètre, comme elle l'a fait jadis pour les recommandations de son père. Alors même qu'elle ne sait pas si le grand-duc triomphera de la maladie, elle rêve d'étonner le monde par sa culture et sa générosité.

Or, le grand-duc guérit. Elisabeth écrit, en russe, à Catherine : « Votre Altesse, ma très chère nièce, je suis infiniment obligée à Votre Altesse de ses agréables messages. J'ai jusqu'ici tardé à y répondre du fait que je ne pouvais vous rassurer pour

1. Il était venu en Russie pour annoncer le mariage de l'héritier du trône de Suède, Adolphe-Frédéric, oncle de Catherine, avec la princesse Ulrique de Prusse.

2. Le texte de ce portrait n'est pas parvenu jusqu'à nous. Catherine assure qu'elle l'a brûlé en 1758, avec d'autres documents, alors qu'elle craignait une perquisition dans son appartement.

ce qui était de la santé de Son Altesse le grand-duc. Or, ce jour, je puis vous assurer qu'il est, à notre joie et grâce à Dieu, revenu de notre côté. »

A la fin du mois de janvier 1745, l'impératrice quitte Khotilovo, avec son neveu, pour revenir à Saint-Pétersbourg. L'absence, l'éloignement, l'inquiétude ont corrigé l'image de Pierre dans le souvenir de Catherine. Certes, il est chétif, osseux, il a les paupières lourdes et le sourire tantôt sournois, tantôt niais, mais, tel quel, il lui est aimable et elle est impatiente de le revoir. A peine les voyageurs sont-ils arrivés au palais d'Hiver, entre quatre et cinq heures de l'après-midi, qu'elle est introduite dans une grande salle où son fiancé l'attend. Dans la pénombre, elle découvre, avec frayeur, une sorte d'épouvantail. Pierre a beaucoup grandi et la petite vérole a ravagé sa figure. Ses yeux, profondément enfoncés dans les orbites, lui donnent l'apparence d'une tête de mort. « Il avait tous les traits grossis, écrira Catherine, le visage encore tout enflé ; et l'on voyait à n'en pas douter qu'il resterait fortement marqué ; comme on lui avait coupé les cheveux, il avait une immense perruque qui le défigurait encore plus. Il vint à moi et me demanda si je n'avais pas de la peine à le reconnaître. Je lui bégayai mon compliment sur sa convalescence, mais, au fait, il était devenu affreux. »

Bouleversée par cette brève entrevue, Catherine s'enfuit, regagne son appartement et s'évanouit dans les bras de sa mère.

Le 10 février, jour anniversaire de la naissance du grand-duc (il commence sa dix-septième année), l'impératrice renonce à le montrer en public, tant il a été enlaidi par la petite vérole, et invite Catherine à dîner seule avec elle, « sur le trône ». Craignant que la jeune fille ne se détourne de ce compagnon par trop disgracieux et ne rompe les fiançailles sur un coup de tête, elle redouble de tendresse à son égard. Elle s'extasie sur les lettres que Catherine lui a écrites en russe, la fait parler dans cette langue, loue sa prononciation, se récrie sur sa beauté qui s'est affirmée, dit-elle, en quelques semaines. La cour qui, ces derniers temps, a pris ses distances envers Catherine, constate, à l'occasion de ce dîner, le réchauffement des relations entre la grande-duchesse et la tsarine et, aussitôt, se met à l'unisson. Voici Catherine de nouveau entourée, admirée, adulée. Elle en est fort heureuse. En vérité, pas une seconde, elle n'a songé à reprendre sa parole, malgré la répugnance que lui inspire son fiancé. Ce n'est pas un visage qu'elle va épouser, c'est un pays. « Moi qui avais le principe de plaire au monde avec lequel j'avais à vivre, écrira-t-elle dans ses *Mémoires*, j'adoptais leurs façons de faire, leurs manières ; je voulais être russe afin que les Russes m'affectionnassent. » Et encore : « Je ne témoignais de penchant pour aucun côté, ne me mêlais de rien, avais toujours un air serein, beaucoup de prévenance et d'attention et de politesse pour tout le monde... Je montrais un grand respect à ma mère, une obéissance sans bornes à l'impératrice, la considération la plus marquée au grand-duc et je cherchais, avec la plus profonde étude, l'affection du public. »

Le grand-duc cependant souffre d'être physiquement dégradé aux yeux de sa fiancée. Plus il la voit belle, aimable, gaie, primesautière, plus il s'abîme dans la conscience de sa laideur. Par moments, il éprouve une sorte de joie perverse à lui causer de la répulsion. L'amitié qu'elle lui témoigne lui paraît simple convenance ou même calcul délibéré. Il lui en veut de s'épanouir en femme, alors qu'il se sent encore si peu homme à ses côtés. Tandis qu'elle s'astreint à apprendre le russe, à suivre les offices orthodoxes, à oublier ses origines allemandes, il s'obstine, lui, à rester allemand et luthérien. Il n'est à l'aise que parmi ses valets, qui lui parlent un langage grossier. Romberg, un ancien dragon suédois, lui enseigne que, dans un ménage, la femme doit se taire et trembler devant les décisions du mari. « Discret, comme un coup de canon », selon l'expression de Catherine, le grand-duc répète ces propos à sa fiancée. Par la même occasion, il lui laisse entendre que, plus tard, il la mènera à la baguette. Elle n'en est ni surprise ni offusquée. Elle le laisse dire. Sa grande distraction maintenant, c'est le cheval. Elle apprend l'équitation à la caserne du régiment Ismaïlovski. Et, pour se fortifier, selon les conseils des médecins, elle boit chaque matin du lait et de l'eau de Seltz.

Profitant d'un changement de résidence — l'impératrice et son neveu se sont transportés au palais d'Été —, Pierre fait dire à Catherine par un domestique qu'il habite trop loin d'elle pour lui rendre de fréquentes visites. « Ici finirent toutes les assiduités du grand-duc pour moi, écrira-t-elle. Je sentis parfaitement son peu d'empressement et combien peu j'étais affectionnée ; mon amour-propre et ma vanité gémirent tout bas, mais j'étais trop fière pour me plaindre ; je me serais crue avilie si on m'avait témoigné de l'intérêt que j'aurais pu prendre pour de la pitié. Cependant, quand j'étais seule, je répandais des larmes tout doucement et les essuyais, et allais folâtrer ensuite avec mes femmes. »

Soupçonnant les progrès de l'inimitié entre les deux fiancés, l'impératrice veut hâter la célébration du mariage. Pour elle, il importe d'abord d'assurer l'hérédité du trône. Les médecins de la cour lui conseillent respectueusement d'attendre. D'après eux, le grand-duc n'est pas mûr pour prendre femme ; tel quel, il est incapable de procréer ; il faut lui laisser le temps de devenir un homme dans toute l'acception du mot. L'impératrice refuse de se laisser convaincre. Si Pierre est indifférent aux charmes de sa fiancée, c'est qu'il boit trop. Supprimons-lui l'alcool, et il deviendra un vrai coq. Les médecins s'inclinent devant la compétence de l'impératrice en la matière. On discute, calendrier en main, la date de la cérémonie.

Catherine envisage avec terreur cette échéance que, naguère encore, elle appelait de tous ses vœux. Il y a un an et demi qu'elle est arrivée en Russie. « Plus le jour de mes noces approchait, écrira-t-elle, et plus je devenais triste, et très souvent il m'arrivait de pleurer sans trop savoir pourquoi. » L'idée de partager la vie de ce grand dadais, aussi laid que stupide, lui fait subitement horreur. Elle imagine avec répugnance des attouchements nocturnes, des privautés que le respect des sacrements religieux l'obligera à subir. Son innocence est telle, qu'à la veille du mariage elle ne sait pas encore exactement en quoi consiste la différence des sexes ni à quel mystérieux travail se livre un homme qui retrouve une femme dans un lit. Inquiète, elle interroge ses demoiselles d'honneur. Bien que très au courant de toutes les intrigues amoureuses de la cour, les fillettes sont incapables de renseigner la grande-duchesse sur l'acte physique qui, dit-on, succède aux élans de l'âme. Tout ensemble exaltées et naïves, elles discutent, autour du lit de Catherine, chacune avançant son hypothèse, proposant son explication, répétant, le rose aux joues, les confidences d'une sœur aînée. Devant l'incohérence de leurs propos, Catherine décide d'interroger sa mère pour éclairer ensuite ses compagnes. Mais Johanna, à la première question, s'offusque, refuse de répondre et gronde sa fille pour sa curiosité impudique.

Le grand-duc essaie, lui aussi, de se renseigner sur ce qu'il aura à faire une fois marié. Les laquais, qui sont ses confidents habituels, lui dépeignent en termes crus le mécanisme de l'union des corps. Ils lui parlent comme à un fier luron. Et il n'est qu'un enfant attardé. Au lieu de l'émoustiller, ils le paralysent. Il ricane en les écoutant et il a peur.

Autour de ces deux êtres en désarroi, la cour se passionne pour les préparatifs de la fête. Catherine, déçue par l'aigreur, l'inconséquence et la nervosité de sa mère, espère, contre toute raison, que son père sera convié au mariage. Lui du moins, dans sa rude simplicité, saurait, pense-t-elle, la conseiller et la soutenir. Depuis des mois, il écrit lettre sur lettre à Johanna pour la supplier d'obtenir de l'impératrice l'invitation à laquelle, de toute évidence, il a droit. Mais l'impératrice craint de révolter ce luthérien borné par le spectacle des solennités nuptiales orthodoxes et préfère le tenir à l'écart de l'événement. Le prince Christian-Auguste restera à Zerbst. D'ailleurs, Johanna elle-même, ayant encouru la colère de la souveraine, n'est que tolérée dans l'entourage de sa fille. Encore heureux qu'on ne la renvoie pas chez elle avant le grand jour, comme une servante congédiée pour insolence !

C'est la première fois que la Russie se prépare à une cérémonie de ce genre. Manquant d'exemples dans le passé et désirant donner aux noces de son neveu un éclat international, l'impératrice s'informe auprès de la cour de France, qui vient de voir le mariage du Dauphin, et auprès de la cour de Dresde, qui a vu le mariage d'Auguste III de Saxe, fils du roi de Pologne. Les spécialistes du décorum s'en donnent à cœur joie. De toutes parts, affluent à Saint-Pétersbourg des mémoires d'ambassades, des descriptions minutieuses, des échantillons de velours et de galons, des croquis retraçant les détails des pompes françaises et saxonnes. Elisabeth compulse, suppute, calcule, imite, innove. Elle veut surpasser toutes les nations rivales de la Russie par les subtilités de l'étiquette et la richesse de l'habillement. Dès que la glace est rompue sur la Néva, des navires anglais, allemands, français arrivent à Saint-Pétersbourg et débarquent des carrosses, des étoffes, des meubles, des livrées, de la vaisselle précieuse commandés aux quatre coins de l'Europe. Christian-Auguste, bien que n'étant pas invité au mariage de sa fille, expédie des tissus précieux de Zerbst. L'Angleterre se distingue par la fourniture de ces soieries à ramages or et argent sur fond clair, qui ont la préférence d'Elisabeth.

De renvoi en renvoi, le mariage est enfin fixé au 21 août 1745. Du 15 au 18 août, des hérauts d'armes en cotte de maille, accompagnés d'un détachement de gardes montés et de dragons, parcourent les rues et annoncent, au son des timbales, la date de la cérémonie. La foule se presse sur la place de l'Amirauté pour voir installer les fontaines de vin, les bancs et les tables destinés à la ripaille populaire, et devant la cathédrale de Kazan où des centaines d'ouvriers travaillent à la décoration intérieure. Le 19 août, une escadre de galères jette l'ancre devant le palais d'Hiver. Le 20 août, des salves d'artillerie et des sonneries de cloches ébranlent la ville. Ce soir-là, Johanna est prise soudain de remords et d'angoisse. Elle va trouver Catherine, lui parle à mots couverts de l'épreuve qui l'attend, de ses « devoirs futurs », et, au milieu de son discours, fond en larmes. Mais sur quoi pleure-t-elle au juste ? Sur l'échec de ses ambitions diplomatiques à la cour de Russie ou sur le sort incertain de sa fille, promise aux plus grands honneurs et aux plus grands périls ? « Nous pleurâmes un peu, notera Catherine dans ses *Mémoires*, et nous nous séparâmes fort tendrement. »

CHAPITRE V

LE MARIAGE

Le 21 août 1745, Catherine se lève à six heures du matin et, pendant qu'elle prend son bain, l'impératrice se présente afin d'examiner, dans sa nudité et sans fards, celle qui, désormais, portera les espoirs dynastiques de la Russie. L'inspection est concluante. Reconnue bonne pour le service, Catherine passe aux mains des femmes de chambre. Pendant qu'on l'habille avec une solennelle lenteur, une discussion s'élève entre la tsarine et le coiffeur, la première tenant pour un toupet plat au sommet du crâne de la fiancée, le second pour un toupet bouclé. Finalement on adopte le toupet bouclé, en espérant que cela ne nuira pas à l'équilibre de la couronne. La robe de cérémonie est en brocart argenté à jupe large, corsage serré et manches courtes; les coutures, les bordures, la traîne sont brodées de roses d'argent; aux épaules, est fixée une cape en dentelle d'argent; l'ensemble est si lourd, qu'une fois vêtue Catherine a de la peine à se mouvoir. Tous les bijoux du Trésor impérial sont étalés devant elle. Par ordre de la tsarine, elle se harnache de bracelets, de pendants d'oreilles, de broches, d'anneaux, de plaques, afin de mieux éblouir les foules sur son passage. Quand elle se regarde dans une glace, elle a l'impression d'être une constellation vivante. Son cœur se serre d'appréhension. Elle est si pâle qu'on lui met du rouge. « Son teint n'a jamais été plus beau qu'à présent, note sa mère. Ses cheveux sont d'un noir clair, mais lustré, ce qui relève son air de jeunesse et ajoute à l'avantage de la brune, celui de la douceur des blondes. » Sur ces cheveux sombres et à peine bouclés, l'impératrice pose enfin la couronne des grandes-duchesses. La couronne est pesante. Catherine doit se raidir pour garder la tête droite. A midi, le grand-duc arrive, lui aussi vêtu d'étoffe d'argent et couvert de bijoux. Ce somptueux appareil ne fait qu'accentuer son aspect simiesque.

A trois heures, le cortège de cent vingt carrosses se met en route pour conduire le jeune couple à la cathédrale de Kazan. Le peuple tombe à genoux dès qu'apparaît, tirée par huit chevaux blancs, la fabuleuse nacelle, tout en sculptures et en dorures, où siègent l'impératrice et les deux jeunes gens. L'attelage est mené au pas par des écuyers. Il est précédé du grand-maître des cérémonies et du grand maréchal de la cour, en calèche découverte, et entouré de hauts dignitaires à cheval. « L'on ne peut guère rien voir de plus grand et de plus magnifique », note le chargé d'affaires français d'Allion.

Pendant le sermon qui précède la bénédiction nuptiale, une des dames de la cour, la comtesse Tchernychev, placée derrière les jeunes gens, chuchote à l'oreille du grand-duc qu'il ne doit surtout pas quitter le prêtre des yeux, car, selon la croyance, celui des mariés qui, le premier, tournera la tête mourra le premier. Pierre hausse les épaules et grogne : « Allez vous promener! Quelle folie! » Et il raconte la chose à Catherine. Elle n'y attache aucune importance et rassemble toute son énergie pour garder un maintien de statue au milieu de cette brume où se confondent les dorures, les flammes des cierges et les rangées de visages.

A la cérémonie religieuse, qui dure plusieurs heures, succèdent un souper et un bal. Catherine est à bout de forces. Sa couronne lui écrase le front. Elle demande la permission de la retirer pendant quelques instants. On lui répond que ce serait de mauvais augure. Enfin l'impératrice l'autorise à se séparer momentanément de l'encombrant diadème. Mais elle doit presque aussitôt le replacer sur sa tête pour danser une suite de polonaises. Heureusement, la soirée est écourtée par une brusque décision de la tsarine, impatiente de mettre les jeunes mariés au lit.

Dès neuf heures, Sa Majesté impériale, entourée des plus hauts dignitaires de la cour, des dames et des demoiselles d'honneur, de quelques privilégiés et de Johanna, escorte Catherine et Pierre jusqu'aux appartements nuptiaux. Là, les époux se séparent, Pierre se retirant pour changer de vêtements dans une chambre voisine, tandis que les femmes aident la jeune fille à se déshabiller. La tsarine lui ôte la couronne, la princesse de Hesse lui met sa chemise, la grande-maîtresse lui passe sa robe de chambre. « Excepté cette cérémonie, écrit Johanna, il y en a beaucoup moins ici à déshabiller de jeunes époux qu'il y en a chez nous. Déjà aucun homme n'ose entrer dès que l'époux est entré chez lui pour se vêtir de nuit. On ne danse pas la guirlande et on ne distribue point de jarretière. » Débarrassée de sa pesante parure, les mouvements libres et le cœur crispé, Catherine contemple cette chambre d'apparat où doit se consommer le sacrifice. Des murs tendus de velours ponceau à décor d'argent. Un lit surmonté d'une couronne et recouvert d'une garniture de velours rouge brodée d'or. Des candélabres allumés, çà et là. Et elle, Catherine, cible de ces dizaines de regards curieux, amusés, vicieux, narquois, compatissants. Enfin tout le monde se retire, la laissant seule au lit avec son angoisse. Elle est là comme une chèvre d'appât attachée à un piquet. Sa mère l'a vaguement prévenue, *in extremis*. Dans sa chemise rose, commandée à Paris, elle attend le choc, la ruée, le déchirement, la révélation. Son regard ne quitte pas la porte par où doit entrer cet être redoutable et inévitable : son mari. Mais le temps passe et la porte reste close. Au bout de deux heures, elle s'inquiète. « Faut-il se relever? écrit-elle. Faut-il rester couchée? Je n'en sais rien. » Vers minuit, Mme Krouse, la nouvelle femme de chambre, vient la trouver « avec beaucoup de gaieté » et lui annonce que le grand-duc s'est fait servir à souper. Pendant qu'elle compte les minutes, il fait bombance avec ses valets favoris. Enfin, après avoir bien mangé et bien bu, il se présente, rigolard, éméché, hargneux et déclare : « Cela amuserait le domestique de nous voir ensemble au lit. » Après quoi, il se couche et s'endort d'un sommeil de brute aux côtés de sa jeune femme, qui, les yeux écarquillés dans le noir, se demande si elle doit se réjouir ou s'inquiéter d'être délaissée.

Les nuits suivantes n'apporteront pas d'autres surprises à Catherine, qui se résigne à rester vierge aux côtés d'un mari indifférent et inexpérimenté. A cette défaite intime, correspond une liesse officielle que l'impératrice orchestre avec maestria. Bals, mascarades, feux d'artifice, spectacles se succèdent dans la capitale pavoisée.

Le 30 août, la tsarine se rend au couvent Alexandre Nevski où est conservé, au sec, dans un hangar, le bateau que Pierre le Grand a construit jadis de ses mains, le fameux « diédouchka », « l'aïeul de la flotte russe ». L'esquif vermoulu, qui ne peut plus tenir l'eau, est hissé sur une péniche. Au mât, est accroché un portrait du tsar créateur de la Russie moderne. Vêtue d'un uniforme d'officier de marine (toujours ce goût des travestis masculins!), Elisabeth monte à bord, et, saluée par des salves d'artillerie, baise l'image de son père. La procession s'ébranle sur la Néva. Derrière « l'aïeul de la flotte russe », un train de barques, somptueusement décorées, transporte les courtisans décoiffés par le vent et assourdis par le son des trompettes et des tambours. A nouveau, Pierre le Grand, conduit par sa fille bien-aimée, fait le tour de la ville qu'il a bâtie, à force de volonté, sur un marécage. Une ville toute neuve, mi-terrestre mi-aquatique, traversée de canaux aux berges consolidées par des rangées de pieux, avec quelques maisons de pierre et beaucoup de maisons de bois, quelques rues pavées et beaucoup de terrains vagues. « Il n'y avait de bâtiments en pierre, écrit Catherine, que la

Millionnaïa, la Lougovaïa et le quai des Anglais, qui formaient pour ainsi dire un rideau, lequel cachait les baraques de bois les moins agréables qui se puissent représenter. De maisons meublées en damas, il n'y avait absolument que celle de la princesse de Hesse; toutes les autres avaient ou les murailles blanchies ou de mauvaises tapisseries de papier ou de toile peinte. » N'importe, Elisabeth est fière de sa capitale. Et, en organisant cette promenade sur l'eau, sous le patronage de Pierre le Grand, elle affirme, aux yeux de tous, qu'elle est l'héritière des mâles vertus de son père. Si Johanna est enthousiasmée par l'ordonnance et la richesse du cortège (elle le décrira en détail dans ses lettres), Catherine commence à se lasser de la répétition des fêtes. Les bals surtout la déçoivent, parce que la jeunesse en est pratiquement exclue. Il lui faut danser d'interminables quadrilles avec des cavaliers de plus de soixante ans, « la plupart boiteux, goutteux ou décrépits ». Elle voudrait se rapprocher du grand-duc, mais, dit-elle, « mon cher époux ne s'occupait nullement de moi et était continuellement avec ses valets, à jouer le militaire, les exerçant dans sa chambre ou changeant d'uniforme vingt fois par jour; je bâillais, je m'ennuyais, n'ayant personne à qui parler, ou bien aussi j'étais en représentation ». La nouvelle première femme de chambre, Mme Krouse, terrorise les jeunes suivantes, dont le caquetage distrayait autrefois Catherine. Interdiction leur est faite de s'entretenir à voix basse avec la grande-duchesse et de « gambader » avec elle.

La fin des festivités marque aussi la fin du séjour de Johanna en Russie. En vingt mois, elle a réussi tout ensemble à marier sa fille et à se perdre de réputation aux yeux de l'impératrice. Ses menées politiques d'abord, sa liaison amoureuse avec le comte Ivan Betski ensuite sont sévèrement jugées à la cour. On chuchote qu'elle est enceinte des œuvres de ce gentilhomme et que la grande-duchesse va avoir sous peu un petit frère ou une petite sœur. Catherine ne peut ignorer ces rumeurs. Elle en souffre dans son orgueil. Mais, tout en condamnant la légèreté de sa mère, elle la plaint d'être ainsi rabrouée, humiliée, et n'ose rien lui reprocher. Décidée à renvoyer l'intrigante, l'impératrice, pourtant, tient à paraître magnanime et lui accorde soixante mille roubles pour apurer ses comptes. Or, une fois les premiers créanciers remboursés sur cette somme, Johanna constate qu'elle doit encore soixante-dix mille roubles. Catherine est épouvantée par l'importance de la dette, mais promet de s'en acquitter, peu à peu, à la place de sa mère, en rognant sur son apanage personnel de trente mille roubles par an.

Ayant bouclé ses malles, Johanna sollicite une audience de l'impératrice, tombe à ses pieds et lui demande pardon pour les désagréments qu'elle a pu lui causer. Insensible à ce repentir, Elisabeth lui répond qu'il est trop tard pour en parler mais que, « si la princesse avait toujours été aussi humble cela aurait mieux valu pour tout le monde ». En rapportant cette scène d'adieu, Johanna insiste sur « les amabilités » de l'impératrice. Cet euphémisme, destiné à Christian-Auguste, dissimule mal l'éclat de sa disgrâce. Le chargé d'affaires français d'Allion indique qu'elle a été frappée parce qu'elle continuait à entretenir une correspondance secrète avec Frédéric II et que ses lettres étaient régulièrement « perlustrées », autrement dit déchiffrées par le cabinet noir.

Pour éviter une peine trop vive à sa fille, Johanna part de Tsarskoïé-Sélo à l'aube, sans prendre congé d'elle. Arrivée à Berlin, elle reçoit un message d'Elisabeth lui enjoignant de prier Frédéric II de rappeler son ambassadeur Mardefeldt, qui est jugé indésirable à la cour de Russie. C'est ordonner a la malheureuse de reconnaître elle-même, devant le roi de Prusse, l'échec des tractations secrètes dont il l'a chargée.

Cependant, à Tsarskoïé-Sélo, en trouvant l'appartement vide après le départ de sa mère, Catherine fond en larmes. Cette femme qu'elle a tant critiquée lui manque soudain. Avec tous ses défauts, elle était sa meilleure amie. En son absence, l'atmosphère de la cour devient irrespirable. Jamais Catherine ne s'est sentie plus seule. Depuis qu'il a le droit de l'approcher,

Pierre fuit toutes les occasions de rester en tête à tête avec elle. Lui fait-elle peur ? La trouve-t-il laide ? Elle ne comprend pas. « J'aurais bien aimé mon nouvel époux pour peu qu'il eût voulu ou pu être aimable, écrira-t-elle dans ses *Mémoires*. Mais je fis une cruelle réflexion sur lui les premiers jours mêmes de mon mariage. Je me dis : « Si tu aimes cet homme-là, tu seras la plus malheureuse créature qu'il y ait sur terre ; par le caractère dont tu es, tu voudras du retour ; cet homme-là ne te regarde quasiment pas, il ne parle que de poupées ou peu s'en faut, et il fait plus d'attention à tout autre femme qu'à toi ; tu es trop fière pour en faire du bruit ; ainsi donc, bride en main, s'il vous plaît, en fait de tendresse vis-à-vis de ce monsieur ; pensez à vous-même, madame. » Cette première empreinte, donnée dans un cœur de cire, me resta, et cette réflexion n'est jamais sortie de ma caboche. »

Le malentendu entre Catherine et Pierre s'accroît rapidement. La nuit, il la déçoit, le jour, il l'exaspère. Retardé dans son développement physique par les nombreuses maladies qu'il a subies dans son enfance, le grand-duc souffre moralement de ne pouvoir satisfaire sa jeune épouse et prend sa revanche en feignant d'être attiré par d'autres femmes. Catherine, dans sa naïveté intégrale, s'imagine que son mari trouve ailleurs des plaisirs qu'elle est incapable de lui donner, et, par orgueil, affecte de mépriser ces infidélités princières. Devant son indifférence, il redouble de cynisme. Et, elle, ulcérée par tant de grossièreté, s'éloigne encore un peu plus d'un homme qui, pense-t-elle, préfère n'importe quelle femme à la sienne. Savait-elle seulement qu'il était puceau ?

Ce couple puéril, qui a d'abord attendri l'impératrice, lui porte maintenant sur les nerfs. Elle n'a eu de cesse que les jeunes gens ne soient mariés pour assurer l'avenir de la dynastie et, à présent que les voici installés dans les prérogatives d'héritiers du trône, elle les considère avec méfiance et presque avec hostilité. Imbue de sa toute-puissance, elle supporte difficilement d'avoir sous les yeux un « successeur », comme s'il était inadmissible que le peuple pût vénérer quelqu'un après elle Pierre et Catherine, en qui elle a cru voir ses enfants, lui apparaissent soudain comme des rivaux dont il faut craindre les manigances. Ne vont-ils pas comploter contre elle, avec leurs amis, pour essayer de capter le pouvoir avant terme? Toute marque d'estime envers le grand-duc et la grande-duchesse devient un manquement à l'égard de la tsarine. Elle décide de mettre cette jeunesse au pas. A l'ère des compliments, succède l'ère des vexations. Pour commencer, l'impératrice renvoie de la cour une femme de chambre de Catherine, Maria Joukov, dont le seul crime est d'être toute dévouée à sa maîtresse. Peu après, c'est le premier chambellan de Catherine, Zahar Tchernychev, qui est obligé de la quitter pour se rendre à Ratisbonne, en mission diplomatique. Motif : « On craint qu'il ne s'amourache de la grande-duchesse. Il ne fait que la regarder. » D'autres courtisans, soupçonnés d'être favorables à Catherine, sont éloignés sous différents prétextes. Sa Majesté ne veut que des gens sûrs, des gens à elle, autour du couple grand-ducal. « C'était faire du mal gratis et par caprice, sans ombre de raison », écrira Catherine.

Malgré cette sévérité accrue à son égard, Catherine continue de se comporter en grande-duchesse authentique, apprenant le russe et suivant les offices orthodoxes. Elle a senti, dès ses premiers pas en Russie, qu'il n'y aurait de salut pour elle que dans un constant travail de naturalisation, d'acclimatation, d'identification politico-religieuse. Quand elle a choisi une ligne de conduite, rien ne l'en fera dévier. Le grand-duc la plaisante sur sa dévotion. Que ne se tient-elle, comme lui, dit-il, à l'écart de toutes ces simagrées mystiques? Sa passion, à présent, c'est le théâtre de marionnettes. Il en a fait dresser un, pour son usage personnel, dans une pièce attenante aux appartements de l'impératrice. Un jour, entendant du bruit derrière la cloison, il saisit un vilebrequin et perce, en plusieurs endroits, le panneau d'une porte condamnée. L'œil collé à l'orifice, il découvre la salle à manger privée d'Elisabeth. L'impératrice est à table, avec son amant officiel, Razoumovski, lequel a revêtu une robe de chambre de brocart. Autour d'eux, une douzaine d'intimes. Ravi d'avoir surpris sa tante en galante compagnie, Pierre rassemble tous ses amis, dispose des bancs et des chaises devant les trous et court chercher Catherine pour la convier à jouir du spectacle. Effrayée de sa témérité, Catherine lui crie qu'il est fou, qu'il a mis « au moins vingt personnes dans le secret », que cet enfantillage risque de leur coûter cher. Pierre, tout penaud, n'insiste pas et retourne à ses marionnettes.

Peu après, l'impératrice, comme il fallait s'y attendre, est mise au courant de l'événement, découvre les trous percés dans la porte, se rue chez Catherine et convoque son neveu, qui arrive en robe de chambre, le bonnet de nuit à la main. Convulsée de colère, Elisabeth vitupère le nigaud. Elle hurle qu'il a oublié « tout ce qu'il lui doit », qu'elle ne peut plus le considérer que comme « un ingrat », que son père à elle, Pierre le Grand, a eu, lui aussi, un fils ingrat, Alexis, et qu'il l'a châtié « en le déshéritant », qu'elle-même, sous l'impératrice Anne, ne s'est jamais départie du « respect que l'on doit à une tête couronnée », qu'en d'autres temps on aurait puni de forteresse un tel crime de lèse-majesté! De tous ces propos, les plus inquiétants, pour les deux jeunes gens, sont ceux qui font allusion au tsarévitch Alexis, que Pierre le Grand a, non seulement « déshérité », mais soumis à la torture jusqu'à ce que mort s'ensuive. Comme le grand-duc essaie de se justifier, Elisabeth le somme de se taire et lui dit « tout plein d'injures et de choses choquantes, lui témoignant autant de mépris que de colère ». Devant tant de violence, Catherine ne peut retenir ses larmes. L'impératrice la rassure. « Ce n'est pas à vous que ce que je dis s'adresse, marmonne-t-elle. Je sais que vous n'avez pas eu de part à ce qu'il a fait et que vous n'avez ni regardé ni voulu regarder au travers de la porte. »

Néanmoins, à quelque temps de là, c'est bien sur Catherine que tombe la foudre. Neuf mois se sont écoulés depuis le mariage, et elle n'est toujours pas enceinte. Cette stérilité est considérée par l'impératrice comme un affront personnel. La faute en incombe, pense-t-elle, uniquement à la grande-duchesse, qui ne sait pas éveiller le désir de son époux. Elle convoque Catherine et lui jette, tout cru, ce reproche à la face. « Elle disait... que c'était moi qui étais la cause que mon mariage n'était pas encore consommé. » Catherine proteste naïvement qu'une femme ne peut être responsable d'un tel échec. L'impératrice lui cloue le bec en affirmant que si. Et elle a, pour elle, l'expérience! Elle poursuit son réquisitoire en montant le ton. « Elle disait... que, si je n'aimais pas le grand-duc, ce n'était pas sa faute, qu'elle ne m'avait point mariée contre mon gré, qu'elle savait fort bien que j'en aimais un autre; enfin mille horreurs dont j'ai oublié la moitié. » A présent, emportée par le flot de la colère, l'impératrice passe des griefs conjugaux aux griefs politiques. Dès les premiers mots, Catherine comprend que, poussée par le chancelier Bestoujev, ennemi déclaré du clan franco-prussien, la tsarine la soupçonne aujourd'hui de partager les idées de sa mère. C'est folie, car, depuis son arrivée à la cour, la jeune fille s'est fixé comme règle de ne pas se mêler des affaires de l'État. Rien n'a pu être relevé dans sa correspondance (ouverte par la chancellerie) qui justifie ces réprimandes. Peu importe à la tsarine! Tout ce qui touche à Johanna lui semble empoisonné. Ayant congédié la mère, elle s'en prend à la fille. « Elle se mit à me chanter pouilles, écrira Catherine, à me demander si c'était de ma mère que j'avais reçu les instructions selon lesquelles je me conduisais, que je la trahissais pour le roi de Prusse, que mes tours fourbes et mes finesses lui étaient connus, qu'elle savait tout... »

Cette fois, les larmes de Catherine ne suffisent pas à calmer la virago impériale. Les joues cramoisies, l'œil étincelant, Elisabeth vocifère, trépigne, lève les poings. « Je voyais le moment où elle allait me battre..., je savais qu'elle battait ses femmes, ses entours et même ses cavaliers quelquefois dans la colère; l'éviter, je ne le pouvais par la fuite, puisque j'étais le dos contre la porte et elle devant moi précisément. »

L'arrivée inopinée du grand-duc crée une diversion. Elisabeth serre les dents, détourne la tête. Catherine, à demi morte d'effroi, retourne dans ses appartements, se fait saigner, se met au lit et pleure jusqu'au soir.

A dater de ce jour, l'impératrice, conseillée par Bestoujev, décide de mener la vie dure aux deux jeunes gens. Il s'agit de les mettre au pas, de les isoler et de les neutraliser politiquement. Bestoujev en personne rédige, au nom de la tsarine, les instructions destinées aux « deux personnes de distinction » qui seront placées auprès de Leurs Altesses impériales, en qualité de maître et de maîtresse de cour. La « personne de distinction » placée auprès du grand-duc s'emploiera, lit-on dans le document, à « corriger certaines habitudes malséantes de Son Altesse impériale, comme, par exemple, étant à table, de répandre le contenu de son verre sur la tête des gens de service, d'interpeller ceux qui ont l'honneur de l'approcher avec des propos grossiers et des plaisanteries indécentes, de se défigurer en public avec des grimaces et des contorsions continuelles imprimées à tous ses membres ». La « personne de distinction » placée auprès de la grande-duchesse devra, elle, l'encourager dans la pratique de la religion orthodoxe, empêcher son ingérence dans les affaires de l'Empire et lui interdire toute familiarité avec les jeunes seigneurs, les gentilshommes de la chambre, les pages, les valets. D'autre part, la nouvelle duègne invitera la grande-duchesse à montrer plus d'empressement dans les jeux de l'amour conjugal. « Son Altesse impériale a été élue pour être la digne épouse de notre cher neveu, Son Altesse impériale le grand-duc et héritier de l'Empire, et ladite (Catherine) à sa dignité présente d'Altesse impériale n'a été élevée dans aucun autre but et intention que ceux-ci : que Son Altesse impériale (Catherine), par sa conduite raisonnable, son esprit et ses vertus, incitât Son Altesse impériale (le grand-duc) à un amour sincère, s'attirât son cœur et que, par là, l'héritier tant désiré pour l'Empire et un rejeton de notre très haute maison pût être produit[1]. » Dernier point : il

1. Cité par Bilbassov, *Histoire de Catherine II*. Tome I, chap. XIX.

est désormais interdit à Catherine d'écrire à qui que ce soit sans passer par le Collège des Affaires étrangères. Ainsi, les lettres qu'elle désire adresser à son père et à sa mère devront être copiées par elle, mot pour mot, sur un modèle établi par la chancellerie. Elle n'a même pas le droit d'indiquer au scribe ce qu'elle souhaite dire à ses parents, le Collège des Affaires étrangères le sachant, en principe, mieux qu'elle. Peu à peu, le palais se transforme, pour elle, en prison. Elle n'est pas, à proprement parler, captive, mais sa marge de liberté est réduite à presque rien.

Or, elle a plus que jamais envie de se divertir. Le grand-duc compte parmi ses familiers trois garçons de belle apparence, élégants et joyeux — deux frères et un cousin —, les Tchernychev. André, l'aîné, est le préféré de Pierre et devient très vite celui de Catherine. Déjà au temps de ses fiançailles, elle a engagé avec le jeune homme une sorte d'escrime galante qui les amuse l'un et l'autre. Pierre, qui est friand de situations ambiguës, encourage sa fiancée à ce jeu malsain. Parlant de Catherine à André, il l'appelle, par plaisanterie « Votre promise ». Après le mariage, la grande-duchesse choisit d'appliquer à son cavalier servant le nom de *synok* (fiston), tandis qu'il la gratifie du nom de *matouchka* (petite mère). Cette amitié teintée de coquetterie ne passe pas inaperçue des autres courtisans. Craignant un scandale, le fidèle valet de chambre de Catherine, Timofeï Evreinov, la supplie d'être prudente. Comme elle proteste de son innocence et parle de simple bonté, de pur attachement, il rétorque : « Ce que vous nommez bonté et attachement parce que cet homme vous est fidèle et vous sert, vos gens le nomment amour[1] ! » Frappée par ce jugement, elle s'interroge et reconnaît, avec un mélange de peur et de gratitude, qu'un sentiment très tendre s'est développé en elle, à son insu. Afin de ne pas compromettre la grande-duchesse, André Tchernychev se prétend malade et demande un congé.

1. Catherine II : *Mémoires*.

Quelques semaines plus tard, en avril 1746, il reparaît à la cour. Pendant un concert, au palais d'Été, Catherine, que la musique ennuie, quitte son fauteuil et s'esquive sur la pointe des pieds. Personne ne la suit. Son mari joue du violon dans l'orchestre. L'impératrice est absente. Les dames d'honneur sont occupées ailleurs. Elle se réfugie dans sa chambre. Cette chambre donne sur la grande salle, dont des peintres, juchés sur des échafaudages, repeignent le plafond. Soudain, le cœur de Catherine se serre. Au fond de la salle, elle aperçoit André Tchernychev. Incapable de se contenir, elle lui fait signe d'approcher. Il la supplie de le laisser entrer dans sa chambre. Malgré toute l'envie qu'elle a de lui céder, elle refuse et continue de lui parler, à voix basse, par l'entrebâillement de la porte. Au milieu de leur conversation, elle entend un faible bruit, tourne la tête et voit, à l'autre porte de la pièce, le chambellan comte Devier qui l'épie. « Le grand-duc vous demande, Madame », dit-il en s'inclinant.

Le lendemain, les trois Tchernychev sont envoyés comme lieutenants dans des régiments cantonnés du côté d'Orenbourg. Et, dans l'après-midi de ce même jour, la « personne de distinction » chargée de surveiller la conduite de Catherine prend ses fonctions, sur l'ordre de Bestoujev. Il s'agit de Marie Semenovna Tchoglokov, cousine germaine de l'impératrice. Agée de vingt-quatre ans, elle a un joli visage, un esprit obtus, une vertu à toute épreuve et un sens du devoir qui la raidit de la nuque aux talons. Elle adore son mari, actuellement en mission à Vienne, elle a des enfants, elle est pieuse, elle ne jure que par Bestoujev et l'impératrice, bref elle sera, pense-t-on, un exemple vivant pour la grande-duchesse qui a tellement besoin d'être guidée. Catherine ouvre sa porte, avec terreur, à cette espionne au regard glacé. Elle la trouve « extrêmement simple, méchante, capricieuse et fort intéressée ». Au moindre propos plaisant, la Tchoglokov s'écrie : « Pareil discours déplairait à Sa Majesté ! » ou : « Pareille chose ne saurait être approuvée par l'impératrice ! » Le grand-duc, lui aussi, voit tout son entourage renouvelé. On lui donne comme éducateur le prince Basile Repnine. Enfin ordre est signifié au jeune couple d'aller se confesser à Siméon Thodorski, devenu évêque de Pskov, qui les interroge séparément sur leurs relations avec les Tchernychev. Devant leurs serments d'innocence, le prêtre s'écrie : « Mais d'où vient donc que l'impératrice est prévenue du contraire ? » Malgré le rapport favorable que le saint homme, négligeant le secret de la confession, fait à Sa Majesté, la surveillance autour de Catherine et de Pierre ne se relâche pas. Ils ne peuvent faire un pas hors de leur chambre sans en demander la permission. Chaque jour leur apporte une nouvelle avanie. Par moments, il semble à Catherine qu'elle est devenue, sans savoir pourquoi ni comment, l'ennemie jurée de l'impératrice.

CHAPITRE VI

L'ÉPOUSE VIERGE

De même que Catherine a, peu à peu, découvert le terrible visage d'Elisabeth derrière l'image idéalisée de la tsarine au grand cœur, de même elle découvre, jour après jour, la vraie Russie, barbare, cruelle, misérable, derrière une apparence de civilisation. Tout, ici, n'est que trompe-l'œil. Les efforts de Pierre le Grand pour « européaniser » son pays ne l'ont pas modifié en profondeur. Depuis les oukases du « Bâtisseur », on ne porte plus la barbe, on s'affuble d'une perruque, on s'habille à la française, on prise du tabac, on danse comme à Vienne ou à Versailles, et cependant ces hommes, ces femmes qui se réclament du progrès des idées ignorent tout de la véritable culture occidentale. En condamnant la tradition russe, les formes archaïques de la piété, la rude morale patriarcale, l'empereur a désorienté l'aristocratie. Invités à singer l'Occident, les courtisans se lancent dans la débauche. La licence des mœurs, dans l'entourage d'Elisabeth, n'est que le reflet des frasques de la tsarine. Et ce dévergondage ne s'accompagne pas, comme dans d'autres cours européennes, d'un minimum de raffinement intellectuel. Ici, les dames d'honneur rivalisent d'élégance dans leur toilette, mais la plupart ne savent pas lire.

Elles ne sont préoccupées que d'intrigues, de danse et de coquetterie. Elles sont grossières avec leurs serviteurs et minaudières avec leurs cavaliers. Officiers de la garde ou hauts fonctionnaires, les hommes ne sont pas davantage attirés par les livres. Leurs passe-temps favoris sont la galanterie, le jeu et la boisson. Le mâle s'affirme devant la bouteille et les cartes, non devant l'écritoire ou la page imprimée. Il est difficile de se procurer des ouvrages en français ou en allemand à Saint-Pétersbourg, malgré l'ouverture du pays à l'ouest. Quant aux ouvrages en russe, ils sont pratiquement inexistants. La littérature nationale n'en est encore qu'à ses balbutiements. Personne ne s'y intéresse, malgré les timides encouragements d'une nouvelle Académie des Beaux-Arts. Du reste, les nobles qui entourent Elisabeth sont, pour la plupart, d'origine roturière. Pierre Ier a substitué la noblesse de service à la noblesse de naissance. Plus de boyards — des fonctionnaires. Le « Tableau des rangs » fixe désormais le grade de chacun dans l'immense édifice de l'Administration russe. On distribue des titres de comte, de baron, voire de prince aux plus zélés serviteurs de l'empire. Le comte Alexis Razoumovski est un simple paysan ukrainien, l'ancien palefrenier Biron a été fait duc de Courlande. Les grandes familles de noblesse ancienne et authentique, les Troubetzkoï, les Volkonski, les Repnine, les Golitzine, les Obolenski, les Dolgorouki considèrent avec dédain ces nouveaux venus riches et arrogants. Catherine elle-même, qui a été formée à l'école de la vieille aristocratie allemande, est choquée par la rudesse des proches de l'impératrice. Sous le vernis superficiel, le bois n'a été ni raboté ni poncé. « Il semble que ce soient deux peuples, écrit un contemporain sagace, le chevalier de Corberon, deux nations différentes sur le même sol. Vous êtes à la fois au XIVe et au XVIIIe siècle. Mais la partie civilisée elle-même n'est civilisée qu'en surface. C'est un peuple de sauvages habillés, de gens... qui ont de belles manchettes et qui sont sans chemise, des fruits verts et pourris qu'on a eu le tort de trop pousser. La forme l'emporte toujours sur le fond :

on aime ce qui paraît et l'on ne pense guère à l'essentiel. » Et, de fait, si la plus grande pompe est de règle dans les réceptions de la cour, si Elisabeth possède la suite la plus brillante et la plus nombreuse d'Europe, si les salons d'apparat éblouissent les visiteurs étrangers par l'abondance des dorures, des glaces et des fresques murales, les chambres d'habitation sont dépourvues du moindre confort. Dans ces palais construits en hâte, les portes ferment mal, les fenêtres laissent passer des vents coulis, les escaliers branlent, les murs suintent, les cheminées fument. En hiver, une âcre odeur de suie rend l'atmosphère irrespirable. A cause du mauvais état des poêles, le danger d'incendie est permanent. La plupart des maisons étant en bois, le feu les dévore en quelques heures. Les Russes sont habitués à ce genre de sinistre. Pour eux, un toit n'est jamais définitif. Après le passage des flammes, on disperse les cendres et on rebâtit. Le palais d'Elisabeth, à Moscou, est ainsi anéanti par le feu en trois heures. Elle ordonne qu'il soit reconstruit en six semaines. Pendant les travaux, Catherine campe dans la « maison de l'évêque », qui, elle-même, prend feu à trois reprises. « Jamais année ne fut plus fertile en incendies, écrira-t-elle. Il m'est arrivé de voir deux, trois, quatre et jusqu'à cinq incendies à la fois dans les différents quartiers de Moscou. » Il est rare qu'elle se sente à l'aise dans les appartements qui lui sont attribués. A Saint-Pétersbourg, au palais d'Été, ses fenêtres ouvrent d'un côté sur la Fontanka, qui n'est alors qu'une mare de boue fétide, et, de l'autre, sur une cour minuscule. A Moscou, la vermine grouille et l'eau coule des lambris. Les dix-sept dames et demoiselles d'honneur de la grande-duchesse couchent dans une même pièce, attenante à la sienne et qui lui sert de toilette. En cours de voyage, les maisons de poste étant réservées à l'impératrice, Catherine loge souvent à l'office ou sous la tente. « Je me souviens, écrira-t-elle, qu'un jour je m'habillai près du four où l'on venait de cuire le pain et qu'une autre fois, dans la tente où on avait dressé mon lit, il y avait de l'eau jusqu'à mi-pied quand j'y entrai. » Les meubles sont rares et, n'étant pas affectés à une résidence déterminée, accompagnent la cour dans ses déplacements. On emporte tout avec soi, comme des nomades qui lèvent le camp. Tapis, glaces, lits, tables, chaises, fauteuils, vaisselle partent dans des chariots à la suite de l'impératrice, passant du palais d'Hiver au palais d'Été ou de Péterhof à Moscou. « Il s'en brisait et cassait dans les transports un bon nombre, écrira Catherine, et, dans cet état de déchets, on nous les donnait, de sorte qu'on avait de la peine à s'en servir. » Ainsi malmenées, disloquées, délavées par la pluie, des pièces précieuses de l'ébénisterie française échouent dans de grands palais glacés où nul ne leur prête attention. Les courtisans, encore moulus par le voyage, enfilent leurs plus beaux habits et vont dîner dans de la vaisselle d'or, au milieu de salles immenses, sur des tables bancales dont on a calé le pied avec une bûche. Ils sont emperruqués, poudrés, les dames ont une mouche assassine au coin de la lèvre, les hommes se parfument, mais, cette nuit, la plupart d'entre eux coucheront sur des grabats par manque de literie.

Ce mélange de luxe et de dénuement paraît à Catherine la caractéristique essentielle de la société russe. « Il n'est pas rare, écrira-t-elle, de voir sortir d'une cour immense, remplie de bourbe et d'immondices de toutes sortes, qui tient à une mauvaise baraque de bois pourri, une dame couverte de bijoux et superbement vêtue, dans un char magnifique, traîné par six mauvaises haridelles, salement harnachées, et les valets mal peignés, portant une très jolie livrée qu'ils déshonorent par la gaucherie de leur tournure... La disposition à la tyrannie se cultive là-bas plus qu'en aucun lieu de la terre habitée; elle s'inculque dès l'âge le plus tendre par la cruauté avec laquelle les enfants voient que leurs parents en agissent avec leurs domestiques, car quelle est la maison dans laquelle il n'y ait des carcans, des chaînes, des fouets ou tels autres instruments pour martyriser, au sujet de la moindre faute, ceux que la nature a placés dans cette malheureuse classe, qui ne saurait sans crime rompre ses fers. » Ce peuple grisâtre de l'office et de la campagne, elle le connaît mal, mais elle devine sa misère. C'est lui qu'elle a vu tant de fois prosterné, de part et d'autre des cortèges impériaux. Elle sait que, pour lui, rien n'a changé depuis des siècles. Et même que la condition des serfs s'est aggravée depuis les réformes de Pierre le Grand. Ils sont la force vive du pays, tout repose sur eux, rien ne se fait sans eux, et cependant ils ne sont maîtres ni de leur destin ni de leur personne. Leur seigneur, dont ils sont la richesse, les traite au mieux comme du bétail. Et nul ne songe à s'en étonner. Combien sont-ils? Impossible de les dénombrer. Une vraie fourmilière. Certains prétendent que les paysans représentent 95 p. 100 de la population totale. On dirait que la foule est une notion spécifiquement russe. Catherine se rend compte enfin que, contrairement aux apparences, elle ne se trouve pas en Europe mais en Asie, ou qu'elle a reculé de deux siècles dans le temps. Prise de panique, elle se met à regretter Stettin, sa famille allemande, ses amis, Babet Cardel.

Elle en est là de ses sentiments, lorsqu'elle apprend la mort de son père, survenue à Zerbst. Jamais elle n'a autant maudit la décision impériale qui l'empêche de correspondre librement avec ses parents. Elle voudrait épancher sa tristesse dans une lettre intime, chaleureuse, personnelle, et il lui faut contresigner les fades condoléances de la chancellerie. Ébranlée par le choc, elle s'enferme dans sa chambre et pleure. Au bout de huit jours, Mme Tchoglokov vient lui dire, de la part de l'impératrice, qu'elle doit s'arrêter de pleurer, car son père « n'est pas un roi ». « Je lui répondis qu'il était vrai qu'il n'était pas roi, mais qu'il était mon père. A cela elle repartit qu'il ne convenait pas à une grande-duchesse de pleurer un père qui n'était pas roi[1]. » Enfin, l'impératrice accorde à Catherine, comme une aumône, l'autorisation de porter le deuil pendant six semaines.

Après quoi, la vie de cour reprend, monotone et absurde, avec ses voyages, ses banquets, ses mascarades, ses revues navales,

1. Catherine II : *Mémoires*.

ses offices religieux. Catherine joue gros jeu, au « pharaon », pour s'étourdir, fait ses oraisons, pour complaire à l'impératrice, monte à cheval, lit, papote, se plaint de l'ennui des réunions mondaines. « Le bal est très maigre, très mal arrangé, les hommes harassés et de mauvaise humeur », écrira-t-elle. Et encore : « A la cour..., il n'y avait aucune conversation, les uns et les autres se haïssaient cordialement, la médisance servait d'esprit et le moindre mot d'affaire était réputé crime de lèse-majesté. On n'avait garde de parler d'art et de sciences, parce que tout le monde était ignorant. Il y avait à parier que la moitié de la compagnie ne savait pas lire, et je ne suis pas bien sûre si le tiers savait écrire. »

Parfois, une fantaisie de l'impératrice secoue ce petit univers vaniteux et obséquieux. Soudain elle décide un voyage qui dérange tout le monde, du dernier des serviteurs au plus haut dignitaire, ou bien elle change les heures des repas, ou bien, souffrant d'insomnie, elle oblige ses familiers, vacillant de fatigue, à lui tenir compagnie au long de la nuit. Un jour d'hiver, en 1747, elle ordonne que toutes les dames de la cour se fassent raser la tête et leur envoie « des perruques noires mal peignées » qu'elles devront porter jusqu'à la repousse des cheveux. Jeunes et vieilles sacrifient leur crinière pour obéir à la volonté impériale. C'est un concert de gémissements dans toutes les chambres où les coiffeurs procèdent à la tonte. Quant aux dames de la ville, si elles ne sont pas tenues de se faire raser, il leur est néanmoins interdit de paraître dans les salons sans les mêmes perruques noires, posées par-dessus leurs cheveux. Cette coiffure à double étage leur donne un air « encore plus mal fagoté que les dames de la cour ». Motif de la nouvelle réglementation capillaire : l'impératrice, ne pouvant ôter la poudre de ses cheveux, a choisi de les noircir ; puis, la teinture refusant de s'en aller, elle a dû se raser la tête. Comment, dans ces conditions, accepterait-elle, dans son sillage, toutes ces femmes aux tignasses arrogantes ? Non, le propre des bons sujets est d'imiter en tout leur souveraine. Cependant Elisabeth fait une exception pour Catherine, qui, ayant perdu ses cheveux à la suite d'une maladie, commence tout juste à se coiffer de nouveau. Sa Majesté n'est pas toujours aussi magnanime : quelques mois plus tard, le jour de la Saint-Alexandre, comme Catherine paraît à la cour dans une robe blanche « garnie sur toutes les coutures d'un large point d'Espagne d'or », l'impératrice lui fait dire de retirer immédiatement ce vêtement qui rappelle trop celui des chevaliers de l'ordre de Saint-Alexandre Nevski. En vérité, il n'y a nulle ressemblance entre les deux tenues. « Il se peut, écrira Catherine, que l'impératrice avait trouvé mon habit plus joli que le sien, et voilà la vraie cause pour laquelle elle me fit ordonner d'ôter le mien. Ma chère tante était très susceptible de pareilles petites jalousies, non seulement envers moi, mais aussi envers toutes les autres dames, et principalement celles qui étaient plus jeunes qu'elle y étaient continuellement en butte. » Et de citer le cas de la belle Mme Narychkine, dont l'élégance et le grand air agacent tellement l'impératrice, qu'un soir de réception elle se précipite sur la malheureuse et lui coupe, avec des ciseaux, « une garniture de rubans charmants », sur le haut de la tête. Une autre fois, elle s'en prend à deux de ses filles d'honneur, trop jolies à son gré, et taillade sauvagement leurs cheveux frisés. « Ces demoiselles, écrira Catherine, prétendaient que Sa Majesté leur avait emporté un peu de peau avec les cheveux. »

Fidèle à son plan, l'impératrice continue à écarter de Catherine et de Pierre tous ceux dont l'amitié pourrait les soulager dans leur solitude. Trois pages, que le grand-duc aime beaucoup, sont arrêtés et conduits à la forteresse. On renvoie son oncle, le prince-évêque de Lübeck. Tous les gentilshommes holsteinois de son entourage sont également éloignés. Son intendant Kramer, « homme doux et rangé, attaché à ce prince depuis le jour de sa naissance », est privé de son emploi. Un autre valet de chambre, Rombach, est jeté en prison. De son côté, Catherine doit se séparer, par ordre de l'impératrice, d'un petit Kalmouk qu'elle affectionne et qui la coiffe tous les matins, de plusieurs servantes, du fidèle Evreinov... Ces coups, indéfiniment répétés, font écrire à Catherine qu'elle mène « une vie dont dix autres auraient pu devenir folles, et vingt autres, en seraient mortes de chagrin ».

En fait, les persécutions de la tsarine rapprochent les jeunes gens dans l'adversité. Bavard intarissable, Pierre sait qu'il peut discourir devant Catherine sans craindre que ses propos ne soient répétés à l'impératrice. Alors, il monologue sur des riens, en gesticulant. Et elle l'écoute, avec un mélange d'accablement et de pitié. « Souvent, j'étais très ennuyée de ses visites de quelques heures, écrira-t-elle, et même fatiguée, car il ne s'asseyait jamais et il fallait toujours marcher avec lui par la chambre... Il marchait vite et faisait de fort grands pas, et c'était un ouvrage pénible que de le suivre et de soutenir outre cela des propos de détails militaires fort minutieux, desquels il parlait volontiers et ne finissait guère quand il les avait entamés. » Aucun goût commun entre ces deux êtres liés à la même chaîne. « Jamais esprits ne se ressemblèrent moins que les nôtres », notera Catherine. Si elle tente de lui parler de ses lectures, il ouvre de grands yeux. Les seuls livres qui l'intéressent, lui, sont « des histoires de voleurs de grands chemins ». « Il y avait cependant des moments où il m'écoutait, ajoute Catherine, mais c'était toujours ceux où il était en détresse, car il était très peureux de cœur et sa tête était faible. » Oui, quand l'angoisse le prend au ventre, Pierre recherche les conseils de Catherine. Il est terrorisé par sa tante, l'idée de la forteresse hante ses nuits, il ne peut oublier le tsarévitch Alexis sacrifié par son père, le petit tsar Ivan VI incarcéré par Elisabeth, il flaire des complots partout, il imagine des tortures, il voit du sang sous ses pas, il tremble, et Catherine s'efforce de le rassurer. Dominant sa propre inquiétude, elle lui affirme que l'impératrice n'est pas un monstre, malgré quelques aspérités de caractère, que jamais elle ne portera la main sur son neveu, qu'il risque, tout au plus, des paroles de colère. Aussi prompt à se calmer qu'à s'alarmer, le grand-duc retourne à ses amusements enfantins. A dix-huit ans, il reste insensible à l'attrait de la chair, et, comme dans son plus jeune âge, se délecte à jouer avec des soldats de bois, des canons en miniature, des maquettes de forteresse. Mme Krouse, la première femme de chambre, lui en procure autant qu'il veut, à l'insu de Mme Tchoglokov. Pendant le jour, tout cet attirail est caché sous le lit. Mais, après le souper, quand le couple est couché, Mme Krouse ferme la porte de la chambre et la fête commence. Installé dans le lit à côté de sa jeune femme en toilette de nuit, fraîche, souriante et toujours intacte, Pierre, les yeux brillants, le feu aux pommettes, fait évoluer des régiments de soldats de bois sur la couverture, imite avec la bouche le bruit de la canonnade, clame des ordres, invite Catherine à participer aux batailles. Ce manège se prolonge jusqu'à deux heures du matin. « Souvent je riais, mais plus souvent encore j'en étais excédée, et même incommodée, écrira Catherine, tout le lit étant couvert et rempli de poupées et de jouets quelquefois assez lourds. » Une nuit, Mme Tchoglokov, intriguée par le remue-ménage dont elle entend les échos de l'extérieur, frappe à la porte de la chambre. Avant de lui ouvrir, le grand-duc et la grande-duchesse fourrent précipitamment les jouets sous la couverture. La duègne entre, inspecte les lieux d'un œil méfiant, déclare que Sa Majesté sera mécontente en apprenant que les jeunes gens ne sont pas encore endormis, et se retire. « Elle partie, écrira Catherine, le grand-duc continua son train jusqu'à ce qu'il eût envie de dormir. »

Sans doute accepte-t-elle difficilement l'idée d'être moins attrayante, au lit, pour son jeune époux, qu'une collection de soldats de bois. Cependant elle ne laisse rien paraître de son impatience. La chasteté ne lui pèse pas encore. Pierre, de son côté, a été averti qu'une légère imperfection physique l'empêche d'assumer son rôle de mari. Il suffirait d'une opération chirurgicale très bénigne pour le libérer. Mais il a peur du bistouri. Tout compte fait, il préfère demeurer dans l'enfance, à l'écart du monde, parmi ses jouets et ses rêves. « Le grand-duc, écrira Champeaux dans un mémoire rédigé pour le cabinet de

Versailles, en 1758, se trouvait incapable d'avoir des enfants par un obstacle auquel la circoncision remédie chez les peuples orientaux, mais qu'il crut sans remède. » Et Castéra, autre diplomate, mande de son côté : « Telle était la honte dont l'accablait son malheur qu'il (le grand-duc) n'eut même pas le courage de le révéler et la princesse, qui ne recevait plus ses caresses qu'avec répugnance, et qui n'était alors pas plus expérimentée que lui, ne chercha ni à le consoler ni à lui faire chercher des moyens qui le ramenassent dans ses bras. »

Une nouvelle passion s'est emparée de Pierre : il veut dresser des chiens barbets pour la chasse. Bientôt, une dizaine de bêtes sont rassemblées dans la chambre. Elles couchent entassées dans l'alcôve, derrière une cloison de bois. Leurs aboiements continuels et leur odeur dérangent Catherine. « C'est dans cette puanteur, dira-t-elle, que nous dormions tous les deux. » Malgré ses protestations, le grand-duc refuse de se séparer de sa meute. Le pouvoir sans limite qu'il a sur ses chiens le grise. Sous prétexte de leur apprendre à obéir, il les étourdit d'ordres gutturaux, les frappe à coups de fouet, à coups de bâton. Un jour, Catherine le surprend cognant de toutes ses forces sur un minuscule king-charles qu'un de ses serviteurs tient soulevé par la queue. Elle pleure et le supplie d'arrêter, « mais cela ne fit que redoubler les coups ». « En général, observe-t-elle, les larmes et les cris, au lieu de faire pitié au grand-duc, le mettaient en colère ; la pitié était un sentiment pénible et même insupportable à son âme. » Quand il s'est assez amusé à tourmenter ses chiens, il saisit son violon et se promène dans la chambre en raclant les cordes avec son archet, vigoureusement, pendant des heures. « Il ne connaissait pas une note, écrit Catherine, mais il avait beaucoup d'oreille et faisait consister la beauté de la musique dans la force et la violence avec laquelle il tirait des sons de son instrument. » Cela dit, elle préfère encore les grincements du crincrin aux invectives qu'éructe le grand-duc quand il a trop bu avec ses domestiques. Quelques années plus tard, elle notera : « Il commençait déjà à avoir presque continuellement une odeur de vin mêlée à celle du tabac à fumer, qui à la lettre était insupportable à ceux qui l'approchaient de près. » Pendant tout un hiver, Pierre entretient Catherine d'une nouvelle lubie : bâtir une maison de plaisance qui ressemblerait à un couvent de capucins, habiller les courtisans en moines, leur donner à chacun une bourrique pour vaquer à leurs occupations. Il s'étrangle de rire en exposant les détails de son projet. Sa femme doit, pour lui complaire, dessiner cent fois les plans de cet établissement imaginaire. Elle en est excédée. « Quand il sortait, dira-t-elle, le livre le plus ennuyeux paraissait un délicieux amusement. »

Dédaignée par son mari, elle se raisonne pour ne pas perdre confiance en son pouvoir de séduction. Elle a dix-huit ans. Son miroir, qu'elle consulte de plus en plus souvent, lui renvoie une image somme toute satisfaisante. « J'embellissais à vue d'œil, écrira-t-elle. J'étais grande et j'avais la taille fort belle[1] ; il ne me manquait qu'un peu d'embonpoint, j'étais assez maigre. J'aimais à aller sans poudre, mes cheveux étaient d'un fort beau brun, très épais et bien plantés. » Du reste, à la cour, les hommages masculins ne lui manquent pas. Cyrille Razoumovski, frère du favori de l'impératrice, lui chuchote des compliments qu'elle n'ose interpréter comme des déclarations d'amour. L'ambassadeur de Suède la trouve si belle qu'il charge Mme Lestocq de le lui dire. Catherine en est flattée, mais, « soit modestie, soit coquetterie », cela lui donne « de l'embarras dans le maintien » chaque fois qu'elle rencontre le diplomate.

Ces galanteries de salon ne peuvent suffire à apaiser les exigences d'un tempérament vigoureux. Mariée et pourtant privée d'homme, Catherine cherche à détendre ses nerfs par l'exercice physique. En été, levée à l'aube, elle revêt un costume masculin et, suivie d'un vieux serviteur, va tirer les canards

1. Bien que Catherine se dise « grande », il semble, d'après certaines de ses robes, qui ont été conservées, qu'elle ne mesurait pas plus d'un mètre soixante.

« dans les roseaux qui bordent la mer, des deux côtés du canal d'Oranienbaum ». Mais, plus encore que la chasse, c'est l'équitation qui l'aide à oublier la tristesse de son état. Lancée au galop, elle connaît les rudes plaisirs de l'union avec la monture, de la vitesse maîtrisée et de la liberté dans l'effort. Il lui arrive de chevaucher jusqu'à treize heures par jour. « Plus cet exercice était violent et plus il m'était cher, de façon que, si un cheval venait à s'enfuir, je courais après et le ramenais », écrira-t-elle. Son penchant naturel pour la virilité l'incite à monter en cavalier, sur une selle plate. L'impératrice y voit une cause probable de la stérilité qui affecte la grande-duchesse. Alors, Catherine fait confectionner, en secret, des selles modifiables. « Elles avaient, explique-t-elle, un crochet anglais et on pouvait passer la jambe pour être assis en homme ; outre cela, le crochet se dévissait et un autre étrier se baissait et se relevait à volonté, et selon que je jugeais à propos. » Ce mécanisme ingénieux permet à la grande-duchesse de monter en amazone devant Elisabeth et de se remettre à califourchon dès qu'elle n'est plus surveillée. Une jupe partagée en deux sur toute sa longueur facilite ces changements de position. Elle prend des leçons avec un écuyer allemand, instructeur au corps des cadets, et ses progrès rapides lui valent des « éperons d'honneur » en argent. Seconde victoire, en matière de danse cette fois : un soir, au bal, elle lance un défi à Mme Arnheim, femme du ministre de Saxe, à qui tournoiera le plus longtemps sans perdre le souffle. Elle gagne et n'en est pas peu fière. A une autre réception, le chevalier Sacrosomo, qui vient d'arriver à Saint-Pétersbourg, s'approche d'elle, lui baise la main et lui glisse un billet en chuchotant : « C'est de la part de madame votre mère. » Terrifiée à l'idée que quelqu'un a peut-être surpris leur manège, Catherine dissimule le billet dans son gant. Plus tard, réfugiée dans sa chambre, elle lit le message que sa mère lui adresse d'un autre monde, le relit, s'émeut, pleure et décide de répondre par la même voie, au risque d'être découverte. Selon les instructions de Sacrosomo, elle doit remettre sa lettre à un violoncelliste, au cours du prochain concert. Au jour dit, elle fait le tour de l'orchestre, découvre l'homme et s'arrête derrière sa chaise. Aussitôt, il feint de se fouiller pour prendre un mouchoir et ouvre largement la poche de son habit. Elle y laisse tomber le papier. Personne ne l'a vue. Elle respire. Combien d'années encore devra-t-elle trembler devant les espions de l'impératrice? Elle a beau se plier à tout pour plaire à cette femme, elle ne rencontre de sa part que haine, mépris ou suspicion. Impulsive et incohérente, Elisabeth peut fort bien la renvoyer demain en Allemagne après avoir fait annuler par l'Eglise un mariage qui n'a pas été consommé. Au fait, Catherine doit-elle craindre ou espérer cette solution extrême? Elle ne le sait plus au juste. Le chambellan Afzine la prend à part et lui rapporte l'opinion que l'impératrice vient d'exprimer, à table, à savoir que la grande-duchesse « se surcharge de dettes », que tout ce qu'elle fait « est marqué au coin de la bêtise », qu'elle se figure avoir de l'esprit mais qu'elle « ne trompe personne », qu'il faut l'avoir à l'œil, qu'elle est dangereuse... Il ajoute qu'il a reçu l'ordre de répéter mot pour mot ces propos à l'intéressée. Catherine ravale son chagrin, sa honte, et se résigne à attendre le prochain coup.

Gyllenborg lui a donné jadis le goût de la lecture. Plus que jamais, elle recherche dans les livres consolation et enseignement. Elle commence par les romans, ceux de La Calprenède, ceux de Mlle de Scudéry, l'*Astrée* d'Honoré d'Urfé, *Clovis* de Desmarets. Mais ces histoires idéalisées jusqu'à la fadeur l'ennuient bientôt. Elle se tourne vers les œuvres de Brantôme qu'elle trouve amusantes, quoique fort légères. Ce sont surtout les lettres de Mme de Sévigné qui font ses délices. Elle voudrait pouvoir, elle aussi, écrire de cette plume aiguë, allier l'observation à l'ironie, l'intelligence à la grâce. Toute sa vie, devant le papier blanc, elle se souviendra de ce modèle inégalable. Elle lit aussi, avec un louable effort, l'*Histoire générale d'Allemagne,* du P. Basse, à raison d'un volume par semaine, et l'*Histoire d'Henri le Grand* du P. Péréfixe. La noble figure d'Henri IV la transporte d'admiration. Si elle doit régner un jour, elle prendra exemple sur lui, pense-t-elle. Mais, en vérité, elle croit de moins en moins à cette éventualité glorieuse. Un peu plus tard, elle découvre Voltaire et se pâme. Puis elle se plonge dans les quatre tomes du *Dictionnaire* de Bayle, avalant pêle-mêle les idées généreuses de ce précurseur des encyclopédistes.

Après l'enchantement d'une promenade au jardin des grands esprits, le réveil, face à l'impératrice, à Pierre et au couple Tchoglokov, est pénible. L'excellent prince Repnine ayant été relevé de ses fonctions de surveillant a été remplacé, auprès du grand-duc, par le propre mari de Mme Tchoglokov, celle-ci demeurant la surveillante de la grande-duchesse. Toujours persuadée que les Tchoglokov forment un ménage exemplaire, l'impératrice compte sur leur influence pour déterminer les jeunes gens à s'aimer et à avoir des enfants. Dès l'abord, Catherine prend Tchoglokov en grippe. « Il était blond et fat, fort gros, et aussi épais d'esprit que de corps, écrira-t-elle. Il était haï de tout le monde comme un crapaud et n'était pas du tout aimable non plus ; la jalousie de sa femme et la méchanceté et malveillance de celle-ci étaient aussi des choses à éviter, surtout pour moi qui n'avais d'autre appui au monde que moi-même et mon mérite, si j'en avais. » Or, voici que cet imbécile boursouflé, soi-disant parangon de vertu conjugale, séduit en un tournemain Mlle Kochelev, une demoiselle d'honneur de l'impératrice, et la met enceinte. Colère de la tsarine, qui parle de chasser le suborneur de la cour. Larmes de la femme qui, tout en flétrissant la conduite de son époux, consent à passer l'éponge. Visite des deux à Elisabeth pour la supplier, à genoux, au nom de leurs six enfants, de ne pas les déshonorer par un renvoi ignominieux. Décision surprenante de Sa Majesté : les Tchoglokov resteront en fonction auprès du grand-duc et de la grande-duchesse, ce sera la demoiselle d'honneur qui partira. Pourtant, après cette mésaventure, les deux surveillants perdent un peu de leur arrogance. Tchoglokov s'attendrit même à un tel point qu'il ose faire les yeux doux à Catherine. Espère-t-il qu'elle lui cédera, comme Mlle Kochelev ? Elle est outrée de ses assiduités mais évite de le heurter par un éclat public. Mme Tchoglokov, qui suit avec attention les entreprises galantes de l'infidèle, sait gré à Catherine de le décourager avec tant de discrétion. Elle-même, du reste, rendra bientôt à son mari la monnaie de sa pièce en le trompant, de gaieté de cœur.

Au milieu de cet enchevêtrement de scandales, Catherine s'efforce de garder l'équilibre et la lucidité. Elle sait que la licence qui est tolérée chez les autres lui serait vertement reprochée, si elle avait la faiblesse de s'y abandonner. Tout le monde, dans cette cour, a, semble-t-il, des aventures extra-conjugales. Sauf elle. L'impératrice, avec ses amants attitrés, donne l'exemple de la débauche mais veille jalousement sur la vertu de la grande-duchesse. Alors que Catherine a fini par s'habituer à sa première femme de chambre, Mme Krouse, celle-ci est brusquement écartée et remplacée par Prascovie Vladislavov. Pour une fois, Catherine ne perd pas au change. Mme Krouse était allemande, Mme Vladislavov est russe, passionnément. Intelligente, gaie et cultivée, elle est une chronique vivante de l'ancien temps. Elle sait tout sur les grandes familles qui entourent le trône : parentés, alliances, fortune, antécédents, manies, vices cachés. En l'écoutant, Catherine a l'impression de pénétrer par effraction dans les demeures les plus strictement gardées. Mais Mme Vladislavov est très pieuse. Cela, le grand-duc ne peut le lui pardonner. Il se moque d'elle parce qu'elle vénère les icônes. De plus en plus, il répugne à tout ce qui est slave. La nostalgie de son pays natal est si forte en lui, qu'il affirme préférer sa ville de Kiel à tout l'empire russe. Malgré la pression de la tsarine, de Bestoujev et de quelques diplomates étrangers, il refusera toujours d'échanger le misérable petit duché qu'il a reçu en héritage de son père contre les comtés d'Oldenbourg et de Dalmenhorst. Le Holstein lui tient à la peau. Il ne peut suivre Catherine dans ses exercices de russification. Son idole, c'est Frédéric II de Prusse, qu'il n'a jamais rencontré, mais qui, pour lui, incarne la noblesse, la science, la rigueur allemandes. Il souffre de voir qu'Elisabeth et

Bestoujev considèrent ce grand roi comme un ennemi. S'il était à leur place, il souscrirait à toutes les exigences prussiennes. Il le clame à qui veut l'entendre.

De son côté, Catherine n'oublie pas tout ce qu'elle doit à Frédéric II. Elle a conservé un souvenir ému de l'entrevue de Berlin. Mais elle se garde bien d'exprimer ouvertement son opinion, par crainte de représailles. Le 11 novembre 1748, dans les appartements de Sa Majesté où l'on mène grand jeu, elle se trouve placée auprès de Lestocq, le conseiller intime et le médecin de l'impératrice, homme retors qui, à plusieurs reprises, lui a manqué d'égards. Comme elle lui adresse la parole, il prend un air effaré et balbutie : « Ne m'approchez pas... Je vous dis de me laisser en repos ! » Elle croit qu'il a bu et s'éloigne. Le surlendemain, elle apprend que Lestocq a été conduit à la forteresse. Il est accusé d'entretenir avec l'ambassadeur de Prusse une correspondance chiffrée, préjudiciable à la Russie. Une commission spéciale, composée du comte Bestoujev lui-même, du général Apraxine et du comte Alexandre Chouvalov, enquête sur son cas. On chuchote que, dans certaines lettres, il est question des sympathies prussiennes de la grande-duchesse. Soumis à la torture, Lestocq n'avoue rien, ne livre personne et accepte courageusement d'être condamné, sans preuves, à l'exil et à la confiscation de ses biens. « L'impératrice n'avait pas assez de vigueur pour rendre justice à un innocent, notera Catherine. Elle aurait craint la rancune d'une pareille personne, et voilà pourquoi, depuis son règne, innocent ou coupable, personne n'est sorti de la forteresse sans être exilé au moins. »

Par extraordinaire, Catherine n'a pas été directement impliquée dans cette affaire de haute trahison. Mais elle a senti passer, sur ses épaules, le froid des cachots. Désormais, elle vivra dans la peur d'un complot qui lui retirerait le peu de liberté dont elle jouit encore.

L'année suivante, en 1749, nouvelle alerte : au milieu du carnaval, l'impératrice est incommodée d'une forte « colique de constipation ». La violence des douleurs qu'elle éprouve fait craindre pour sa vie. Relégués dans leurs appartements, dont ils ne peuvent sortir sans permission, Catherine et Pierre apprennent, par leurs domestiques et par Mme Vladislavov, que le comte Bestoujev, le général Apraxine et quelques autres dignitaires hostiles au couple grand-ducal ont de fréquents « conventicules très secrets et à portes closes[1] ». Peut-être, prévoyant la mort de l'impératrice, sont-ils en train de préparer un coup d'État qui écartera Pierre de la succession et fera monter sur le trône Ivan VI, le tsar déchu, qui se languit dans la forteresse de Schlüsselbourg? La menace de l'exil, de la prison, donne au grand-duc des sueurs froides, et Catherine, elle-même très inquiète, s'efforce de le rassurer en lui disant qu'en cas de danger elle organisera sa fuite : « Les fenêtres de nos appartements, au rez-de-chaussée, étaient assez basses pour sauter dans la rue en cas de besoin[1]. »

L'impératrice guérit, mais la crainte d'une révolution de palais continue d'obséder le grand-duc. Au cours d'une partie de chasse, le lieutenant Batourine, du régiment Boutirski, profitant d'un moment où il se trouve seul avec Pierre, descend de cheval, s'agenouille et jure qu'il ne reconnaît pas d'autre maître que le grand-duc et qu'il fera tout pour servir sa cause. Épouvanté par ce serment, le grand-duc pique des deux et, fuyant son adorateur prosterné dans la clairière, court demander conseil à Catherine. Peu de temps après, Batourine est arrêté, traduit devant la Chancellerie secrète, soumis à la question et reconnu coupable d'avoir médité « de tuer l'impératrice, de mettre le feu au palais et de porter par cette horreur et dans cette bagarre le grand-duc au trône[1] ». Quant au grand-duc, après avoir eu très peur, il reprend de l'assurance en constatant que la Chancellerie secrète ne sollicite même pas son témoignage dans cette affaire. Catherine le soupçonne d'être intimement flatté d'avoir, dans l'armée, des partisans aussi dévoués

1. Catherine II : *Mémoires*

que Batourine. Trop pusillanime pour assumer les responsabilités d'un chef de faction, il n'en est pas moins sensible à tout mouvement de sympathie autour de son nom. « Depuis cette époque, notera Catherine, j'ai vu croître, dans l'esprit du grand-duc, la soif de régner; il en mourait d'envie, mais il ne tâchait par rien de s'en rendre digne. » A tout propos, il s'efforce d'affirmer son indépendance. En 1750, vers la fin du carnaval, comme Catherine s'apprête à se rendre au bain, Mme Tchoglokov vient trouver le grand-duc et lui signifie, de la part de l'impératrice, l'ordre de prendre un bain, lui aussi. Or, de toutes les coutumes russes le bain est celle qu'il déteste le plus. Ce passage dans les étuves, auquel il s'est toujours refusé, lui paraît « contraire à sa nature ». Il crie qu'il ne veut pas « mourir » pour obéir aux fantaisies de sa tante, que sa vie lui est « plus chère que tout », que, d'ailleurs, il ne craint pas les représailles. « Je verrai un peu ce qu'elle me fera, conclut-il. Je ne suis pas un enfant! » Mme Tchoglokov le menace de forteresse. Il pleure et trépigne, mais ne cède pas. Quand Mme Tchoglokov revient, le débat change de terrain. Dans sa bouche, il n'est plus question de bain mais de descendance. L'impératrice, dit-elle, est très fâchée que le couple grand-ducal n'ait pas encore d'enfant; elle veut savoir « à qui en est la faute »; et elle enverra une sage-femme à Catherine et un médecin à Pierre. Le grand-duc éclate, Catherine baisse la tête, Mme Tchoglokov s'éloigne et la tsarine oublie son avertissement. Comme par le passé, Pierre ne visite le lit de Catherine que pour jouer aux soldats ou pour dormir. Et, comme par le passé, pour masquer sa déficience, il se targue devant elle de ses succès auprès d'autres femmes. « Il faisait pour ainsi dire la cour à toutes les femmes, notera Catherine. Il n'y avait que celle qui portait le nom de la sienne qui fût exclue de son attention. »

En réalité, il virevolte de l'une à l'autre sans leur causer le moindre dommage. Séducteur asexué, il se contente, à vingt-trois ans, des illusions de la conquête. Mais il cite des noms, il donne des détails. Et Catherine en souffre, par orgueil. Dans son cœur à elle, pour l'instant, tout est calme. Certes, elle pense encore parfois au bel André Tchernychev, qui a été éloigné parce qu'il lui plaisait trop et dont elle a découvert la retraite. Il correspond avec elle par l'intermédiaire d'une « fille de garde-robe finnoise ». Cette fille ne peut parler en liberté à la grande-duchesse que lorsque celle-ci se trouve sur sa chaise percée. Catherine glisse les lettres du soupirant dans sa poche, dans son bas, dans sa jarretière. Elle y répond en cachette, profitant de ses rares moments de solitude. Ce ne sont que de tendres messages d'amitié. Pour les écrire, Catherine se sert d'une plume en argent dont elle a fait spécialement l'emplette.

Plus tard, c'est un autre Tchernychev, prénommé Zahar, qui la troublera quelque peu. Le comte Zahar Tchernychev, lui aussi exilé pour crime de sympathie envers la grande-duchesse, reparaît en 1751 à la cour. Remis en présence de Catherine, il est ébloui par la transformation qui s'est opérée en elle. Il a quitté une adolescente anguleuse de seize ans, il retrouve une jeune femme épanouie de vingt et un ans. Subjugé, il ose lui murmurer qu'il la trouve « fort embellie ». « C'était la première fois de ma vie que quelqu'un m'eût dit pareille chose, notera-t-elle. Je ne le trouvai pas mauvais du tout. Je fis plus, j'eus la bonhomie de croire qu'il disait vrai. » A chaque bal, Zahar et Catherine échangent maintenant des « devises », petites bandes de papier sur lesquelles sont imprimés des vers élégiaques, dus à l'inspiration de quelque confiseur. Aux « devises » toutes faites, succèdent les billets doux écrits à la main. On se les passe subrepticement, entre deux menuets. Cette correspondance sentimentale enchante Catherine, mais ne suffit pas à Zahar. Au cours d'une mascarade, il la supplie de lui accorder une « audience » dans sa chambre. Au besoin, il se déguisera en domestique pour parvenir jusqu'à elle! Touchée par son insistance, elle refuse néanmoins l'aventure. A regret, les deux jeunes gens en reviennent aux déclarations par lettres. Et, à la fin du carnaval, Zahar Tchernychev part pour son régiment. « Il faut avouer que le manège de la coquetterie alors était fort grand à la cour », écrira Catherine. Par miracle, l'impératrice ne s'est pas aperçue — ou n'a pas voulu s'apercevoir — du penchant de la grande-duchesse pour un revenant avantageux. Elle manifeste même, par intermittence, une certaine mansuétude envers cette jeune femme dont le principal défaut, à ses yeux, est de n'avoir pas encore su donner un héritier au trône. A un de ces fameux bals où les hommes sont costumés en femmes et les femmes en hommes, Catherine, par courtisanerie, complimente la tsarine sur son aisance à porter l'habit masculin et affirme que, si Sa Majesté était réellement de l'autre sexe, elle ferait tourner la tête à plus d'une. Flattée, Elisabeth répond que, si elle était de l'autre sexe, ce serait à Catherine qu'elle « donnerait la pomme ». « Je me baissai pour lui baiser la main, à l'occasion d'un compliment aussi inattendu », écrit Catherine.

Lors d'un autre bal, elle médite d'étonner toutes les dames de la Cour, dont elle sait qu'elles seront superbement parées, en se montrant dans une simple robe blanche, « sur un très petit panier ». « J'avais alors la taille très fine », dira-t-elle. Dans les cheveux, noués en queue de renard, « une seule rose avec son bouton et ses feuilles, qui imitaient le naturel à s'y tromper ». Une autre rose au corsage. Une fraise de gaze blanche autour du cou. Des manchettes et un léger tablier de la même gaze. En la voyant, l'impératrice s'écrie : « Bon Dieu, quelle simplicité! Quoi? pas même une mouche. » Et, avec dextérité, elle tire d'une petite boîte une mouche « de médiocre grandeur », qu'elle applique sur le visage de la jeune femme.

Cette mouche impériale, Catherine la montre avec fierté aux courtisans qui l'entourent aussitôt. « Je ne me souviens pas de ma vie d'avoir eu tant de louanges de tout le monde que ce jour-là. On me disait belle comme le jour et d'un éclat singulier; à dire la vérité, je ne me suis jamais crue extrêmement belle, mais je plaisais et je pense que ceci était mon fort[1]. »

1. Catherine II : *Mémoires*

CHAPITRE VII

AMOUR ET MATERNITÉ

« Il était beau comme le jour, et assurément personne ne l'égalait ni à la grande cour ni encore moins à la nôtre. Il ne manquait ni d'esprit ni de cette tournure de connaissances, de manières, de manèges que donne le grand monde, mais surtout la cour. Il avait vingt-six ans; à tout prendre, c'était et par sa naissance et par plusieurs autres qualités un cavalier distingué; ses défauts, il les savait cacher; les plus grands de tous étaient l'esprit d'intrigue et le manque de principes; ceux-ci n'étaient pas développés alors à mes yeux. »

Tel est le portrait que Catherine, dans son âge mûr, tracera de celui qui l'émut si fort dans son âge tendre. Il se nomme Serge Saltykov et se trouve, avec son frère Pierre, parmi les chambellans de la jeune cour grand-ducale. La famille Saltykov compte parmi les plus anciennes et les plus nobles de Russie. Le père de Serge est aide de camp de la tsarine, sa mère, née princesse Golitzine, est connue pour ses mœurs légères. D'après la princesse d'Anhalt, « elle avait pour amants les trois cents grenadiers de Sa Majesté Elisabeth [1] ». Lorsque Catherine dis-

1. Lettre de la princesse d'Anhalt à M. de Pouilly du 1er septembre 1758.

tingue Serge Saltykov, en 1752, il est marié depuis deux ans à une demoiselle d'honneur de l'impératrice, Matriona Pavlovna Balk, dont il est tombé amoureux en la voyant se balancer sur une escarpolette. Cette flamme s'est d'ailleurs éteinte à peine allumée et Serge Saltykov s'est tourné vers d'autres aventures. Sans être aussi beau ni aussi brillant que le prétend Catherine, il a du charme, de la gaieté, du bagout. Très brun, d'une taille moyenne, leste et bien proportionné, il plaît aux femmes et il le sait. Rien ne l'intéresse davantage que la quête des cœurs, le siège et le démantèlement des vertus. L'abandon où il voit Catherine lui donne l'audace de l'approcher. La surveillance dont elle est l'objet le stimule. « Il eût risqué la Sibérie pour des intrigues », écrit M. de Champeaux fils à Paris. D'abord, Serge Saltykov s'emploie à désarmer la méfiance des deux « cerbères ». Ayant gagné la sympathie des Tchoglokov, il vient chez eux avec son ami le bouffon de cour, « l'Arlequin-né », Léon Narychkine, et y rencontre Catherine et son amie la princesse Gagarine. Mme Tchoglokov, étant alors « grosse et souvent incommodée », se montre moins vigilante qu'à l'ordinaire. Du reste, depuis ses mésaventures conjugales, elle a beaucoup perdu de sa morgue et garde une certaine reconnaissance à la grande-duchesse pour la dignité dont elle a fait preuve tout au long de l'affaire. Quant à Tchoglokov, lui-même épris de Catherine, les jeunes gens trouvent vite un moyen de l'écarter. Serge Saltykov le persuade qu'il a un grand talent de poète, l'incite à écrire, lui fournit des thèmes de chansons, et le bonhomme, ravi, se retire dans un coin, « près du fourneau », pour composer. Dès qu'il a fini, l'autre compère, Léon Narychkine, se saisissant du manuscrit, met les paroles en musique et chante le morceau avec l'auteur. « Et en attendant, note Catherine, la conversation se faisait dans la chambre et l'on disait ce qu'on voulait. » Pendant un de ces intermèdes musicaux, Serge ose enfin chuchoter à Catherine qu'il est éperdument amoureux d'elle. Émue, elle ne songe pas à le décourager, mais, comme il insiste, elle murmure : « Et votre femme, que vous avez épousée par passion, il y a deux ans, et dont vous passez pour être amoureux, qu'est-ce qu'elle dira de tout cela? » Il balaie cette objection avec fougue. Sa femme, il ne l'aime plus. Elle est un poids mort dans sa vie. Il ajoute que « tout ce qui brille n'est pas or » et qu'il paie « bien cher un moment d'aveuglement[1] ». Catherine a tellement envie de se laisser convaincre qu'elle en vient à plaindre ce beau jeune homme mal marié, soupirant après une inaccessible grande-duchesse. Elle le voit « quasi tous les jours » et l'écoute avec un plaisir croissant. Parfois cependant, elle essaie de réagir contre le vertige qui la gagne. Pour se libérer de lui, elle s'écrie pauvrement : « Que savez-vous? Peut-être mon cœur est-il pris ailleurs? » Loin de le refroidir, cette exclamation de fillette inexpérimentée l'incite à exploiter son avantage. Ni elle ni lui ne se préoccupent du grand-duc, dont l'indifférence est connue de tous. En bon stratège, Serge attend patiemment l'occasion de conclure.

Au cours d'une partie de chasse organisée par Tchoglokov sur une île de la Néva, Serge, laissant les autres invités poursuivre les lièvres, entraîne Catherine à l'écart, lui parle à nouveau de sa passion, du bonheur qui les attend si elle lui cède, la supplie de lui dire s'il est réellement « le préféré ». Elle se défend, en riant, pour masquer sa faiblesse, et, après une heure et demie de conversation très tendre, lui ordonne de partir, afin de ne pas la compromettre. Mais il refuse de la quitter si elle ne lui dit pas, séance tenante, qu'elle a de l'inclination pour lui. « Oui, oui, dit-elle, mais allez-vous-en! » Il saute à cheval, donne de l'éperon. Et, comme il s'éloigne, elle crie par jeu : — « Non! non! » — « Oui! oui! » répond-il, mettant sa monture au galop.

Le soir même, toute la compagnie rejoint la maison que les Tchoglokov possèdent sur l'île. Pendant le souper, le vent se lève et les eaux de la Néva s'enflent rapidement jusqu'à noyer l'escalier et battre les murs. Pas question de remonter dans les chaloupes pour traverser le fleuve, très large en cet endroit. La

1. Catherine II : *Mémoires*.

préséance n'existe pas quand l'ouragan fait gémir la toiture. Les invités s'entassent pêle-mêle, avec de grands rires, dans la pénombre où brillent, çà et là, les flammes vacillantes des candélabres. Catherine se retrouve aux côtés de son cavalier. « Serge Saltykov me dit que le ciel même lui était favorable ce jour-là parce qu'il le faisait jouir plus longtemps de ma vue et quantité de choses pareilles [1]. » Elle est effrayée tout ensemble par la tempête et par l'homme. Il la presse et elle se défend de plus en plus mollement. Elle est « malcontente » d'elle-même. « J'avais cru pouvoir gouverner et morigéner sa tête et la mienne, et je compris que l'un et l'autre était difficile, sinon impossible. » A trois heures du matin enfin, le vent tombe, les vagues se calment, les invités, transis, perclus, embarquent en désordre. Catherine n'est plus la même. Si elle n'a pas encore cédé, elle y est résolue. Très vite, ce sera chose faite.

Elle a vingt-trois ans. Après huit ans de virginité dans le mariage, elle découvre avec émerveillement le jeu des corps. Son premier amant la comble. Elle n'éprouve pas le moindre remords dans ses bras. Comparé au lamentable grand-duc, il a pour elle toutes les qualités : vigueur, audace et grâce. Mais elle craint que leur secret ne soit percé à jour. Bressan, le valet de chambre français du grand-duc, rapporte à Serge des propos inquiétants de Son Altesse : « Serge Saltykov et ma femme trompent Tchoglokov, lui font accroire ce qu'ils veulent et s'en moquent. » Nulle jalousie dans cette déclaration. Pierre ne prend pas au tragique l'engouement de Catherine pour Serge Saltykov. Il y voit une simple amourette mondaine. Lui-même ne se déclare-t-il pas follement épris de Marthe Chafirov, demoiselle d'honneur de la grande-duchesse, sans qu'il y ait rien d'autre entre eux que quelques sourires malicieux et quelques mots à double sens ? Cependant Serge, qui est « un démon en fait d'intrigue » selon l'expression de Catherine, entrevoit fort bien le danger qu'il y a pour lui à être l'amant d'une femme

1. Catherine II : *Mémoires*.

dont le mari est notoirement vierge. Si elle devient enceinte, sur qui tomberont les soupçons ? Pour conjurer ce péril, le jeune chambellan s'enhardit jusqu'à entretenir l'impératrice de l'obstacle physique qui s'oppose au « bonheur du grand-duc ». Il se fait fort, dit-il, de persuader Son Altesse de consentir à l'opération. La tsarine, très intéressée, l'approuve et l'encourage. Au cours d'un joyeux souper, les camarades du grand-duc, qui a beaucoup bu et beaucoup ri, orientent la conversation vers les plaisirs de l'amour. « Le prince, écrit le diplomate J. Castéra, laissa échapper des regrets sur l'impossibilité de pouvoir en jouir. Alors, tous les convives se jetèrent à ses genoux et le conjurèrent de céder aux conseils de Saltykov. Le grand-duc parut ébranlé. On prit quelques mots qu'il balbutia pour un consentement. Tout était préparé. On fit entrer le fameux médecin Boerhave avec un chirurgien habile. Il n'y eut plus moyen de se défendre et l'opération se fit très heureusement [1]. »

Pour s'assurer que le grand-duc, une fois opéré, est devenu efficace, l'impératrice charge Mme Tchoglokov de trouver une initiatrice. Mme Tchoglokov se donne « beaucoup de mouvement » pour obéir aux ordres de Sa Majesté et, grâce au valet de chambre Bressan, finit par découvrir une certaine Mme Groot, « jolie veuve d'un peintre », qui accepte de déniaiser le jeune homme. « Elle (Mme Tchoglokov) espérait de grandes récompenses de ses peines, mais, sur ce point, elle se trompa, car on ne lui donna rien : cependant elle disait que l'empire lui en devait [2]. »

Voici donc Pierre libéré de son empêchement. Quand Catherine voit arriver à elle ce mâle triomphant, elle regrette le temps où elle n'avait pas à craindre ses caresses. Amoureuse d'un autre homme, elle doit, pour assurer la sécurité de leur liaison à tous deux, accepter un contact qui lui répugne. Comparés à l'ivresse qu'elle goûte auprès de Serge, ses premiers

1. J. Castéra : *Vie de Catherine II.*
2. Catherine II : *Mémoires.*

rapports avec son mari sont une gymnastique pitoyable. Du reste, il ne l'aime pas, il ne la désire pas, il accomplit un devoir en couchant avec elle. Le lendemain de cette nuit de noces à retardement, il fait porter à l'impératrice, selon le conseil de Serge Saltykov, une cassette scellée contenant les preuves de la prétendue virginité de la grande-duchesse. « Elisabeth, écrit J. Castéra, parut être persuadée de leur authenticité. Quelques personnes en rirent sans doute tout bas, mais tout le monde s empressa de féliciter hautement le prince de son bonheur. »

Quant à Serge Saltykov, il pousse un soupir de soulagement. Catherine est déjà, à ce moment-là, enceinte de lui. Il est temps que le mari se manifeste pour endosser, avec quelque vraisemblance, la paternité de l'enfant qu'elle porte. En fait, elle est moins préoccupée de cette naissance prochaine que de l'attitude étrange de Serge à son égard. Des parties de chasse les rassemblent encore à Péterhof. Tout y semble irréel, jusqu'aux costumes, car Elisabeth a institué le même habit pour toute la compagnie : « Le dessus gris, le reste bleu avec un collet de velours noir. » Ainsi les couples ont-ils la faculté de s'isoler sans que l'on puisse les identifier de loin. Ces charmants tête-à-tête sont les derniers moments d'un bonheur sur le déclin.

Lassitude ou prudence, Serge se montre de moins en moins assidu. « Il devenait, dira Catherine, distrait, quelquefois fat, arrogant et dissipé, j'en étais fâchée. » Subitement, Serge et son ami Léon Narychkine décident de partir pour la campagne. Séparation nécessaire, dit Serge, afin d'étouffer les soupçons. Mais n'éprouve-t-il pas simplement le besoin de se délivrer, pour quelque temps, d'une maîtresse envahissante? Elle se désespère. La cour doit se rendre à Moscou et Serge n'est toujours pas de retour. Le couple grand-ducal se met en route le 14 décembre 1752. Au cours du voyage, de « violentes tranchées » saisissent Catherine. Une fausse couche. Dieu soit loué! Débarrassée de son fardeau, elle attend avec impatience que Serge revienne de son exil volontaire.

Quand elle le revoit, son émotion est telle, qu'elle se déclare prête à tout pour préserver leur union. Lui, cependant, se montre de plus en plus réticent et lointain. Il craint, dit-il à Catherine, que leurs relations ne soient portées, par quelque espion, à la connaissance de l'impératrice. Alors, elle imagine de tenter une démarche auprès de son ennemi juré, Bestoujev, pour gagner sa bienveillance ou, du moins, sa neutralité. Un certain Bremse, familier de la « petite cour » autant que de la maison du chancelier, va trouver ce dernier de la part de la grande-duchesse pour lui dire qu'elle est « moins éloignée de lui que ci-devant. » Cet acte d'allégeance ravit le chancelier, qui ne doute plus d'avoir désormais toutes les cartes en main. Le lendemain, il reçoit Serge Saltykov avec de grandes marques d'amitié. « Il lui parla de moi et de ma situation comme s'il avait vécu dans ma chambre », écrira Catherine. Puisque Bestoujev ne s'indigne pas de cet adultère, dont il semble connaître tous les détails, c'est, pense-t-elle, qu'il est favorable à ses amours avec Serge. Dans un élan de générosité, le chancelier va même jusqu'à s'écrier devant son visiteur : « Elle (Catherine) verra que je ne suis pas aussi loup-garou qu'on m'avait dépeint à ses yeux! » Serge répète ce propos à Catherine qui se félicite d'avoir un puissant allié dans sa manche « sans qu'âme qui vive en sût rien ». Pourtant elle ne discerne pas encore très bien les motifs qui ont pu pousser cet homme, si soucieux de faire surveiller la vertu de la grande-duchesse par un couple de cerbères, à encourager aujourd'hui les entreprises de son amant par « plusieurs conseils aussi sages qu'utiles ».

Quelques jours plus tard, ce sont les cerbères eux-mêmes qui changent d'attitude. De gardiens, ils deviennent entremetteurs. Mme Tchoglokov, qui, dit Catherine, « avait toujours son projet favori en tête de veiller à la succession », entraîne la grande-duchesse dans une conversation étrange. La figure grave, elle lui explique à mi-voix que si, dans la vie courante, une femme est tenue à la fidélité conjugale, il y a des cas où la raison d'État autorise les écarts de conduite, notamment lorsqu'il s'agit de garantir l'hérédité du trône. D'abord interloquée, Catherine la laisse dire, « ne sachant point où elle voulait en venir et ignorant si c'était une embûche qu'elle me dressait ou si elle parlait sincèrement ». En effet, de deux choses l'une, ou bien Bestoujev et l'impératrice sont tellement inquiets de la stérilité du grand-duc qu'ils cherchent un géniteur pour le remplacer au plus vite, ou bien ils ont juré de démasquer et de perdre Catherine, coupable de trahir ses devoirs. Prudemment, Catherine fait mine de ne pas comprendre ce que Mme Tchoglokov lui susurre d'un air mystérieux. Alors, celle-ci, rompant les chiens, déclare : « Vous allez voir si j'aime ma patrie et combien je suis sincère. Je ne doute pas que vous n'ayez jeté un coup d'œil de préférence sur quelqu'un. Je vous laisse choisir entre Serge Saltykov et Léon Narychkine. Si je ne me trompe, c'est ce dernier. » Catherine s'écrie : « Non, non, pas du tout ! » Triomphante, Mme Tchoglokov observe : « Eh bien ! si ce n'est pas lui, c'est l'autre, sans faute ! » Et elle ajoute : « Vous verrez que ce ne sera pas moi qui vous ferai naître des difficultés. » « Je fis la niaise, écrit Catherine, jusqu'au point qu'elle m'en gronda bien des fois, tant à la ville qu'à la campagne[1]. » Bestoujev, de son côté, fait la leçon à Serge Saltykov. Or, celui-ci est sur le point de se détacher de la grande-duchesse. Il regarde ailleurs. Elle lui reproche maladroitement son inconstance. Il se défend avec des arguments spécieux. Elle se laisse tristement convaincre : « Il m'en donnait de si bonnes et de si valables raisons que, dès que je le voyais et lui avais parlé, mes réflexions à ce sujet s'évanouissaient. » A présent, elle déploie des trésors de coquetterie pour l'attirer, de temps à autre, dans son lit. Ce faisant, elle ne songe, bien sûr, qu'au plaisir. Mais Mme Tchoglokov, Bestoujev et, derrière eux, l'impératrice, espèrent que l'amant choisi saura la mettre enceinte.

1. Catherine II : *Mémoires*. Le récit de la conversation de Catherine et de Mme Tchoglokov avait paru si compromettant à l'Académie des Sciences de Saint-Pétersbourg, qu'elle l'exclut de l'édition des Œuvres complètes de l'impératrice, en 1907.

Au mois de mai 1753, elle constate de « nouveaux indices de grossesse ». Malgré sa fatigue, elle suit la cour dans ses déplacements, participe, en cabriolet, à des chasses, à des promenades, dort sous la tente. Revenue à Moscou, après un bal et un souper, elle fait une seconde fausse couche, très douloureuse. « Je fus dans un grand danger pendant treize jours, parce qu'on soupçonnait qu'une partie de l'arrière-faix était restée... Enfin, le treizième jour, il partit de lui-même... On me fit rester six semaines pour cet accident dans ma chambre pendant une chaleur insupportable. »

L'impératrice vient la voir et semble « très affectée ». Il y a de quoi! Elle avait mis tant d'espoir dans un arrangement qui assurait une apparence de légitimité au bâtard de Catherine! Serge Saltykov, lui, se dit que, par ce contretemps, il sera obligé de rester en service commandé auprès d'une femme qu'il n'aime plus guère. Tant qu'il n'aura pas rempli son office d'étalon, il ne pourra prendre le large. Et le grand-duc? A-t-il cru sincèrement qu'il allait être père? Il est permis d'en douter. Outre que ses rares instants d'intimité avec son épouse ont été des plus décevants, il sait trop qu'elle est amoureuse de Serge Saltykov pour ne pas la soupçonner d'avoir été engrossée par cet homme. Condamné au rôle de mari complaisant, il souffre d'une humiliation dont il ne peut se plaindre à personne puisque l'impératrice même couvre la supercherie. Une opération chirurgicale l'a libéré, Mme Groot l'a déniaisé, mais il demeure un innocent mal dégagé de l'enfance. Il hait sa femme et il se moque d'être trompé par elle. Il enrage et il ricane. Il voudrait échapper à cet univers d'adultes et, comme d'habitude, il se réfugie, pour oublier, dans les jeux, dans le vin. Son valet préféré, un Ukrainien, le fournit en liqueurs fortes. Il s'enivre avec ses domestiques et, quand ceux-ci, pris de boisson, oublient le respect qu'ils doivent à un grand-duc, il les frappe du bâton ou du plat de l'épée. Un jour, en pénétrant dans sa chambre, Catherine voit un gros rat pendu, « avec tout l'appareil d'un supplice ». Interrogé sur les motifs de cette exécution capitale, le grand-duc répond que ce rat s'est rendu coupable, selon les lois militaires, pour avoir dévoré deux soldats faits d'amidon, qu'il a été pendu, après avoir eu les reins brisés par un chien, et qu'il restera exposé aux yeux du public « pendant trois jours, pour l'exemple ». Croyant à une plaisanterie, Catherine éclate de rire et Pierre se rembrunit. Si sa femme n'est plus capable de participer à ses jeux, à quoi peut-elle bien lui servir encore ?

L'affaire du rat pendu a fortement impressionné Catherine. D'autres rats lui reviennent en mémoire, lorsqu'elle évoque ce temps lointain. Ceux qu'elle a aperçus lors de l'incendie du palais Annenhof, à Moscou, au début de l'hiver. « Je vis alors une chose singulière, écrit-elle, c'est l'étonnante quantité de rats et de souris qui descendaient l'escalier à la file, sans même trop se presser. » Toutes les robes de l'impératrice — au nombre de quatre mille ! — sont dévorées par les flammes. Mais les livres de Catherine se trouvent, par miracle, épargnés. Elle s'en réjouit car ils constituent, en Russie, un trésor plus difficile à remplacer qu'une garde-robe. Le couple grand-ducal, n'ayant plus de toit, se réfugie dans la maison des Tchoglokov : « Le vent y soufflait dans toutes les directions, les fenêtres et les portes étaient à demi pourries, le plancher fendu avec des intervalles de la largeur de trois ou quatre doigts ; outre cela, la vermine y dominait. »

En février 1754, sept mois après sa seconde fausse couche, Catherine s'aperçoit qu'elle est de nouveau enceinte. Cette fois, l'impératrice espère bien que la grossesse sera menée à terme. Et Serge Saltykov l'espère aussi, car il est partisan des aventures légères et cette longue liaison, quasi officielle, lui pèse. Catherine lit dans ses pensées et s'attriste. « L'ennui, l'indisposition et l'incommodité physique et morale de ma situation m'avaient donné beaucoup d'hypocondrie », écrit-elle. Mal logée chez les Tchoglokov, elle grelotte dans les courants d'air et attend les visites de son amant qui se divertit ailleurs. Assise en face d'elle, Mme Tchoglokov, de son côté, se plaint parce que son mari dîne dehors avec des amis. « Voilà comme on nous abandonne! » soupire-t-elle. Et Catherine doit convenir qu'elles sont toutes deux bien à plaindre. « Tout cela me donnait une humeur de chien. » Peu après, du reste, la même Mme Tchoglokov, si affectée par les sorties de son mari, se prend de passion pour le prince Repnine et montre à Catherine les lettres enflammées qu'elle reçoit de son amant. Sur ces entrefaites, Tchoglokov meurt d'une « colique sèche ». Aussitôt, considérant qu'une veuve ne peut décemment paraître dans le monde, l'impératrice relève Mme Tchoglokov de ses fonctions auprès de la grande-duchesse. Catherine en est désolée, car, après avoir été son ennemie, Mme Tchoglokov était devenue sa complice. Son dépit se mue en terreur, lorsqu'elle apprend le nom de celui qui sera désormais chargé de la surveiller : le comte Alexandre Chouvalov, oncle du nouveau favori d'Elisabeth et chef de l'Inquisition d'État, autrement dit de la police secrète. Ce personnage redoutable est affecté d'un « mouvement convulsif » qui, de temps à autre, lui tord le côté droit du visage, de l'œil au menton. « Il était étonnant, écrit Catherine, comment on avait choisi cet homme, avec une grimace aussi hideuse, pour le mettre continuellement vis-à-vis d'une jeune femme grosse; si j'étais accouchée d'un enfant qui eût eu ce malheureux tic, je pense que l'impératrice en aurait été bien fâchée. »

Enfin, au début du mois de mai 1754, toute la cour se prépare à quitter Moscou pour Saint-Pétersbourg. Vingt-neuf jours de route en perspective. Catherine « meurt de peur », selon sa propre expression, à l'idée que Serge Saltykov pourrait n'être pas du voyage. A présent qu'il l'a rendue grosse, il n'intéresse plus les nobles figures qui entourent le trône. Mais non, l'impératrice veille. Par égard sans doute pour les nerfs de la future mère, son amant est admis à faire partie de la suite. Il est vrai qu'il ne peut guère l'approcher « à cause de la contrainte et présence continuelle des Chouvalov, mari et femme ». « Je m'ennuyais comme un chien dans le carrosse et ne faisais que pleurer », écrira Catherine.

A Saint-Pétersbourg, le couple grand-ducal s'installe de nouveau au palais d'Été. Là, Pierre organise des concerts et s'évertue à jouer du violon dans l'orchestre. Catherine, déformée par la grossesse, profite de ces séances de musique pour s'esquiver de la salle et échanger quelques mots tendres avec son amant, entre deux portes. A mesure que la date de l'accouchement approche, elle se persuade qu'un complot se trame contre son bonheur, en haut lieu. « J'avais toujours la larme à l'œil et mille appréhensions me passaient par la tête ; en un mot, je ne pouvais m'ôter de l'esprit que tout tendait à l'éloignement de Serge Saltykov. » Ainsi, sur le point d'être mère, ce n'est pas vers l'enfant à naître que vont ses pensées, mais vers l'homme qui lui a donné le goût du plaisir. Quand Alexandre Chouvalov lui montre l'appartement spécialement préparé pour ses couches, tout à côté de l'appartement personnel de Sa Majesté, elle en reçoit « un coup presque mortel ». Logée à portée de voix de l'impératrice, elle ne pourra accueillir Serge comme elle l'entend. Elle sera isolée, cloîtrée, « malheureuse comme une pierre ». Avec accablement, elle inspecte les deux chambres tendues de damas cramoisi et très sommairement meublées, qui doivent servir de décor à la naissance de l'héritier du trône de Russie. Et si ce n'était pas un héritier mais une héritière ? Comment l'impératrice acceptera-t-elle cette désillusion ? Se vengera-t-elle en écartant Serge définitivement de la cour ou le gardera-t-elle pour un nouvel essai ?

Dans la nuit du 19 au 20 septembre 1754, neuf ans après son mariage, Catherine est prise de violentes douleurs. Alertés par la sage-femme, le grand-duc, le comte Alexandre Chouvalov et l'impératrice se précipitent pour assister au travail. Le 20 septembre, à midi, la sage-femme brandit dans ses mains ensanglantées un paquet de chair hurlante : c'est un garçon : Paul Pétrovitch. L'impératrice exulte. Dès que le nouveau-né a été lavé, emmailloté et ondoyé par un prêtre, elle le fait emporter par la sage-femme dans ses appartements. Il y restera, sous sa garde, aussi longtemps qu'elle le jugera nécessaire. En mettant son enfant au monde, Catherine a perdu tous ses droits sur lui. Elle n'est qu'un ventre vidé de son contenu. Elle n'intéresse plus personne. En un clin d'œil, sa chambre est désertée. Le lit de travail se trouve entre une porte et deux grandes fenêtres qui ferment mal. Un vent glacé traverse la pièce.

« J'avais beaucoup sué; je priai Mme Vladislavov de me changer de linge et de me mettre au lit; elle me dit qu'elle n'osait pas. Elle envoya plusieurs fois quérir la sage-femme, mais celle-ci ne vint pas; je demandai à boire, mais je reçus encore la même réponse. Enfin, après trois heures, arriva la comtesse Chouvalov, qui avait fait une grande toilette. Quand elle me vit encore couchée à la même place où elle m'avait laissée, elle se récria, disant qu'il y avait de quoi me tuer. Ceci était fort consolant pour moi qui fondais déjà en larmes depuis le moment que j'étais accouchée, et surtout de l'abandon dans lequel j'étais, mal et incommodément couchée, après un travail rude et douloureux, personne n'osant me porter dans mon lit qui était à deux pas et n'ayant pas la force de m'y traîner. Mme Chouvalov s'en alla tout de suite et je pense qu'elle fit chercher la sage-femme, car celle-ci vint une demi-heure après et nous dit que l'impératrice était si occupée de l'enfant qu'elle ne l'avait pas laissée aller un instant. Pour moi, on n'y pensait pas... Je mourais, pendant ce temps, de fatigue et de soif. Enfin on me mit dans mon lit et je ne vis plus âme qui vive de la journée, ni même on n'envoya s'informer de moi. Le grand-duc, de son côté, ne fit que boire avec ceux qu'il trouvait, et l'impératrice s'occupait de l'enfant [1]. »

Cet enfant, à peu près personne parmi les contemporains ne l'a considéré comme le fils de l'héritier du trône. Certes Paul, en grandissant, offrira quelque ressemblance avec Pierre. Il sera laid comme lui. Et cependant, quand on compare leurs portraits à l'âge adulte, la différence saute aux yeux. Le visage de Paul, ramassé en mufle de bouledogue, n'a rien de commun avec la

1. Catherine II : *Mémoires.*

longue face lunaire du mari de Catherine. Quant à leurs caractères, s'ils sont l'un et l'autre instables, cruels et peureux, ces traits analogues peuvent s'expliquer par l'éducation qu'ils ont reçue tous deux dans l'ombre oppressante d'Elisabeth. D'ailleurs Catherine, dans ses *Mémoires*, laisse clairement entendre que le père de l'enfant est Serge Saltykov. Et la conduite de l'impératrice, enlevant le bébé à sa naissance et se chargeant elle-même de veiller sur lui, prouve assez qu'elle n'a aucune considération pour la mère, et que le père, pour elle, ne compte pas davantage. L'intérêt qu'elle porte à l'enfant est si vif, que certains, autour d'elle, vont plus loin dans leurs suppositions. Elle a pris le berceau du petit Paul dans sa chambre. « Dès qu'il criait, elle y courait elle-même, et, à force de soins, on l'étouffait à la lettre. » Le marquis de L'Hopital, diplomate français, se fait l'écho, dans ses dépêches à la cour de France, des bruits étranges qui circulent à ce sujet dans toute la société de Saint-Pétersbourg. « Cet enfant, écrit-il, est, dit-on, de l'impératrice même, ayant fait changer le fils de la grande-duchesse contre le sien. » Simple racontar de salon, sans doute, mais il montre assez que pour bien des gens, à l'époque, la filiation du petit Paul Pétrovitch était rien moins que sûre [1].

Abandonnée sur son lit, en proie au désespoir et à la fièvre, Catherine cependant ne se plaint pas. « J'avais l'âme trop fière, et la seule idée d'être malheureuse m'était insupportable. » De même, elle évite de demander des nouvelles de son fils, toujours invisible. Une telle curiosité aurait passé pour un doute du soin que l'impératrice prenait de l'enfant et « aurait été très mal reçue », dit-elle. Étrange scrupule de la part d'une jeune accouchée brutalement privée de l'être à qui elle vient de donner le jour. Le souci de l'étiquette peut-il étouffer à ce point les exigences viscérales de la maternité? En vérité, Catherine est

1. D'après une autre hypothèse, aussi peu vraisemblable, Catherine aurait volontairement fait croire que Paul était le fils de Saltykov afin qu'on ne pût l'accuser, après le meurtre de Pierre III, d'avoir laissé assassiner le père de son enfant.

plus préoccupée de son avenir à la cour que de l'avenir de son enfant. Pourtant elle le voit un jour, le temps d'un clin d'œil, et s'inquiète. « On le tenait dans une chambre extrêmement chaude, écrit-elle, emmailloté dans de la flanelle, couché dans un berceau garni de fourrure de renard noir ; on le couvrait d'une couverture de satin piqué et doublé de vastes (ouate), et par-dessus celle-ci on en mettait une de velours, couleur de rose, doublée de fourrure de renard noir. Je l'ai vu moi-même après cela bien des fois ainsi couché ; la sueur lui coulait du visage et de tout le corps, ce qui fit que, devenu plus grand, le moindre air qui venait jusqu'à lui le refroidissait et le rendait malade. Outre cela, il y avait autour de lui un grand nombre de vieilles matrones, qui, à force de soins mal entendus et n'ayant pas le sens commun, lui faisaient infiniment plus de maux physiques et moraux que de bien. »

Le jour du baptême, aussitôt après la cérémonie, l'impératrice apporte à Catherine, sur un plateau d'or, un ordre lui faisant don de cent mille roubles et quelques bijoux dans un écrin. Le salaire de la maternité pour une grande-duchesse. L'argent est le bienvenu car, de son propre aveu, Catherine « n'a pas le sou », elle est « criblée de dettes ». Mais les bijoux la déçoivent. « C'était, dit-elle, un très pauvre petit collier avec des boucles d'oreilles et deux misérables bagues que j'aurais eu honte de donner à mes femmes de chambre. Dans tout cet écrin, il n'y avait pas une pierre qui valût cent roubles. » Cinq jours s'écoulent et, tandis qu'elle fait des projets pour l'utilisation de l'argent, le baron Tcherkassov, secrétaire du cabinet de l'impératrice, vient la supplier de renoncer à cette somme, la caisse de Sa Majesté étant à sec. Catherine renvoie l'argent — qui lui sera rendu trois mois plus tard — et, peu après, apprend que les cent mille roubles restitués par elle ont été versés à son mari. Pierre a, en effet, exigé de recevoir un cadeau au moins égal à celui de sa femme pour cette naissance dont il n'est probablement pas responsable. Peut-être y voit-il une compensation à son infortune conjugale qui est connue de tous ?

Du fond de son alcôve, Catherine entend les échos des fêtes, des bals, des banquets, des feux d'artifice qui expriment la joie de la nation. Dix-sept jours après l'accouchement, une terrible nouvelle la frappe en plein cœur : Serge Saltykov est désigné par l'impératrice pour porter à la cour de Suède l'annonce officielle de la naissance du petit Paul Pétrovitch. Ainsi, celui que tout le monde tient pour le père illégitime de l'enfant recevra les félicitations destinées au père légitime. La mission dont il est chargé a toutes les apparences d'une disgrâce. Il en mesure le ridicule et part, laissant Catherine affligée. « Je prétendais des redoublements de mal à la jambe qui m'empêchaient de me lever; mais le vrai est que je ne pouvais ni ne voulais voir personne, parce que j'étais chagrinée [1]. »

Le quarantième jour, pour la cérémonie des relevailles, l'impératrice consent enfin à lui montrer son enfant. « Je le trouvai beau et sa vue me réjouit un peu », écrit-elle. On le lui laisse contempler de loin, le temps que durent les prières, et, aussitôt après, on l'emporte de nouveau.

Le 1er novembre 1754, grand branle-bas : des valets installent en hâte quelques beaux meubles dans la pièce contiguë à sa chambre à coucher. En un clin d'œil, cet endroit sinistre se réchauffe et s'illumine. On se croirait au théâtre, à cinq minutes de la représentation. Quand le décor est dressé, Mme Vladislavov assied la grande-duchesse sur un lit de velours couleur de rose, brodé d'argent, et tous les courtisans défilent pour lui présenter leurs félicitations. Après quoi, on remporte les meubles et on oublie l'héroïne de la fête dans son coin.

Pour se consoler, elle se jette dans la lecture. Avec passion, elle avale les *Annales* de Tacite, « qui firent une singulière révolution dans ma tête », l'*Essai sur les mœurs et l'esprit des nations* de Voltaire, l'*Esprit des lois* de Montesquieu. Auprès de Montesquieu, elle prend des leçons de libéralisme, elle s'inquiète des excès du pouvoir personnel, elle rêve d'un régime de

1. Catherine II : *Mémoires*

bonté, d'équité et d'intelligence. Voltaire lui enseigne les bienfaits de la raison dans la conduite des affaires publiques et les chances de succès du despotisme, pour peu qu'il soit « éclairé ». Tacite lui apprend à analyser les événements historiques en spectateur froid, impitoyable. Elle lit aussi « tous les livres russes qu'elle peut se procurer ». Non pour y chercher une pensée enrichissante, mais pour se familiariser avec la langue de son pays. Car, malgré son humiliation, sa solitude, sa peur de l'avenir, elle continue de croire en son destin sur ce sol inhospitalier. La route du retour en Allemagne est coupée pour elle. Vaille que vaille, elle doit aller de l'avant.

Il fait froid et humide dans sa petite chambre, dont les fenêtres donnent sur la Néva. A côté, elle entend le grand-duc et ses amis qui, jour et nuit, boivent, discutent, rient, menant « un tapage de corps de garde ». Les nouvelles qu'elle reçoit indirectement de Suède sont rares et inquiétantes. L'impératrice, dit-on, a déjà décidé du sort de Serge Saltykov. Dès qu'il sera revenu de Stockholm, elle l'enverra comme ministre résident de Russie, à Hambourg. Et cette séparation-là sera définitive. Il reparaît à Saint-Pétersbourg, vers la fin du carnaval, et, tremblante d'espoir, Catherine lui fixe un rendez-vous dans sa chambre. Elle l'attend jusqu'à trois heures du matin, « dans des transes mortelles ». En vain. Le lendemain, il lui fait dire par son ami Léon Narychkine qu'il a été retenu, au-delà de l'heure prévue, dans une loge maçonnique. Mais Catherine n'est pas dupe. « Je vis clair comme le jour qu'il avait manqué faute d'empressement et d'attention pour moi, sans aucun égard à ce que je souffrais depuis si longtemps, uniquement par attachement pour lui... A dire la vérité, j'en fus très piquée. »

Elle lui écrit une lettre de reproches et, cette fois, il accourt. En tombant sous le feu de son regard, elle fond comme aux premiers jours de leur union. « Il ne lui était pas difficile de m'apaiser, parce que j'y étais très portée », note-t-elle ingénument. Cependant, bien vite, elle devine qu'il ne la revoit plus que par charité. Au lieu de lui parler de son amour, il lui conseille de se distraire, de sortir dans le monde, bref de l'oublier. On ne peut être plus explicite : c'est une rupture en douceur. D'abord désemparée, elle se domine dans un sursaut d'orgueil. Loin de l'abattre, ce coup la stimule. Elle refuse de continuer à souffrir par la faute d'un homme, fût-il aussi séduisant que Serge. « Je pris la résolution de faire sentir à ceux qui m'avaient causé tant de divers chagrins qu'il dépendait de moi qu'on ne m'offensât pas impunément », écrit-elle. Première manifestation de cette révolte juvénile : elle décide de reparaître à la cour, le 10 février, non en victime mais en conquérante, et se fait faire, pour ce jour-là, une magnifique robe de velours bleu brodée d'or. Son entrée dans les salons crée un remous de curiosité admirative. Sa maternité l'a encore embellie. La malveillance qu'elle devine, çà et là, autour d'elle, l'incite à raidir son attitude et à aiguiser ses sarcasmes. Elle passe, le regard vif, le sourire moqueur, entre les groupes de courtisans et lance, de temps à autre, une remarque acerbe. Les Chouvalov sont sa cible préférée. Ses bons mots sont répétés, commentés. On s'étonne. Où est la grande-duchesse docile et naïve de ces dernières années, celle dont on plaisantait les amours ? Une nouvelle Catherine est née. En même temps, peut-être, qu'elle donnait le jour à son fils. Une Catherine dure, résolue, méfiante. « Je me tins fort droite, écrit-elle, je marchai tête levée, plutôt en chef d'une très grande faction qu'en personne humiliée ou oppressée. » Et elle ajoute qu'en la voyant ainsi transformée Alexandre Chouvalov et ses amis « ne surent, un moment, sur quel pied danser [1] ».

Là, elle se berce d'illusions. Malgré ses airs supérieurs, elle n'intimide pas encore les grands fauves du palais. Tout au plus certains se disent-ils que Son Altesse a du ressort et qu'il faudra désormais compter avec elle dans l'équilibre des combinaisons politiques. Au printemps de 1755, Serge Saltykov part rejoindre

1. Catherine II : *Mémoires*.

son poste à Hambourg. Sa disparition creuse un vide affreux dans l'existence de Catherine. Mais elle s'interdit fièrement de regretter cet homme qui s'est lassé d'elle. Jamais elle ne le reverra[1].

1. Devenue impératrice, Catherine nommera Serge Saltykov ambassadeur à Paris. Il s'y montrera coureur et dépensier. Quelques années plus tard, le comte Panine proposera de le transférer à Dresde. Catherine écrira en marge du rapport : « N'a-t-il pas commis assez de folies comme cela? Si vous vous portez garant pour lui, envoyez-le à Dresde, mais il ne sera jamais que la cinquième roue du carrosse. » La carrière diplomatique de Serge Saltykov s'achèvera dans l'ombre.

CHAPITRE VIII

PREMIÈRES PASSES D'ARMES POLITIQUES

Le grand-duc n'est pas le dernier à s'apercevoir de la métamorphose qui s'est opérée en Catherine. Au cours d'un dîner dans sa chambre, il lui dit qu'elle commence à devenir « d'une fierté insupportable », qu'elle manque d'égards aux Chouvalov et qu'elle se tient « fort droite », ce qu'il ne saurait tolérer. « Je lui demandai si, pour lui plaire, il fallait se tenir le dos courbé, comme les esclaves du Grand Seigneur, écrit Catherine. Il se fâcha et me dit qu'il saurait bien me mettre à la raison. » Et, pour appuyer sa menace, il tire à demi son épée du fourreau. Nullement impressionnée, Catherine prend son geste en plaisanterie, et il rengaine son arme en grommelant qu'elle est décidément d'une « méchanceté épouvantable ».

Lui-même d'ailleurs a hâte de s'affirmer, face à une cour qui ne le prend pas au sérieux. Mais il choisit une voie diamétralement opposée à celle de sa femme. Avec l'âge, sa passion pour le duché de Holstein, dont il est demeuré administrateur, n'a fait que s'accroître. Il éprouve un tel besoin de se plonger dans le climat militaire allemand, qu'il promet à Alexandre Chouvalov toutes sortes de faveurs, dans l'avenir, si celui-ci ferme les yeux, dans le présent, sur l'arrivée d'un contingent de soldats holsteinois en Russie. Alexandre Chouvalov, ne voyant là qu'un caprice de jeune homme désœuvré, persuade l'impératrice, pourtant hostile à toute influence germanique, de céder à l'innocente lubie de son neveu. Et le détachement, embarqué à Kiel, s'installe à Oranienbaum. Fou de joie, Pierre a revêtu, pour recevoir « ses compatriotes », l'uniforme des régiments du Holstein. « Je frémis de l'effet détestable que cette démarche devait faire pour le grand-duc dans le public russe, et même dans l'esprit de l'impératrice dont je n'ignorais pas les sentiments », écrit Catherine. Elle ne se trompe pas. Les officiers de la garde cantonnés à Oranienbaum murmurent : « Ces maudits Allemands sont tous vendus au roi de Prusse ; c'est autant de traîtres qu'on amène en Russie. » Les simples soldats grognent qu'ils ne sont plus que les « valets » des nouveaux venus. La livrée de la cour se plaint d'être au service d'un « ramas de manants ». Et Catherine comprend que, par son enfantillage, Pierre vient de s'aliéner imprudemment la sympathie d'une partie de l'armée russe. Tandis qu'enthousiasmé de « sa troupe » il va s'établir dans un camp proche du palais, elle s'empresse de faire savoir qu'elle désapprouve cette conduite. Son opinion est répétée sous les tentes, dans les casernes, autour des feux de bivouac. A côté de son mari, qui passe pour traître à la Russie, elle apparaît comme une incarnation de la tradition nationale. Les diplomates étrangers observent attentivement la manœuvre et en rendent compte à leurs gouvernements respectifs.

En 1755, l'Angleterre, désireuse de renouveler son traité d'alliance avec la Russie, dans la perspective d'une rupture devenue inévitable avec la France, envoie à Saint-Pétersbourg un nouvel ambassadeur, Sir Charles Hanbury Williams. Celui-ci, personnage courtois, cultivé et de joyeuse compagnie, s'efforce en vain, entre deux menuets, de nouer avec la tsarine une conversation politique sérieuse et finit par juger plus habile de circonvenir la grande-duchesse, dont on dit qu'elle a quelque crédit auprès de Bestoujev. Ne dit-on pas aussi que Son Altesse a un faible pour les beaux hommes ? Ses aventures galantes avec

Saltykov lui ont fait la réputation d'une grande amoureuse. Et elle est tout ébranlée encore par la rupture avec son amant. Cela d'autant plus qu'elle vient d'apprendre que Serge, en Suède, « en avait conté à toutes les femmes qu'il avait rencontrées [1] ».

« Mon malheur est que mon cœur ne peut être content, même une heure, sans amour », écrit-elle. Or, justement, Sir Williams a auprès de lui de quoi contenter ce cœur insatiable. Trop âgé pour séduire lui-même la grande-duchesse (il a quarante-six ans), il met en avant un charmant jeune homme de sa suite, le comte Stanislas-Auguste Poniatowski. Stanislas appartient, par sa mère, à l'une des plus illustres familles de Pologne, les Czartoryski. A vingt-trois ans, il a beaucoup lu, il parle plusieurs langues, il est frotté de philosophie, il a visité toutes les cours d'Europe, il est introduit dans les salons les plus raffinés, il a conquis, à Paris, l'estime de Mme Geoffrin qu'il appelle « maman », il est partout chez lui, bref c'est un gentilhomme cosmopolite de la première eau. Certes, ce Polonais parisien, tout en ayant une tournure agréable, n'a pas la robuste beauté de Serge Saltykov, mais, dès qu'elle le voit, dès qu'elle l'entend, Catherine est enchantée. Il personnifie à ses yeux cette élégance d'esprit dont elle est sevrée à la cour de Russie et qu'elle retrouve parfois, dans sa chambre, en lisant Voltaire ou Mme de Sévigné. Ce qu'elle ignore encore, mais qu'elle apprendra bientôt, c'est que ce brillant cavalier est, en réalité, un garçon timide, sentimental, pour qui les femmes sont des êtres d'une essence supérieure et les élans du cœur des manifestations de la volonté divine. Malgré ses nombreux voyages, il a su, dit-il, se garder de « tout contact crapuleux », comme s'il avait voulu se réserver « tout exprès à celle qui a depuis disposé de son sort [2] ». Néophyte en amour, il tremble d'extase devant celle qui sera la seule passion de sa vie.

« Elle avait vingt-cinq ans, écrira-t-il; elle ne faisait presque que relever de ses premières couches; elle était à ce moment de

1. Catherine II : *Mémoires*.
2. *Mémoires*, de Stanislas Poniatowski.

beauté qui est ordinairement le comble pour toute femme à qui il est accordé d'en avoir. Avec ses cheveux noirs, elle avait une blancheur éblouissante, des sourcils noirs et très longs, le nez grec, une bouche qui semblait appeler les baisers, les mains et les bras parfaits, la taille svelte, plutôt grande que petite, la démarche extrêmement leste, et cependant de la plus grande noblesse, le son de la voix agréable et le rire aussi gai que l'humeur [1]. » Pourtant, Stanislas hésite à faire le premier pas. Ce qu'il a entendu dire sur le triste sort réservé, en Russie, aux favoris répudiés par une impératrice ou une grande-duchesse renforce sa réserve naturelle. C'est le joyeux Léon Narychkine, celui-là même qui a servi les amours de Catherine avec Serge Saltykov, qui encourage le jeune Polonais à foncer. Entremetteur-né, il n'a d'autre préoccupation dans la vie que le rire et le dévergondage. A-t-il été lui-même l'amant de Catherine ? Peut-être, en passant, par divertissement, par désœuvrement, à l'occasion d'une soirée perdue. En tout cas, il connaît tous les secrets de la jeune femme et va au-devant de tous ses désirs. Pressé par lui, Stanislas « en oublia qu'il y avait une Sibérie ».

Catherine, amusée, se laisse facilement entraîner. L'échange des premiers baisers a lieu dans sa chambre même, où Léon Narychkine a poussé le soupirant inquiet. « Je ne puis me refuser, écrira Stanislas, au plaisir de marquer jusqu'à l'habillement où je la trouvai ce jour-là : c'était une petite robe de satin blanc ; une légère parure de dentelle, mêlée de rubans roses, en était le seul ornement. » C'est Catherine qui révèle au garçon les joies de l'amour physique. « Par une singularité remarquable, ajoutera-t-il, j'eus à lui offrir, quoique à l'âge de vingt-trois ans, ce que personne n'avait eu. » A dater de ce jour, les escapades nocturnes se succèdent, au rythme de deux ou trois par semaine. Dès que Mme Vladislavov a mis la jeune femme au lit et que le

1. *Mémoires*, de Stanislas Poniatowski. Deux erreurs dans ce portrait : Catherine, à l'époque, entrait dans sa vingt-septième année. Et elle était « plutôt petite que grande ».

grand-duc s'est retiré dans sa chambre (ils font chambre à part depuis l'accouchement), Léon Narychkine se faufile dans les appartements et miaule comme un chat devant la porte de la grande-duchesse. C'est le signal. Elle bondit, rajuste sa coiffure, s'habille en homme et rejoint son visiteur dans les ténèbres du vestibule. Un carrosse les emporte, à travers la ville endormie, jusqu'à la maison de Narychkine où les attendent Anna (la belle-sœur de Narychkine) et Stanislas. « La soirée se passa du ton le plus fou qu'on peut s'imaginer », note Catherine. Parfois, c'est Stanislas qui vient la chercher en traîneau. Sortant par une porte de service du palais, elle se précipite vers lui, haletante d'impatience et de crainte. Debout dans la neige, au clair de lune, il serre dans ses bras cette jeune femme svelte, vêtue en cavalier, dont un grand chapeau cache la chevelure. « Un jour que je l'attendais ainsi, écrit-il, un bas officier vint tourner autour de moi et me fit même quelques questions. J'avais la tête enfermée dans un gros bonnet et le corps dans une grande fourrure. Je fis semblant de dormir comme un domestique qui attend son maître. J'avoue que j'eus chaud, malgré le froid terrible qu'il faisait. Enfin le questionneur s'en alla et la princesse vint. Mais c'était la nuit des aventures. Le traîneau heurta si rudement contre une pierre qu'elle fut jetée la face contre terre, à quelques pas du traîneau. Elle ne remuait pas ; je la crus morte ; je courus la relever ; elle en fut quitte pour des contusions, mais, en rentrant, sa fille de garde-robe, par je ne sais quelle méprise, n'avait pas laissé la porte de la chambre ouverte. Elle courut les plus grands risques jusqu'à ce qu'enfin un heureux hasard servit à faire ouvrir cette porte par une autre personne. » Pour éviter le retour de pareils incidents, c'est désormais dans sa chambre à elle, tout près des appartements du grand-duc, que son amant la retrouve. « Nous prîmes un plaisir singulier à ces entrevues furtives », confie-t-elle. Ces « entrevues furtives » sont si fréquentes, que le petit chien hargneux qu'elle a maintenant auprès d'elle fait fête à Stanislas comme à une vieille connaissance, ce qui éveille les soupçons ironiques d'un autre visiteur, le Suédois Horn. La chance de Stanislas lui monte à la tête. Il est au comble de ses vœux. « Mon existence entière lui fut dévouée (à Catherine) beaucoup plus sincèrement que ne le disent d'ordinaire les gens qui se trouvent en pareil cas », écrit-il.

Cette passion juvénile attendrit certes Catherine, mais elle y répond avec modération et presque avec condescendance. Sa récente aventure avec Serge Saltykov l'a rappelée à la raison. Elle veut bien s'intéresser à un homme en fonction du plaisir qu'il lui donne, mais refuse désormais d'en faire le centre de son univers. Autant elle a été naïve et vulnérable avec son premier amant, autant elle se montre rouée et lucide avec le deuxième. Sa désillusion sentimentale l'a, en quelque sorte, virilisée. C'est elle maintenant qui tient le rôle du mâle dans le couple. « J'étais un franc et loyal chevalier, écrira-t-elle, dont l'esprit était infiniment plus mâle que femelle; mais je n'étais avec cela rien moins qu'hommasse et on trouvait en moi, joint à l'esprit et au caractère d'un homme, les agréments d'une femme très aimable[1]. » Désabusée, méfiante, cynique, elle domine le faible Stanislas, plus jeune qu'elle de trois ans.

Sir Williams n'en est pas moins très satisfait des progrès de son protégé dans le cœur de la grande-duchesse. Par lui, il espère la gagner à la cause de l'Angleterre. Et, pour assurer son avantage, il offre à la jeune femme, en plus d'un amant agréable, de l'argent frais. Or, Catherine est dépensière, insouciante, joyeuse (le montant de ses pertes au jeu, en 1756, est de dix-sept mille roubles); elle a le goût du luxe; elle se ruinerait pour une robe; elle ne sait pas compter et elle refuse de s'y astreindre; elle accepte la proposition. Les « prêts » qu'elle reçoit, en secret, de l'Angleterre forment un total important. Ainsi, le 21 juillet 1756, écrit-elle au baron de Wolff, banquier et consul d'Angleterre : « C'est avec peine que je m'adresse de nouveau à vous;

1. Catherine II : *Mémoires*.

joignez aux obligations que je vous ai des prêts précédents celle de me faire remettre encore mille ducats en or. » Et, quatre mois plus tard, le 11 novembre 1756 : « Reçu de Monsieur le baron de Wolff la somme de quarante-quatre mille roubles que je rendrai à sa demande à lui-même ou à son ordre. » Le grand-duc participe, lui aussi, à la manne anglaise. Pourquoi refuserait-il? L'Angleterre est l'alliée de la Prusse et il est « un Prussien enraciné ». L'entretien de son régiment de Holstein l'occupe de plus en plus. Quand il est dans sa résidence d'Oranienbaum, il passe dix fois par jour ses troupes en revue. Quand il est à Saint-Pétersbourg, à défaut de soldats en chair et en os, il fait évoluer, avec le même sérieux, des soldats de bois, de plomb, d'amidon et de cire. Il ne les cache plus sous son lit, comme dans sa prime jeunesse, mais les dispose ostensiblement sur de longues tables, au milieu de sa chambre. Ces tables sont munies de bandes de laiton, qui, lorsqu'on les agite d'une certaine façon, imitent « le feu roulant des fusils ». Chaque jour, à heure fixe, il procède à la « relève de la garde », en passant d'une table à l'autre. « Il assistait à cette parade en uniforme, bottes, éperons, hausse-cou et écharpe, écrit Catherine, et ceux qui étaient ses domestiques, admis à ce bel exercice, étaient obligés d'y assister aussi. »

Ces divertissements enfantins ne l'empêchent pas de boire comme un trou et de courir les femmes. Finies les idylles sans conséquence avec des demoiselles d'honneur. Libéré de son phimosis, Pierre a des maîtresses. Il invite à ses soupers intimes non seulement des chanteuses et des danseuses, mais, selon Catherine, « quantité de bourgeoises de très mauvaise compagnie qu'on lui amenait de Pétersbourg ». Totalement indifférent à sa femme, il ne la tient pas moins au courant de ses frasques et lui demande même conseil. Il l'appelle « Madame la Ressource ». « Quelque fâché ou boudeur qu'il fût contre moi, s'il se trouvait en détresse, sur quelque point que ce fût, il venait courir à toutes jambes, comme il en avait la coutume, chez moi, pour attraper mon avis et, dès qu'il l'avait saisi, il se sauvait derechef à toutes jambes [1]. » Ainsi consulte-t-il Catherine sur la façon d'orner sa chambre pour y recevoir Mme Teplov dont il est amoureux. « Pour mieux plaire à la dame, écrit Catherine, il avait empli cette chambre de fusils, de bonnets de grenadiers, d'épées et de bandoulières, de façon qu'elle avait l'air d'un coin d'arsenal. Je le laissai faire et m'en allai. » Une autre fois, il se précipite chez Catherine, lui fourre sous le nez une lettre de la même Mme Teplov et s'écrie avec colère : « Imaginez-vous, elle m'écrit une lettre de quatre pages entières et elle prétend que je dois lire cela et, qui plus est, y répondre, moi qui dois aller exercer (il avait de nouveau fait venir des troupes du Holstein), puis dîner, puis tirer, puis voir la répétition d'un opéra et le ballet qu'y danseront les cadets. Je lui dirai tout net que je n'ai pas le temps et, si elle se fâche, je me brouille avec elle jusqu'à l'hiver. » Catherine l'approuve et il repart content. Mme Teplov n'est d'ailleurs, pour lui, qu'un intermède. La vraie passion de sa vie, c'est, depuis peu, Elisabeth Vorontzov. Pourquoi l'a-t-il choisie? Certes elle est de bonne famille, puisqu'elle est la nièce du vice-chancelier Michel Vorontzov, rival de Bestoujev dans l'entourage politique de l'impératrice, mais elle est boiteuse, bigle et marquée de petite vérole. Cette disgrâce physique est compensée par un tempérament de feu. Toujours prête à boire, à chanter, à se vautrer sur le lit ou à crier des injures, elle a une vulgarité de manières qui séduit le grand-duc. Auprès d'elle, il ne se sent pas en état d'infériorité, il n'a pas honte d'être laid lui-même, ni peu instruit, ni mal embouché. Alors que Catherine le glace par son élégance et son intelligence, Elisabeth Vorontzov l'excite par sa sottise et sa grossièreté. Le goût qu'il a de sa maîtresse le rend plus indulgent encore aux infidélités de sa femme. Après une courte absence, Stanislas Poniatowski est revenu à Saint-Pétersbourg comme ministre du roi de Pologne. Sa situation à la cour semble ainsi consolidée. Or, un jour, à l'aube, comme il se glisse hors du château d'Oranienbaum où il

1. Catherine II : *Mémoires*.

a passé la nuit avec Catherine, quelques cavaliers de la garde du grand-duc se saisissent de lui. Il porte un déguisement : perruque blonde et grand manteau. Amené devant Pierre, il refuse d'expliquer sa présence à cette heure indue aux abords du château. Sarcastique, le grand-duc lui demande s'il est l'amant de sa femme. Stanislas jure que non. Alors, Pierre, qui a tout compris, feint de croire qu'il s'agit d'un complot contre sa personne. Pendant quelques jours, il parle de jeter en prison cet espion étranger surpris dans les jardins de sa résidence. Craignant un scandale, Catherine prend sur elle de faire des avances à la maîtresse de son mari. Celle-ci, ravie de voir son crédit ainsi reconnu, insiste auprès de Pierre pour qu'il reçoive Stanislas Poniatowski dans sa chambre. Dès que l'amant de sa femme est introduit auprès de lui, Pierre s'écrie en riant : « N'es-tu pas un grand fou de ne pas m'avoir mis dans la confidence à temps ! Si tu l'avais fait, tout ce grabuge ne serait pas arrivé ! » Et il explique qu'il n'est nullement jaloux, que la garde postée autour du château n'a d'autre fonction que de veiller à sa sécurité personnelle et qu'il est heureux de voir ce malentendu dissipé. « Puisque nous voilà bons amis, il manque encore quelqu'un ici ! » dit-il enfin. « Sur cela, raconte Stanislas Poniatowski, il passe dans la chambre de sa femme, la tire du lit, ne lui laisse pas le temps de mettre ses bas, et point de souliers, et passer une robe de Batavia, sans jupon, et dans cet état nous l'amena, lui disant en me montrant : « Eh bien ! le voilà ! J'espère qu'on sera content de moi[1] ! »

Les deux couples soupent gaiement et ne se séparent qu'à quatre heures du matin. Les réunions de ce bizarre ménage à quatre se renouvelleront fréquemment, les semaines suivantes. « J'allais souvent à Oranienbaum, écrit encore Stanislas Poniatowski. J'arrivais le soir, je montais par un escalier dérobé dans l'appartement de la grande-duchesse ; j'y trouvais le grand-duc et sa maîtresse ; nous soupions ensemble ; après quoi, le grand-

1. Stanislas Poniatowski : *Mémoires.*

duc emmenait sa maîtresse, nous disant : « Ah! ça, mes enfants, vous n'avez plus besoin de moi, je crois! » Et je restais tant que je voulais. »

D'abord choqué par la rudesse du grand-duc, qu'il dépeint comme « un goinfre », « un poltron », « un personnage comique », Stanislas, peu à peu, le prend en pitié. Pierre, qui a la langue bien pendue, lui confie volontiers ses états d'âme. « Voyez pourtant comme je suis malheureux, dit-il à Stanislas; j'allais entrer au service du roi de Prusse; je l'aurais servi de tout mon zèle et de toute ma capacité; à l'heure qu'il est, je puis bien me promettre que j'aurais déjà eu un régiment avec le grade de général-major et peut-être même de lieutenant-général. Point du tout : ne voilà-t-il pas qu'ils m'ont amené ici pour me faire grand-duc dans ce fichu pays[1]! » Quand ce n'est pas à l'amant de sa femme qu'il se plaint ainsi, c'est à sa femme elle-même. « Il me répéta derechef, écrit-elle, qu'il sentait qu'il n'était pas né pour la Russie, que ni lui ne convenait point aux Russes, ni les Russes à lui et qu'il périrait en Russie. Je lui dis à ce sujet qu'il ne devait pas se laisser aller à cette fatale idée, mais faire de son mieux pour se faire aimer d'un chacun en Russie[2]. »

Tout en l'encourageant à prendre conscience de ses responsabilités d'héritier de la couronne, Catherine doute, de plus en plus, de leur avenir à tous deux. L'enfant qu'elle a mis au monde et qu'on lui cache obstinément constitue une menace pour elle. On parle en secret, à la cour, d'une possibilité pour l'impératrice d'écarter de la succession son neveu indigne et de désigner comme héritier le petit Paul Pétrovitch. Quel serait alors le rôle de Catherine? La renverrait-on avec son mari en Holstein? Lui confierait-on, par dérision, une place au conseil de régence? De toute façon, ce serait la ruine des espoirs grandioses qu'elle a nourris, pendant treize ans. Tant de couleuvres avalées pour rien! Elle refuse de l'admettre. Tout

1. Stanislas Poniatowski : *Mémoires.*
2. Catherine II : *Mémoires*

n'est pas perdu. Le chancelier Bestoujev lui est sincèrement dévoué. Elle a gagné l'amitié du feld-maréchal Apraxine. Les diplomates constatent tous qu'il y a deux cours en Russie : la cour de l'impératrice et celle du grand-duc et de la grande-duchesse, dite « la jeune cour ». Catherine se met en tête de donner à cette « jeune cour » un éclat, une signification qui attire à elle les esprits férus de progrès. Elle veut, aux yeux des ambassadeurs et de la noblesse, personnifier le mouvement, l'imagination, la lumière. Elle dit au marquis de L'Hopital : « Il n'y a pas de femme plus hardie que moi. Je suis d'une témérité effrénée. » Le général Lieven s'écrie en la voyant passer : « Voilà une femme pour laquelle un honnête homme pourrait souffrir quelques coups de knout sans regret[1] ! » Et le chevalier d'Éon, agent secret et observateur sagace, la dépeint ainsi : « La grande-duchesse est romanesque, ardente, passionnée; elle a l'œil brillant, le regard fascinateur, vitreux, un regard de bête fauve. Son front est haut, et, si je ne me trompe, il y a un long et effrayant avenir écrit sur ce front-là. Elle est prévenante, affable, mais, quand elle s'approche de moi, je recule par un mouvement dont je ne suis pas maître. Elle me fait peur. » Le jeu complexe de la politique électrise la jeune femme. Après une très longue attente, elle devine que le dénouement approche. La santé de la tsarine, naguère florissante, décline rapidement. Ce ne sont encore que de petites alertes, des étourdissements passagers, mais rien n'échappe à Catherine. Elle est sur le qui-vive. Elle attend son heure. Pour prix de sa future assistance diplomatique, elle reçoit toujours des subsides de Sir Williams. Mais voici qu'en 1756 la Russie renverse ses alliances et se range aux côtés de la France et de l'Autriche contre l'Angleterre et la Prusse. Ayant échoué dans sa mission, Williams est rappelé en Angleterre. Catherine, désolée, lui envoie une lettre pour le moins compromettante :

« J'ai résolu de vous écrire puisque je n'ai pu vous voir pour

1. Catherine II : *Mémoires*.

vous dire adieu. Les plus sincères regrets accompagnent celui que je regarde comme un de mes meilleurs amis... Pour vous récompenser d'une manière qui soit conforme à la noblesse de vos sentiments, je vous dirai ce que je veux faire : je saisirai toutes les occasions imaginables de ramener la Russie à ce que je reconnais être ses véritables intérêts, c'est-à-dire à être intimement unie à l'Angleterre, à lui donner tous les secours qui soient au pouvoir des hommes et la supériorité qu'elle doit avoir pour le bien de toute l'Europe, et surtout pour celui de la Russie, sur la France, leur commun ennemi, dont la grandeur est la honte de la Russie. »

Williams, enchanté, lui répond : « Vous êtes née pour commander et régner. » Elle en est si intimement persuadée qu'elle lui fait part, en secret, de ses projets : « Voici mon rêve. Après avoir été informée de sa mort (la mort d'Elisabeth) et m'étant assurée qu'il ne s'agit point d'erreur, je me rendrai directement dans la chambre de mon fils. J'enverrai aussi un homme de confiance pour avertir cinq officiers de la garde dont je suis sûre, qui, chacun, m'amèneront cinquante soldats... J'enverrai des ordres au chancelier, à Apraxine et à Lieven de venir à moi et, entre-temps, j'entrerai dans la chambre mortuaire où je convoquerai le capitaine de la garde, à qui je ferai prêter serment et que je garderai à mes côtés. Il me paraît plus sage et plus sûr si les deux grands-ducs (Pierre et Paul) étaient ensemble plutôt qu'un seul avec moi; également que le rendez-vous des partisans soit dans mon antichambre. Si je vois le plus petit signe de trouble, je m'assurerai, soit avec mes gens, soit avec ceux du capitaine de la garde, les Chouvalov et l'aide de camp de service. Du reste, les officiers subalternes de la garde du corps sont sûrs... Que le ciel me donne une tête claire! La nouveauté de toute cette chose et la hâte avec laquelle je vous la communique ont nécessité de ma part un grand effort d'imagination. »

Ainsi, bien avant la mort d'Elisabeth, Catherine a son plan. Pas très net encore, il est vrai. Tout en affirmant qu'elle veut garder « les deux grands-ducs ensemble », elle néglige de préciser dans quelle intention. Certainement pas pour aider Pierre à monter sur le trône. Plutôt pour l'empêcher de se proclamer empereur. La révolution de palais doit se faire en *sa* faveur, grâce à *ses* « partisans ». Consciente d'être allée un peu trop loin dans ses confidences à Williams, elle ajoute : « Vous devez comprendre que tout cela ne se rapporte qu'à l'avenir, après le décès. »

Cependant, loin de la grenouillère diplomatique de Saint-Pétersbourg, le canon tonne, des drapeaux se déploient, des hommes tombent. Le roi Frédéric II pénètre en Saxe avec son armée. Enfin une guerre[1]! Les militaires russes se réjouissent. Depuis Pierre le Grand, ils rongeaient leur frein. Mais les crédits manquent. Les soldats sont mal équipés. Le marquis de L'Hopital, nouvel ambassadeur de France, prétend qu'ils n'ont ni souliers ni fusils, et qu'il y a, parmi eux, des Kalmouks qui combattent encore avec des arcs et des flèches. Le vieux feld-maréchal Apraxine est inquiet à l'idée d'affronter un aussi grand stratège que Frédéric II. Celui-ci remporte victoire sur victoire, bouscule les Saxons à Pirna, dévaste la Bohême, bat les Autrichiens à Prague. La « jeune cour », à Saint-Pétersbourg, se passionne pour ce souverain génial qui tient en respect tant de nations coalisées. Au premier coup d'œil, le marquis de L'Hopital devine qu'en dépit de l'alliance de la Russie avec la France, c'est à la Prusse que vont les sympathies de cette petite coterie juvénile. Catherine, dans cette conjoncture, est très embarrassée. Les largesses de Williams l'ont inféodée à l'Angleterre et par conséquent à la Prusse. Mais son amitié récente avec le chancelier Bestoujev lui fait une obligation de soutenir la politique anti-britannique et anti-prussienne de celui-ci. Elle doit louvoyer, composer, dissimuler pour survivre. Cet apprentissage périlleux la grise.

Comme Apraxine ne se décide toujours pas à déclencher

1. C'est le début de la guerre de Sept Ans.

l'offensive que toute la Russie attend de lui, Bestoujev invite Catherine à user de son influence auprès du feld-maréchal pour le persuader d'agir. Il a tant d'amitié pour elle! Qu'elle lui écrive donc à l'insu de l'impératrice. Elle s'exécute. Moins par conviction personnelle que pour prouver sa bonne volonté. Satisfait, Bestoujev lui remet un mémorandum secret, établi par ses soins et destiné à régler la succession au trône. D'après ce document, à la mort de l'impératrice, Pierre serait bien proclamé empereur, mais devrait partager tous ses pouvoirs avec Catherine qui gouvernerait conjointement avec lui. A côté du nouveau couple impérial, Bestoujev se réserve la part du lion : commandement de la garde, ministères des Affaires étrangères, de la Guerre, de la Marine. Flattée de la confiance que lui témoigne le chancelier, Catherine n'en décèle pas moins le danger de ces spéculations dynastiques du vivant de la tsarine. Elle ne repousse pas radicalement le projet, mais fait observer à l'auteur qu'elle le croit difficilement réalisable. Bestoujev promet de le remanier. « A dire la vérité, écrira-t-elle, je regardais son projet comme une espèce de radotage et comme une amorce que ce vieillard me jetait pour se concilier de plus en plus mon affection. » Jamais cette grande ambitieuse ne prendra ses désirs pour des réalités. Dans ses entreprises les plus folles, son bon sens contiendra le galop de son imagination. Elle est étonnamment pratique dans l'extravagance. Elle aime sentir la dureté du sol sous ses pieds. Une fanatique de la raison. Une clairvoyante, non une visionnaire.

La collusion de Bestoujev avec la grande-duchesse, malgré toutes les précautions qu'ils prennent, est flairée de loin par les diplomates étrangers. L'impératrice, elle aussi, devine que des tractations se poursuivent derrière son dos. Épuisée, à quarante-sept ans, par une vie de débauche, elle est sujette à des hallucinations, à des crises de terreur, ne couche jamais deux nuits dans la même chambre, converse à voix basse avec les images saintes et redoute l'approche de la mort. Il lui arrive aussi d'avoir des convulsions qui la laissent longtemps hébétée, dans un état voisin de la léthargie. « Pendant ce temps, on ne pouvait lui parler ni l'entretenir de rien du tout », écrit Catherine. Quand la tsarine revient à elle, il lui semble que le grand-duc et la grande-duchesse sont comme deux oiseaux de proie, perchés sur le bois de son lit. Ils guettent l'instant où elle fermera les paupières pour lui tomber dessus. Contre ses hantises et ses faiblesses, deux remèdes : la boisson et l'amour. Alourdie, fatiguée, hoquetante, elle a de plus en plus besoin d'un homme dans son lit. « Elle avait insensiblement quitté les plaisirs modérés pour la crapule et son goût de la dévotion s'était accru avec celui des voluptés, écrit J. Castéra. Souvent elle buvait avec excès; et, trop sensuelle, trop impatiente alors, elle ne souffrait pas qu'on la déshabillât. Ses femmes faisaient seulement faufiler les robes dont elles la vêtissaient le matin pour pouvoir les lui ôter le soir, avec quelques coups de ciseaux; ensuite elles la portaient au lit où elle tâchait de reprendre des forces dans les bras d'un nouvel athlète. » Parmi tous ces « athlètes », un seul a rang de favori. C'est Ivan Chouvalov. Le remplaçant de Razoumovski. De dix-huit ans plus jeune que l'impératrice, il a un beau visage un peu poupin, un menton à fossette et un long nez surplombant une bouche sensuelle. Il porte jabot de dentelle et perruque blanche. Il a le titre de président de l'Académie des Beaux-Arts. Elisabeth ne voit plus que par ses yeux. Or, il est un ennemi déclaré de Bestoujev.

Soudain, toute la cour tressaille de joie : après des mois de tergiversation, Apraxine s'est enfin décidé à une action énergique contre les Prussiens. En juillet 1757, les troupes russes prennent Memel, en août de la même année, elles écrasent l'adversaire à Gross-Jaegersdorf. La victoire est célébrée par un *Te Deum.* Catherine, pour témoigner de son patriotisme, donne une grande fête dans les jardins d'Oranienbaum. Au milieu de la liesse générale, Pierre éprouve de la peine à cacher son dépit. « Il voyait avec regret les troupes prussiennes battues, tandis qu'il les regardait comme invincibles », écrit Catherine. La déception du grand-duc est de courte durée. Alors qu'à Saint-

Pétersbourg on crie déjà : « A Berlin! A Berlin! » Apraxine, brusquement, bat en retraite, abandonnant ses équipages et enclouant ses canons. Une clameur d'indignation salue, chez les Russes, cette inexplicable dérobade. En hâte, Bestoujev demande à Catherine d'écrire, une fois de plus, au feld-maréchal « comme son amie » pour le conjurer d'arrêter la déroute et de faire front. La lettre, envoyée aussitôt, demeure sans réponse. Dans l'entourage de la tsarine, on parle ouvertement de complot, de trahison. Les uns disent que le feld-maréchal, mis au courant d'un grave malaise de l'impératrice, a cru celle-ci mourante et a ordonné la retraite pour obéir aux vues de l'héritier du trône dont la germanophilie est bien connue. D'autres, dont le marquis de L'Hopital, accusent directement Catherine et Bestoujev d'avoir été payés par l'Angleterre, alliée de la Prusse, pour inciter Apraxine à rétrograder malgré ses victoires sur Frédéric II. « Ces menées se sont faites sous les yeux de Sa Majesté, écrit le marquis de L'Hopital; mais, comme sa santé était alors très équivoque, elle en était uniquement occupée, tandis que toute la cour pliait sous les volontés du grand-duc et surtout de la grande-duchesse, qui était gagnée et séduite par l'esprit du chevalier Williams et par l'argent de l'Angleterre. »

Par ordre de l'impératrice, le feld-maréchal Apraxine est révoqué et assigné à résidence dans ses terres, en attendant l'instruction de son procès. Son lieutenant en second, l'Allemand Fermor, lui succède à la tête de l'armée. Or, après une brève enquête, Fermor affirme que seuls des motifs militaires ont justifié le repli des Russes : les soldats n'étaient pas payés, ils manquaient d'armes, de munitions, et mouraient de faim, les trains de ravitaillement n'ayant pu suivre la progression rapide des troupes. Ces bonnes raisons n'entament pas la conviction d'Elisabeth. Pour elle, Apraxine a bel et bien agi sur l'instigation de quelqu'un de haut placé. Et, tout naturellement, ses soupçons se portent sur Catherine. Depuis que cette remuante petite personne s'est mis en tête de faire de la politique, toute la jeune cour est sens dessus dessous. Il faudrait un bon coup de balai dans la volière.

Malheureusement, on ne peut rien contre la grande-duchesse, pour l'instant : elle est de nouveau enceinte. De qui? Peu importe. Sa grossesse est une affaire d'État. Son ventre proéminent la protège. En attendant, on jase ferme dans les salons. Le nom du vrai père est sur toutes les lèvres : Stanislas Poniatowski. Le grand-duc, pourtant très large d'idées quand il s'agit de son honneur conjugal, s'écrie devant témoins : « Dieu sait où ma femme prend ses grossesses! Je ne sais pas trop si cet enfant est de moi et s'il faut que je le prenne sur mon compte[1]! » Ce propos injurieux est aussitôt répété à Catherine et elle s'en inquiète : est-ce une menace voilée de désaveu de paternité? Prenant les devants, elle dit à Léon Narychkine : « Exigez de lui (Pierre) un serment comme quoi il n'a pas couché avec sa femme et dites-lui que, s'il prête ce serment, tout de suite vous irez en faire part à Alexandre Chouvalov, comme au grand Inquisiteur de l'Empire[1]. » Pierre, mis au pied du mur, refuse de jurer ce qu'on lui demande. Est-ce parce qu'il a effectivement honoré le lit de Catherine entre deux visites à Elisabeth Vorontzov ou, plus vraisemblablement, parce qu'il ne veut pas soulever un scandale pour une affaire aussi peu importante? « Allez-vous-en au diable et ne me parlez plus de cela! » dit-il à Léon Narychkine.

Soulagée, Catherine prend la résolution de choisir désormais « une route indépendante », c'est-à-dire de ne pas lier son destin à celui de Pierre. « Il s'agissait, écrit-elle, de périr avec lui ou par lui, ou bien aussi de se sauver, moi, mes enfants et peut-être l'État, du naufrage dont toutes les facultés morales et physiques de ce prince faisaient prévoir le danger. »

L'hostilité qu'elle devine autour d'elle augmente sa combativité. Le vice-chancelier Vorontzov et le favori Ivan Chouvalov ayant obtenu que Stanislas Poniatowski soit rappelé en Pologne,

1 Catherine II · *Mémoires*

elle intervient auprès de Bestoujev pour que cette mesure soit retardée. On ne va tout de même pas la priver une fois de plus de son amant alors qu'elle est sur le point d'être mère! Dans la nuit du 8 au 9 décembre 1758, elle ressent les premières douleurs. Le grand-duc, aussitôt informé, se précipite dans sa chambre. Il porte l'uniforme de Holstein, avec bottes et éperons, une écharpe autour du corps et « une énorme épée au côté ». Titubant, l'œil vague et la bouche pâteuse, il annonce à Catherine qu'il vient la défendre contre tous ses ennemis, en brave officier holsteinois. « Je compris aisément qu'il était gris, écrit-elle, et je lui conseillai d'aller se coucher afin que l'impératrice, quand elle viendrait, n'eût pas le double déplaisir de le voir ivre et armé de pied en cap, avec cet uniforme holsteinois que je savais qu'elle détestait. »

Quelques heures plus tard, l'impératrice et le grand-duc, qui, entre-temps, a changé de tenue, prennent place devant le « lit de misère » pour assister aux dernières phases du travail. Catherine, cette fois, accouche d'une fille. Elle souhaite, pour attendrir la tsarine, que l'enfant reçoive le prénom d'Elisabeth. Indifférente à cet hommage, l'impératrice choisit le prénom d'Anne, qui était celui de sa sœur aînée, mère du grand-duc. Après quoi, elle fait ondoyer ce deuxième enfant et l'emporte, comme elle l'a fait pour le premier, dans ses appartements. Catherine ne proteste pas. C'est la règle. De nouveau, elle reçoit un don de l'impératrice (soixante mille roubles) et, de nouveau, elle est abandonnée, sans soins, dans sa chambre. Mais, sous prétexte de se préserver des vents coulis, elle fait installer, près de son alcôve, de grands paravents qui délimitent un réduit intime. Là, elle accueille, en cachette de l'impératrice, ses amis les plus proches et notamment Stanislas Poniatowski. Il arrive, toujours affublé de cette perruque blonde qui le rend méconnaissable, et, quand un garde l'interpelle : « Qui va là? », il réplique imperturbablement : « Un musicien du grand-duc. » Si un visiteur étranger au petit groupe entre dans la chambre et demande ce que cache cet assemblage d'écrans, à côté du lit,

Catherine répond : « La chaise percée. » Ainsi, le comte Chouvalov, venu de la part de l'impératrice, trouve la grande-duchesse couchée, seule et triste, tandis qu'à deux pas de là, à l'abri des paravents, les amis « crevaient de rire de l'extravagance extrême de cette scène [1] ».

Ces rires et ces jeux n'empêchent pas Catherine de suivre avec angoisse l'instruction du procès d'Apraxine. Le vieux feld-maréchal est mort « d'un coup d'apoplexie » après le premier interrogatoire, mais l'enquête continue. Et, plus les jours passent, plus il semble évident que le chancelier Bestoujev sera compromis dans l'affaire. Son rival, le vice-chancelier Vorontzov, impatient de le remplacer, n'hésite pas à le dénoncer comme traître à l'impératrice. Les frères Chouvalov, oncles du favori d'Elisabeth, soutiennent ouvertement l'accusation. Selon eux, cet homme puissant et dur, maître depuis quinze ans de la politique extérieure de la Russie, n'est en réalité qu'un intrigant et un ingrat. Au lieu de continuer à servir aveuglément la tsarine, il s'est, en secret, rapproché de la jeune cour, il a épousé les intérêts de la grande-duchesse, il a engagé un pari sacrilège sur la fin prochaine de Sa Majesté. Les ambassadeurs d'Autriche, comte Esterhazy, et de France, marquis de L'Hopital, appuient la campagne de dénigrement menée par Vorontzov et les Chouvalov.

Certain dimanche de février, alors que la jeune cour se prépare à célébrer un double mariage (celui de Léon Narychkine et celui du comte Boutourline), Catherine reçoit un billet de Stanislas Poniatowski l'informant que Bestoujev a été arrêté, la veille, en même temps que le bijoutier Bernardi dont elle a souvent utilisé les services pour sa correspondance, Adodourov, son ancien professeur de russe, et Elaguine, un de ses fidèles amis. Immédiatement, elle mesure le danger qui la menace. A coup sûr, les ennemis de Bestoujev la présenteront comme sa principale complice. On fouillera dans les papiers du ministre

1. Catherine II : *Mémoires.*

déchu. Les lettres qu'elle a écrites à Apraxine et à Bestoujev, ainsi que le fameux projet de succession au trône, suffiront à la condamner. Est-elle en train de vivre ses dernières heures de liberté ? « Le poignard dans le cœur », elle se rend d'abord à la messe. Là, personne ne lui parle de l'événement. Mais les visages paraissent soucieux. Seul le grand-duc, qui n'a jamais aimé Bestoujev, affecte la gaieté. Il se tient ostensiblement à l'écart de sa femme, comme pour signifier qu'il est étranger à tous les crimes dont on la soupçonne.

Le soir, après la double cérémonie nuptiale, Catherine doit encore paraître au festin, puis au bal, comme si de rien n'était. Mais elle ne peut rester plus longtemps dans l'incertitude. Avec un froid courage, elle s'approche du prince Nikita Troubetzkoï, l'un des commissaires chargés de l'enquête, et lui demande : « Avez-vous trouvé plus de crimes que de criminels ou avez-vous plus de criminels que de crimes ? » Surpris par tant d'audace, il balbutie : « Nous avons fait ce qu'on nous a ordonné, mais, pour les crimes, on les cherche encore. Jusqu'ici, les découvertes ne sont pas heureuses. » Alors, elle s'adresse, avec la même question, à un autre commissaire, le maréchal Boutourline, et celui-ci soupire : « Bestoujev est arrêté, mais présentement nous en sommes à chercher pourquoi il l'est [1]. »

Le lendemain, le ministre holsteinois Stambke transmet à Catherine un billet du chancelier arrêté qui la rassure : il a eu le temps « de tout jeter au feu ». Elle s'empresse de suivre son exemple. En une nuit, elle aussi « brûle tout », papiers, livres de comptes, vieilles lettres, brouillons divers. Place nette. Si on l'arrête, on ne trouvera aucune preuve de ses prétendues tractations politiques. Mais, entre-temps, les enquêteurs ont découvert quelques lignes de Poniatowski adressées à Bestoujev. C'en est assez pour que l'impératrice exige formellement du roi de Pologne le rappel de Stanislas. Le jeune homme, consterné, se prétend malade et s'incruste. « Il se tenait, pendant le jour,

1. Catherine II : *Mémoires*

caché dans son hôtel, et, la nuit, se rendait mystérieusement auprès de la grande-duchesse », écrit J. Castéra. Catherine supplie Stanislas d'espacer ses visites. Devant l'acharnement de la tsarine à poursuivre ses amis, elle n'ose plus inviter personne à la voir. Elle est isolée, pestiférée, on chuchote qu'elle ne restera pas longtemps à l'abri des foudres impériales. Ce qui l'attend, c'est, au mieux, la disgrâce et le renvoi en Allemagne, au pire, la torture, la prison, la mort.

CHAPITRE IX

LA GRANDE SCÈNE

Pour le dernier jour du carnaval de 1759, le théâtre de la cour s'apprête à jouer une comédie russe. Stanislas Poniatowski prie instamment Catherine de se rendre à cette représentation de gala afin de couper court aux rumeurs selon lesquelles elle serait consignée dans ses appartements par ordre de l'impératrice. Elle commande donc les carrosses, pour elle et sa suite, mais le comte Alexandre Chouvalov, la face secouée de tics, lui annonce que le grand-duc s'oppose à cette sortie. Immédiatement, elle devine les raisons de ce refus brutal : si elle va au spectacle, ses demoiselles d'honneur seront tenues de l'accompagner et, parmi elles, se trouve « la sultane favorite » de Pierre, Elisabeth Vorontzov, avec qui il a projeté de passer la soirée. Tandis qu'elle insiste, Pierre arrive, « criant comme un aigle ». Elle lui tient tête. Et à Alexandre Chouvalov aussi. Elle ira au théâtre, à pied s'il le faut, dit-elle, et toute seule. Mais, auparavant, elle écrira à l'impératrice pour dénoncer la façon dont son mari la traite et demander la permission de quitter la cour pour se réfugier auprès de sa famille, en Allemagne. Le grand-duc se retire, suivi d'Alexandre Chouvalov, assez penaud, et Catherine, aussitôt, prend la plume. « Je me mis à écrire ma lettre à l'impératrice, en russe, que je rendis aussi pathétique que je pus, raconte-t-elle dans ses *Mémoires*. Je commençai par la remercier de toutes les grâces et bontés dont elle m'avait comblée dès mon arrivée en Russie, disant que, malheureusement, l'événement prouvait que je ne les avais pas méritées, parce que je ne m'étais attiré que la haine du grand-duc et la disgrâce très marquée de Sa Majesté, que, voyant mon malheur et que je séchais d'ennui dans ma chambre, où on me privait des passe-temps même les plus innocents, je la priais instamment de finir mes malheurs en me renvoyant, de telle façon qu'elle le jugerait convenable, à mes parents. Que mes enfants, ne les voyant point, quoique je demeurasse avec eux dans la même maison, il me devenait indifférent d'être dans le même lieu où ils étaient, ou à quelques centaines de lieues d'eux ; que je savais qu'elle en prenait un soin qui surpassait ceux que mes faibles facultés me permettraient de leur donner, que j'osais la prier de les leur continuer, et que, dans cette confiance, je passerais le reste de ma vie chez mes parents à prier Dieu pour elle, le grand-duc, mes enfants et tous ceux qui m'avaient fait du bien et du mal, mais que l'état de ma santé par le chagrin était réduit à un tel état que je devais faire ce que je pourrais pour du moins me sauver la vie, et qu'à cet effet je m'adressais à elle pour me laisser aller aux eaux et, de là, chez mes parents. »

Cette lettre, Catherine l'a, sans doute, depuis longtemps composée dans sa tête. Le moment est venu, pense-t-elle, de jouer le tout pour le tout. Menacée, elle menace à son tour. Elle « bluffe » avec un sang-froid effrayant. Ce qu'elle feint de solliciter — son départ de Russie —, c'est, en vérité, ce qu'elle redoute le plus. Où irait-elle du reste, si, par malheur, l'impératrice accédait à sa prière ? En Allemagne ? Son père est mort, son frère unique, brouillé avec le roi de Prusse, combat dans les rangs autrichiens, sa mère, dépouillée par Frédéric des revenus du duché de Zerbst, s'est réfugiée à Paris, sous le nom de comtesse d'Oldenbourg, et là, criblée de dettes, entortillée dans des intrigues politico-amoureuses, mène la vie misérable d'une émigrée, vituperant ses ennemis et rêvant d'être admise à Versailles. L'impératrice ne veut plus entendre parler de cette encombrante « cousine ». Et la grande-duchesse n'a pas les moyens de répondre, sur sa cassette, à toutes les demandes d'argent de sa mère. En 1759, Johanna est pratiquement ruinée. Sa fille, dit-elle, ne lui envoie que « quelques livres de thé et de rhubarbe ». De fait, Catherine voudrait oublier définitivement son passé, sa famille. Elle représente un cas extrême de déracinement volontaire. Tout être, à l'âge adulte, est plus ou moins irrigué par les sources fraîches de son enfance, relié par mille fibres sensibles au terreau secret de sa patrie. Elle, non. Une fois pour toutes, elle a résolu que sa place était en Russie. Le doute est, de tous les sentiments, le plus étranger à sa nature. Elle hait les retours en arrière, les remords, les hésitations, les faux-fuyants. Depuis ses plus jeunes années, elle ne vit que pour combattre et pour réussir. Maintenant, elle espère que la tsarine, mise en demeure de se décider, reculera devant un désaveu spectaculaire. Ce n'en est pas moins avec crainte qu'elle remet la lettre à Alexandre Chouvalov en lui demandant de la porter immédiatement à Sa Majesté. Il promet de s'exécuter, et, subitement radouci, déclare, « en clignotant de l'œil », que les carrosses qu'elle a commandés sont prêts. Catherine sort triomphalement et, dans l'antichambre, trouve le grand-duc et Elisabeth Vorontzov en train de jouer aux cartes. « Il se leva et elle aussi, quand il me vit, ce qu'il ne faisait jamais. Je répondis par une profonde révérence et passai mon chemin[1]. »

Au théâtre, elle affronte, la tête droite et l'œil clair, la curiosité maligne de cent regards tournés vers sa loge. L'impératrice n'est pas venue. « Je pense que ma lettre l'en empêcha », note Catherine avec satisfaction. Cette lettre, à son avis, ne peut rester sans réponse. Mais les jours passent et la tsarine demeure lointaine et muette. Un bloc d'indifférence. Alexandre Chouvalov lui a-t-il seulement transmis le message? Catherine se

1. Catherine II : *Mémoires*.

demande pourquoi l'impératrice est si dure envers elle qui n'a pas grand péché sur la conscience, et si indulgente envers Pierre qui étale un prussianisme de mauvais aloi. Sans doute parce qu'elle est la bru, l'intruse, et qu'Elisabeth n'aime pas les jeunes femmes. Aussi parce que Sa Majesté devine dans la grande-duchesse un caractère dominateur, alors qu'elle tient le grand-duc pour un bêta. On est au début du carême. Calculant chaque geste, Catherine décide de faire ses dévotions quotidiennement et longuement à l'église, en public, « afin qu'on vît mon attachement à la foi orthodoxe grecque[1] ». Peine perdue. L'impératrice continue à refuser de la voir. Pire encore, la troisième semaine du carême, par ordre de la souveraine, la fidèle Mme Vladislavov est brusquement retirée du service de la grande-duchesse. Partagée entre la fureur et le désespoir, Catherine éclate en sanglots, annonce que la remplaçante de Mme Vladislavov peut s'attendre de sa part à « tous les mauvais traitements et jusqu'aux coups même » et finalement, au milieu de ses femmes éplorées, se prétend malade et se met au lit. Alexandre Chouvalov appelle des médecins, qui, à tour de rôle, tâtent le pouls de la grande-duchesse, le jugent faible, veulent la soigner. Elle les repousse et réclame un confesseur. Mais pas n'importe lequel. Celui de l'impératrice. Il se trouve que ce prêtre, le père Doubianski, est l'oncle d'une des femmes de chambre de Catherine. En le conviant à son chevet, elle espère s'assurer d'un médiateur onctueux entre elle et la terrible Elisabeth. Elle ne se trompe pas. Ayant entendu sa confession, le vieil aumônier, « moins sot qu'on ne disait qu'il était », lui donne entièrement raison, condamne la méchanceté de ses adversaires et l'engage à clamer sans relâche, du fond de son lit, qu'elle veut retourner en Allemagne, car, selon lui, jamais Sa Majesté ne consentira à la laisser partir. Il va, d'ailleurs, affirme-t-il, se rendre sur-le-champ auprès de la tsarine pour la convaincre d'accueillir la malheureuse enfant. Il tient parole.

1. Catherine II : *Mémoires*.

Alexandre Chouvalov annonce à Catherine que l'impératrice la recevra en audience « la nuit suivante ». En effet, de plus en plus, Elisabeth somnole le jour et s'agite quand les autres dorment.

Le 13 avril 1759, dès dix heures du soir, Catherine se lève de son lit, se fait habiller, coiffer et s'apprête au combat. Ses nerfs sont tendus à se rompre. Alexandre Chouvalov lui a promis de venir la chercher à minuit. Elle attend. Personne. Pour se forcer au calme, elle se dit : « Le bonheur et le malheur sont dans le cœur et l'âme de chacun; si tu sens du malheur, mets-toi au-dessus de ce malheur et fais en sorte que ton bonheur ne dépende d'aucun événement [1]. » Malgré ces courageuses représentations, elle est si épuisée, si inquiète, qu'elle se laisse tomber sur un canapé et s'endort. Vers une heure et demie du matin, on la réveille. Alexandre Chouvalov la conduit aux appartements de l'impératrice, mais il ne se retire pas après l'avoir introduite auprès de Sa Majesté. Le grand-duc est là également. Ce n'est donc pas un tête-à-tête comme Catherine l'a espéré, mais une comparution devant un tribunal dont tous les juges lui sont hostiles. Son mari ne lui a pas rendu une seule fois visite pendant sa prétendue maladie. Elle a appris incidemment que, le matin même, il a juré à Elisabeth Vorontzov de l'épouser dès qu'il serait veuf : « Tous deux se réjouissaient beaucoup de mon état. »

La salle où Sa Majesté reçoit l'accusée est vaste, glaciale, mal éclairée par des candélabres placés de loin en loin. Entre deux fenêtres, brillent les cuvettes d'or qui servent à la toilette de l'impératrice. Dans l'une de ces cuvettes, Catherine voit une liasse de papiers. Ne sont-ce pas ses lettres à Apraxine et à Bestoujev? Si! Les pièces à conviction du procès. Elle est prise au piège. Derrière de larges paravents disposés en face des croisées, elle perçoit des respirations, devine des présences. Elle apprendra plus tard que le favori d'Elisabeth, Ivan Chouvalov,

1 Catherine II : *Mémoires.*

et son cousin, le comte Pierre, sont tapis dans cette cachette pour entendre sa déposition. Le public est en place. La pièce peut commencer. D'instinct, Catherine choisit l'effusion, le désordre, la faiblesse de la femme brisée. Devant elle, l'impératrice, énorme, fardée en pleine pâte, le buste rebondi et la hanche large, la considère d'un œil froid. Elle tombe à genoux aux pieds de cette statue de la réprobation et dévide son chapelet : elle est à bout, personne ne l'aime, qu'on la laisse retourner dans son pays natal! Ébranlée, l'impératrice, qui est d'une nature larmoyante, essuie ses yeux furtivement et demande à Catherine de se relever. Catherine refuse.

— « Comment voulez-vous que je vous renvoie? dit l'impératrice. Souvenez-vous que vous avez des enfants!

— « Mes enfants sont entre vos mains et ne sauraient être mieux, réplique Catherine, toujours prosternée. J'espère que vous ne les abandonnerez pas!

— « Mais que dire au public pour cause de ce renvoi?

— « Votre Majesté dira ce qu'elle juge à propos, les causes pour lesquelles je me suis attiré votre disgrâce et la haine du grand-duc.

— « Et de quoi vivrez-vous, chez vos parents?... Votre mère est en fuite; elle a été obligée de se retirer de chez elle et est allée à Paris!

— « Je le sais, soupire Catherine. On l'a crue trop attachée aux intérêts de la Russie, et le roi de Prusse l'a poursuivie[1]! »

Ainsi Johanna, et par contrecoup sa fille, apparaissent-elles comme des martyres de la cause russe. Elisabeth, qui ne s'attendait pas à cette explication, réfléchit, s'attendrit, tend la main vers la jeune femme écroulée en face d'elle dans sa jolie robe, l'oblige à se relever et murmure :

— « Dieu m'est témoin combien j'ai pleuré quand, à votre arrivée en Russie, vous étiez malade à la mort, et si je ne vous avais pas aimée je ne vous aurais pas gardée ici. »

1. Catherine II : *Mémoires.*

Et, tandis que Catherine se confond en remerciements pour les bontés d'autrefois, qui rendent plus cruelle encore sa disgrâce présente, l'impératrice se rapproche d'elle, à portée de souffle, et poursuit :

— « Vous êtes d'une fierté extrême. Souvenez-vous qu'au palais d'Été je me suis approchée un jour de vous et vous ai demandé si vous aviez mal au cou, parce que j'ai vu que vous me saluiez à peine et que c'était par fierté que vous ne me saluiez que d'un coup de tête. »

Catherine proteste de son humilité, de son adoration fidèles, mais l'autre lui coupe la parole :

— « Vous vous imaginez que personne n'a plus d'esprit que vous !

— « Si j'avais cette croyance, gémit Catherine, rien ne serait plus propre à m'en détromper que mon état présent et cette conversation même, puisque je vois que, par bêtise, je n'ai pas compris jusqu'ici ce qu'il vous a plu de me dire, il y a quatre ans ! »

Déçu par la tournure que prend cette conversation où les mouvements de l'amour-propre blessé l'emportent sur les considérations politiques, le grand-duc chuchote, dans son coin, avec Alexandre Chouvalov. Soudain, élevant la voix, il dit :

— « Elle est d'une méchanceté terrible et fort entêtée !

— « Si c'est de moi que vous parlez, s'écrie Catherine, je suis bien aise de vous dire, en présence de Sa Majesté, que réellement je suis méchante vis-à-vis de ceux qui vous conseillent à faire des injustices et que je suis devenue entêtée depuis que je vois que mes complaisances ne me mènent à rien qu'à votre inimitié ! »

De minute en minute, elle prend de l'assurance. Peut-être s'en tirera-t-elle avec une banale réprimande, un accroc entre tante et nièce ? En tout cas, l'impératrice paraît avoir oublié le grief principal, celui de la trahison. Elle va et vient à travers la pièce, dans sa grande robe bruissante. Et brusquement, c'est l'attaque de front. L'assaut final après les escarmouches.

— « Vous vous mêlez de bien des choses qui ne vous regardent pas, dit la tsarine en foudroyant Catherine du regard. Je n'aurais jamais osé en faire autant du temps de l'impératrice Anne. Comment, par exemple, vous avez osé envoyer des ordres au maréchal Apraxine? »

Catherine bondit :

— « Moi? Jamais il ne m'est venu dans l'idée de lui en envoyer!

— « Comment pouvez-vous nier de lui avoir écrit? Vos lettres sont là, dans ce bassin! »

Elle lui montre les papiers dans la cuvette d'or et ajoute :

— « Il vous est défendu d'écrire!

— « Il est vrai que j'ai transgressé cette défense et je vous en demande pardon, dit Catherine sans se démonter. Mais, puisque mes lettres sont là, ces trois lettres peuvent prouver à Votre Majesté que jamais je ne lui ai envoyé d'ordres (à Apraxine), mais que dans l'une je lui disais ce qu'on parlait de sa conduite... Les deux autres ne contiennent, l'une qu'une félicitation de la naissance de son fils et l'autre que des compliments pour la nouvelle année.

— « Bestoujev dit qu'il y en avait beaucoup d'autres. »

Catherine soutient le regard de l'impératrice et affirme d'une voix calme :

— « Si Bestoujev dit cela, il ment.

— « Eh bien! s'écrie Elisabeth, puisqu'il ment sur vous, je lui ferai donner la torture! »

Catherine ne bronche pas. Une si grossière intimidation la ferait même sourire. Maintenant elle est sûre que les preuves réunies contre elle sont autant de billevesées. Dégonflée de sa colère, l'impératrice, peu à peu, s'apaise. C'est l'instant que choisit le grand-duc pour éclater en imprécations maladroites contre son épouse. Devinant qu'elle est sur le point de gagner la partie, il veut renverser la situation. « On voyait clair comme le jour, écrira Catherine, qu'il visait à nettoyer ma place, afin d'y faire placer, s'il le pourrait, sa maîtresse du moment. »

Assourdie par les criailleries de son neveu, l'impératrice montre des signes de fatigue. Dans cette dispute de ménage, où le mari gesticule et s'égosille tandis que la femme se tait avec dignité, sa sympathie décidément va à la femme. Elle s'approche de Catherine et, avec un regard significatif du côté de son neveu, prononce à voix basse :

— « J'aurais bien des choses encore à vous dire, mais je ne veux pas vous brouiller plus que vous ne l'êtes ! »

Ce témoignage de confiance, à l'issue d'un dur affrontement, donne à Catherine la mesure de sa victoire. « Je devins tout cœur », écrira-t-elle. Et elle chuchote à l'oreille de l'impératrice :

— « Moi aussi je ne puis parler, quelque pressant désir que j'aurais de vous ouvrir mon cœur et mon âme. »

De nouveau, les yeux de l'impératrice se mouillent de larmes. Pour cacher son trouble, elle congédie Catherine et le grand-duc, ne gardant qu'Alexandre Chouvalov auprès d'elle. Il est trois heures du matin. Exténuée et radieuse, Catherine se fait déshabiller par ses femmes de chambre, lorsque Alexandre Chouvalov frappe à sa porte. Il vient de la part de l'impératrice qui fait « ses compliments » à la grande-duchesse, la prie de ne plus s'affliger et lui promet d'avoir une seconde conversation avec elle, mais en tête-à-tête. Catherine, cette nuit-là, s'endort sur un nuage. Le lendemain, on lui rapporte un propos de Sa Majesté à un courtisan : « Elle (la grande-duchesse) aime la vérité et la justice ; c'est une femme qui a beaucoup d'esprit, mais mon neveu est une bête[1]. »

Malgré ces paroles flatteuses, Catherine attend toujours la « seconde conversation » promise par Elisabeth. L'impératrice, qui est paresseuse et versatile, aurait-elle brusquement changé d'avis ? En tout cas, Pierre n'a rien rabattu de son insolence et la Vorontzov est tellement sûre d'être épousée par lui qu'elle fait les honneurs de l'appartement grand-ducal comme si elle y était déjà installée en femme légitime. Craignant de perdre au fil des

1. Catherine II : *Mémoires.*

semaines le gain de sa bataille nocturne, Catherine reparle de départ. Son stratagème réussit, une fois de plus. Un de ses pires ennemis, l'allié du grand-duc, le vice-chancelier, comte Michel Vorontzov, la supplie, en pleurant et en soufflant (il a « une espèce de goitre »), de renoncer à un projet qui chagrine tant l'impératrice! Elle tient bon. Elle parle de ses enfants qu'on lui cache. Elle répète que tout se fait, ici, pour qu'elle n'ait aucune envie de rester. Quelques jours plus tard, on lui fait dire qu'elle est autorisée à voir son fils et sa fille cet après-midi même, à trois heures, et qu'à l'issue de la visite Sa Majesté la recevra.

Exacte au rendez-vous, elle se trouve devant deux petits étrangers, qui la considèrent avec une froide incompréhension : Paul a cinq ans, Anne quelques mois à peine. Catherine joue avec eux, dans un cercle de nourrices et de gouvernantes qui observent la scène d'un œil réprobateur. En vérité, elle n'est pas tellement émue. Ces deux êtres, elle les a mis au monde pour le compte d'une autre. Résignée à une sorte de maternité abstraite, elle pense plus à sa prochaine entrevue avec l'impératrice qu'à ces frais visages qui dansent devant elle. C'est tout juste si elle n'est pas impatiente de les quitter pour retrouver celle dont dépend son destin. Enfin Alexandre Chouvalov lui annonce que l'impératrice est visible. Elle se précipite. La porte s'ouvre, se referme. Seule à seule. Pas le moindre paravent dans la salle pour dissimuler un témoin. D'emblée, la tsarine pose une condition : « J'exige que vous me disiez vrai sur tout ce que je vous demanderai. » Catherine jure « de lui ouvrir son cœur sans restriction aucune ». On reparle des lettres à Apraxine, de la trahison de Bestoujev, de l'inconduite du grand-duc... Sans doute aussi — mais Catherine est muette sur ce point dans ses *Mémoires* — la tsarine veut-elle en savoir plus sur les liaisons amoureuses de sa nièce avec Serge Saltykov et Stanislas Poniatowski, sur le refroidissement de ses rapports avec Pierre, sur la véritable ascendance de Paul et d'Anne[1].

1. Catherine II a interrompu la rédaction de ses *Mémoires* sur la scène de sa deuxième conversation à cœur ouvert avec l'impératrice Elisabeth.

Quoi qu'il en soit, à la suite de cette explication à huis clos, une sorte de *modus vivendi* s'établit entre les deux femmes. Une paix honorable et tiède, faite de concessions, de résignation et de surveillance. Catherine reparaît à la cour et ne parle plus de quitter la Russie. « L'impératrice la reçut très bien et lui fit plus d'accueil qu'à l'ordinaire », écrit le marquis de L'Hopital. Elle a obtenu le droit de voir ses enfants une fois par semaine, ce qui est inespéré. Ils sont élevés au palais impérial de Péterhof, alors qu'elle-même réside au palais d'Oranienbaum, à vingt verstes de là. Les remous de la politique ne l'atteignent plus. D'ailleurs, l'affaire Bestoujev s'est terminée en queue de poisson. Le châtiment capital qui devait frapper le ministre félon a été écarté. On l'a exilé simplement dans ses terres. Ses « complices », Bernardi, Elaguine, Adodourov ont subi un sort analogue. Enfin Stanislas Poniatowski a été expulsé de Russie. Catherine a reçu le coup avec une sérénité amère. Elle s'y attendait depuis si longtemps! Mais, en avril 1759, quelques semaines après le départ de son amant, elle perd la fille qu'elle a eue de lui, la petite princesse Anne. Et cette disparition subite la rejette dans les larmes. Heureusement encore que l'enfant est morte loin d'elle! On l'aurait accusée de n'avoir pas su la soigner! L'année suivante, c'est sa mère qui mourra, à Paris. Les Français mettent sous scellés la correspondance de Johanna. Catherine craint que certaines lettres qu'elle a adressées en cachette à la défunte ne reviennent en Russie et ne tombent aux mains de la tsarine. Mais le duc de Choiseul arrange les choses au mieux. Les documents compromettants sont brûlés. Pour ce qui est des meubles, les nombreux créanciers de la « comtesse d'Oldenbourg » les ont saisis et menacent de les vendre aux enchères. A contrecœur, l'impératrice consent à payer quelques centaines de milliers de francs pour éviter le scandale. Catherine, soulagée, n'en éprouve pas moins le sentiment d'un grand vide autour d'elle. Même politiquement, elle est isolée. Au temps où Bestoujev dirigeait les affaires de l'empire, elle savait qu'il la soutiendrait jusqu'au bout du chemin. A présent qu'il est abattu, elle ne peut plus compter que sur elle-même dans la lutte quotidienne pour le trône. Cela ne l'effraie pas. Son principal atout est, pense-t-elle, l'impopularité du grand-duc. Plus il étonnera la cour par sa folie, plus elle aura de chances de le supplanter. L'impératrice déjà ne compte plus. Elle est en état de mourir. Sa succession est pratiquement ouverte. Catherine a trente ans. Et un appétit d'ogre pour le pouvoir et l'amour. Il lui semble parfois qu'elle n'a pas encore commencé à vivre.

CHAPITRE X

AMOUR, TÉNÈBRES, PERFIDIE

Tandis que Catherine s'efforce de rameuter quelques partisans dans les salons, la guerre se poursuit au loin, violente, sanglante et incertaine. Les Russes, commandés par Fermor, ont occupé Königsberg dès janvier 1758 et livré à Zorndorf, le 25 août de la même année, une bataille tout ensemble si meurtrière et si indécise, que chacun des deux camps se considère comme victorieux et fait célébrer des *Te Deum*. L'année suivante, Frédéric est battu par les Russes à Kunersdorf et les Autrichiens occupent la Saxe. Aussitôt, il se ressaisit et, en août 1760, remporte la bataille de Liegnitz. Deux mois plus tard, il est vrai, Autrichiens et Russes entrent à Berlin. Mais ils doivent, peu après, évacuer la ville. A Torgau, nouvelle victoire prussienne. Ces sursauts d'un ennemi qu'on croyait à genoux provoquent, dans l'entourage de l'impératrice, un mélange de dépit et d'admiration. Comment ne pas rendre hommage au génie combatif de ce roi qui refuse de baisser pavillon devant trois grandes puissances coalisées? Cependant, parmi les militaires de moyen grade, en majorité issus de la noblesse et imbus de traditions patriotiques, l'état d'esprit est très différent de celui qui règne au palais. Avec ses diplomates, ses visiteurs étrangers et les alliances familiales qu'elle entretient par-delà les frontières, la cour est un milieu soumis aux influences extérieures. Là, il est bien vu de prêter l'oreille aux rumeurs de l'Europe. On se glorifie d'avoir l'esprit ouvert. Dans les rangs de l'armée, en revanche, on veut être russe avant tout. De nombreux officiers ne cachent pas leur indignation devant la sympathie que des personnages éminents de l'empire manifestent, en pleine guerre, à la cause prussienne. Certains vont même jusqu'à insinuer que le grand-duc, dont l'adoration pour Frédéric est connue de tous, trahit la Russie pour renseigner celui qu'il appelle « le roi, mon maître ». Et, de fait, Pierre, obnubilé par son idole, n'a qu'un souci : lui transmettre tout ce qui se dit aux séances secrètes du conseil de guerre de l'impératrice. C'est le nouvel ambassadeur d'Angleterre, Keith, qui reçoit ces informations et les communique, par les voies les plus rapides, à Frédéric. De la sorte, le roi de Prusse est mis au courant des mouvements envisagés pour les troupes russes avant même que les premiers intéressés n'en soient avertis. En échange de ses services, le grand-duc touche quelque argent, bien sûr, mais il aurait agi de même, incontestablement, pour la seule beauté du geste. Pendant l'été 1759, il prend à cœur le sort d'un officier prussien fait prisonnier à la bataille de Zorndorf. Il s'agit du comte Schwerin, aide de camp du roi de Prusse. Ce captif de marque est traité par les Russes en noble voyageur de passage dans la capitale. C'est un honneur pour tous que de le recevoir et de le fêter. « Si j'étais empereur, vous ne seriez jamais prisonnier de guerre ! » lui dit Pierre avec transport. Et il l'installe à Saint-Pétersbourg, dans une maison proche du palais impérial.

Aux côtés de ce vaincu glorieux, on a placé deux officiers russes, moins pour la surveillance que pour la compagnie. L'un de ces officiers est un jeune lieutenant, Grégoire Orlov, qui s'est comporté en héros à la même bataille de Zorndorf. Trois fois blessé, il est resté sourd aux exhortations de son entourage et a poursuivi le combat, avec plus de fougue encore, à la tête de ses hommes. Pour le récompenser et lui permettre de goûter quelque repos, ses chefs l'ont envoyé à Saint-Pétersbourg comme garde du corps du comte Schwerin. Ce « repos », Grégoire Orlov le prend surtout dans les salles de jeux, les débits de boisson et le lit des filles. Mais il ne dédaigne pas, pour autant, les dames les plus huppées. C'est ainsi qu'il séduit et enlève la belle Hélène Kourakine, maîtresse de son supérieur hiérarchique, le général Pierre Chouvalov[1]. Le risque qu'il prend là, par passion ou par bravade, fait battre tous les cœurs féminins. Ses prouesses amoureuses donnent encore plus de prix à ses prouesses guerrières. On le traite d'insensé et on l'admire. On s'attend que Pierre Chouvalov brise la carrière de ce lieutenant présomptueux. Mais le jeune homme est né sous une bonne étoile : le général meurt subitement, avant d'avoir pu venger son honneur. Les femmes crient au miracle, les hommes se renfrognent. Pour elles, Grégoire Orlov est une force de la nature; pour eux, un noceur et un bretteur, dont l'inconduite mérite un châtiment exemplaire. Catherine, dans sa demi-retraite, suit avec amusement les cabrioles de ce poulain fougueux.

Ils sont cinq frères Orlov dans les régiments de la garde : Ivan, Grégoire, Alexis, Fédor et Vladimir. Des cinq, Grégoire, le deuxième, est certainement le plus séduisant. Très grand, taillé en athlète, il porte haut une tête aux traits réguliers. La douceur et la finesse de son visage contrastent étrangement avec l'impression de puissance qui se dégage de son corps. Ce colosse redoutable a un regard de velours, un sourire presque féminin. Il est plus beau assurément que Stanislas Poniatowski dont le départ a quelque peu affligé Catherine, plus beau même que Serge Saltykov. Mais il n'a qu'une intelligence médiocre et fort peu d'instruction. Ses origines sont modestes. Son grand-père, un simple archer, avait été compromis, en 1689, lors de la révolte des *Streltsi*. Condamné à mort et conduit sur le lieu de

1. Pierre Chouvalov était le cousin du favori de l'impératrice, Ivan Chouvalov.

l'exécution, il avait repoussé tranquillement du pied la tête sanglante d'un compagnon décapité avant lui et s'était avancé vers le billot. Devant tant de désinvolture, Pierre le Grand, admiratif, avait décidé la grâce. Incorporé dans l'armée régulière, le coupable avait servi fidèlement le tsar et s'était vu élevé au grade d'officier. Son fils, Grégoire Ivanovitch, devenu gouverneur de Novgorod, avait épousé, à cinquante-trois ans, une demoiselle noble, du nom de Zinoviev, et en avait eu neuf fils, dont cinq avaient survécu. Ces cinq rejetons, « d'héroïque envergure », sont les cinq frères Orlov, dont les exploits défraient la cour et la ville. Unis comme les doigts de la main, ils forment une joyeuse compagnie où la confidence et l'entraide sont de règle. D'esprit borné et de santé forte, ils ont en commun le sens de l'honneur, l'amour de leur régiment et le goût de la bouteille, des cartes et des femmes. Leurs soldats les adorent pour leur bravoure presque inconsciente et la liberté de leurs mœurs. Ils sont rois dans les casernes. Et, à la cour, plus d'un regard se tourne vers eux.

Un soir, Grégoire Orlov, ayant accompagné son « prisonnier » Schwerin à une réception chez le grand-duc, se trouve de garde au palais. Catherine, qui vient d'avoir une scène pénible avec son mari, se précipite en larmes vers la fenêtre de sa chambre pour prendre l'air et découvre, en contrebas, un géant à tête d'archange. Il lève vers elle un regard de respectueuse admiration. Elle fond sur place et ne songe plus qu'à entrer en relation avec ce consolateur que le ciel lui envoie[1]. Évidemment, il n'est pas d'une assez haute extraction pour être admis à la cour dans le cercle de la grande-duchesse, comme Serge Saltykov, ou Stanislas Poniatowski, ou même Zahar Tchernychev. Catherine sait trop combien ses ennemis sont acharnés à la noircir pour accepter le risque d'introduire dans son intimité un chevalier

1. Sur le début des relations de Catherine et de Grégoire Orlov, ni les deux intéressés ni leurs proches n'ont apporté de témoignage. Le présent épisode, transmis par la tradition orale, est consigné notamment par Helbig : *Russische Gunstlinge*.

servant de réputation aussi douteuse. Elle charge donc son amie, Prascovie Bruce, de leur ménager des entrevues, « à l'extérieur », dans une petite maison située sur une île de la Néva, le Vassili Ostrov. Dès le début, l'accord semble parfait. Comment se fait-il que cette femme à l'esprit délié, lectrice passionnée de Montesquieu et de Voltaire, trouve tant de plaisir au commerce d'un soudard au front superbe et au cerveau enfantin? Elle a trente ans, ce qui, à l'époque, représente l'épanouissement de la maturité pour une personne du sexe, et il en a vingt-cinq. Elle ne peut avoir avec lui aucune de ces conversations mi-sentimentales mi-intellectuelles qui font habituellement ses délices. Mais il a, pour la retenir, la chaleur de sa peau, la vigueur de ses reins. Simplement et sainement sensuelle, Catherine apprécie, en gourmande, les caresses de Grégoire Orlov et, rentrée au palais, écrit en cachette des lettres très tendres à Stanislas Poniatowski, l'exilé inconsolable, le familier des grands esprits, qui seul sait comprendre toutes les nuances de ses états d'âme. Ah! si elle pouvait les avoir tous les deux auprès d'elle! Une autre considération, purement politique celle-là, attache Catherine au beau Grégoire. Pour elle, lui et ses frères incarnent l'armée russe. En se laissant aller sur la poitrine de son amant, elle s'appuie sur les casernes de la garde. Comment pourrait-elle oublier que l'actuelle impératrice est montée sur le trône portée par l'enthousiasme des soldats? On raconte même qu'elle les a soûlés pour les gagner à sa cause! Catherine n'ira pas jusque-là. Mais elle comprend très vite qu'il vaut mieux, pour elle, compter sur le dévouement de ces officiers subalternes, foncièrement russes, que de rechercher la sympathie d'un haut commandement soumis aux intrigues de la cour. Ainsi, en couchant avec Grégoire Orlov, se donne-t-elle de grandes satisfactions tout en préparant un éventuel coup d'État. La raison et le plaisir la justifient, à doses égales, dans son aventure. Quant à Grégoire Orlov, il vit un rêve. Immédiatement, la princesse Hélène Kourakine est supplantée. Certes, Catherine n'est plus de la première fraîcheur, mais elle reçoit, du trône tout proche, un éclairage surnaturel. Son rang la rajeunit, l'embellit et la rend désirable. Les avanies qu'elle subit de la part d'un époux vendu à l'Allemagne font un devoir à tout homme de cœur de la protéger. Cent fois, elle a témoigné de son amour pour la Russie, de son attachement à la foi orthodoxe et de son respect des traditions de l'armée. Tout le clan des Orlov est fier qu'un des siens ait été distingué par elle. Les cinq frères sont prêts à mettre leur épée à son service. En attendant, ils font de la propagande pour elle parmi leurs camarades officiers.

Plus encore que Grégoire, c'est Alexis, le troisième des Orlov, qui semble résolu à bousculer les ennemis de la grande-duchesse. Moins beau que son aîné, Alexis, surnommé « le Balafré », a le visage marqué par une énorme cicatrice qui va de la bouche à l'oreille, souvenir d'un coup d'épée reçu au cours d'une rixe, dans un cabaret. Il n'en a pas moins fière allure. Capable d'assommer un bœuf d'un coup de poing, il unit à la vigueur musculaire l'intelligence, le cynisme et l'ambition. La trempe de son caractère est plus dure que celle de Grégoire. Mais Catherine redoute un peu les emportements de ce personnage, qui, homme d'action avant tout, se soucie moins de politique. Pour réussir, elle a besoin de pouvoir compter à la fois sur la force (les Orlov, l'armée) et sur la ruse (les alliances de cour). Elle a beaucoup perdu avec la chute de Bestoujev. Le vieil homme d'État, rompu aux affaires publiques, était pour elle un sage conseiller. Heureusement, un ami du chancelier déchu est resté en faveur auprès de l'impératrice : c'est le comte Nikita Panine. Élève politique de Bestoujev, Panine a de la culture, des manières nobles, un esprit libéral et le goût de la bonne table et du jupon. Dix ans auparavant, Bestoujev avait même songé à lui pour occuper la situation de favori auprès de l'impératrice Elisabeth. Mais Panine s'était endormi à la porte du cabinet de toilette de la souveraine au lieu d'y pénétrer, au moment propice, en coq triomphant. Envoyé en mission à Copenhague, puis à Stockholm, il est rappelé par Elisabeth, en 1760, à Saint-Pétersbourg. La tsarine, déçue et vieillie, ne songe plus guère à lui pour remplacer l'infatigable Ivan Chouvalov. Cependant elle lui confie le poste de gouverneur du tsarévitch Paul. Aussitôt, Catherine se rapproche de Panine. Leurs idées politiques concordent sur certains points. Comme elle, il est opposé aux tendances prussiennes du grand-duc. Comme elle, il estime qu'il faudrait décider la déchéance de Pierre après la mort de l'impératrice. Mais il envisage de faire monter sur le trône le petit Paul, assisté d'un conseil de régence dont elle assurerait la présidence, et elle ne voit pas du tout pourquoi on proclamerait son fils empereur alors qu'elle est prête à exercer personnellement et totalement le pouvoir.

Pendant qu'ils se consultent ainsi, en secret, les Vorontzov envisagent, eux, la couronne pour Pierre, qui divorcerait sur-le-champ, dénoncerait la naissance illégitime du petit Paul et épouserait leur parente, la demoiselle d'honneur Elisabeth Vorontzov. Le grand-duc est, du reste, entièrement acquis à cette solution. Ses deux idées fixes sont : premièrement, l'arrêt immédiat de la guerre contre la Prusse, deuxièmement, le mariage avec sa maîtresse. Bien entendu, Catherine et le bâtard auront été préalablement chassés de sa vue. Il ne fait pas mystère de ses intentions. Déjà, la favorite bossue et bigle, que Catherine appelle, par dérision, « la Pompadour », se comporte en femme légitime. Elle se meut dans les salons mêmes de la grande-duchesse comme en terrain conquis. Les murs, les meubles lui appartiennent. Certains sollicitent son appui en prévision des bouleversements futurs. Persuadé d'être enfin aimé pour lui-même, Pierre trouve dans la laideur et la vulgarité de sa compagne des raisons supplémentaires de la chérir et de l'imposer. Et, plus il se sent lié à elle par la chair et par l'intérêt, plus il déteste celle qui, par sa seule présence, constitue un obstacle à leur bonheur.

Mais, pour qu'il puisse se débarrasser de Catherine, il faut d'abord que l'impératrice meure. Et, à cinquante ans, Elisabeth, affaiblie, usée, se cramponne désespérément à la vie. Bouffie de graisse, les jambes enflées, le souffle court, elle refuse de se soigner, mange et boit à s'en crever la panse, et passe des heures en prières. Les nouvelles de la guerre la secouent parfois, elle jure de la conduire jusqu'à la victoire et de rester fidèle à ses alliés. Puis elle tombe en hébétude et il est impossible de lui faire signer un papier. Des dépêches importantes dorment sur sa table. Elle grelotte. Les caresses de son jeune amant ne suffisent plus à la réchauffer. D'ailleurs, Ivan Chouvalov sent si bien que ses prérogatives de favori sont condamnées à brève échéance, qu'il cherche déjà une autre protectrice. Et, spontanément, après avoir combattu Catherine, il lui fait une cour pressante. De toute évidence, la perspective de passer du lit de l'impératrice à celui de la grande-duchesse ne lui déplaît pas : il sait que, sous le rapport de l'agrément, il gagnera au change, mais il croit aussi, contrairement aux Vorontzov, qu'à la mort de Sa Majesté la jeune femme deviendra sinon tsarine elle-même, du moins régente. Et cela pour une longue période, puisque le petit Paul n'a que six ans. Or, par tempérament, Ivan Chouvalov a besoin d'être près du soleil. Catherine devine son jeu, s'en amuse et ne le décourage pas. Avec les Orlov et Panine, cet allié-là peut encore renforcer sa position en face du grand-duc.

Un autre concours lui est subitement acquis, plus surprenant encore, peut-être, que celui d'Ivan Chouvalov. C'est celui de Catherine Dachkov, née Vorontzov, la propre sœur de la maîtresse du grand-duc. Mariée depuis peu au prince Dachkov, cette très jeune femme, elle n'a que dix-sept ans, rompant en visière avec sa famille, est tombée sous le charme de Catherine. Plus ses sœurs, son père, ses oncles critiquent la grande-duchesse, plus elle-même l'admire. Prodigieusement cultivée, elle ne parle que le français, se passionne pour l'art, la littérature, la philosophie et compense un physique ingrat par une grande vivacité d'esprit. Diderot, qui la rencontrera quelques années plus tard et sera ébloui par le brillant de sa conversation, la décrit en ces termes : « Elle est petite ; elle a le front grand et haut, de grosses joues soufflées, des yeux ni grands ni petits, un peu renfermés dans leurs orbites, les sourcils et les cheveux noirs, le nez épaté, la bouche grande, les lèvres grosses, les dents gâtées, le cou rond et droit, d'une forme nationale (?), la poitrine converse, point de taille, de la promptitude dans les mouvements, peu de grâces, nulle noblesse... »

Pendant l'été 1761, chaque dimanche, après avoir rendu visite à son fils, à Péterhof, Catherine s'arrête, sur le chemin du retour, dans la maison de la princesse Dachkov. Elles repartent ensemble pour Oranienbaum et passent le reste de la journée au palais, à agiter de graves problèmes scientifiques, artistiques ou sociaux. Celle qui, plus tard, exaspérera Catherine par sa fatuité, sa confusion et ses exigences, est aujourd'hui, pour elle, une merveilleuse interlocutrice, pleine d'un bric-à-brac de connaissances livresques, prompte à défendre les bonnes causes et toute proche d'elle par le cœur et par la raison. Dans l'impossibilité d'avoir une conversation élevée avec le beau Grégoire Orlov, elle se rattrape avec cette enfant. Mais, chose curieuse, l'amant athlétique et la frêle amie ont un point commun : la même fougue les habite, le même goût de la tempête, du hasard, du saut dans l'inconnu. A l'un et à l'autre, Catherine, qui ne perd jamais le nord, doit prêcher la modération pour éviter qu'ils ne la compromettent.

Une nuit de décembre 1761, apprenant que l'impératrice est au plus mal, la princesse Dachkov, qui souffre elle-même d'un mauvais rhume, quitte son lit, avec une décision fiévreuse, s'emmitoufle dans des fourrures, se fait transporter au palais de bois, sur la Moïka, où réside la famille impériale, court dans la neige jusqu'au vestibule, et erre à l'aveuglette dans des couloirs sombres, dans des salles inconnues. Au moment où elle désespère de trouver son chemin, elle rencontre une camériste qui accepte de la conduire jusqu'à la grande-duchesse. Catherine, qui est couchée, gronde la visiteuse pour son imprudence, l'oblige à entrer dans son lit pour se réchauffer, l'enveloppe dans ses couvertures, la serre dans ses bras. « Madame, chuchote la princesse toute grelottante, dans l'état présent des choses, quand il ne reste plus à l'impératrice qu'un petit nombre de jours, peut-être même un petit nombre d'heures à vivre, je ne puis supporter davantage l'idée de l'incertitude où l'événement qui s'approche mettra vos intérêts. Avez-vous formé un plan, ou bien pourvu à votre sûreté? Daignez me donner vos ordres et me diriger. »

Attendrie par tant de dévouement, Catherine bat des paupières, soupire, presse contre son sein la main brûlante de son amie et l'engage à ne pas se monter la tête. Elle qui, depuis des années, a envisagé toutes les solutions possibles et qui, récemment encore, a exposé par écrit son programme d'action à Williams, feint le désintéressement et la soumission à la fatalité. « Ma bien-aimée princesse, dit-elle tristement, je vous suis reconnaissante au-delà de ce que je pourrais exprimer. Mais je n'ai formé aucune espèce de plan, je n'entreprendrai rien et je crois que la seule chose qui me reste à faire, c'est d'accepter avec courage les événements tels qu'ils se présentent. Ainsi je me remets entre les mains du Tout-Puissant et c'est dans sa protection que je place mon unique espérance. » « Alors, Madame, s'écrie la princesse, ce sera donc à vos amis d'agir pour vous! Quant à moi, j'ai assez de zèle pour les enflammer tous! » Comédienne consommée, Catherine persiste dans son angélique obstination et murmure en embrassant sa farouche alliée : « Au nom du ciel, princesse, ne songez pas à vous exposer au danger dans l'espoir de conjurer des maux qui, de fait, sont sans remède[1]. »

Ces sages paroles déçoivent la princesse Dachkov. Elle accuse Catherine de flancher à deux pas du but. Or, ce n'est pas par faiblesse de caractère que Catherine refuse d'agir. A ce moment-là, elle est enceinte de Grégoire Orlov et tremble que le grand-duc, découvrant son état, n'en tire prétexte pour la répudier officiellement. Personne, devant un pareil scandale, n'oserait prendre sa défense. Elle serait définitivement et ignominieuse-

1. Princesse Dachkov : *Mémoires*.

ment écartée du trône. A cause de ce stupide fœtus qu'elle porte dans son ventre. Elle en est à son cinquième mois de grossesse, s'habille de robes amples pour dissimuler ses formes, se prétend fatiguée, garde la chambre, reçoit peu de monde. Et cette jeune écervelée vient l'appeler au combat! Non, il faut attendre un meilleur moment. Après la naissance, qu'on s'arrangera pour rendre clandestine. Pourvu que l'impératrice tienne jusque-là!

A la cour, chacun complote. Russes et étrangers. La mort de la tsarine est au centre de tous les calculs. Les ambassadeurs multiplient les messages chiffrés à leur gouvernement. Chacun y va de son pronostic : qui régnera? Pierre, Paul, Catherine? Assistera-t-on à une révolution de palais, comme celle qui a porté Elisabeth au trône? Le baron de Breteuil, ambassadeur de France, écrit : « Quand j'examine la haine de la nation pour le grand-duc, les écarts de ce prince, je suis tenté de voir la révolution la plus entière (à la mort de l'impératrice); mais, quand je fais attention à la tournure pusillanime et basse des gens à portée de lever le masque, je vois la crainte et l'obéissance servile prendre le dessus avec la même tranquillité qu'au moment de l'usurpation de l'impératrice (Elisabeth). »

Le 23 décembre 1761, l'impératrice a une attaque, et, au bord de l'épuisement, reçoit l'extrême-onction, en présence du grand-duc et de la grande-duchesse. Après avoir chuchoté par deux fois la prière des mourants, elle demande pardon à son entourage pour les offenses et les iniquités dont elle s'est rendue coupable. Cierges allumés, prêtres en chasubles de deuil, moines vénérables aux hautes coiffes noires, chants funèbres, soupirs des courtisans et des dames d'honneur, au milieu de ce sinistre appareil, Catherine, agenouillée, pleure cette femme énigmatique dont elle ne sait toujours que penser : Elisabeth fut-elle son ennemie ou son amie? Le grand-duc, lui, est de marbre. Quant aux principaux dignitaires, chacun songe en secret aux répercussions que cette mort apportera dans sa propre vie.

Le surlendemain, 25 décembre, jour de Noël, à 4 heures de

l'après-midi [1], Nikita Troubetzkoï sort de la chambre de l'impératrice et, la mine grave, la voix tremblante, déclare aux personnes assemblées que Sa Majesté Elisabeth leur a « ordonné de vivre longtemps ». C'est la formule consacrée, en Russie, pour annoncer la mort de quelqu'un, qu'il soit prince ou paysan. Puis, tandis que des sanglots éclatent à cette triste nouvelle, Nikita Troubetzkoï proclame l'avènement de l'empereur Pierre III. Aussitôt, le désespoir se change en liesse. Les courtisans se précipitent, se prosternent, baisent les mains de leur nouveau maître. Catherine est oubliée. Sans doute même a-t-elle perdu la partie. Le baron de Breteuil avait raison. Malgré l'aversion qu'il inspire, Pierre peut être assuré de la plate soumission d'un peuple et d'une cour que son grand-père, Pierre le Grand, a habitués à la trique.

1. Le 25 décembre 1761, d'après le calendrier julien, autrement dit le 5 janvier 1762, d'après le calendrier grégorien.

CHAPITRE XI

LE RÈGNE DE PIERRE III

Embaumée, fardée, énorme, le corps engoncé dans une robe tissée d'argent, une couronne d'or sur la tête, les mains jointes, le masque impassible, l'impératrice Elisabeth reste exposée pendant six semaines dans une salle du palais d'Hiver, où elle est veillée par les dames de la cour et les officiers de la garde. Puis on la transporte, pour dix jours, dans la cathédrale Notre-Dame-de-Kazan. Le peuple en larmes défile devant le catafalque monumental. Pour les petites gens, elle est la fille de Pierre le Grand, ils ne savent rien de ses dépenses ni de ses violences, de sa luxure ni de son impéritie. Puisqu'il y a tant d'or, tant de pierreries et tant de cierges autour de son cercueil, c'est qu'elle était une puissante souveraine. Une vraie Russe. Et on dit que son successeur est un Allemand!

Selon la coutume, la noblesse, le clergé, l'armée, des représentants de la bourgeoisie et des corps de métiers ont prêté serment de fidélité au nouvel empereur. Pierre III n'a que mépris pour la nation qu'il a reçu la charge de conduire. Il ne cache pas sa haine de la défunte et la joie sacrilège qu'il éprouve à être débarrassé de sa surveillance. Soudain, pour cet être longtemps tenu en lisière, tout est permis. Il titube, grisé par sa liberté nouvelle. Défiant la tristesse du pays même qu'il incarne, il refuse de veiller devant le corps et quand, d'aventure, il s'approche du cercueil, c'est avec l'intention délibérée de choquer l'assistance : il parle à haute voix, plaisante, fait des grimaces, raille les prêtres. Les courtisans qui veulent lui complaire doivent participer aux dîners et aux spectacles qu'il organise dans ses appartements sans le moindre souci du deuil de la Russie. A ces réunions, la couleur noire est interdite. Tous doivent porter des habits de fête. Et boire, et rire, et chanter. Catherine elle-même est obligée parfois d'assister à ces agapes, en toilette de bal. Elle se rattrape en manifestant, le reste du temps, une piété exemplaire. Pendant les dix jours que le cadavre de l'impératrice demeure exposé dans la nef, elle se rend régulièrement à la cathédrale et là, agenouillée au pied du catafalque, enveloppée de la tête aux pieds dans des voiles noirs, elle s'abîme, des heures durant, dans les prières et les larmes. Ce pénible exercice, elle se l'impose moins par amour de la disparue que par souci de sa propre image dans l'opinion publique. Les foules qui défilent, toutes classes mêlées, bourgeois, ouvriers, paysans, marchands, soldats, popes, mendiants, pour saluer l'impératrice morte, voient aussi l'impératrice vivante, brisée de douleur, sans couronne, sans bijoux, parmi les cierges et les icônes. Cet apparat religieux confère à Catherine une sorte d'authenticité russe à leurs yeux. Ses signes de croix et ses génuflexions en font une femme de leur race. Si elle ouvrait la bouche, ils seraient très surpris d'entendre son accent allemand. Catherine sent ce fleuve humain qui coule tout près d'elle dans la demi-obscurité, et perçoit, presque physiquement, la sympathie que son attitude inspire au grand nombre.

« L'impératrice gagne dans tous les esprits, écrit le baron de Breteuil, ministre plénipotentiaire de France. Personne n'est plus assidu à rendre à la feue impératrice les devoirs qui, suivant la religion grecque, sont multipliés et pleins de superstitions, dont elle rit assurément, mais le clergé et le peuple l'en croient très touchée et lui en savent gré. Elle observe avec une exactitude remarquable pour ceux qui la connaissent les fêtes, les jeûnes, les jours maigres, toutes choses que l'empereur traite légèrement et qui cependant ne sont pas indifférentes dans ce pays. Elle n'est pas plus femme à oublier qu'à pardonner la menace que l'empereur lui a souvent faite, étant grand-duc, de la faire tondre et enfermer comme Pierre Ier à sa première femme. Tout cela, joint aux humiliations journalières, doit fermenter dans une tête comme la sienne et n'a besoin que d'une occasion pour éclater. »

Le jour de l'enterrement, Pierre met le comble à son insolence en se contorsionnant derrière le cercueil. Les dignitaires qui portent la longue traîne de son manteau de deuil le voient, de temps à autre, s'échapper en courant, ce qui les oblige à lâcher prise. Les pans de l'étoffe noire flottent au vent derrière lui et il s'en amuse. Puis il s'arrête, les vieux courtisans le rejoignent et, cette fois, il piétine pour désorganiser le cortège. Pendant le service funèbre, il éclate de rire, à plusieurs reprises, tire la langue et discourt à haute voix, coupant la parole aux prêtres. On dirait qu'il ne sait qu'inventer pour attiser la haine de ses sujets. Est-ce l'idée de sa toute-puissance qui l'obnubile ? Ou le souvenir des extravagances de Pierre le Grand et d'Elisabeth ? Ou encore, plus certainement, une fascination malheureuse, pareille à l'attirance du gouffre pour celui qui se tient au bord ? Oui, une sorte de fatalité intérieure le pousse à se pencher un peu plus chaque jour sur l'abîme qui l'engloutira. Il ne dit plus un mot, il ne fait plus un geste qui ne soit nécessaire à sa perte.

Dans la nuit même qui suit son avènement, il envoie des courriers à tous les corps d'armée avec ordre d'arrêter les hostilités. Les troupes qui opèrent avec les Autrichiens les quitteront aussitôt ; celles qui occupent la Prusse Orientale, la Poméranie, la Nouvelle-Marche Brandebourg évacueront ces territoires, la ville de Colberg, qui vient d'être conquise, sera rendue. En même temps, Pierre adresse une lettre personnelle à Frédéric pour l'assurer de son admiration et de son amitié. Le roi de Prusse, qui se voyait déjà perdu, exulte. C'est un sauvetage inespéré pour lui et pour son armée. Un fou lui apporte la victoire sur un plateau. Violant l'engagement pris par le Sénat de ne pas conclure de paix séparée, l'empereur de Russie signera le 24 avril-5 mai 1762, avec Frédéric, un traité par lequel il s'engagera non seulement à lui restituer tous les territoires occupés, mais encore à joindre ses troupes aux troupes prussiennes pour combattre les Autrichiens, ses alliés de la veille. Il porte à son doigt, enchâssé dans une bague, le portrait de son idole qu'il baise avec ferveur, à tout bout de champ. Il arbore une seule décoration : le cordon de l'Aigle noir prussien. « Noyé dans le vin, ne pouvant se soutenir ni articuler », il balbutie au ministre de Prusse, d'un ton d'ivrogne : « Buvons à la santé de votre roi, notre maître. Il m'a fait la grâce de me confier un régiment à son service. J'espère qu'il ne me donnera pas un congé. Vous pouvez l'assurer que, s'il l'ordonne, j'irai faire la guerre à l'enfer avec tout mon empire[1] ! » L'ambassadeur d'Angleterre mande dans un rapport chiffré à son gouvernement : « L'amitié ou plutôt la passion de Sa Majesté impériale pour le roi de Prusse dépasse toute expression[2]. »

Non content de s'être aliéné l'armée par cette volte-face honteuse, qui ressemble fort à une trahison, Pierre prétend lui imposer la discipline prussienne et même l'uniforme prussien. Or, si les officiers consentent volontiers, en ce temps-là, à changer d'adversaire pour des motifs politiques, l'esprit de corps est chez eux très vif, et encore plus le respect de la tradition militaire. En habillant ses soldats en Allemands, le tsar les insulte. En les soumettant au « code Frédéric », il les dérange. Sous le règne précédent, ils acceptaient d'être passés par les verges pour une peccadille et rentraient dans le rang, le dos écorché, avec une robuste bonne humeur. A présent, ils grognent parce qu'on leur fait recommencer un exercice sous

1. Dépêche du baron de Breteuil du 29 juin 1762.
2. Rapport chiffré du 8 mars 1762.

prétexte qu'ils ne l'ont pas exécuté avec la précision d'une compagnie d'automates. Emporté par sa germanophilie, Pierre dissout le régiment des gardes du corps et le remplace par un régiment holsteinois. Il nomme le prince Georges de Holstein commandant des armées russes et le met à la tête de la garde à cheval, unité d'élite qui n'avait eu jusqu'à présent d'autre colonel que le souverain lui-même. Pour se donner l'illusion d'une guerre permanente, il multiplie les salves d'artillerie. Du matin au soir, Saint-Pétersbourg vibre au fracas de la canonnade. Les habitants en ont la tête rompue, les nerfs malades. « C'était, dans sa paisible capitale, le bruit d'un siège de ville, écrit Rulhière. Il ordonna un jour qu'on lui fît entendre un seul coup de cent grosses pièces de canon à la fois; il fallut, pour retenir cette fantaisie, lui représenter qu'il allait faire écrouler la ville. Souvent, il se levait de table pour se précipiter à genoux, un verre à la main, devant le portrait du roi de Prusse. Il s'écriait : « Mon frère, nous conquerrons l'univers ensemble! » Il avait pris l'envoyé de ce prince dans une singulière faveur. Il voulait que cet envoyé... eût toutes les jeunes femmes de la cour. Il l'enfermait avec elles et se mettait, l'épée nue, en faction à la porte. »

Après avoir secoué l'armée, Pierre s'en prend à l'Église. Baptisé orthodoxe pour les besoins de la cause, il est reste luthérien dans le fond de son cœur. La foi que professent ses sujets lui paraît un fatras de légendes idiotes, de superstitions barbares. Lui, l'Européen, se doit de dépoussiérer tout cela. Malgré les conseils pressants de Frédéric, il ne s'est pas encore fait sacrer empereur à Moscou et, par conséquent, il n'est pas encore officiellement le chef de l'Église, mais il ferait beau voir que cette racaille mitrée lui tînt tête. Inspiré par le souci du progrès, il envisage d'enlever toutes les images sacrées des lieux de prière, à l'exception de celles du Christ et de la Vierge, de remplacer la soutane des prêtres par la redingote des pasteurs, de forcer les ecclésiastiques à se raser la barbe; il fait dresser dans son palais un temple luthérien et assiste, en personne, aux cérémonies de ce culte; il proclame l'égalité des droits entre les différentes confessions et décrète des mesures de tolérance envers les « hérétiques » russes, et notamment envers les Vieux-Croyants; enfin et surtout, il ose ordonner la confiscation des biens de l'Église. C'est s'attaquer au saint des saints. L'Église russe est très riche et très puissante. Propriétaire de domaines immenses où vivent les serfs les plus maltraités peut-être de l'empire, elle ne paie cependant pas d'impôt à l'État. Son influence sur le peuple est si profonde qu'aucun souverain n'a encore eu l'audace de la contrecarrer. Quiconque la brave brave Dieu. Quiconque porte la main sur sa caisse vole Dieu. Devant l'oukase prévoyant la sécularisation d'une partie des biens des couvents, les évêques s'indignent, les popes vitupèrent : le nouvel empereur est un hérétique, un luthérien, l'Antéchrist en personne! Des émeutes éclatent dans les campagnes. « C'est un cri public de mécontentement », constate le baron de Breteuil dans une dépêche du 18 juin 1762.

Cependant, parmi cette avalanche d'oukases, il y en a qui reçoivent un accueil favorable. Ainsi Pierre supprime-t-il, d'un trait de plume, le bureau de la police politique, ou « Chancellerie privée », dont Keith écrivait, dans son rapport du 5 février 1762 : « Cette cour abominable s'est révélée plus cruelle et tyrannique que l'Inquisition espagnole. » Bien des gens, proches du trône, poussent un soupir de soulagement. Mais surtout l'aristocratie est sensible à la promulgation par le tsar du « Manifeste sur les franchises de la noblesse », libérant les nobles du service militaire, sauf en temps de guerre, les autorisant à se rendre à l'étranger et renforçant leurs droits sur les serfs.

La satisfaction des grandes familles russes est de courte durée. Pierre a rappelé de Sibérie les dignitaires exilés par Elisabeth : Biron, Munnich, Lestocq, les fils d'Ostermann. De nouveau, des conseillers d'origine allemande l'entourent. La plupart le pressent d'exécuter « ses ennemis déclarés ». Il hésite. Au fond, il n'a pas en lui la décision cruelle des vrais autocrates, pour qui la torture et le meurtre sont les adjuvants nécessaires de toute politique. S'il est sadique, c'est dans les petites choses. Il aime froisser, ridiculiser, blesser, non tuer. Un jour, il imagine sérieusement d'obliger tous les dignitaires au divorce et de les remarier ensuite avec des femmes de son choix. Puis, une autre idée lui traverse la cervelle et il oublie ce programme saugrenu. Ébloui par l'exemple du roi de Prusse, il voudrait maintenant s'illustrer comme lui sur les champs de bataille. Après tant de combats en miniature, sur une table, avec des soldats d'amidon, il lui faut de vrais combats, avec de vrais soldats, sur un vrai terrain. A peine a-t-il proclamé sa « volonté de paix générale », qu'il décide de déclarer la guerre au Danemark, pour reconquérir sa province héréditaire du Schleswig, dont la Russie n'a nul besoin. Frédéric, inquiet de cette lubie, tente de le décourager. En vain. Bien que les fonds du Trésor soient au plus bas et les militaires furieux d'avoir été privés d'une victoire certaine sur la Prusse, Pierre ordonne à l'armée et à la flotte de se préparer.

Pendant qu'il s'exalte ainsi dans un nouveau rêve, Catherine affecte toujours la douleur, la piété et la résignation. Elle a une bonne raison pour mener une vie discrète : sa grossesse, qu'elle continue à dissimuler aux yeux de tous, et principalement de son mari. Croyant l'humilier, il la confine dans des appartements situés à une extrémité du nouveau palais d'Hiver, alors qu'il s'installe lui-même à l'autre extrémité, avec Elisabeth Vorontzov. Or, cet arrangement offre à Catherine la liberté de mouvement dont elle a besoin. Elisabeth Vorontzov rayonne. Et tout le clan Vorontzov avec elle. Pierre l'a nommée, « pour commencer », grande maîtresse de la cour. Cette distinction nouvelle ne lui donne ni plus de charme ni plus de dignité. « Elle est sans esprit, écrit le baron de Breteuil en janvier 1762. Quant à la figure, c'est tout ce qu'on voit de pis. Elle ressemble, de tout point, à une servante d'auberge de mauvais aloi. » L'Allemand Scherer est encore plus dur dans son appréciation : « Elle jurait comme un soldat, louchait, puait et crachait en parlant. » On raconte aussi qu'elle bat l'empereur, s'enivre avec lui et qu'il goûte fort cette violence et ce dérèglement. « S'il parvenait à avoir un enfant mâle d'une maîtresse, bien des gens croient qu'il en ferait sa femme et, de l'enfant, son successeur, écrit le baron de Breteuil, le 15 février 1762. Mais les épithètes que mademoiselle Vorontzov lui a données publiquement dans leur dispute sont très rassurantes à cet égard. » De l'avis unanime, Pierre est stérile sans être impuissant. En tout cas, il ne manque pas une occasion de bafouer Catherine devant celle qui, dans son esprit, doit la remplacer bientôt comme impératrice. Dès le 18 janvier 1762, le même baron de Breteuil écrivait au duc de Choiseul : « L'impératrice est dans l'état le plus cruel et traitée avec le mépris le plus marqué. Je vous ai marqué, Monseigneur, qu'elle cherchait à s'armer de la philosophie, et je vous ai dit combien cette pâture était peu faite pour son caractère. Je sais depuis, à n'en pouvoir douter, qu'elle supporte déjà très impatiemment la conduite de l'empereur avec elle et les hauteurs de mademoiselle Vorontzov. Je ne saurais me figurer que la tête de cette princesse, dont je connais le courage et la violence, ne se porte tôt ou tard à quelque extrémité. Je lui connais des amis qui tâchent de l'apaiser, mais qui risqueraient tout pour elle, si elle l'exigeait. »

Le 10-21 février 1762, lors des fêtes organisées pour son anniversaire, Pierre ordonne à sa femme de remettre à sa maîtresse les insignes de l'Ordre de Sainte-Catherine, réservé aux tsarines et aux épouses des héritiers du trône. Catherine elle-même n'a reçu cette distinction qu'après avoir été désignée officiellement comme fiancée du grand-duc. Il est clair que Pierre veut, par ce geste, affirmer publiquement son intention de répudier l'impératrice actuelle pour donner à la Russie une autre impératrice en la personne d'Elisabeth Vorontzov. Catherine, le ventre comprimé pour cacher sa grossesse, blêmit, se domine et s'exécute sans murmurer. C'est, pour elle, la seule conduite possible, puisque l'enfant, qui bouge déjà dans ses entrailles, la condamne à la défensive. Le calme et la noblesse de son attitude lui gagnent la sympathie de ceux qui en ignorent les véritables raisons. Son premier souci maintenant est de parvenir à accoucher au palais sans éveiller les soupçons des courtisans, toujours à l'affût d'une réputation à détruire. Des allées et venues trop fréquentes, un cri de souffrance, les vagissements du nouveau-né, le bavardage d'une servante, et tout sera perdu. Comme la date fatidique approche, Catherine prétexte une foulure pour garder la chambre. Elle reçoit chez elle, alitée ou en négligé, le pied emmailloté, le visage marqué par la fatigue. Une seule camériste, expérimentée et sûre, s'occupe d'elle. Mais elle peut compter aussi sur son valet Chkourine, qui lui est dévoué jusqu'à la mort. Mis au courant de l'affaire, il imagine un stratagème hardi pour éloigner l'empereur. Quand Catherine sera sur le point d'accoucher, il se précipitera dans la maisonnette qu'il possède assez loin du palais et y mettra le feu. L'empereur, grand amateur d'incendies, accourra avec sa maîtresse, comme il le fait toujours. Et on les retiendra devant le brasier aussi longtemps qu'il le faudra. Catherine accepte le plan et, le soir du 11-22 avril, dès qu'elle ressent les premières douleurs, Chkourine livre sa maison aux flammes. De la bicoque, le feu se communique vite à tout le quartier. Prévenus de cet événement exceptionnel, Pierre et Elisabeth Vorontzov, qui se disposaient déjà au repos, se rhabillent en hâte et se rendent sur les lieux pour jouir du spectacle, suivis d'une foule de courtisans. Pendant que l'empereur s'exalte, clame des ordres, des injures, et distribue des coups de gourdin, Catherine, aidée de sa servante, accouche d'un fils. A peine lavé et emmailloté, le nouveau-né est enlevé à sa mère, par Chkourine, qui l'emporte, enroulé dans une couverture de castor, pour le confier à une parente[1].

Une fois de plus, Catherine a tout juste entrevu l'enfant qu'elle vient de mettre au monde. Mais elle a évité le scandale, et l'immense soulagement qu'elle en éprouve la console de sa

1. Cet enfant illégitime, baptisé Alexis, deviendra le comte Bobrinski et sera à l'origine d'une des familles les plus considérables de Russie. Le nom de Bobrinski vient du mot russe *bobre* — castor.

légère désillusion. Très vite, elle est sur pied. Sa « foulure » est guérie. Les diplomates la félicitent de son heureux rétablissement. Rulhière, alors attaché à l'ambassade de France, est ébloui. « Sa taille est agréable et noble, écrit-il. Sa démarche est fière; sa personne et son maintien, remplis de grâce. Son air est d'une souveraine. Le front large est ouvert; la bouche est fraîche, embellie par les dents. Des yeux bruns, très beaux, où des reflets de lumière font paraître des nuances bleues. La fierté est le vrai caractère de sa physionomie. Son agrément est l'effet d'un extrême désir de plaire et de séduire. » De son côté, Mercy d'Argenteau écrit à Marie-Thérèse : « Il est à peine possible que, sous des dehors calmes, elle ne cache pas quelque secrète entreprise. » Comme il complimente Catherine sur sa mine éclatante, elle lui répond avec un mystérieux sourire : « Vous ne vous imaginez pas, Monsieur, ce qu'il en coûte à une femme d'être belle! »

Pierre cependant ne désarme pas. Toutes les occasions lui sont bonnes pour ébranler le prestige de celle à qui il ne peut pardonner d'être encore sa femme. Le 9 juin 1762, il offre un dîner de quatre cents couverts pour célébrer la ratification du traité de paix avec la Prusse. Pour cette circonstance, il a revêtu l'uniforme prussien et porte le grand cordon de l'Aigle noir. Bon gré mal gré, les officiers russes devront boire à la gloire de Frédéric II. Mais, avant de prononcer ce toast, Pierre en propose un à la santé de la famille impériale. Tous les invités se dressent en repoussant leurs chaises. A l'autre bout de la table, Catherine, comme il convient, reste assise. A peine a-t-elle reposé son verre, que l'empereur lui fait demander, par son aide de camp Goudovitch, pourquoi elle ne s'est pas levée comme les autres. Elle répond qu'elle n'avait pas à se lever puisque précisément elle appartient à la famille impériale. Agacé par cette mise au point, Pierre renvoie l'officier à l'impératrice avec ordre de lui dire qu'elle est une imbécile. Puis, craignant sans doute que Goudovitch n'édulcore sa pensée par respect pour Sa Majesté, il hurle par-dessus la table : Imbécile! (*Doura*) en dardant sur sa femme un regard haineux. Le mot claque comme un soufflet dans le silence général. Tout le monde a entendu. Aussitôt, Pierre ajoute que les seuls membres de la famille impériale dont il reconnaisse la présence dans cette salle sont lui-même et les deux princes de Holstein, ses oncles. C'est un premier pas vers la répudiation. Une proclamation publique, comme quoi Catherine a cessé d'être à la fois épouse et impératrice à ses yeux. Sous le choc de cet affront insensé, Catherine ne peut retenir ses larmes et, se tournant vers son voisin, le comte Stroganov, le prie de lui raconter une histoire drôle. Razoumovski et le baron de Breteuil se mêlent à la conversation, et, par l'animation de leurs propos, s'efforcent de dissiper le malaise de l'impératrice. Elle se ressaisit enfin et sourit. Après un moment de stupeur, l'assistance s'ébroue. Des regards affectueux convergent sur la tsarine injustement outragée. En croyant l'abattre, Pierre, sans le vouloir, a servi sa cause. Le soir même, par dépit, il fait exiler dans ses terres le comte Stroganov, coupable d'avoir montré trop d'empressement à réconforter son impériale voisine. Quatre jours plus tard, il ordonne de faire enfermer Catherine dans la forteresse de Schlüsselbourg. Son oncle, le prince Georges de Holstein, le supplie de renoncer à cette mesure extrême qui, dit-il, risquerait d'indigner l'armée et une partie de la noblesse. Pierre cède à contrecœur. Mais Catherine a été avertie du projet. Elle sait maintenant que son destin va se jouer à pile ou face : c'est elle ou lui, le trône ou la prison. Ou peut-être la mort. « La férocité barbare et insensée de Pierre III rendait assez vraisemblables ses intentions de supprimer sa femme », écrira Bérenger, le chargé d'affaires de France.

A mesure que le péril se précise, les amis de Catherine envisagent plus sérieusement l'éventualité d'une révolution de palais. La princesse Dachkov, « imprudente au possible, quoique courageuse », selon l'expression de Bérenger, s'emploie à convertir quelques militaires de salon. Les cinq frères Orlov recrutent des partisans parmi les jeunes officiers de la garde.

Grégoire, ayant été nommé officier payeur du corps d'artillerie, puise à pleines mains dans la caisse et parvient à soudoyer une centaine de soldats. Dans le régiment Préobrajenski, les officiers Passek et Brédikhine ne jurent plus que par Catherine. Dans le régiment Ismaïlovski, on peut compter sur Roslavlev et Lassounski. Évidemment, il y a aussi l'hetman Cyrille Razoumovski, le sage Panine et quelques oiseaux de moindre envergure. Est-ce suffisant pour renverser un empereur, petit-fils de Pierre le Grand, au profit d'une princesse qui n'a pas une goutte de sang russe dans les veines ? Il faudrait beaucoup plus d'argent pour acheter beaucoup plus de monde. L'argent, Catherine en fait demander secrètement à l'ambassadeur de Louis XV, le baron de Breteuil. Ce jeune et brillant diplomate a été envoyé naguère en Russie avec l'espoir que sa fière tournure lui vaudrait les faveurs de Catherine. Mais, quand il se présente, la place est déjà prise. En outre, le duc de Choiseul, fort imprudemment, lui a permis d'emmener sa femme, qui est jolie et n'entend pas se laisser tromper, fût-ce pour des raisons politiques. Les relations de Breteuil avec l'impératrice ne dépasseront jamais les limites de la courtoisie. Mais elle est sensible à son esprit, à ses manières, et le devine en sympathie avec elle. C'est donc de lui qu'elle sollicite un prêt immédiat de soixante mille roubles. Selon les instructions du duc de Choiseul, Breteuil se dérobe. Afin de ne pas compromettre la France, il évite de donner une réponse nette et quitte Saint-Pétersbourg pour Varsovie, puis pour Vienne, en laissant son chargé d'affaires, Bérenger, débrouiller la situation. Quelques jours plus tard, Catherine, déçue et indignée par l'incompréhension du diplomate, fait remettre à Bérenger un billet ainsi conçu : « L'emplette que nous devons faire se fera sûrement bientôt, mais à bien meilleur marché ; ainsi, on n'a pas besoin d'autres fonds. » Bérenger est enchanté. On lui a retiré du pied une fameuse épine. Il ne croit pas aux chances de ce complot ourdi par des têtes folles. « Les arcs-boutants » de la conjuration lui paraissent bien faibles. Mais Catherine, entre-temps, s'est tournée vers l'Angleterre pour le financement de « l'emplette ». Cent mille roubles avancés par un négociant anglais. La voici plus que jamais liée à la Grande-Bretagne et hostile à la France. Une erreur politique dont le cabinet de Versailles prendra vite conscience. « La souveraine ne vous pardonnera pas de l'avoir abandonnée dans un moment si intéressant », écrit M. de Broglie à Breteuil. En fait, malgré leur agitation, les amis de Catherine n'ont aucun plan précis, aucune idée de la façon dont ils pourraient, l'instant venu, la porter sur le trône. Tout, chez eux, n'est que fumée, fièvre et improvisation.

Pierre, inconscient, a quitté Saint-Pétersbourg, le 12 juin 1762, pour sa résidence d'été d'Oranienbaum. Il compte y prendre quelques jours de repos avant de rejoindre son armée en Poméranie, pourfendre les Danois et reconquérir le si précieux duché de Schleswig. Malheureusement, la flotte russe n'est pas en état de mettre à la voile. Une épidémie a réduit le nombre des matelots. Qu'à cela ne tienne : Pierre signe un oukase ordonnant aux malades de guérir dans les plus brefs délais. En attendant, il festoie avec sa maîtresse et passe ses troupes en revue. Ses conseillers intimes ont beau lui représenter le danger qu'il y a pour lui à déserter sa capitale et son empire en laissant à Saint-Pétersbourg une camarilla décidée à le perdre, il n'en a cure. Frédéric II n'est pas davantage écouté quand il lui dit par l'intermédiaire de ses envoyés, le baron de Goltz et le comte Schwerin, qu'il devrait d'abord se faire couronner à Moscou, que les Russes sont trop attachés à la forme pour respecter un souverain non encore consacré par l'Église, qu'un monarque avisé ne se lance jamais dans une guerre avant d'avoir consolidé le terrain derrière lui. L'unique précaution que Pierre accepte de prendre a trait à la résidence de Catherine. Il lui enjoint de quitter Saint-Pétersbourg pour s'établir à Péterhof, près d'Oranienbaum, sur le golfe de Finlande. Les amis de Catherine flairent le piège. Elle-même est inquiète. Mais elle ne veut pas reculer. Simplement, elle décide de partir seule, après avoir confié son fils Paul à la garde de Panine.

A Péterhof, où elle arrive le 19 juin, elle ne s'installe pas dans le palais même, mais un peu à l'écart, dans un pavillon appelé « Mon Plaisir » et situé au bord de l'eau. Là, elle reste dans l'expectative, prête aussi bien à accueillir les émissaires des Orlov qu'à fuir devant les sbires de son mari. Pierre lui a fait dire qu'il se rendra le 29 juin à Péterhof, pour y célébrer sa fête (la Saint-Pierre et Saint-Paul), et qu'elle doit se préparer à le recevoir. Ne va-t-il pas profiter du banquet pour l'insulter à nouveau, ou, mieux, pour la faire jeter en forteresse, comme il en a cent fois manifesté l'intention? Mis au courant de cette dangereuse entrevue, les amis de Catherine se concertent, indécis, angoissés. Et voici que, le 27 juin, l'un des leurs, le capitaine Passek, est arrêté. Pris de boisson, il a tenu, devant témoins, des propos injurieux envers le tsar. Il risque d'en dire plus sous la torture. C'est le déclic. On ne peut plus attendre. Il faut attaquer coûte que coûte et dans l'instant. Fédor Orlov, le cadet de Grégoire, se précipite, en pleine nuit, chez l'hetman Cyrille Razoumovski, partisan convaincu de Catherine. Celui-ci, qui est président de l'Académie des Sciences, fait réveiller Taubert, directeur de la typographie de l'Académie, et lui demande d'imprimer immédiatement un manifeste proclamant la déchéance de l'empereur Pierre III et l'accession au trône de Catherine II. C'est folie, car pas un soldat ne s'est encore mis en marche pour soutenir l'impératrice. Taubert, effrayé, tergiverse, discute. Mais Razoumovski lui lance : « Vous en savez déjà trop! A présent, votre tête, tout comme la mienne, est en jeu! » Et Taubert, vaincu, donne l'ordre de composer le texte. Reste à prévenir Catherine. C'est Alexis Orlov qui s'en charge.

CHAPITRE XII

LE COUP D'ÉTAT

Le 28 juin-9 juillet 1762, à l'aube, Alexis Orlov arrive, en carrosse, à Péterhof. Le parc semble figé dans la lueur laiteuse de la nuit d'été. Quelques silhouettes de gardes holsteinois flottent, fantomatiques, dans la brume. Alexis les évite et, marchant à pas de loup, se faufile parmi les buissons jusqu'à une porte latérale du pavillon « Mon Plaisir ». Dans le cabinet de toilette, qu'il traverse en coup de vent, il aperçoit la robe de cour que l'impératrice doit revêtir pour accueillir son mari. L'instant d'après, la cameriste, Chargorodskaïa, éveille Catherine qui dormait profondément. Alexis Orlov est là, dit-elle, qui désire parler d'urgence à Sa Majesté. En un clin d'œil, Catherine rassemble ses esprits. Elle reçoit Alexis, assise dans son lit, en déshabillé. Il a un visage de combat.

— « Il est temps de vous lever, dit-il. Tout est prêt pour vous proclamer impératrice. »

Et il ajoute :

— « Passek est arrêté. Il faut partir ! »

Cette fois, Catherine n'a pas l'ombre d'une hésitation. Elle possède un flair presque animal pour le choix de l'instant propice. Elle sait d'instinct quand il faut se replier et quand il faut bondir. Elle est déjà debout et s'habille « sans faire toilette ». Chargorodskaïa l'aide en tremblant. Le dernier bouton à peine attaché, les deux femmes se glissent sur les talons d'Alexis jusqu'au carrosse. Catherine saute dans la voiture, sa femme de chambre s'assied à côté d'elle, le fidèle valet Chkourine, qu'elles ont réveillé en passant, monte derrière avec le lieutenant Bibikov, Alexis grimpe près du cocher, et l'attelage se lance au galop sur la route de Saint-Pétersbourg. De temps à autre, Alexis se retourne pour voir s'ils ne sont pas poursuivis. L'imprévu de cette fuite dans la brume, les cahots, la fraîcheur de l'air, les cris du cocher, la crainte d'être rattrapée, l'espoir de réussir, tout se mêle pour Catherine en une espèce d'excitation joyeuse. Soudain, elle éclate de rire parce qu'elle constate que sa soubrette a perdu un soulier et qu'elle-même a gardé son bonnet de nuit en dentelle. Chemin faisant, on rencontre Michel, le coiffeur français de Sa Majesté, qui vient, comme chaque matin, pour prendre son service. On l'embarque. Il donnera un coup de peigne à l'impératrice, dans la voiture. Les chevaux, qui ont déjà couvert trente verstes pour venir, commencent à peiner. L'un d'eux trébuche, tombe, se relève difficilement. Tiendront-ils jusqu'au bout? Dans sa précipitation, Alexis Orlov n'a pas prévu de relais. Il enrage à l'idée que, par sa faute, peut-être, un projet merveilleux s'achèvera en catastrophe. Mais un paysan surgit, conduisant une charrette. Alexis et Chkourine l'arrêtent et lui demandent de troquer ses chevaux frais contre les leurs qui sont fourbus. Le paysan accepte et on repart, à vive allure. A quelques verstes de Saint-Pétersbourg, le prince Bariatinski attend Catherine, en calèche découverte. Elle change rapidement de voiture. Grégoire est là aussi, à cheval. Il est venu au-devant de la fugitive. A la vue de son amant, si beau et si résolu, Catherine exulte. Il caracole quelque temps à ses côtés, tout fier de l'escorter sur le chemin de la gloire. Puis il pique des deux et s'éloigne pour annoncer au régiment Ismaïlovski l'arrivée de l'impératrice.

Il est un peu plus de sept heures du matin, quand la calèche se range devant la caserne. Les tambours résonnent. Avec un serrement de cœur, Catherine s'avance, frêle et droite, en robe de deuil, vers cette masse d'hommes dont dépend son destin. Dressé sur ses étriers, Grégoire Orlov, superbe, la salue avec son épée. Elle n'a rien à craindre : les soldats sont chauffés à blanc. D'ailleurs on leur a promis une distribution de vodka. Dès qu'elle paraît devant eux, les rangs se disloquent, une immense clameur déchire ces rudes visages : « Hourra ! notre petite mère Catherine ! » L'aumônier du régiment élève une croix. Les officiers entourent l'impératrice infortunée qui en appelle à leur courage pour la protéger. Ils s'agenouillent, ils baisent les pans de son manteau. Le comte Cyrille Razoumovski, commandant le régiment, plie à son tour le genou devant elle. Puis il se redresse, veut imposer le silence. Mais les vivats de la troupe redoublent. Enfin, dominant ce joyeux tumulte, Cyrille Razoumovski proclame Sa Majesté l'impératrice Catherine souveraine unique et absolue de toutes les Russies et prononce, au nom de ses soldats, le serment de fidélité.

En route pour la caserne du régiment Semionovski ! Le prêtre, en habits sacerdotaux, ouvre la marche, brandissant sa croix. Autour de la calèche ouverte où se trouve l'impératrice, chevauchent Grégoire Orlov, Cyrille Razoumovski, de nombreux officiers aux faces enflammées. Derrière eux, trotte une foule de soldats débraillés et hilares qui crient : « Vive notre petite mère Catherine ! Nous irons jusqu'à la mort pour elle ! » Le régiment Semionovski se joint, dans l'enthousiasme, au régiment Ismaïlovski, et le flot grossi roule maintenant vers d'autres casernes. Partout la fusion s'opère dans un débordement d'allégresse. Sauf pour ce qui est du régiment Préobrajenski, dont les conspirateurs n'ont pu circonvenir les officiers. Simon Vorontzov, le propre frère de la maîtresse de l'empereur, sert comme capitaine dans cette unité d'élite. La cause de l'empire se confond pour lui avec la cause de sa sœur. Aidé du major Voïeïkov, il harangue les hommes, leur ordonne de respecter le serment qu'ils ont prêté au tsar et marche avec eux à la rencontre des mutins. Les deux troupes se trouvent face à face, devant la cathédrale de Kazan. La supériorité numérique des partisans de Catherine est écrasante. Mais ils forment une foule désordonnée, confuse, où la plupart des soldats sont sans armes, alors que, là-bas, le régiment Préobrajenski, équipé de pied en cap, encadré par ses officiers, se présente comme un formidable bloc de discipline et de volonté combative. Aux exhortations de Grégoire Orlov, Simon Vorontzov répond par un refus catégorique. Les fusils s'abaissent. Instant fatidique. Si le régiment fidèle ouvre le feu, ce sera la panique parmi la cohue qui entoure Catherine, le sauve-qui-peut, la poursuite, l'arrestation, la prison, la mort. Soudain, Menchikov, premier major du régiment Préobrajenski, vocifère : « Hourra ! Vive l'impératrice ! » Après une seconde d'hésitation, ce cri est repris en chœur par ses hommes. Ils rompent les rangs, se précipitent vers leurs camarades, les embrassent, tombent à genoux devant Catherine, accusent leurs officiers de les avoir trompés. Voïeïkov et Simon Vorontzov brisent leurs épées. On les arrête [1].

C'est une claire matinée d'été, fraîche et sans nuages. Sur la perspective Nevski, l'affluence est telle que la très large avenue est totalement obstruée. Des citadins, accourus de toutes parts, se mêlent aux soldats pour acclamer l'héroïne du jour. Une mer de visages joyeux entourent la calèche. Au-dessus des têtes, dansent des sabres, des fusils tenus à bout de bras. Mille bouches hurlent un même nom : « Catherine ! Notre petite mère Catherine ! » L'attelage se fraie difficilement un chemin jusqu'à la cathédrale de Kazan. Trois heures après avoir été tirée de son lit par Alexis Orlov, Catherine s'avance, d'un pas ferme, vers le haut clergé qui l'attend. Une fois dans l'église, elle constate à quel point ses exercices de piété en public ont été payants. Entouré de prêtres officiants, l'archevêque de Novgorod la

1. Catherine leur pardonna plus tard, mais Vorontzov dut quitter l'armée et, nommé ambassadeur a Londres, y vécut « dans une sorte d'exil honorifique ».

reçoit comme une souveraine autocrate et la bénit, en même temps que son fils absent « l'héritier du trône, le tsarévitch Paul Pétrovitch ».

Après cette courte cérémonie, Catherine se rend, toujours en voiture, et toujours escortée des frères Orlov et de Cyrille Razoumovski, au palais d'Hiver. Six régiments et toute l'artillerie sont massés sur le quai, devant l'édifice, et derrière, sur la vaste place, qui ressemble à un camp retranché. Des prêtres présentent la croix à des soldats agenouillés, tête basse. A peine arrivée dans ses appartements, Catherine réclame son fils, le tsarévitch. Le comte Panine le lui amène aussitôt. L'enfant, qui vient de se réveiller, est en chemise de nuit et bonnet de coton. Elle le prend dans ses bras et se montre avec lui à une fenêtre. La foule, en les apercevant, rugit d'allégresse. Effrayé, le petit Paul, âgé de huit ans, se serre spasmodiquement contre sa mère. Pour l'instant, ce frêle enfant aux boucles blondes lui sert à légitimer sa conduite devant ses sujets. Cependant, il ne faudrait pas qu'il la supplantât dans la faveur de l'opinion publique. Elle entend régner non seulement pendant la minorité de son fils, mais aussi longtemps qu'elle en aura la force. L'équivoque actuelle, si elle profite à ses desseins, ne la lie pas pour l'avenir. Elle laisse les autres croire ce qu'ils veulent et suit inflexiblement la ligne qu'elle s'est depuis longtemps tracée. La princesse Dachkov arrive à son tour, toute décoiffée, et se précipite dans les bras de « sa » souveraine. Les deux femmes s'étreignent gaiement. « Dieu soit loué! » s'écrie Catherine. Sur son ordre, les portes du palais sont largement ouvertes : chacun, aujourd'hui, doit pouvoir approcher l'impératrice. Les membres du Saint-Synode, les sénateurs, les hauts fonctionnaires, les dignitaires de la cour, les ambassadeurs, des bourgeois, des marchands, se pressent dans les salons et jouent des coudes pour pouvoir se prosterner devant Sa Majesté et la féliciter de sa réussite. Pendant des heures, Catherine, sereine et souriante, reçoit les compliments des plus grands comme des plus humbles. Dehors cependant, on distribue et on lit le manifeste imprimé pendant la nuit, et dont le texte a été probablement inspiré par elle et rédigé par Cyrille Razoumovski :

« Nous Catherine II,

« A tous les enfants loyaux de notre Patrie russe est clairement apparu le suprême danger auquel l'État de Russie a été exposé par le cours des événements récents. En effet, notre Église grecque orthodoxe a subi une telle secousse, qu'elle était exposée au plus extrême péril, celui de la substitution d'une foi hétérodoxe à notre antique orthodoxie. En second lieu, la gloire de la Russie, portée à un si haut degré par ses armes victorieuses et par le sang versé, a été effectivement foulée aux pieds par la conclusion de la paix avec notre plus mortel ennemi (Frédéric II) et la patrie abandonnée à un asservissement complet, cependant que l'ordre intérieur, dont dépend l'unité de notre patrie tout entière, était complètement bouleversé. Pour ces raisons, nous nous sommes vue obligée, avec l'aide de Dieu, et sur le vœu manifeste et sincère de nos fidèles sujets, de monter sur le trône, comme seule et absolue souveraine, sur quoi nos fidèles sujets nous ont solennellement prêté serment d'obéissance. »

Les diplomates étrangers prennent connaissance du document et une bonne moitié d'entre eux se réjouissent. Quel virage, dès le premier jour! Sans nul doute, après avoir flétri Frédéric II dans son manifeste, Catherine va rompre l'alliance avec la Prusse et revenir à l'alliance avec la France et l'Autriche. L'ambassadeur d'Autriche, Mercy d'Argenteau, exprime sa satisfaction à l'impératrice, mais elle l'écoute sans sourciller et parle d'autre chose. Impossible de pénétrer la pensée de cette femme tranquille et forte, qui, au paroxysme de l'attente, bavarde aimablement avec ses admirateurs. De temps à autre, elle donne des ordres, à voix basse, aux frères Orlov, à Cyrille Razoumovski ou à Panine : il faut surveiller les débits de boisson pour éviter tout excès, fermer les portes de la capitale et interdire tout passage sur la route de Saint-Pétersbourg à

Oranienbaum afin que l'empereur apprenne le plus tard possible la nouvelle du coup d'État...

En effet, malgré un premier succès spectaculaire, rien n'est encore joué. Si Catherine dispose de quelques régiments hâtivement ralliés, Pierre peut compter sur toutes les troupes qu'il a réunies en Livonie pour la guerre contre le Danemark et sur la flotte mouillée devant l'île-citadelle de Cronstadt. Attaqué par terre et par mer, Saint-Pétersbourg ne résistera pas deux heures à une action énergique. Il faut donc, à tout prix, gagner l'empereur de vitesse et s'assurer le concours de la marine. L'amiral Talysine est envoyé sur-le-champ à Cronstadt, avec un billet lui donnant pleins pouvoirs au nom de l'impératrice.

Cet après-midi-là, Pierre, qui ne sait rien encore, quitte Oranienbaum pour se rendre à Péterhof où il compte célébrer, le lendemain, la Saint-Pierre et Saint-Paul, comme il en a prévenu Catherine. Il est accompagné de sa maîtresse, Elisabeth Vorontzov, du général Munnich, qu'il a rappelé de Sibérie après un exil de vingt-trois ans, de l'ambassadeur de Prusse baron Goltz, du prince Troubetzkoï, du chancelier Michel Vorontzov, du sénateur Romain Vorontzov et de dix-sept dames de la cour en grandes toilettes. Les équipages s'arrêtent devant le pavillon « Mon Plaisir ». Tout est calme. Portes et fenêtres sont closes. On cherche en vain un domestique. Enfin, un des officiers du poste de garde s'avance et balbutie : « L'impératrice s'est enfuie à l'aube. La maison est vide. » Saisi de fureur, Pierre bouscule l'officier, se précipite dans le pavillon, hurle : « Catherine! Catherine! » comme s'il refusait de croire à son absence. Ses jambes faibles le portent du jardin d'hiver au cabinet chinois, de la salle d'audience au salon de musique. Soudain, des pas se rapprochent. Elle est là. Elle se cachait. Elle lui a fait une farce. Comme au temps de leurs fiançailles enfantines. Il s'élance et se trouve nez à nez avec le chancelier Michel Vorontzov. Pressé de questions, le ministre bredouille qu'il vient de recevoir, par un messager clandestin, la nouvelle que Catherine a été proclamée impératrice à Saint-Péterbourg. Aussitôt, Pierre abandonne toute morgue. Pendu au cou de Michel Vorontzov, il ne bouge plus, il halète, il sanglote, tandis que l'autre s'efforce de le redresser : « Courage, Majesté! Courage! Un mot de vous, un regard impérieux, et le peuple tombera à genoux devant le tsar! Les hommes du Holstein sont prêts! Sur l'heure, nous marchons sur Saint-Pétersbourg! » Mais Pierre se refuse à cet affrontement. Il cherche d'autres solutions, court en tous sens, s'évanouit, reprend conscience, boit de grands verres de bourgogne, dicte la liste des gens à emprisonner pour crime de conspiration, rédige deux manifestes condamnant Catherine, les fait recopier en plusieurs exemplaires par des courtisans, supplie Michel Vorontzov de se rendre à Saint-Pétersbourg à sa place pour ordonner aux régiments mutinés de se soumettre, puis y renonce, fait quérir les troupes holsteinoises qui sont restées à Oranienbaum et, quand elles arrivent, déclare qu'il n'en a plus besoin, enfin, cédant aux adjurations de Munnich, accepte de s'embarquer pour Cronstadt, où flotte et garnison soutiendront sa cause. Mais, dans cette expédition, il refuse de se séparer des femmes. Il est ivre, il titube, il pleure; on le soutient pour le faire monter, à dix heures du soir, sur une goélette. Toute la horde piaillante des dames, Elisabeth Vorontzov en tête, franchit la passerelle derrière lui.

A une heure du matin, par une nuit d'une clarté irréelle, argentée, la goélette arrive dans la rade de Cronstadt. Quand la forteresse est à portée de voix du bateau, Munnich annonce la visite de l'empereur.

— « Il n'y a plus d'empereur, répond l'officier de garde. Passez au large! »

Munnich insiste. Alors, l'officier de garde lui crie que la flotte et la garnison ont déjà prêté serment à l'impératrice. Si le bateau ne s'éloigne pas à l'instant, une salve l'enverra par le fond. Ainsi, Talysine, l'émissaire de Catherine, a gagné le tsar de vitesse. Malgré cette semonce, Munnich ne s'avoue pas vaincu et conjure Pierre de débarquer. On n'osera pas tirer sur lui. Dès qu'il aura mis le pied sur la terre ferme, les insensés de

Cronstadt se repentiront et jetteront leurs armes. Mais Pierre se précipite au fond de la cale. La terreur le fait suer et claquer des dents. Il n'a jamais eu affaire qu'à des soldats de bois. Qu'on le laisse avec ses rêves ! Il pleure à gros hoquets. Autour de lui, les femmes poussent des cris perçants. Le spectacle est si pitoyable que Munnich éclate de rire et fait virer de bord.

A l'aube du 29 juin, le bateau accoste devant la résidence d'été d'Oranienbaum. Munnich propose au tsar de le transporter immédiatement, sur un autre bateau, à Reval. De là, on rejoindra le gros des troupes russes destinées à la campagne contre le Danemark. Avec elles, il sera facile de reconquérir le trône : « Faites cela, Sire, et, six semaines après, Saint-Pétersbourg et la Russie sont derechef à vos pieds ! J'en réponds sur ma tête ! » Ce bruit de paroles fatigue Pierre. Il en a assez de prendre des décisions. Ce qu'il veut, c'est dormir quelques heures, veillé par Elisabeth Vorontzov. Il congédie tout le monde, sauf elle, et se jette sur son lit.

Tandis que Pierre voguait vers Cronstadt, Catherine a revêtu un uniforme, emprunté à un officier du régiment Semionovski. Pour un ouvrage d'homme, il faut une tenue d'homme. Sur un coin de table, elle griffonne un court billet pour le Sénat. « Messieurs les sénateurs, je quitte la ville à la tête de l'armée, pour donner au trône la paix et la sécurité. En toute confiance, je laisse sous la garde du Sénat mon pouvoir suprême, la patrie, le peuple et mon fils. » Elle sort du palais, descend le grand escalier extérieur et, devant les troupes assemblées, enfourche avec aisance le pur-sang blanc qu'on lui a amené. Soudain, elle s'aperçoit qu'elle n'a pas de dragonne à son épée. Un sous-officier de la garde se précipite et lui offre sa propre dragonne, après l'avoir arrachée de la poignée de son arme. Catherine la prend et sourit à ce beau visage extasié. Le nom du jeune homme ? Un certain Grégoire Potemkine. Elle s'en souviendra.

A la sortie de la ville, elle passe ses régiments en revue. La plupart des soldats ont dépouillé les uniformes à l'allemande dont les avait affublés Pierre III pour reprendre les anciens uniformes du temps de Pierre le Grand, qu'ils ont dénichés dans les remises. L'épée nue à la main, Catherine maîtrise son cheval qui danse d'impatience. Une couronne de feuilles de chêne entoure son bonnet fourré de zibeline. Ses longs cheveux châtains frissonnent dans le vent. Tous les regards se tournent avec admiration vers cette femme en tenue militaire, qui incarne à la fois la force et la grâce, la fragilité et la détermination. Les acclamations couvrent les accents rythmés des fifres et des tambours. Aux côtés de la tsarine, se tient son amie, la princesse Dachkov, en uniforme et à cheval, elle aussi. Quand la dernière compagnie a passé, il est dix heures du soir, mais il fait clair comme en plein jour. En route!

C'est une chevauchée de rêve, dans le faux rayonnement de la nuit nordique. Les hommes marchent sans savoir au juste où ils vont, ni ce qu'ils auront à faire, mais leur enthousiasme est entier, dans cette folle aventure où se mêlent la lumière et l'ombre, le devoir et la révolte, la vérité et l'illusion. En tête du lent cortège, une femme, la déesse de la guerre peut-être. Derrière elle, les frères Orlov et de nombreux officiers, qui tous semblent amoureux. La fanfare militaire joue des airs entraînants. Et, quand elle se tait, les soldats entonnent les vieilles chansons de route, coupées d'exclamations joyeuses et de coups de sifflet. De temps à autre, un cri. Toujours le même : « Vive notre petite mère Catherine! » Chaque fois qu'elle entend son nom hurlé par ces gosiers rudes, elle tressaille comme aux plaisirs de l'amour. C'est cela qu'il lui faut : un peuple qui soit pour elle un amant multiforme, toujours fervent et toujours soumis.

A trois heures du matin, la tsarine et son état-major s'arrêtent à Krasni-Kabak, dans une misérable auberge. Les hommes, debout depuis l'aube, ont besoin de repos. Pas elle. A la demande de son entourage, elle consent cependant à s'allonger.

à côté de la princesse Dachkov, sur une paillasse étroite et dure. Mais elle ne dort pas. Elle réfléchit. Que fait Pierre? A-t-il rassemblé ses troupes pour marcher au-devant des insurgés? S'est-il installé à Cronstadt avant que l'amiral Talysine n'ait pu joindre la garnison? Elle se tourne et se retourne, s'inquiète du manque de ravitaillement et de munitions. A cinq heures du matin, on lui annonce un parlementaire : le chancelier Vorontzov en personne. Il vient, mandaté par l'empereur, pour offrir à l'impératrice le partage du pouvoir. Dès les premiers mots, Catherine comprend qu'elle a gagné la partie. Sa réponse est un éclat de rire. Vorontzov n'insiste pas, s'agenouille et prête serment. Comment hésiterait-il entre le fantoche débile qu'il vient de quitter et cette femme sûre et calme qui se conduit déjà en souveraine? D'autres émissaires arrivent, porteurs de propositions analogues, et tous, impressionnés par l'autorité de Catherine, se rangent, comme Vorontzov, à ses côtés. Vers six heures du matin, c'est l'amiral Talysine qui se présente, tout joyeux, à Krasni-Kabak : « Cronstadt est à l'impératrice! La garnison a refusé l'entrée au tsar! » Le cœur de Catherine éclate d'allégresse, mais elle garde un visage impassible. Comme si, tout cela, elle l'avait prévu. Maintenant, il s'agit, pour elle, d'exploiter l'avantage, sans perdre une minute à se réjouir. Ses troupes sont déjà en marche. Vont-elles se heurter aux Holsteinois? En selle! Catherine galope, d'une seule traite, jusqu'à Péterhof. Elle y retrouve ses soldats qui campent pacifiquement autour du château. Renonçant au combat, Pierre III a fait retirer le gros de ses forces, et les quelques sentinelles laissées sur place ont été facilement désarmées. Pas une goutte de sang. C'est plus qu'une victoire. Un miracle. Installée à « Mon Plaisir », Catherine dicte l'acte d'abdication qui devra être soumis à la signature de l'empereur :

« Durant le peu de temps de mon règne absolu sur l'empire de Russie, j'ai reconnu que mes forces ne suffisaient pas pour supporter un tel fardeau... C'est pourquoi, après avoir mûrement réfléchi là-dessus, je déclare, sans aucune contrainte et solennellement, à toute la Russie et à l'univers entier, que je renonce pour toute ma vie au gouvernement dudit empire. »

Grégoire Orlov et le général Ismaïlov s'élancent aussitôt pour porter le document à Oranienbaum, où l'empereur est virtuellement prisonnier. Quand ils sont loin, Catherine, qui a très faim, s'attable gaillardement parmi ses officiers, pour une collation. Selon son habitude, elle boit modérément. Un demi-verre de vin. Et elle engage les autres à en faire autant. La journée n'est pas finie! Dans le brouhaha des rauques conversations masculines, l'impératrice poursuit infatigablement ses calculs. Que faire si son mari refuse d'abdiquer et de se laisser conduire, captif, à Péterhof? Et, si on le lui amène, quel sort lui réserver?

Cependant, à Oranienbaum, Pierre, effondré, recopie et signe le document que lui présentent les émissaires de Catherine. « Comme un enfant qu'on envoie se coucher », dira Frédéric II. On le fait monter en voiture avec sa maîtresse et l'adjudant-général Goudovitch. Arrivé à Péterhof, il demande à être conduit auprès de l'impératrice. Sans doute espère-t-il fléchir sa rigueur en lui rappelant tout ce qui les lie encore? Mais elle refuse de le recevoir. Des officiers le dépouillent de ses décorations, de son épée, de son uniforme et lui donnent un vêtement civil. Il se laisse faire en pleurant. Nikita Panine lui signifie que, par ordre de l'impératrice, il est désormais prisonnier d'État et qu'il sera gardé à vue dans une maison de plaisance, à Ropcha, non loin de Saint-Pétersbourg, en attendant qu'on ait statué sur le lieu de sa résidence définitive[1]. Cette résidence définitive ne peut être, Pierre le sait, que la terrible forteresse de Schlüsselbourg, où l'ex-tsar Ivan se morfond déjà depuis de longues années! Épouvanté, il redouble de cris et de larmes, tombe à genoux devant le gouverneur de son fils, lui baise les mains, l'implore de ne pas le séparer, du moins, de sa maîtresse. « Je considère comme un des plus grands malheurs de ma vie le fait d'avoir été obligé de voir

1. Ropcha est à 27 verstes de Saint-Pétersbourg.

Pierre à ce moment-là! » écrira Panine. Avec douleur et répugnance, Panine lui annonce que l'impératrice ne peut autoriser Elisabeth Vorontzov à suivre le prisonnier dans sa retraite. Cela reviendrait à légitimer l'adultère. La favorite sera envoyée à Moscou. D'ailleurs, toute la famille Vorontzov lui a déjà tourné le dos pour rallier Catherine. Alors, Elisabeth Vorontzov mêle ses hurlements hystériques aux sanglots de son amant. Tous deux se traînent aux pieds de Panine qui demeure inébranlable[1]. A bout de forces, Pierre demande la permission de prendre avec lui, à Ropcha, son violon, son nègre Narcisse et son chien préféré Mopsy. On lui répond que l'impératrice examinera, en temps voulu, sa requête. De fait, Catherine consentira à cette triple faveur. Elle autorisera même le prisonnier à se faire servir par son valet habituel, Bressan. Mais, pour l'instant, il faut qu'il obéisse. Il a voulu la narguer, l'abaisser. Elle prend sa revanche. A-t-elle seulement une pensée émue pour leurs fiançailles enfantines, leurs jeux absurdes d'autrefois, en cachette de l'impératrice Elisabeth? Non, l'homme et la femme qu'ils sont devenus n'ont rien à voir avec les charmants fantômes de leur jeunesse. Au fil des jours, une haine mortelle s'est installée entre eux.

Le soir venu, Alexis Orlov hisse, dans une berline aux rideaux baissés, un pantin disloqué et vert de peur. Une escorte armée entoure la voiture. En route pour Ropcha.

Le lendemain, dimanche 30 juin 1762, Catherine fait une entrée triomphale à Saint-Pétersbourg, saluée par des sonneries de cloches, des feux d'artillerie et des acclamations éperdues. L'enthousiasme de la troupe, entretenu par des distributions de vodka, est si vif que, la nuit même qui suit son retour, les soldats du régiment Ismaïlovski exigent de voir la tsarine pour s'assurer qu'on ne l'a ni assassinée ni enlevée. Bon gré mal gré,

1. Elisabeth Vorontzov sera effectivement placée en résidence surveillée, à Moscou. Mais, par la suite, Catherine lui pardonnera et lui trouvera même un mari en la personne du sénateur Polianski.

elle doit quitter son lit, enfiler son uniforme et se montrer à ses hommes pour les rassurer. « Ma situation est telle, écrira-t-elle à Poniatowski, que le moindre soldat aux gardes, en me voyant, se dit : « Voilà l'ouvrage de mes mains[1]. » Ainsi, succédant à l'impératrice Catherine Ire, à l'impératrice Anne Ivanovna, à la régente Anne Léopoldovna, à l'impératrice Elisabeth, c'est une cinquième femme, Catherine II, qui, après deux brefs intermèdes masculins, prend en main les destinées du pays. Depuis trente-sept ans, les Russes se sont habitués à être gouvernés par des jupes. La nouvelle venue prolonge une sorte de tradition nationale. Son premier soin : remercier les artisans de sa fortune. Les récompenses pleuvent, promotions et dons en argent. En quelques mois, le chiffre des « cadeaux » s'élèvera à près de 800 000 roubles. Grégoire Orlov, la princesse Dachkov, des officiers de tout poil, des conseillers habiles sont arrosés d'or. On parle de 41 000 roubles dépensés rien qu'en vodka pour les régiments. Généreuse par tempérament, Catherine ne veut pas de limite chiffrée à sa gratitude. En même temps, elle s'inquiète du sort de son mari. Il lui écrit de Ropcha des billets pitoyables, en français, semés de fautes et à peine lisibles :

« Je prie Votre Majesté d'être assurée sûrement de moi et d'avoir la bonté qu'on ôte les postes de la seconde chambre, parce que la chambre où je suis est si petite qu'à peine je peux m'y remuer, et, comme elle sait que je me promène toujours dans la chambre, ça me fera enfler les jambes. Encore je vous prie de n'ordonner point que les officiers restent dans la même chambre; comme j'ai des besoins, c'est impossible. Au reste, je prie Votre Majesté de me traiter du moins comme le plus grand malfaiteur, ne sachant pas de l'avoir offensée jamais. En me recommandant à sa pensée magnanime, je la prie de me laisser au plus tôt avec la personne nommée (Elisabeth Vorontzov) en

1. Pour les détails du coup d'État, les sources les plus sûres sont les récits de Catherine elle-même (lettres à Poniatowski), ceux de la princesse Dachkov, de Panine et aussi l'exposé de Bilbassov.

Allemagne. Dieu le lui repaiera sûrement et je suis votre très humble valet, Pierre. *P.-S.* Votre Majesté peut être sûre de moi que je ne penserai ni ferai rien qui puisse être contre sa personne ou contre son règne. »

Et encore : « Votre Majesté, si vous ne voulez point absolument faire mourir un homme qui est déjà assez malheureux, ayez donc pitié de moi et laissez-moi ma seule consolation qui est Elisabeth Romanovna (Elisabeth Vorontzov). Vous ferez par ça une des plus grandes œuvres de charité de votre règne. Au reste, si Votre Majesté voudrait me voir un instant, je serais au comble de mes vœux. »

Catherine se garde bien de répondre. Mais, comme on dit Pierre malade, elle lui envoie un médecin, à Ropcha. Il va mieux. Elle ne sait trop si elle doit s'en réjouir ou le déplorer. Tant qu'il vivra, elle sera à la merci d'un coup d'État, fomenté par quelques officiers mécontents ou quelques courtisans en mal d'intrigue. Même déchu et emprisonné, il représente une menace permanente pour le trône. Après tout, c'est lui qui est le descendant de Pierre le Grand. Pas elle. Il faut vite qu'elle consolide sa situation à la tête du pays. Dès le 6 juillet, elle publie un deuxième manifeste, annonçant à la fois son avènement et l'abdication de Pierre III. Dans ce document, lu devant le Sénat, elle déclare son intention de mériter l'amour de son peuple « dans l'intérêt duquel nous reconnaissons avoir été portée sur le trône ».

Le soir même, on lui apporte, au palais, un message d'Alexis Orlov. C'est une feuille de papier froissée, un gribouillage au crayon, qu'elle déchiffre avec peine : « Notre petite mère, miséricordieuse impératrice ! Comment expliquer, comment décrire ce qui est arrivé ? Tu ne croiras pas ton serviteur dévoué, mais, comme devant Dieu, je te dis la vérité. Petite mère, je suis prêt à mourir, mais moi-même je ne sais pas comment ce malheur est arrivé. Nous sommes perdus si tu ne nous pardonnes pas. Petite mère, il n'est plus. Mais nul de nous ne l'a voulu, car comment aurions-nous osé porter la main sur l'empereur ? Et pourtant, Majesté, le malheur est arrivé. Il avait commencé à se disputer avec le prince Fédor (Bariatinski) pendant le repas, et, avant que nous ayons pu les séparer, il n'était plus ! Nous ne pouvons même pas nous souvenir de ce que nous avons fait, mais tous, jusqu'au dernier, nous sommes entièrement coupables et méritons la peine de mort. Aie pitié de moi, quand ce ne serait que pour l'amour de mon frère ! J'ai confessé ma faute et il n'y a plus rien à dire. Pardonne ou ordonne de mettre rapidement fin à nos vies. La lumière du jour me fait horreur. Nous t'avons offensée et nous nous sommes damnés pour l'éternité [1]. »

Catherine est atterrée. Évidemment, il s'agit d'un assassinat exécuté par ses amis pour servir sa cause. Elle est délivrée du lamentable Pierre. Mais sa réputation est éclaboussée à jamais. Ne vaut-il pas mieux vivre dans la crainte d'un complot que dans la certitude d'un désaveu public ? N'est-il pas absurde de sacrifier la renommée future d'un règne à des avantages politiques immédiats ? C'est le pavé de l'ours ! Catherine, d'après certains témoins intimes, tombe évanouie, revient à elle, pleure et soupire : « Ma gloire est perdue ! Jamais la postérité ne me pardonnera ce crime involontaire [2] ! » Et aussi : « L'horreur que me cause cette mort est inexprimable ! C'est un coup qui me renverse. » La princesse Dachkov, l'ayant entendue, lui répond : « Madame, c'est une mort trop soudaine pour votre gloire et pour la mienne [3]. » D'autres témoins, en revanche, insistent sur la sérénité que Sa Majesté affecte à la cour, ce soir-là. Les deux observations se complètent. Catherine a toujours su se dominer dans les moments graves. Quel que soit son désarroi intérieur, elle refuse de se donner en spectacle à la clique des diplomates

1. D'après la princesse Dachkov, cette lettre fut découverte, en 1796, par Paul Ier dans une cassette contenant les papiers de sa mère. L'original a été détruit. Une copie en a été publiée dans les archives Vorontzov.

2. Comtesse Golovine : *Souvenirs.*

3. Princesse Dachkov : *Mémoires.*

et des courtisans. Cette mort, qu'elle a souhaitée sans l'ordonner, cette mort qui l'arrange et l'embarrasse tout ensemble, est une affaire d'État, non une affaire de cœur. Et les affaires d'État se traitent froidement, en conseil privé. Il en sera fait ainsi. Catherine n'a pas de remords. Elle n'a que des inquiétudes. La colère même qu'elle éprouve contre les coupables se nuance de sympathie, voire de tendresse. Ils ont cru bien faire, leur maladresse est garante de leur bonne foi. Le lendemain, 7 juillet, elle publie un troisième manifeste, ainsi conçu :

« Le septième jour de notre accession au trône de Russie, nous avons été avisée que l'ancien tsar Pierre III était repris de ses crises habituelles hémorroïdales et souffrait d'une violente colique. Soucieuse de notre devoir de chrétienne, nous donnâmes aussitôt l'ordre de lui fournir tous les soins médicaux qui lui seraient nécessaires. Mais, à notre grande tristesse, nous reçûmes, hier soir, la nouvelle que la volonté de Dieu avait mis un terme à sa vie. Nous avons ordonné que sa dépouille mortelle fût transportée au couvent de Nevski pour y être inhumée. Nous invitons tous nos fidèles sujets, comme Impératrice et comme Mère de l'Empire, sans ressentiment pour le passé, à donner le dernier adieu à son corps et à élever vers Dieu des prières ardentes pour le salut de son âme, tout en attribuant le coup inattendu de cette mort à un décret de la Providence qui dirige les destinées de notre patrie dans les voies qui ne sont connues que de sa volonté sacrée. »

Dans le peuple, l'annonce de cette mort et son explication officielle ne soulèvent aucune réaction. Tout à la joie du nouvel avènement, les bonnes gens refusent de s'en laisser distraire par des suppositions injurieuses pour leur petite mère. A la cour, on feint de croire l'incroyable. Mais, en fait, pour tous les proches de l'impératrice, l'assassinat est évident. S'il y en a peu qui prétendent qu'elle l'a commandé, beaucoup l'en rendent indirectement responsable. Qu'elle le veuille ou non, c'est à elle que le crime profite. Elle a du sang sur les mains. « On ne sait pas avec certitude quelle part l'impératrice eut à cet événement », écrit Rulhière. Et le chevalier de Corberon : « Ce qui paraît sûr, c'est que les Orlov ont seuls porté leur coup. » Et Bérenger : « Quel tableau pour la nation elle-même et jugeant de sang-froid! D'un côté, le petit-fils de Pierre Ier détrôné et mis à mort, de l'autre, le petit-fils du tsar Ivan languissant dans les fers, tandis qu'une princesse d'Anhalt usurpe la couronne de leurs ancêtres en préludant au trône par un régicide... Je ne soupçonne pas à cette princesse (Catherine) l'âme assez atroce pour croire qu'elle ait trempé dans la mort du tsar... Mais le soupçon et l'odieux resteront sur le compte de l'impératrice [1]. » Et le baron de Breteuil, enfin revenu à Saint-Pétersbourg : « Je sais depuis longtemps, et on me l'a confirmé depuis mon retour, que ses maximes (à Catherine) sont qu'il faut être ferme dans ses résolutions, qu'il vaut mieux mal faire que de changer d'avis et surtout qu'il n'y a que les sots qui soient indécis. »

Quant aux circonstances du meurtre, les versions diffèrent. Les uns parlent d'un empoisonnement par le vin, d'autres, d'un étranglement avec une courroie de fusil, ou de l'étouffement sous un matelas. Pour la plupart, c'est Alexis Orlov qui a perpétré l'attentat. A son retour dans la capitale, il avait, ce soir-là, écrit Helbig, secrétaire à l'ambassade de Saxe, un visage « affreux à voir », à cause de « la conscience de sa bassesse, de son inhumanité et des remords qui le torturaient ». Et Rulhière affirme que, d'après des témoins dignes de foi, Alexis Orlov était « échevelé, couvert de sueur et de poussière, les habits déchirés », et qu'il avait « une physionomie agitée, pleine d'horreur et de précipitation ».

Ce qui est sûr, c'est que le geste d'Alexis Orlov n'a pas été, comme il le prétend dans sa lettre, la conséquence d'une banale dispute entre convives éméchés. Lui et ses amis ont bien prémédité leur coup. Apprenant que Pierre allait être sous peu transféré à Schlüsselbourg, ils ont eu peur de ne pouvoir accéder jusqu'à lui dans la forteresse et se sont hâtés de lui

1. Dépêche du 12-23 juillet 1762.

rendre visite à Ropcha. Au préalable, ils ont fait saisir par des soldats et éloigner des lieux Bressan, son valet de chambre. En débarrassant la tsarine d'un mari encombrant, Alexis Orlov a pensé qu'il ouvrait à son frère Grégoire le chemin du trône. Une fois veuve, en effet, pourquoi Catherine n'épouserait-elle pas l'homme de son choix? Ainsi serait-elle doublement exaucée, comme femme et comme impératrice. Grâce à Alexis Orlov, Catherine n'est plus coupable d'un rêve mais d'un acte.

Il lui aurait été facile de livrer immédiatement à la justice les meurtriers, qui, tous, lui étaient connus. En les poursuivant, elle aurait prouvé son innocence. Elle se serait blanchie en les noircissant. Mais pouvait-elle, quelques jours après son avènement, envoyer à la torture et à l'échafaud Alexis Orlov et ses complices à qui elle devait la couronne? Le dévouement de ces hommes lui faisait une obligation de les protéger. Elle était liée à eux par une sorte d'acceptation tacite, sinon de leur projet criminel du moins de son résultat. Seuls les cœurs faibles punissent des sous-ordres pour se justifier eux-mêmes. Catherine est d'une autre trempe. En soutenant la thèse officielle de la mort par maladie, elle sauve ses partisans et consent elle-même à être soupçonnée. Deux jours après l'assassinat du tsar, elle reparaît en public et affronte, avec un calme olympien, la curiosité malveillante et obséquieuse de la cour.

Conformément aux ordres qu'elle a donnés, l'ex-Pierre III est transporté au couvent Alexandre Nevski. Mais les honneurs se bornent là. Le mort, bien que petit-fils de Pierre le Grand, n'est qu'un empereur déchu. Son corps repose, sans décoration, dans un simple cercueil découvert. On l'a habillé, pour son dernier sommeil, dans l'uniforme bleu pâle des dragons holsteinois. Est-ce par un délicat respect des préférences vestimentaires du défunt ou pour rappeler à la foule qu'il a toujours été un ennemi déclaré de la Russie? Ceux qui défilent devant le cadavre sont frappés par son aspect tragique. La face est presque noire, une écharpe militaire entoure le cou, sans doute pour cacher des traces de strangulation, des gants recouvrent les mains qui normalement devraient être nues. Cependant personne, ni dans le peuple ni parmi les courtisans, n'élève la voix pour contester la version de la mort naturelle. Il est plus commode et plus prudent de se taire. Du moins pour l'instant. Catherine ne veillera pas le corps et n'assistera pas aux obsèques. Le Sénat l'a priée respectueusement de se tenir à l'écart de cette triste cérémonie, « afin que Sa Majesté impériale épargne sa santé par amour pour la patrie russe et pour ses sujets vraiment fidèles ».

CHAPITRE XIII

L'APPRENTISSAGE DU POUVOIR

La prise de pouvoir par l'impératrice a été si rapide que les diplomates étrangers ne la croient pas définitivement installée. Le baron de Breteuil voit en Catherine « une jeune aventurière » qui ne tiendra pas longtemps dans les bourrasques de la politique. Sir Robert Keith la juge spirituelle, aimable, mais superficielle et incapable de gouverner avec l'autorité nécessaire. Le Prussien Solms prédit une révolution : « Il ne faudrait qu'une tête chaude... Il se tient contre l'impératrice des propos si libres, si hasardeux, si peu mesurés... Il est certain que le règne de l'impératrice Catherine ne doit faire, tout comme celui de l'empereur son époux, qu'une courte apparition dans l'histoire du monde. »

Et, en effet, après quelques jours d'euphorie, l'armée se ressaisit. Certains officiers déplorent que les soldats aient violé leur serment au tsar « pour un tonneau de bière », selon l'expression du chargé d'affaires de France Bérenger. On murmure qu'il faudrait tirer de sa prison l'infortuné Ivan VI et lui rendre la couronne. Les cours étrangères conseillent à leurs ambassadeurs une extrême prudence envers celle qui, à leurs yeux, n'est qu'une usurpatrice. Louis XV mande au baron de Breteuil :

« La dissimulation de l'impératrice régnante (Catherine) et son courage au moment de l'exécution de son projet indiquent une princesse capable de concevoir et d'exécuter de grandes choses... Mais l'impératrice, étrangère par sa naissance, qui ne tient en aucune manière à la Russie..., a besoin d'une force inaltérable pour se conserver sur un trône qu'elle ne doit ni à l'amour de ses sujets ni à leur respect pour la mémoire de son père... Vous savez déjà, et je le répéterai ici bien clairement, que ma politique avec la Russie est de l'éloigner, autant qu'il sera possible, des affaires de l'Europe. C'est par la dissension qui régnera dans cette cour qu'elle sera moins en état de se livrer aux vues que d'autres cours pourraient lui suggérer. »

Plus tard, le duc de Choiseul écrira à son ambassadeur à Saint-Pétersbourg :

« Nous connaissons l'animosité de cette cour (de Russie) contre la France. Le roi (Louis XV) méprise si profondément la princesse qui règne dans ce pays, ses sentiments et sa conduite, que notre intention n'est pas de faire un seul pas pour la faire changer. Le roi pense que la haine de Catherine II est beaucoup plus honorable que son amitié. »

Consciente elle-même de la fragilité de sa situation, Catherine veut, au plus vite, affermir le terrain sous ses pieds. Sagement, elle conserve à la direction des affaires publiques les hommes d'État qui en avaient la charge du temps d'Elisabeth et de Pierre III. Ainsi, le comte Michel Vorontzov, bien qu'ayant toujours combattu son actuelle souveraine, est maintenu par elle au poste de chancelier. Quant à Nikita Panine, à qui elle a confié le département de la politique extérieure, il est sincèrement dévoué à sa cause, malgré quelques divergences d'opinion. A l'opposé de Pierre III, qui, par insouciance ou mépris, a négligé, pendant des mois, de se faire sacrer empereur par l'Église, elle décide que son couronnement aura lieu le 22 septembre, à Moscou, avec une pompe extraordinaire, propre à frapper l'imagination du peuple russe et des ministres étrangers. Cette intention, elle la rend publique dès le 7 juillet, le jour même où elle annonce la mort, à la suite d'une « colique hémorroïdale », de son mari. Deux mois et demi, c'est le délai minimum pour préparer des fêtes de cette importance. D'ici là, il faut se concilier la sympathie de l'armée. On ne déclarera donc pas la guerre au Danemark, mais on ne signera pas non plus d'alliance avec la Prusse. Cela dit, on ne reprendra pas contre ce dernier pays des hostilités qui durent depuis sept ans. On sera tout sourire pour la France et l'Autriche. Également pour l'Angleterre. Quant à l'Église, si affectée par les menées anti-orthodoxes de Pierre III, on lui fera la grâce d'abolir l'oukase sur la confiscation des biens du clergé. (Il sera toujours temps de rétablir cette mesure lorsque le trône sera consolidé.)

Pour la conduite de l'empire, Catherine veut s'en tenir à quelques principes, qui lui ont été inspirés par ses lectures et qu'elle a consignés d'une plume alerte, alors qu'elle n'était pas encore au pouvoir :

« Je ne souhaite, je ne veux que le bien de ce pays où Dieu m'a mise... La gloire du pays fait la mienne. »

« Joindre la mer Caspienne à la mer Noire et toutes les deux aux mers du Nord; faire passer le commerce de la Chine et des Indes orientales par la Tartarie, c'est élever cet empire (russe) à un degré de puissance au-dessus des autres empires de l'Asie et de l'Europe. Et qu'est-ce qui peut résister au pouvoir sans bornes d'un prince absolu qui gouverne un peuple belliqueux? »

Mais, si Catherine prône le « pouvoir sans bornes » du prince et la domination de la Russie sur les autres États, elle entend régner, avant tout, pour le bien du peuple. En bonne élève des philosophes, elle condamne le servage : « Il est contre la religion chrétienne et la justice de faire d'hommes, qui apportent la liberté en naissant, des esclaves... » « Liberté, âme de toute chose, sans vous tout est mort. Je veux qu'on obéisse aux lois, mais point d'esclave. »

Cette profession de foi libérale ne l'empêche pas, à son avènement, de distribuer aux principaux artisans du coup d'État (les Orlov, les Razoumovski, Panine...) dix-huit mille paysans attachés aux terres de la couronne. Du reste, elle ne croit pas qu'il soit possible d'affranchir les serfs : « Faire un coup d'éclat pareil (affranchir les serfs) ne serait pas le moyen de se faire aimer des possesseurs de terres... » Tout au plus, puisque ce mal existe en Russie, faut-il en limiter les dégâts : « Allez dans un village, demandez à un paysan combien il a d'enfants. Il vous dira, cela est commun, dix, douze et même très souvent jusqu'à vingt. Combien en a-t-il en vie ? Il répondra un, deux, quatre... Il faudrait remédier à cette mortalité, consulter des médecins, s'occuper des soins à donner aux petits enfants... Ils courent tout nus sur la neige et les glaces. Celui qui reste est robuste, mais dix-neuf meurent et quelle perte pour l'État. »

A présent, il s'agit de passer de la théorie à la pratique. Quand Catherine convoque pour la première fois le Sénat au palais d'Été, elle est atterrée par le tableau qu'on lui brosse de la situation financière et sociale du pays. Des années plus tard, elle se souviendra encore avec angoisse de ce brutal contact avec la réalité.

« Le gros de l'armée se trouvait à l'étranger sans avoir touché depuis huit mois sa solde, écrira-t-elle. La flotte était délaissée, l'armée en désarroi, les forts tombaient en ruine. Le budget avait 17 millions de roubles de dettes, une circulation monétaire de cent millions. Personne, dans tout l'empire, ne connaissait les revenus du Trésor. Le budget de l'État n'était pas exactement fixé. Presque toutes les branches du commerce étaient monopolisées par des particuliers. Environ 200 000 paysans appartenant aux usines minières et aux monastères étaient en révolte ouverte. Dans plusieurs localités, les paysans refusaient d'obéir et de payer diverses redevances aux seigneurs. La justice se vendait aux enchères. De cruelles tortures et punitions pour une bagatelle, comme pour un grand forfait, aigrissaient les esprits. Partout le peuple se plaignait de la corruption, des concussions, de toutes sortes de malversations et d'injustices. »

Froidement, Catherine décide de s'attaquer d'abord au déficit budgétaire. Remplir les caisses de l'État. Comment ? Messieurs les sénateurs désespèrent de trouver une solution. Elle en impose une avec fermeté : supprimer certains « monopoles », ces bénéfices sur les grandes industries, que touchent régulièrement quelques familles de premier rang, tels les Chouvalov. Et, pour prévenir le mécontentement de ceux qu'elle dépouille ainsi d'une partie de leurs revenus, elle renonce solennellement, en plein Sénat, aux « fonds de la Chambre », budget personnel des tsars. C'est un treizième du budget total de l'empire. Les sénateurs, étonnés par tant de générosité, poussent des hourras et pleurent de reconnaissance. Mais il en faudrait plus pour remettre le navire à flot. D'autant que, tout en s'efforçant de canaliser l'argent frais vers le Trésor, Catherine entend régner avec opulence. Elle prendra vite d'autres dispositions : création d'impôts, recours à l'emprunt, augmentation de plusieurs taxes, dont celle sur la barbe des moujiks. Cette taxe avait été instituée par Pierre le Grand, sous forme de droit d'entrée que tout barbu devait payer à son arrivée dans la capitale. Évidemment, les paysans auraient pu se dispenser du péage en se rasant le menton, mais ils craignaient les foudres de l'Église, car, selon les dispositions d'un concile de 1551, « il n'y a pas de coutume hérétique plus condamnable que celle de se raser la barbe.. Raser sa barbe pour plaire aux hommes, c'est se faire l'ennemi de Dieu qui nous a créés à son image ».

Toutefois, la mesure la plus importante est évidemment la fondation d'une banque d'émission qui imprime des assignats selon les exigences de la trésorerie impériale. Pendant la durée de son règne, Catherine fera fabriquer ainsi d'énormes quantités de roubles assignats. Dans tout autre pays, une telle pratique eût provoqué l'inflation et la faillite. Mais la Russie est à l'abri de ce genre de naufrage. Et cela parce que le gage, la garantie unique sur laquelle repose le crédit public n'est pas une couverture métallique, mais une couverture morale impérissable. Cette couverture morale, c'est le respect illimité de la nation envers la personne de Sa Majesté. La foi ainsi établie à l'intérieur rayonne, peu à peu, à l'extérieur. L'argent étranger est attiré par la confiance aveugle que les Russes ont en leur propre destin financier. Un philosophe du XVIIIe siècle, Possochkov, écrit à ce propos : « Ce qui fait la valeur d'une pièce de monnaie, ce n'est pas l'or, l'argent, le cuivre, la matière plus ou moins précieuse qui a été employée pour la confectionner..., mais l'image du souverain frappée sur le métal; c'est la volonté du souverain, exprimée par cette image, d'attribuer à ce morceau de métal une efficacité telle qu'on l'accepte sans hésiter en retour de choses ayant une valeur réelle... Et, dès lors, la matière dont cette pièce de monnaie est faite importe peu. La volonté du souverain serait-elle d'attribuer la même valeur à un morceau de cuir, *à une feuille de papier,* cela suffirait et il en serait ainsi. »

De la sorte, Catherine, en multipliant les assignats, s'écarte superbement des conditions qui règlent partout ailleurs la vie économique. Ce qui a déterminé en France la chute des assignats et la banqueroute de Law, c'est l'ébranlement de la confiance. Or, en Russie, la confiance est inébranlable. La docilité des sujets sert de base à l'émission de papier-monnaie. C'est un tour de passe-passe, une alchimie extraordinaire faisant de l'or avec du vent. « Il faut perdre, en arrivant ici, écrira, quelques années après Possochkov, le comte de Ségur, les idées qu'on s'était formées des opérations financières dans les autres pays. Dans les autres États d'Europe, le souverain commande aux actions, mais non pas à l'opinion; ici, l'opinion lui est aussi soumise, et la multitude des billets de banque, la certitude qu'aucun fonds ne peut les rembourser, l'altération des monnaies, qui ne laisse aux monnaies d'or et d'argent que la moitié de leur valeur, en un mot, tout ce qui entraînerait dans un autre État la banqueroute et les révolutions les plus funestes, ne donne ici non seulement aucune secousse, mais pas même la moindre atteinte à la confiance, et je suis persuadé que l'impératrice ferait recevoir ici du cuir comme monnaie, si elle l'ordonnait[1]. »

1. Cf. Waliszewski : *Le Roman d'une impératrice,* et Brian-Chaninov : *Catherine II.*

Autour de Catherine, on s'étonne que cette jeune femme, peu habituée à l'exercice de la politique, témoigne d'un tel souci de tout voir, de tout comprendre, de tout contrôler, de tout décider par elle-même. Son ignorance de la chose publique ne l'intimide nullement et même, semble-t-il, la stimule. Pas une seconde, elle ne doute de sa capacité à diriger un pays qui, au surplus, n'est pas le sien. On dirait qu'elle s'y est préparée toute sa vie. Qu'il s'agisse de relations internationales ou de problèmes intérieurs, elle est d'emblée au fait. En toute circonstance, elle est sûre d'avoir raison, elle, la néophyte, contre les vieux routiers. Elle a la fraîcheur de conviction d'une autodidacte. Et une absence totale de sentiment d'infériorité devant les tâches immenses qui l'attendent. Il n'y a d'ailleurs rien de trouble, rien d'involontaire, rien d'inconscient dans son comportement quotidien. En politique comme en amour, elle est saine et simple. C'est une démarche naturelle et gaillarde, à ciel ouvert. Contrairement à l'impératrice Elisabeth, elle est moins intéressée par le brillant apparat du pouvoir que par ses ressorts secrets. La besogne de bureau lui semble, comme à Pierre le Grand dont elle se veut l'émule, la partie cachée mais essentielle du métier de souverain. Infatigable, elle se penche sur les rapports, les mémoires, les comptes de la nation, la correspondance diplomatique. Tenue pendant dix-huit ans à l'écart des « affaires sérieuses », elle prend sa revanche avec l'élan d'une affamée. Elle préside tous les conseils des ministres, toutes les réunions du Sénat, déroutant les hauts fonctionnaires par des questions impitoyables et des appels répétés au dévouement civique. A ces hommes qui, depuis longtemps, ont pris leurs aises dans l'incohérence et le train-train de l'Administration, elle ose suggérer de se lever plus tôt et de prolonger les séances dans l'après-midi. Elle-même est sur pied à cinq heures du matin et travaille de douze à quatorze heures par jour. Elle prend à peine le temps de manger, et, le soir, vers neuf heures, après avoir passé un court moment a table, avec des intimes, s'écroule, rompue, sur son lit. Ses projets sont expédiés avec une rapidité qui étonne les scribes et même les offusque. Un jour, le Sénat lui ayant annoncé que chaque ville de l'empire a désormais son « voïévode » ou gouverneur militaire, elle demande : Combien y a-t-il donc de villes en Russie ? Stupeur. Personne n'en sait rien. Qu'à cela ne tienne : on va compter les villes sur une carte, dit-elle. Oui, mais il n'y a pas de carte de la Russie dans les archives du Sénat. Souriante, Catherine donne cinq roubles à un jeune fonctionnaire et lui dit d'aller à l'Académie des Sciences et d'y acheter l'*Atlas* de Kirilov. Les sénateurs, pris en défaut d'information, courbent l'échine. Cent fois, elle aura l'occasion de les rappeler à l'ordre. La tête formée, depuis son jeune âge, par la lecture de Montesquieu et de Voltaire, elle domine avec aisance ces dignitaires fainéants. Elle les bouscule et les entraîne au pas de charge. Malgré son long apprentissage russe, elle n'a pu se résigner à l'incroyable chaos des services administratifs du pays. Ici, les règlements se contredisent, tout est fondé sur la coutume, mais cette coutume même varie d'une province à l'autre, la justice est rendue au petit bonheur, les chancelleries s'ignorent mutuellement, chaque bureau poursuit sa politique, l'empire est tiré à hue et à dia. Pour un esprit féru de clarté, la tentation est grande de mettre de l'ordre dans ce bric-à-brac Catherine apporte la lampe et le balai. Sénateurs et ministres, en entendant ses critiques et ses propositions, reconnaissent qu'elle a raison. Mais, dans leur for intérieur, ils se demandent de quel droit cette jeune princesse allemande se permet de secouer la séculaire poussière russe.

En fait, Catherine aime les défauts de la Russie tout en jurant de les réformer. Foncièrement occidentale, avec sa lucidité, son goût de la classification, son sens pratique, sa vitalité indomptable, elle est à la fois irritée et charmée par la rêverie, la nonchalance, le fatalisme et les soudaines extravagances de ce peuple qui est devenu le sien. Elle le trouve grand et beau. Elle voudrait être digne de lui. Elle écrira, dans une sorte de délire : « Jamais l'univers ne produisit d'individu plus mâle, plus posé, plus franc, plus humain, plus bienfaisant, plus généreux, plus officieux que le Scythe (autrement dit que le Russe). Aucun homme ne l'égale en régularité de traits, en beauté de visage, en éclat de teint, carrure, taille et hauteur, ayant communément les membres ou fort nourris ou très nerveux et musculeux, la barbe épaisse, les cheveux longs et touffus. Naturellement éloigné de toute ruse et artifice, sa droiture, sa probité en abhorrent les ressorts. Il n'y a sur terre ni cavalier, ni fantassin, ni marinier, ni économe qui l'égale. Nul individu n'a plus de tendresse pour ses enfants et ses proches. Il a une déférence innée pour ses parents et ses supérieurs. Il est prompt, exact à obéir et fidèle. »

Cette déclaration d'amour, qui pourrait s'adresser à Grégoire Orlov, embrasse en réalité tout le pays. La même Catherine dira un jour à ses médecins : « Saignez-moi de ma dernière goutte de sang allemand pour que je n'aie plus que du sang russe dans les veines. » Passionnément attachée à la Russie, Catherine prend très au sérieux l'appellation de « petite mère » dont l'honorent ses sujets. Pour tous, elle voudrait être la chaleur, le recours, la Providence. Elle écrit : « Soyez doux, humain, accessible, compatissant et libéral. Que votre grandeur ne vous empêche jamais de descendre avec bonté jusqu'aux petits pour vous mettre à leur place, et que cette bonté n'affaiblisse jamais votre autorité ni leur respect. » Elle examine personnellement les suppliques qu'on lui envoie et promet de réparer les injustices. Pourtant le flot des lettres la submerge bientôt et elle en laisse les trois quarts sans répondre. Quand elle se rend à pied à l'église ou au Sénat, les solliciteurs se pressent si nombreux sur son passage, qu'un jour elle est encerclée par une muraille vivante. La police veut intervenir à coups de knout, mais l'impératrice étend les bras pour protéger son peuple. Ce geste symbolique provoque dans la foule des sanglots de gratitude. L'incident, mille fois raconté, grossi, enjolivé, devient une légende à la gloire de la petite mère. Pour accroître sa popularité, elle supprime les bals et les mascarades dont l'impératrice Elisabeth était si friande, et où elle-même s'est tellement ennuyée du temps qu'elle était grande-duchesse

Ses fêtes à elle coûteront, en vérité, cent fois plus cher que celles de la précédente tsarine et cependant personne ne pourra le lui reprocher, car elle ne dépensera pas cet argent pour son plaisir personnel, mais pour le renom de l'empire. Pas un galon de ses robes, pas une perle de ses colliers, pas un lustre de ses salons, pas un pétard de ses feux d'artifice qui ne soit destiné, pense-t-elle, à assurer son prestige, et par conséquent celui de la Russie, aux yeux de l'étranger. Économe pour elle-même, elle veut être fastueuse pour les autres. On le verra bien au moment du couronnement! Les tailleurs, les couturiers, les joailliers, les bottiers de Saint-Pétersbourg sont débordés par les commandes. Les toilettes de l'impératrice et de sa cour doivent, dit-on, éclipser tout ce qu'on a vu, à l'occasion d'un sacre, dans les plus grands pays d'Europe.

Entre un essayage et une séance du Sénat, Catherine règle l'affaire de la Courlande en renforçant en sous-main le parti du duc de Biron, dont la fidélité lui est acquise. Ainsi, calcule-t-elle, la Courlande retombera sous l'influence russe avant d'être rattachée à l'empire. Puis elle s'attaque à la Pologne. Comme la Courlande, la Pologne est destinée, selon ses vues, à rejoindre la sphère russe. Plus tard, lorsque des années de désordre auront préparé les esprits à une solution radicale, on fera en sorte d'annexer tout ou partie de ce malheureux pays. Le roi actuel, Auguste III, étant gravement malade, il ne faut pas que la France ou l'Autriche s'avisent de lui trouver un successeur à leur goût. La Russie doit avoir « son roi » à proposer ou à imposer, le moment venu. Et ce roi, Catherine l'a choisi depuis longtemps, c'est son amant inconsolable, le beau Stanislas Poniatowski. Exilé loin de Saint-Pétersbourg, il ignore tout de l'avenir officiel qu'elle lui réserve. Son rêve, à lui, n'a rien de politique. Il voudrait revenir auprès de cette femme qu'il n'a jamais cessé d'aimer, retrouver la saveur de sa bouche, la douceur de sa voix, le mouvement de ses hanches. Il le lui dit dans des missives enflammées, sans se douter qu'elle l'a depuis longtemps remplacé par Grégoire Orlov. Quand il apprend la mort de Pierre III, il jubile : libre, elle est libre, elle va l'appeler, il accourra, elle l'épousera peut-être! De nouveau, il la bombarde de lettres. Elle s'inquiète de son insistance. N'a-t-il donc rien compris? Elle écrit à cet écervelé, à cet enfant, pour lui raconter en détail la révolution de palais et l'adjurer de se tenir tranquille :

« Je vous prie instamment de ne point vous hâter de venir ici, parce que votre séjour, dans les circonstances présentes, serait dangereux pour vous et très nuisible pour moi. La révolution qui vient de se faire en ma faveur est miraculeuse; c'est incroyable l'unanimité avec laquelle cela s'est fait. Je suis accablée d'affaires et ne saurais vous faire d'ample relation. Je ne chercherai toute ma vie qu'à servir et à révérer vous et votre famille, mais tout ici est critique à présent et important. Je n'ai pas dormi de trois nuits et n'ai mangé que deux fois en quatre jours[1]. »

Un mois plus tard, elle lui écrit de nouveau :

« Tous les esprits sont encore en fermentation. Je vous prie de vous retenir de venir ici, de peur de l'augmenter. J'ai reçu votre lettre. Une correspondance réglée serait sujette à mille inconvénients, et j'ai vingt mille circonspections à garder et n'ai pas le temps de faire des billets doux nuisibles. Je suis gênée... Je ne puis pas vous conter tout cela, mais cela est vrai... Je sens tout le poids du gouvernement. Adieu, il y a dans le monde des situations étranges. »

Le début de la lettre surprend Stanislas Poniatowski plus encore que la mise en garde mélancolique de la fin. Comme elle lui annoncerait l'envoi d'une bourriche d'huîtres, Catherine, tout à trac, lui offre une couronne : « Je vous envoie incessamment le comte de Kayserling en qualité d'ambassadeur en Pologne, aux fins de faire de vous, à la mort d'Auguste III, le roi de Pologne. »

1. Lettre du 2 juillet 1762.

Il n'en croit pas ses yeux. Et, au lieu de se réjouir, il se désole. Que ferait-il du trône de Pologne ? Cette dignité, qu'il n'a jamais souhaitée, le tiendrait éloigné de la femme qu'il aime. Ce qu'il veut, ce n'est pas la succession d'Auguste III, c'est le lit de Catherine. Bien qu'elle l'ait supplié de ne plus lui écrire, il se jette sur le papier et griffonne, coup sur coup, des lettres de désespoir. Elle répond : « Je cours mille risques par cette correspondance. Je suis gardée à vue. Je ne dois point être suspecte. Il faut marcher droit. Tenez-vous en repos. Dire tous mes secrets intérieurs serait une indiscrétion... Si l'on vous dit qu'il y a de nouveau du remue-ménage dans les troupes, sachez que tout cela n'est qu'un excès d'amour chez eux pour moi, qui commence à m'être à charge. Ils meurent de peur qu'il ne m'arrive la moindre chose. Je ne puis sortir sans acclamations de ma chambre. Enfin c'est un enthousiasme ressemblant à celui du temps de Cromwell. »

Plus tard, elle précisera : « Si vous venez ici, vous risquez de nous faire massacrer tous les deux. » Et encore : « C'est assurément beaucoup que je vous réponde : je ne le devrais pas... Mon rôle doit être parfait. On attend de moi du surnaturel. »

Or, il n'a que faire du « surnaturel ». Son but, c'est un bonheur terrestre, un bonheur commun, sans politique, sans couronne. Il l'écrit à Catherine, en dépit de toutes les interdictions. Dans sa fièvre, il lui donne son vrai prénom, Sophie, celui qu'elle a reçu lors de son baptême, à Stettin, et non ce faux prénom d'impératrice de Russie, qui est comme une barrière entre elle et lui depuis quatre ans :

« Vous me faites roi, mais me rendez-vous heureux ? Vous ne sauriez m'ôter le souvenir du bonheur dont j'ai joui, ni le désir de le retrouver. On n'aime pas deux fois dans une vie comme je vous ai aimée, et que me reste-t-il ? Un vide, un ennui affreux au fond de mon cœur que rien ne peut remplir. Ah ! je ne sais comment sont faits les autres, mais je sens, moi, que l'ambition me paraît une sotte chose quand elle n'est pas soutenue par la paix et le contentement du cœur... Je vous redemande au ciel tous les jours, à toutes les heures de ma vie... Est-ce ma faute, grand Dieu, si ce n'est pas moi qui ai pu vous donner la couronne que vous portez? Est-il possible qu'un autre que moi vous aime aussi parfaitement, aussi véritablement que moi?... Ah! Sophie, vous m'avez fait cruellement souffrir. »

Ces débordements épistolaires parviennent, on ne sait trop comment, à la connaissance des diplomates étrangers. Frédéric II avertit secrètement Catherine que, si jamais elle envisage de s'approprier la Pologne par un mariage avec le futur roi Stanislas Poniatowski, elle doit savoir qu'une telle manœuvre soulèverait contre elle toute l'Europe. Pourtant, Catherine ne songe nullement à épouser ce fou de Polonais, qui a eu la chance de lui plaire jadis et envers qui elle conserve une certaine tendresse. Vite, elle prévient Kayserling, à Varsovie : ordre de marier au plus tôt l'impétueux Poniatowski à une Polonaise et de faire savoir au corps diplomatique que cette union correspond à un vœu de l'impératrice de Russie. Mais Stanislas se rebiffe. Il ne veut pas qu'on dispose ainsi de sa personne. Par fidélité, il restera célibataire...

Excédée par les prétentions de son ancien amant, Catherine doit faire face encore aux caprices de l'amant en titre, Grégoire Orlov. Celui-ci témoigne d'une exigence flatteuse, certes, mais encombrante. Il reproche à l'impératrice de trop travailler. Elle lui préfère la paperasse. Pour la distraire des soucis du gouvernement, il lui amène le jeune Potemkine, qui s'est rendu fameux auprès de ses camarades par ses talents d'imitateur. C'est ce même Potemkine qui a tendu sa dragonne à Catherine, le jour de la marche triomphale sur Péterhof. Elle l'a d'ailleurs récompensé en le portant pour le grade de lieutenant en second sur la liste des promotions, à la suite du coup d'État. D'emblée, elle le reconnaît — comment oublier un tel visage? — et le prie d'exécuter un de ses tours. Pour commencer, il ose l'imiter elle-même. Elle pourrait se fâcher. Elle rit aux larmes. Le jeune homme est immédiatement admis dans son cercle familier. Pour justifier la présence au palais de ce charmant garçon, qui a tant de vivacité et tant de drôlerie, elle le nomme gentilhomme de la chambre. Du coup, Grégoire Orlov se demande s'il n'a pas malencontreusement suscité un rival en présentant à la tsarine ce pitre à la figure avenante. Mordu par la jalousie, le favori se plaint à son impériale maîtresse, et celle-ci, amusée, lui permet d'envoyer Potemkine, comme courrier, à Stockholm.

Mais Grégoire Orlov, qui est devenu le personnage le plus puissant de l'empire, ne peut plus se satisfaire de son rôle d'amant. Il a beau être logé dans un palais et toucher un traitement annuel de 120 000 roubles, il ne se juge pas récompensé selon sa valeur. Non seulement il affiche avec outrecuidance sa liaison avec l'impératrice, mais encore il parle de l'épouser. Ses frères l'y encouragent. Et aussi le vice-chancelier Bestoujev, que Catherine a rappelé d'exil. Elle-même n'est pas foncièrement hostile à l'idée d'un mariage secret. Pourtant elle craint l'opinion publique. Des bruits ayant couru au sujet de ses intentions matrimoniales, la noblesse et les officiers s'indignent. L'affaire est évoquée en conseil d'Empire. Alors que la plupart des conseillers se taisent, embarrassés, Panine déclare : « L'impératrice peut faire ce qu'elle veut, mais Mme Orlov ne sera jamais impératrice de Russie. » Sur ces mots, il se redresse dans un mouvement de défi, et sa perruque poudrée effleurant la tenture, derrière sa chaise, y laisse une trace blanche. En silence, ses collègues se lèvent, s'approchent de la tache et y frottent leur tête, l'un après l'autre, en signe d'approbation. Cependant Bestoujev ne se tient pas pour battu. A l'entendre, l'ancien favori, Alexis Razoumovski[1], a contracté jadis un mariage semblable avec l'impératrice Elisabeth. S'il en était ainsi, il existerait un précédent que Catherine pourrait invoquer pour justifier sa conduite. Selon toute vraisemblance, Alexis Razoumovski possède des documents établissant la nature exacte de ses relations avec la tsarine défunte. Pour l'amener à se

1. Ne pas confondre avec Cyrille Razoumovski, son frère, hetman d'Ukraine.

dessaisir de ces pièces, Catherine lui dépêche le chancelier Michel Vorontzov. Celui-ci trouve le vieil homme en train de lire la Bible et l'invite, au nom de l'impératrice, à livrer la preuve de son mariage clandestin. S'il s'exécute, il aura droit, en tant que prince consort veuf, au rang d'Altesse impériale, avec la substantielle pension attachée à ce titre. Alexis Razoumovski referme la Bible, prend dans un bahut une cassette en ébène aux incrustations de nacre et d'argent, en tire un rouleau de parchemin noué d'une faveur rose, y applique ses lèvres et le jette au feu, dans la cheminée. Une fois le document réduit en cendres, il murmure : « Non! Il n'y a aucune preuve. Dites-le à notre gracieuse souveraine. »

Le « précédent » n'existe plus. Sans renoncer tout à fait à son projet, Catherine le remet à plus tard. Pour dédommager son amant, elle le fait comte, lui assigne la première place à côté de son trône et lui offre son portrait dans un médaillon en forme de cœur, orné de diamants, avec permission de le porter à sa boutonnière.

Comblé de prévenances, Grégoire Orlov étale chaque jour davantage son arrogance de parvenu. La princesse Dachkov le surprend, affalé sur un divan, dans la chambre de l'impératrice, et décachetant les plis officiels adressés à Sa Majesté. Quand Catherine arrive et ordonne de servir le repas, il ne bouge pas de sa place et les laquais doivent pousser la table jusqu'à lui. En apprenant la liaison de son idole avec un officier balourd et vantard, la jeune femme est déçue, blessée, comme par une trahison spirituelle. Naïve, prude et entière, elle ne comprend pas comment une créature de l'intelligence et du talent de Catherine a pu céder aux vulgaires attraits de la chair. Mais, plus encore que les manières indécentes de cet homme, c'est la distinction dont il est l'objet de la part de la tsarine qui indispose la princesse Dachkov. Elle considère que c'est elle et non Grégoire Orlov qui a été l'âme de la « révolution ». C'est donc à elle que devraient aller tous les honneurs. Or, l'impératrice tarde à publier les mérites de sa principale collaboratrice. On raconte que le Grand Frédéric a surnommé celle-ci : « la mouche du coche ». C'en est trop! Pour affirmer son importance, la princesse Dachkov, qui n'a pas encore vingt ans, se dépense en visites secrètes, colporte des bruits de salon, chuchote aux ambassadeurs informations et conseils, laisse entendre que Panine est à sa dévotion. Keith, Breteuil, Mercy d'Argenteau prêtent l'oreille à ses commérages et en viennent à parler du « gouvernement Dachkov ». N'est-ce pas le début d'une Fronde? « Elle (la princesse Dachkov) est déjà entrée dans une demi-douzaine de conspirations, écrit Sir G. Macartney. C'est une femme d'une force d'esprit extraordinaire, d'un courage presque viril et d'une audace capable d'entreprendre des choses impossibles pour satisfaire sa passion du moment : caractère trop dangereux dans un pays tel que celui-ci. »

Agacée par l'agitation de sa jeune amie, Catherine lui refuse, la plupart du temps, la porte de son bureau et prie ses familiers de tenir leur langue devant l'écervelée. Mais elle ne se sent pas encore assez forte pour sévir. Elle ne peut s'offrir le luxe d'augmenter, par caprice, le nombre de ses ennemis. A contrecœur, elle octroiera à la princesse le rang de dame d'honneur et nommera son mari chambellan. Cela suffira-t-il? Prisonnière d'un réseau d'intrigues, épiée à la fois par les diplomates étrangers et par les ministres russes, ignorant si l'allié d'hier ne cache pas l'adversaire de demain, obsédée par la crainte que l'assassinat de Pierre III ne serve de prétexte à une contre-révolution, sûre d'elle-même et peu sûre de son peuple, elle s'avance dans le brouillard vers les fêtes du couronnement, qui, pense-t-elle, la rendront à jamais invulnérable.

CHAPITRE XIV

L'ENCENS ET LE SANG

Pour fondre la nouvelle couronne qu'elle compte ceindre le dimanche 22 septembre 1762, à Moscou, Catherine fait remettre aux orfèvres une livre d'or et vingt livres d'argent. Quatre mille peaux d'hermine serviront à garnir le manteau impérial. Des pierres précieuses parsèmeront à profusion la robe du sacre. Cent vingt tonnelets recevront les six cent mille roubles en monnaie d'argent destinés à être jetés au peuple. Les fêtes, à elles seules, coûteront cinquante mille roubles. Qui donc, après cela, osera encore douter de la légitimité de l'impératrice?

Le 27 août, Catherine envoie son fils Paul, âgé de huit ans, à Moscou, sous la garde de Panine et du médecin de la cour, Krouse. Elle-même, tenue par son travail, ne partira que quatre jours plus tard, mais ses chevaux brûleront les étapes. En effet, à mi-chemin, elle rattrape l'enfant, qui est au lit, grelottant de fièvre, dans un méchant relais de poste. Le lendemain, la fièvre baisse un peu. Catherine voudrait rester jusqu'à la guérison complète. Non, il faut qu'elle reprenne la route immédiatement, sous peine de déranger le programme des réjouissances. Le peuple ne lui pardonnerait pas de manquer son entrée dans la ville sainte.

Le 13 septembre 1762, elle pénètre dans la vieille cité aux coupoles multicolores. Son fils, enfin rétabli, a pu la rejoindre. Il est à côté d'elle, un peu pâle, ahuri, effrayé. Un doux soleil d'automne traverse la poussière blonde. Le carrosse roule lentement. Les cloches sonnent. Des tapis et des guirlandes décorent la façade des maisons de bois. Les longues palissades sont couronnées de fleurs. Une foule endimanchée se bouscule dans les rues. Des groupes de curieux se penchent aux fenêtres, gesticulent sur les toits. On acclame l'impératrice et Son Altesse impériale, le grand-duc Paul. Pendant huit jours, les fêtes se succèdent et les diplomates étrangers mandent à leurs gouvernements qu'ils n'ont jamais vu autant de bijoux, de dentelles, de fourrures et de brocarts que dans les salons où se presse la noblesse russe.

Enfin, le dimanche 22 septembre, dans la vieille cathédrale de l'Assomption, au cœur du Kremlin, devant cinquante-cinq hauts dignitaires ecclésiastiques rangés en demi-cercle, « la Sérénissime et très puissante Princesse et dame Catherine Seconde, Impératrice et Autocratrice de toutes les Russies », âgée de trente-trois ans, fait glisser de ses épaules le manteau d'hermine et revêt la pourpre impériale. Après quoi, prenant sur un coussin d'or la lourde couronne, elle la pose elle-même sur sa tête, saisit dans sa main droite le sceptre, dans sa main gauche le globe, et apparaît, aux yeux de tous, comme l'incarnation de la Russie. Les assistants tombent à genoux, tandis qu'éclate le chant d'allégresse du chœur. Assise sur son trône, immobile, hiératique, Catherine ne fléchit pas la tête sous la masse de la couronne, ni les mains sous le poids des insignes sacrés de l'empire. L'archevêque de Novgorod lui donne la sainte onction. Devenue chef de l'Église orthodoxe, elle assiste, dans le sanctuaire même, devant l'autel, au sacrifice de la sainte messe. Se souvient-elle, à ce moment-là, des recommandations de son père l'adjurant de ne jamais renier la foi luthérienne?

La cérémonie achevée, Catherine revient au palais dans un carrosse doré, tandis que, derrière elle, des pièces d'argent volent vers les mains tendues. De longues tables, dressées en plein vent pour le populaire, croulent sous le poids des viandes rôties, des gâteaux et des fûts de boisson. La foule, après le passage du cortège, se rue sur les victuailles en bénissant le nom de la petite mère. Elle cependant, du haut de son trône, préside un repas solennel à la Granovitaïa Palata, le salon à facettes. Son regard embrasse les dignitaires assemblés. Tous les grands noms de la Russie. Jamais elle n'a été plus entourée et jamais elle ne s'est sentie plus seule.

Les jours suivants, heure après heure, les délégués de tous les peuples de l'empire défilent devant elle; et les délégués de toutes les classes de la société; et les délégués de toutes les corporations. Elle est exténuée. Et il faut encore paraître au bal, au feu d'artifice, au dîner de gala, changer dix fois de robe, de coiffure, travailler, entre deux réceptions, avec les ministres.

En vérité, elle se sent moins « chez elle » à Moscou, ville du passé, qu'à Saint-Pétersbourg, ville de l'avenir. « Je n'aime point du tout Moscou, écrit-elle en français dans ses *Notes*. Moscou est le siège de la fainéantise. Je me suis fait une règle, quand j'y suis, de ne jamais envoyer chercher personne, parce que ce ne sera que le lendemain qu'on aura la réponse si cette personne vient ou non... Outre cela, jamais le peuple n'eut sous les yeux plus d'objets de fanatisme! Que d'images miraculeuses à chaque pas, que de prêtraille, que de couvents, que de dévots, que de gueux, que de voleurs, que de domestiques inutiles dans les maisons — quelles maisons, quelle malpropreté dans les maisons, dont les terrains sont immenses et les cours des bourbiers!... Voilà donc un amas de populace de toute espèce, toujours prête à s'opposer au bon ordre et qui s'ameute pour la moindre bagatelle, depuis un temps immémorial, qui chérit même les contes de ces émeutes et s'en nourrit l'esprit. Chaque maison même n'a pas oublié son ancien mot de guet... A Pétersbourg, le peuple est plus docile, plus poli, moins superstitieux, plus accoutumé aux étrangers. »

Oui, le séjour à Moscou lui pèse. Une semaine après le

couronnement, alors qu'elle est sur le point de céder à la fatigue, une inquiétude horrible la saisit. Le mal mystérieux qui ronge son fils s'accentue. Faiblesse et fièvre. Krouse ne sait quel remède ordonner. Le petit Paul dépérit à vue d'œil. Catherine, affolée, ne quitte pas son chevet. Elle tremble à la fois pour la vie de l'enfant et pour son propre avenir. La nouvelle de la maladie s'est vite répandue à la cour. Si le grand-duc succombe, c'est l'impératrice qu'on rendra responsable de cette mort. Après le mari, le fils! N'est-ce pas logique? Le petit Paul aurait dû régulièrement recevoir la couronne à la place de sa mère. Pour éviter toute complication ultérieure, elle l'a supprimé. Un poison lent, qui ne laisse pas de traces. Voilà ce qu'on dira. Voilà ce qu'on dit déjà! Demain, ce même peuple, qui se prosternait à son passage et la bénissait avec des cris de joie, l'accusera d'être, pour la seconde fois, meurtrière. Les prêtres prient autour du lit. Elle leur promet de fonder un hôpital si Dieu lui conserve son fils. Est-ce la mère ou la souveraine qui prononce ce vœu pathétique? Au huitième jour de la maladie, un mieux se dessine. L'enfant est sauvé. Catherine ordonne de dresser immédiatement les plans d'un hôpital grand et clair qui portera le nom de Paul.

Malgré cette guérison, l'atmosphère, autour de Catherine, reste chargée d'électricité. Si les uns lui reprochent de n'avoir pas fait couronner son fils en se contentant elle-même du rôle de régente, d'autres, plus hardis, parlent de tirer de son cachot le pauvre tsar Ivan VI qui vit, dit-on, comme un saint et un martyr. Ainsi, ce prisonnier, dont le souvenir misérable a hanté les nuits d'Elisabeth et de Pierre, hante maintenant les nuits de Catherine. Après le coup d'État, quand elle a envisagé d'incarcérer Pierre dans la forteresse de Schlüsselbourg, Catherine a donné l'ordre de transférer Ivan dans le fort de Kexholm. Sans doute parce qu'il lui a paru inconvenant, et pour tout dire amoral, de loger deux empereurs déchus dans la même prison. Pierre ayant été éliminé, rien ne s'oppose plus au retour d'Ivan dans son ancien cachot. Pourtant il reste encore deux mois à

Kexholm et c'est là que Catherine, poussée par une curiosité inquiète, va le voir. En face d'elle, se dresse un jeune homme de vingt-deux ans, à l'aspect dégénéré, le teint livide, l'œil hagard. Proclamé empereur à deux mois, détrôné moins de deux ans plus tard par Elisabeth, il descend en ligne directe d'Ivan V, l'Imbécile, frère aîné de Pierre le Grand. Ses droits à la couronne sont indéniables. Mais, depuis l'âge de six ans, il n'a connu que les murs nus d'une cellule. Qui sont ses parents? Où se trouvent-ils au juste? Ivan n'en sait rien. Il ignore que sa mère est morte depuis seize ans et que son père est enfermé dans une autre forteresse[1]. Pour ses gardiens, Ivan est le prisonnier sans nom, ou encore le « prisonnier nº 1 ».

Pieds nus, vêtu d'un uniforme de matelot crasseux et déchiré, il marche en rond dans sa casemate aux vitres blanchies, aux fenêtres garnies de barreaux, et clame, de temps en temps, qu'il est destiné à monter sur le trône. En vase clos, son intelligence s'est lentement atrophiée. Il éprouve de la difficulté à parler. Devant Catherine, qui l'examine d'un œil froid, il répète, en bredouillant, ses prétentions insensées. Elle le quitte au bout de quelques minutes. « En dehors d'un pénible et presque inintelligible bégaiement, il était privé de compréhension et d'entendement humain », dira-t-elle. Ce jugement catégorique la dispense de s'attendrir, mais non de s'alarmer. Avant elle, Pierre III a eu une entrevue avec Ivan VI et, lui aussi, l'a trouvé mentalement débile. Ce n'est pas une raison pour négliger la menace qu'incarne ce prétendant relégué dans les ténèbres. Pour les petites gens, il est un prince de légende, vertueux et infortuné. Ils lui ont déjà donné le surnom affectueux d' « Ivanouchka ». Le peuple a toujours aimé, en Russie, les faibles d'esprit, que leur candeur, leur misère et leur simplicité mettent en contact direct avec Dieu. Il suffirait d'une étincelle et « Ivanouchka », dans son cachot, se révélerait plus puissant que Catherine, dans

1. Son père mourra en 1776, toujours exilé sur les rivages de la mer Blanche.

son palais. Les cours étrangères en sont conscientes. Deux mois après l'avènement de Catherine, Louis XV écrit au baron de Breteuil :

« Le sort du prince Ivan doit entrer dans vos recherches. C'est beaucoup qu'il vive. Je ne sais s'il est possible qu'avec beaucoup d'adresse et de circonspection vous formiez des liaisons avec lui et si, en supposant qu'elles fussent praticables, elles ne seraient pas dangereuses pour vous et pour lui. On croit qu'il a des partisans ; tâchez, sans donner de soupçons, de découvrir ce qu'il en peut être. »

Prévoyante, l'impératrice ordonne de renforcer la surveillance autour du prisonnier nº 1 et de ne pas lui envoyer de médecin s'il tombe malade (seulement un confesseur). En outre, si quelle que personne que ce soit tente d'approcher du nº 1 sans un ordre exprès de la tsarine, les gardiens devront « tuer le prisonnier et ne laisser nul homme s'emparer de lui vivant ». Cette instruction a déjà été donnée par l'impératrice Elisabeth et renouvelée par Pierre III.

Très vite, Catherine constate qu'elle a raison de se méfier d' « Ivanouchka ». En octobre 1762, au lendemain des fêtes de Moscou, alors qu'elle se félicite encore du dévouement unanime de l'armée, elle apprend que soixante-dix officiers des régiments de la garde complotent le rétablissement d'Ivan VI sur le trône. Les meneurs sont un certain Pierre Khrouchtchev et les trois frères Simon, Ivan et Pierre Gouriev. L'enquête révèle qu'ils ont effectivement proclamé devant leurs camarades la légitimité d'Ivan VI et soutenu qu'à son défaut, c'est le grand-duc Paul qui aurait dû être couronné et non la mère de celui-ci. Catherine ordonne d'instruire le dossier dans le plus grand secret, refuse qu'on applique la torture aux conjurés pour leur arracher d'autres précisions et limite le châtiment à la déportation des coupables dans des garnisons lointaines. Panine lui fait observer qu'une telle indulgence, loin de lui valoir la gratitude des éventuels complices, peut les encourager à poursuivre et qu'elle risque sa vie par grandeur d'âme. Elle répond en riant qu'elle se fie à son étoile. Puis, ayant exigé l'éloignement de sa garde personnelle, elle parcourt seule, par défi, en voiture découverte, les rues les plus populaires de Moscou. Les acclamations qu'elle entend la réconfortent. Mais la foule est si versatile! Les mêmes qui vous adorent aujourd'hui vous maudiront demain, sans comprendre pourquoi, au juste, ils ont changé de camp.

A peine en a-t-elle terminé avec cette histoire absurde, qu'un autre complot est découvert par la police. Cette fois, ce n'est pas Ivan VI qui est en cause, mais Grégoire Orlov. Les bruits d'un éventuel mariage de la tsarine avec son favori s'étant répandus dans l'armée, un jeune et noble officier, du nom de Khitrovo, réunit quelques amis pour tuer les frères Orlov et mettre fin, de la sorte, à leurs visées ambitieuses. Des troubles éclatent à Moscou. Le portrait de l'impératrice, suspendu à un arc de triomphe, est arraché en plein jour. Parmi les conjurés, se trouvent quelques-uns de ceux qui ont contribué au coup d'État de Catherine. Ses amis d'hier, ses alliés les plus sûrs! Interrogé, Khitrovo répond que le projet de mariage dont il a eu connaissance lui a paru offensant pour l'empire et que c'est pour protéger Sa Majesté contre elle-même qu'il a envisagé d'abattre Grégoire et Alexis Orlov. Une fois de plus, Catherine ordonne d'étouffer l'affaire. Khitrovo est simplement exilé dans ses terres du gouvernement d'Orel. Et on publie, aux sons du tambour, dans les rues de Moscou, un oukase interdisant aux habitants de « s'occuper de choses qui ne les regardent pas ».

Presque en même temps, Catherine doit affronter le mécontentement de l'Église. Lors de son accession au trône, elle a voulu se concilier la bienveillance du clergé en arrêtant la sécularisation de ses biens ordonnée par Pierre III. Mais, durant l'hiver 1762-1763, elle constate que les serfs ayant appartenu à des religieux refusent de revenir sous la domination de ces maîtres cruels et intransigeants. Pour éviter des troubles graves, et aussi évidemment pour enrichir le Trésor, elle retire la promesse faite et rend définitivement au Collège économique de l'État l'administration des domaines ecclésiastiques.

L'ensemble du clergé, bien qu'outragé, courbe la tête. Mais, à Rostov, l'archevêque Arsène Matsiévitch se dresse, furibond, pour défendre les droits sacrés de l'Église. Il frappe d'anathème « ceux qui portent la main sur les temples et les lieux du culte et qui veulent s'approprier les biens autrefois donnés à l'Église par les enfants de Dieu et par les pieux monarques ». Ce trait vise directement Catherine. Quand elle apprend que l'archevêque appelle en outre le peuple à la révolte contre « l'étrangère » et parle du « magnifique martyr » Ivan VI, elle le fait arrêter et amener à Moscou. C'est un coup d'audace, car l'archevêque est une haute personnalité de l'empire. A sa première comparution devant l'impératrice, assistée de Grégoire Orlov, du procureur général Glébov et du chef de la police Chechkovski, Arsène explose en imprécations et en malédictions bibliques. La violence de son discours est telle que Catherine, dit-on, se bouche les oreilles pour ne pas l'entendre. Les juges effrayés n'osent condamner ce prophète à la barbe noire et à l'œil fulgurant. Dieu, pensent-ils, ne leur pardonnera pas leur sentence contre un de ses plus éloquents serviteurs. Ils demandent à Bestoujev d'intervenir auprès de Sa Majesté pour la disposer à l'indulgence. Mais elle se rebiffe. Céder aujourd'hui serait reconnaître que l'impératrice, qui est le chef temporel de l'Église orthodoxe, s'incline devant un de ses prélats. Et, comme Bestoujev insiste, elle lui répond : « Au diable! Vous êtes fatigué! Allez au lit et dormez bien! » Impressionné par la fermeté de la souveraine, le Saint-Synode livre l'archevêque à la loi civile. Arsène Matsiévitch est condamné à la dégradation et à l'internement dans un cloître, où il doit, par ordre exprès, être employé aux tâches les plus rudes, porter de l'eau et couper du bois [1].

Quant à l'impératrice, ces premières tempêtes l'ont aguerrie.

1. Après avoir passé quatre ans dans un couvent, Arsène Matsiévitch sera déposé et, sous le nom de Vral (menteur et bavard), incarcéré dans la citadelle de Reval. Il y mourra de faim et de froid, en 1772.

Plus on la conteste, plus elle se sent incontestable. On dirait qu'elle tire sa légitimité des obstacles mêmes qu'elle surmonte. De jour en jour, elle s'enracine davantage dans la terre russe. Dès cette époque, elle a choisi son style de gouvernement : un mélange de charme et de dureté, de générosité et de méfiance. « C'est une chose curieuse à observer que, les jours de cour, les soins pénibles que l'impératrice prend pour plaire à tous ses sujets, la liberté d'un grand nombre et l'importunité pressante avec laquelle ils l'entreprennent et lui parlent de leurs affaires et de leurs idées, écrit le baron de Breteuil, le 9 janvier 1763. Pour moi, qui connais le caractère de cette princesse et qui la vois se prêter avec une douceur et une grâce sans égales à tout cela, je puis me représenter combien il lui en coûte et comme il faut qu'elle s'y croie obligée pour s'y soumettre. » Et, un mois plus tard : « Elle (Catherine) m'a dit qu'en mettant le pied en Russie elle avait toujours été occupée d'y régner seule... Cependant elle m'avoua qu'elle n'était point heureuse et qu'elle avait à conduire des gens impossibles à contenter, qu'elle cherchait avec soin le moyen de rendre ses sujets heureux, mais qu'elle sentait qu'il leur fallait plusieurs années pour s'accoutumer à elle... Jamais aucune cour n'a été dévorée de tant de divisions. » Et encore, le 19 mars : « La crainte de perdre ce que l'impératrice a eu l'audace de prendre est si aisée à apercevoir dans le journalier de sa conduite, qu'il n'y a personne d'un peu d'importance qui ne sente sa force vis-à-vis d'elle. Son altier et hautain ne se fait plus sentir que dans les choses du dehors. »

Avec le temps, Catherine s'est un peu empâtée. De taille au-dessous de la moyenne, elle porte si haut la tête que certains la trouvent grande.

Un observateur anglais, Richardson, trace d'elle le portrait suivant :

« L'impératrice de Russie est d'une taille au-dessus de la moyenne (?), bien proportionnée et gracieuse, mais inclinant à l'embonpoint. Elle a un joli teint et cherche cependant à l'embellir avec du rouge, à l'exemple de toutes les femmes de ce pays. Sa bouche est bien dessinée, avec de belles dents ; les yeux bleus ont une expression scrutatrice... Les traits sont, en général, réguliers et agréables. L'ensemble est tel qu'on lui ferait injure en lui attribuant un air masculin, mais qu'on ne lui ferait pas justice en le disant féminin entièrement [1]. »

Quant à Favier, son secrétaire français, il la décrit ainsi : « On ne peut pas dire qu'elle soit une beauté ; sa taille est longue et fine, mais point souple, un noble port, une démarche affectée et peu gracieuse, une poitrine étroite, un visage long, surtout le menton, un éternel sourire aux lèvres, une bouche enfoncée, un nez légèrement aquilin, de petits yeux... jolie plutôt que laide, mais n'inspirant pas la passion [2]. »

Si elle n'éclipse pas toutes les femmes de la cour par sa beauté, Catherine les domine aisément par l'étendue de sa culture et le sel de sa conversation. Lord Buckingham, le nouvel ambassadeur d'Angleterre, affirme que, dans le domaine des idées, un fossé la sépare de ses compatriotes. « D'après toutes mes observations, écrit-il dans un rapport à la cour de Saint-James, l'impératrice est, par ses talents, par son instruction et par son application, très supérieure à tout le monde dans ce pays. »

La récompense de Catherine, quand elle s'évade de ses dossiers, c'est le commerce avec des étrangers de distinction. Très tôt, elle a compris qu'elle doit se chercher des propagandistes dans les milieux intellectuels européens si elle veut que sa gloire dépasse les frontières de la Russie. C'est ainsi que, *neuf jours après le coup d'État,* elle invite Diderot à Saint-Pétersbourg pour y continuer l'impression de l'*Encyclopédie,* dont l'édition vient d'être interdite en France, alors que les sept premiers volumes ont déjà été publiés avec succès. Malgré l'insistance de l'ambassadeur de Russie Golitzine et du comte Chouvalov, Diderot refuse, prétextant le fait que les volumes suivants

1. Cf. Waliszewski : *Le Roman d'une impératrice.*
2. Cf. Zoé Oldenbourg : *Catherine de Russie.*

pourront paraître à Neuchâtel. En vérité, il n'a nulle envie de livrer sa personne et son œuvre aux caprices d'une souveraine installée sur le trône depuis si peu de temps et de manière si suspecte. De même, d'Alembert, à qui Catherine offre vingt mille roubles de traitement, un palais et le rang d'ambassadeur pour venir en Russie poursuivre ses travaux encyclopédiques et enseigner les sciences, la littérature et la philosophie au grand-duc Paul, décline la proposition avec déférence. Le vrai motif de sa réserve, il le confie dans une lettre à Voltaire. Faisant allusion au manifeste qui a attribué la mort de Pierre III à une colique hémorroïdale, il écrit : « Je suis trop sujet aux hémorroïdes ; elles sont trop sérieuses en ce pays (la Russie) et je veux avoir mal au derrière en toute sécurité. »

Froissée par cette double fin de non-recevoir, Catherine n'en accueille qu'avec plus d'amabilité un certain M. Pictet, de Genève, qui vient de la part de Voltaire. Le vieux philosophe de Ferney est le « maître à penser » de Catherine. Il a publié, juste avant le coup d'État, les deux premiers tomes de son *Histoire de Russie,* qui est un hommage éperdu au génie de Pierre le Grand. En outre, on le dit très intéressé par les débuts sur la scène politique de cette impératrice qui protège les arts et veut faire imprimer l'*Encyclopédie* dans ses États. Lorsque M. Pictet, bâti en géant, remet à Catherine un poème de Voltaire qui lui est dédié, elle domine mal son émoi. Est-il possible que la main du plus grand écrivain de tous les temps ait effleuré ce papier, tracé ces lignes régulières ? Elle lit et son cœur défaille de bonheur :

Dieu qui m'ôtez les yeux et les oreilles,
Rendez-les-moi, je pars au même instant !
Heureux qui voit vos augustes merveilles,
O Catherine ! Heureux qui vous entend !
Plaire et régner, c'est là votre talent ;
Mais le premier me touche davantage.
Par votre esprit, vous étonnez le sage,
Qui cesserait de l'être en vous voyant.

A peine M. Pictet est-il parti, que Catherine saisit sa plume pour répondre :

« J'ai quitté un tas de suppliques, j'ai retardé la fortune de plusieurs personnes, tant j'étais avide de lire votre ode. Je n'en ai même pas de repentir. Il n'y a point de casuiste dans mon Empire, et jusqu'ici je n'en étais pas bien fâchée. Mais, voyant le besoin d'être ramenée à mon devoir, j'ai trouvé qu'il n'y avait point de meilleur moyen que de céder au tourbillon qui m'emporte et de prendre la plume pour prier M. de Voltaire, très sérieusement, de ne plus me louer avant que je ne l'aie mérité. Sa réputation et la mienne y sont également intéressées. Il dira qu'il ne tient qu'à moi de m'en rendre digne ; mais, en vérité, dans l'immensité de la Russie, un an n'est qu'un jour, comme mille devant le Seigneur. Voilà mon excuse de n'avoir pas encore fait le bien que j'aurais dû faire... Je regrette aujourd'hui, pour la première fois de ma vie, de ne point faire de vers ; je ne peux répondre aux vôtres qu'en prose ; mais je peux vous assurer que, depuis 1746 que je dispose de mon temps, je vous ai les plus grandes obligations. Avant cette époque, je ne lisais que des romans ; mais, par hasard, vos ouvrages me tombèrent dans les mains ; depuis, je n'ai cessé de les lire, et n'ai voulu d'aucuns autres livres qui ne fussent aussi bien écrits et où il n'y eût autant à profiter. Mais où les trouver [1] ? »

Cette lettre ouvre la voie à une correspondance qui durera quinze ans, jusqu'à la mort de Voltaire. D'entrée de jeu, Catherine a conscience d'avoir trouvé en lui le chantre idéal de ses vertus. En quelques mois, elle deviendra pour lui « l'Incomparable », « l'Astre le plus brillant du Nord », « la Souveraine de son cœur ». Il se chargera de commenter en termes hyperboliques ses décisions les plus douteuses. Il lui affirmera que ses vers et sa prose « ne seront jamais surpassés », qu'il est « catherin », qu'il mourra « catherin », qu'il met à ses pieds « son

1. Lettre du 15 octobre 1763.

adoration et son idolâtrie », qu'elle doit le considérer comme « le vieux Suisse », « le vieux solitaire, moitié français, moitié suisse », « le vieillard des Alpes », « le vieux Russe de Ferney ». Grâce à lui, Catherine possède, au cœur de l'Europe, une agence de publicité dont les formules à effet volent de salon en salon.

En toute sincérité, elle voudrait être digne des éloges qu'il lui décerne. Gouverner fermement, selon des idées libérales. Est-ce possible? En quittant Moscou, au mois de juin 1763, elle bouillonne de projets. Dans le carrosse qui l'emporte, elle étudie, avec Ivan Betski, président de la Commission des jardins et des bâtiments, les projets d'un asile d'enfants trouvés, d'une école de sages-femmes, d'un établissement d'hygiène populaire et d'un institut d'éducation pour les jeunes filles nobles. Quand son interlocuteur s'inquiète de la dépense, elle le fait taire en disant qu'on économisera sur d'autres chapitres. Quelques mois plus tard, la première pierre de l'asile d'enfants trouvés est posée, les murs de l'école de sages-femmes sortent de terre, on s'attaque aux fondations de l'institut des jeunes filles nobles, qui deviendra le fameux Institut Smolny. Dans le même temps, Catherine fait venir des colons allemands pour cultiver les terres riches de l'Ukraine et de la Volga; elle les dispense du service militaire, leur octroie un capital d'établissement, sans intérêt, pendant dix ans, les libère de tout impôt pendant trente ans et leur garantit l'exercice de leur religion. La présence, sur le sol russe, de ces colonies de travailleurs étrangers, honnêtes, sobres et actifs, doit, dans son esprit, inciter le moujik à améliorer, à leur exemple, ses méthodes d'exploitation et son mode de vie. C'est oublier, d'une part, la force d'inertie d'un peuple aux habitudes profondément ancrées et, d'autre part, l'état de sujétion du serf par rapport au seigneur. Au lieu d'admirer le paysan allemand établi à ses côtés, le paysan russe se contentera de l'envier ou de le haïr. Catherine appelle également en Russie des médecins, des dentistes, des architectes, des ingénieurs, des artisans originaires des quatre coins de l'Europe. Elle supprime l'intervention de l'État dans le commerce. Quiconque veut exporter du goudron, de la graine de lin, de la cire, du suif, du fer, du chanvre, du caviar ou de la potasse doit y être encouragé par l'Administration. Les marchands reçoivent l'ordre de se grouper en corporations pour lutter contre le désordre et l'apathie du négoce et promouvoir l'esprit d'entreprise. Une commission des finances est instituée pour veiller à la refonte des nombreuses monnaies en circulation dans l'empire; une autre commission étudie les moyens de remédier à la corruption dans les affaires; une troisième commission s'occupe de réformer l'armée, de créer des arsenaux, des casernes et de construire des routes militaires. Catherine assiste en personne à la plupart des séances, prend la parole, s'impatiente, pousse ses conseillers à hâter leurs travaux. Il y a tant à faire, le temps est si mesuré, la Russie est si vaste!

Tout en réorganisant le pays de l'intérieur, elle ne perd pas de vue les remous du monde occidental. En Pologne, la vie d'Auguste III ne tient plus qu'à un fil. Stanislas Poniatowski attend dans la coulisse, docilement, les décisions de « son » impératrice. Par mesure de précaution, elle a massé trente mille hommes de troupe à la frontière polonaise. Cinquante mille se tiennent en réserve. Mais quelle sera l'attitude de Berlin et de Vienne? Et celle de Versailles? Et celle de Londres? Elle a conscience de jouer une dure partie contre des adversaires qui tiennent leurs cartes cachées. La Pologne est un pays chaotique, primitif, dominé par une noblesse orgueilleuse. Quelques familles de magnats règnent sur une paysannerie libre de droit, mais, en fait, si misérable qu'elle s'apparente à une communauté d'esclaves. L'Église catholique rayonne. Ce peuple singulier est gouverné par une Diète qui élit un roi. La Diète dispose du *liberum veto*, un seul vote négatif pouvant annuler toute décision. Mais, si un parti battu au vote désire malgré tout imposer sa volonté, il forme, avec les milices privées de ses membres, une « Confédération »; celle-ci, quand elle est assez forte, finit par triompher de l'opposition légale. Ainsi la rivalité entre les grandes familles polonaises entretient dans le pays un climat d'anarchie que Catherine juge « propice ». Frédéric II lui a récemment fait savoir qu'il la laisse libre de soutenir son propre candidat au trône de Pologne, à condition que cette intrusion dans les affaires d'un État voisin ne provoque pas une nouvelle guerre. Elle lui répond : « Je ferai un roi avec le moins de bruit possible. » Et, dans l'ombre, elle continue d'acheter des alliances, des consciences parmi les plus puissants dignitaires polonais.

Un soir, tandis qu'elle bavarde nonchalamment dans un cercle d'intimes, Grégoire Orlov s'approche d'elle et lui murmure à l'oreille une nouvelle qui la saisit. Un courrier vient d'arriver : le roi de Pologne est mort, à Dresde. Elle congédie ses invités et se retire dans son cabinet pour réfléchir. Dans la nuit, elle reçoit un second courrier : de Berlin, Frédéric II, inquiet, demande à l'impératrice ce qu'elle compte faire. Pousser Stanislas Poniatowski évidemment! Amoureux de Catherine, il sera un souverain docile. Pourvu que la France et l'Autriche n'interviennent pas militairement! Catherine attend, dans la fièvre, la réaction du camp opposé. Mais Versailles hésite, malgré les rapports de Breteuil sur « l'ambition effrénée » de l'impératrice. Et Vienne est intimidée par la concentration des troupes russes. Très vite, Catherine comprend qu'elle a floué ses adversaires en feignant une détermination extrême. Parfait. D'une main prompte, elle ramasse les mises sur le tapis vert. Stanislas Poniatowski est élu roi de Pologne par la Diète polonaise, le 26 août 1764, sous le nom de Stanislas-Auguste. Aussitôt, il doit accepter une alliance polono-russe contre la Turquie, une rectification de frontières en faveur de la Russie et l'admission des chrétiens orthodoxes à toutes les fonctions publiques. C'en est fait de l'indépendance de cette fière nation. Enchaînée à la Russie, la Pologne est prête pour les partages. Premier succès international pour Catherine.

Elle voyage à travers la Courlande et sa « victoire polonaise » lui semble encore incertaine, quand elle apprend, à Riga, au soir d'une journée de fêtes, une autre nouvelle, si grave qu'elle en reste éveillée une partie de la nuit. Le lendemain, elle ne paraît pas en public, décommande les dernières réjouissances et précipite son départ. Arrivée à Tsarskoïé-Sélo, elle convoque Panine et l'interroge. Est-il possible qu'Ivan VI ait été assassiné? Que s'est-il passé au juste à Schlüsselbourg? Qui est ce Basile Mirovitch dont elle n'a jamais entendu parler? Panine met sous ses yeux les premiers éléments de l'enquête. D'après ces documents, Basile Mirovitch apparaît comme un lieutenant de vingt-quatre ans, sans ressources, ambitieux, joueur, bretteur, endetté, exalté. Il descend d'une famille ukrainienne qui a vu ses biens confisqués par Pierre le Grand pour participation à la trahison de Mazeppa. En venant à Saint-Pétersbourg, il a d'abord espéré obtenir la restitution de ses domaines ou, du moins, une amélioration de son sort. Pourquoi ne pourrait-il pas, à l'exemple des Orlov, conquérir gloire et fortune dans le sillage parfumé de l'impératrice? Mais toutes ses suppliques demeurent sans réponse. En haut lieu, on veut ignorer jusqu'à son existence. Il en conçoit de l'aigreur et même de la révolte. L'idée d'un coup d'État lui trotte par la tête. Et voici qu'il est nommé, pour un temps, de service à Schlüsselbourg. Immédiatement, il est intrigué par l'architecture de cette forteresse, avec son enceinte intérieure, où veille une garde particulière, jamais relevée. Deux officiers assermentés, Vlassiev et Tchekine, sont attachés en permanence au service du prisonnier n° 1. Ces geôliers exceptionnels sont, en fait, aussi à plaindre que le captif qu'ils encadrent. Comme lui, ils n'ont aucun contact avec le monde extérieur. Ils sont, eux aussi, des emmurés vivants. A plusieurs reprises, ils supplient Panine de les remplacer : « Nous sommes à bout de forces! » Panine leur conseille la patience. Quelle est l'identité de l'inconnu sans visage? Mirovitch se renseigne. Devant lui, au corps de garde, les langues, peu à peu, se délient. Avec stupéfaction, il apprend que le n° 1 est, sans doute, « Ivanouchka », l'empereur-martyr Ivan VI. Couronné au berceau, puis jeté en prison dans sa tendre enfance, le malheureux, à demi nu, mourant de faim, croupit dans une cellule froide et sombre, alors qu'il devrait régner dans l'éclat de la pourpre et de l'or sur le plus vaste empire du monde. On ne le voit jamais, on sait seulement qu'il a vingt-trois ans et une barbe rousse, qu'il est très maigre et très misérable, qu'il a l'esprit fatigué, qu'il bégaie, qu'il a appris à lire dans des livres de prières, qu'il lui arrive de discuter avec ses deux gardiens personnels, que ceux-ci se moquent de lui et le méprisent, que, parfois, exaspéré par leurs sarcasmes, il les injurie et leur lance son gobelet d'étain à la tête en criant qu'il est empereur. Cependant il ne demande même pas à voir la lumière du soleil. Quand, l'été précédent, il a été transféré à Kexholm, sur l'ordre de Catherine, on lui a couvert la tête d'un sac. Au fond, il n'imagine pas qu'il y ait un autre univers pour lui que ce puits de pierre, cette fenêtre aux barreaux serrés et à la vitre barbouillée de craie, cette gamelle bosselée, ces gardiens haineux. L'espace, l'air vif, le vent, les jeux, l'amour, la chevauchée dans une forêt, le rire d'un ami, il ne peut même pas y rêver. Aussi loin qu'il remonte dans ses souvenirs, tout est solitude, laideur et brutalité. Ces pensées obsèdent Mirovitch, pendant ses longues nuits de garde, à Schlüsselbourg. D'abord, il ne se laisse guider que par son intérêt personnel. S'il réussit son coup, il devient un nouveau Grégoire Orlov. Puis, peu à peu, il se persuade que Dieu l'a chargé d'une mission sacrée. Dans son exaltation, il confie son projet à l'un de ses camarades : Apollon Ouchakov. Ensemble, ils vont soulever la garnison de la forteresse, délivrer « Ivanouchka » et le faire proclamer empereur. Sûrs du résultat, ils prêtent serment dans une église et rédigent un manifeste pour justifier leur action. Le moment est bien choisi, puisque la tsarine s'apprête pour un voyage à travers la Courlande. Mais Ouchakov se noie accidentellement, la veille du jour choisi pour l'assaut. A moins qu'il ne se soit suicidé! Mirovitch décide d'agir seul. Il est assuré, pense-t-il, de la sympathie des soldats de Schlüsselbourg qui ont, pour la plupart, une sorte de tendresse mystique envers le prisonnier nº 1. Dans la nuit du 4 au 5 juillet 1764, alors qu'il est de garde à la forteresse, il harangue ses hommes, leur ordonne de libérer le véritable empereur, fait charger les fusils et avancer un petit canon. Alerté par le bruit, le commandant de Schlüsselbourg apparaît en robe de chambre. Mirovitch l'assomme d'un coup de crosse en hurlant : « Pourquoi retiens-tu notre empereur prisonnier ? » et se précipite vers les casemates où se trouve la garde permanente. Des coups de feu éclatent des deux côtés. Devant le canon pointé, la garde permanente met bas les armes. Le chemin est libre. Dans la galerie, Mirovitch rencontre Tchekine, le saisit par le bras et s'écrie : « Où est l'empereur ? » Tchekine répond, imperturbable : « Nous avons une impératrice et pas un empereur ! » Furieux, Mirovitch le bouscule et lui ordonne d'ouvrir la porte de la cellule du prisonnier n° 1. Tchekine s'exécute. Il fait sombre. On apporte un fanal. Par terre, dans une mare de sang, gît un corps humain, lardé de coups d'épée. L'empereur Ivan VI, assassiné. Il remue faiblement, il râle. Désespéré, Mirovitch se jette sur lui, l'étreint et lui baise les mains et les pieds en sanglotant. Un spasme plus violent que les autres. C'est fini. Ivan VI n'est plus. Vlassiev et Tchekine se tiennent en retrait, silencieux, engourdis. Ils ne se sentent en rien coupables. En entendant les coups de feu, ils ont exécuté l'ordre donné par Elisabeth, confirmé par Pierre III et renouvelé par Catherine II : ne pas livrer vivant le prisonnier n° 1. D'ailleurs, Mirovitch ne semble pas en vouloir aux meurtriers. Il les ignore. On place le cadavre sur un lit et on le transporte dans la cour. Devant les soldats réunis, Mirovitch fait battre la générale et rend à Sa Majesté les honneurs militaires. Puis il dit : « Voyez, frères, votre empereur Ivan Antonovitch. Maintenant nous sommes précipités dans le malheur. C'est moi surtout qui vais en souffrir. Vous êtes innocents. Vous ne saviez pas ce que je voulais faire. Je dois assumer pour vous toutes les responsabilités et accepter pour moi toutes les peines. »

En apprenant les détails de l'exécution, Catherine éprouve un sentiment complexe de soulagement et d'embarras. Comme pour l'assassinat de son mari. « Les voies de Dieu sont merveilleuses et imprévisibles, dira-t-elle à Panine. La Providence m'a clairement montré sa faveur en menant cette affaire à bonne fin[1]. » Évidemment, pour une « tête philosophique », fût-elle couronnée, le massacre d'un innocent est toujours un acte répréhensible. Cependant, songe Catherine, il y a des circonstances où la raison doit dominer la morale. L'ordre d'abattre le prisonnier en cas de tentative de rapt était logique, puisque sa libération aurait constitué un danger pour le trône. Ce fou de Mirovitch, en précipitant les événements, a déblayé le terrain. Grâce à lui et aux deux gardes qui ont si bien appliqué les consignes impériales, Catherine respire plus à l'aise. Certes, on la rendra de nouveau responsable d'une mort qui sert ses intérêts. Mais elle n'est pas directement impliquée dans l'assassinat. Elle peut même le déplorer en public. Ainsi les avantages, dans cette aventure, dépassent-ils de beaucoup les inconvénients. Bien entendu, il ne peut être question, pour Catherine, de soustraire Mirovitch à l'appareil de la justice, comme elle l'a fait naguère pour les frères Orlov. Une telle mansuétude, si elle se renouvelait, serait interprétée par l'opinion comme un aveu de complicité. Mirovitch est interrogé par la Commission secrète, et Catherine, revenue à Saint-Pétersbourg, prend connaissance des pièces du dossier. Elle y trouve le « manifeste » rédigé par l'inculpé. Ce document, d'une violence inouïe, l'accuse de n'être qu'une usurpatrice, d'avoir empoisonné son époux, de s'être liée, « par la faiblesse de sa nature », avec un officier sans scrupule, Grégoire Orlov, et de songer même à l'épouser. Pour Catherine, ces reproches ne sont pas une surprise. Elle devine qu'une grande partie de ses sujets pense de même. A contrecœur, elle accepte le fardeau de l'impopularité. Elle saura bien le secouer à l'occasion de quelque fête.

Mirovitch est condamné à mort. La sentence ne surprend ni le peuple ni la cour. Mais on s'étonne que le rôle du principal

1. Bilbassov : *Histoire de Catherine II.*

complice, Ouchakov, n'ait même pas été défini au cours de l'enquête. On soupçonne ce dernier d'avoir été payé pour inciter Mirovitch à son acte insensé et d'avoir simulé le suicide pour disparaître avant le soulèvement. Il aurait donc été un instrument du pouvoir, un agent de Catherine. En tout cas, chacun pense que le coupable sera grâcié au dernier moment, comme l'ont été les criminels d'État sous le règne d'Elisabeth. Ostermann n'avait-il pas appris la clémence impériale, alors que sa tête reposait déjà sur le billot? Peut-être Mirovitch est-il encouragé par le souvenir de ce précédent? Il monte à l'échafaud avec la tranquille assurance d'un illuminé. La foule, massée sur la place, attend, dans un silence religieux, l'arrivée du courrier de Sa Majesté porteur d'un ordre de commutation de peine. Pas de courrier. Le bourreau lève sa hache. Au moment où le fer s'abat sur la nuque du condamné, un soupir d'horreur s'échappe de toutes les poitrines. Il semble, aux dires d'un témoin, le poète Derjavine, que la place entière en est secouée. Les parapets d'un pont s'effondrent sous la poussée de la multitude. Le corps du supplicié est ensuite brûlé, afin qu'il ne puisse jamais ressusciter. Quelques soldats, qui ont suivi le lieutenant dans sa révolte, sont condamnés à passer de trois à dix fois par les verges dans les rangs d'un millier de leurs camarades, choisis parmi les plus robustes. Catherine n'a pas pardonné. A dater de ce jour, nombreux sont ceux pour qui elle ne sera plus la petite mère miséricordieuse.

Vlassiev et Tchekine sont récompensés pour leur loyauté et leur zèle. Ils confirment, dans un rapport officiel, visiblement inspiré par l'impératrice, que le prisonnier n° 1 était un demeuré, incapable de mettre deux idées bout à bout, un déchet humain dont la mort ne devrait attrister personne.

Les diplomates etrangers sont stupéfaits, mais continuent de sourire professionnellement à cette souveraine responsable de deux régicides en deux ans. Bérenger écrit, dans son rapport du 20 juillet 1764 : « On soupçonne l'impératrice d'avoir prémédité et ordonné l'assassinat!... Quelle femme, Monseigneur, que l'impératrice Catherine! Quel théâtre que la Russie! » Et, le 7 août : « Le temps et les circonstances de cet assassinat font soupçonner la tsarine de l'avoir instigué elle-même dans le dessein de se délivrer d'un objet d'inquiétude continuelle. » De son côté, le comte Sacken, ambassadeur de Saxe, mande, le même jour, à son gouvernement : « Le peuple s'imagine que cette pièce n'a été jouée que pour se défaire décemment du prince Ivan. »

Pour répondre à la vague de suspicion qui s'enfle dans le pays et au-delà des frontières, Catherine publie, le 17-28 août, un manifeste justificatif. Ce document précise qu'Ivan, prétendant illégitime, avait été, dès sa petite enfance, « privé de raison et de raisonnement humain », que Mirovitch voulait se pousser au premier rang en tirant parti d'une « sanglante émeute populaire », et que les gardiens Vlassiev et Tchekine avaient agi pour « sauvegarder la tranquillité publique ».

Le manifeste ne convainc personne. « Les Russes, se trouvant entre quatre z'yeux, écrit Sacken, épluchent avec assez peu de ménagement le contenu et les expressions du manifeste. » Et aussi : « On m'a assuré que quelques-uns de la populace ont fait des prières pour l'âme de Mirovitch comme pour un martyr, et cela sur la place même de l'exécution. »

Mme Geoffrin déclare au roi Stanislas : « J'estime qu'elle (Catherine) a publié des manifestes ridicules sur la mort d'Ivan. Elle n'était nullement tenue de dire quoi que ce fût; le procès de Mirovitch était tout à fait suffisant. »

A Catherine elle-même, elle ose écrire : « Il me semble que, si j'étais sur le trône, je ferais ce que je croirais convenable aux intérêts de mon peuple et aux miens, sans publier des manifestes sur ma conduite. Je voudrais laisser parler mes actions et imposer silence à ma plume. »

Catherine regimbe : « Je suis tentée de vous dire que vous raisonnez de ce manifeste comme un aveugle des couleurs. Il n'a nullement été composé pour les puissances étrangères, mais pour informer le public russe de la mort d'Ivan; il était nécessaire de dire comment il était mort... Faute de le faire, on confirmait les bruits malveillants répandus par les ministres des cours qui me portent envie et hostilité... On glose chez vous sur ce manifeste, on y a glosé aussi sur le Bon Dieu, et ici on glose quelquefois sur les Français. Mais il n'en est pas moins vrai qu'ici ce manifeste et la tête du criminel ont fait tomber toutes les gloseries. Or donc, le but était rempli et mon manifeste n'a pas manqué son objet : *ergo,* il était bon. »

En dépit de cette superbe plaidoirie, les amis de Catherine, à l'étranger, supportent mal le choc de la déception. Voltaire note que « l'affaire d'Ivan a été conduite de façon si atroce qu'on aurait juré qu'elle l'était par des dévots ». D'Alembert renchérit : « Il est bien fâcheux d'être obligé de se défaire de tant de gens et d'imprimer ensuite qu'on est bien fâché, mais que ce n'est pas sa faute. » Puis, peu à peu, les philosophes se calment et acceptent la raison d'État. L'admiration qu'ils ont pour la lointaine et généreuse Catherine les incite à une sorte d'indulgence résignée. Pour secouer les scrupules de Voltaire, d'Alembert lui cite ce proverbe : « Il vaut mieux tuer le diable avant que le diable ne vous tue. » Et il précise : « Je conviens avec vous que la philosophie ne doit pas trop se vanter de pareils élèves ! Mais que voulez-vous ? il faut aimer ses amis avec leurs défauts. » Voltaire ne demande qu'à se laisser convaincre et à oublier ces « bagatelles ». « Ce sont des affaires de famille dont je ne me mêle pas », dit-il. Averti des sentiments du sage de Ferney, Horace Walpole écrit à Mme du Deffand : « Voltaire me fait horreur avec sa Catherine. » Et la duchesse de Choiseul : « La voilà blanche comme neige (Catherine), elle est l'amour de ses sujets, la gloire de son empire, l'admiration de l'univers, la merveille des merveilles. » Dans les salons parisiens et londoniens, on met Voltaire et sa « Cateau » dans le même sac.

Du fond de son palais, Catherine épie et évalue l'importance des remous. La tempête s'apaisera bientôt, elle en est sûre. Un véritable souverain doit savoir regarder au-delà de l'écume des jours, vers la ligne de l'horizon. A Panine, qui se plaint de la malveillance du monde à l'égard de Sa Majesté, elle réplique : « Tant qu'il ne s'agit que de moi, je suis indifférente à tout ce qu'on peut raconter. Je ne commence à m'échauffer que si l'honneur de la Russie est en jeu [1]. »

Les deux principaux rivaux écartés, il en reste un troisième : le propre fils de Catherine, le grand-duc Paul, l'héritier du trône. A défaut de Pierre III et d'Ivan VI, l'un et l'autre assassinés, ne sera-ce pas sur cet enfant de dix ans que vont se reporter les espoirs des ennemis de la tsarine ? Certes il n'est pas question pour elle de le supprimer, lui aussi. Elle l'aime à sa façon et s'alarme sincèrement de ses moindres malaises. Mais, avant d'être mère, elle est impératrice. L'exercice du pouvoir est sa raison d'être. Aussi longtemps qu'elle vivra, personne d'autre ne doit régner sur la Russie. Il faut que Paul grandisse dans son ombre, en enfant instruit mais soumis. En successeur possible, non en concurrent déguisé. Malgré ses innombrables travaux, elle trouve le moyen de passer chaque jour quelques instants auprès de lui, dans sa chambre, elle se penche sur ses jeux, elle surveille ses lectures, elle essaie de l'apprivoiser. Tâche difficile, car le garçon est nerveux, chétif, extravagant, emporté, sujet à des convulsions. Jaloux de Grégoire Orlov, il le dit à sa mère. Elle le raisonne. Il souffre en secret de sa laideur. Sa figure, naguère encore fraîche et charmante, avec son petit nez retroussé et ses cheveux blonds, est devenue un masque effrayant, aux narines épatées et à la bouche épaisse. Ressemblerait-il à Pierre III, dont il n'est pourtant pas le fils ? Catherine est inquiète pour l'avenir. D'autant que Paul, maintenant, interroge son entourage sur la mort de son père et sur ses propres chances de régner. Mis au courant de ces conversations par le valet de chambre de l'enfant, Bérenger écrit au duc de Praslin : « Ce jeune prince (Paul) annonce des dispositions sinistres et dangereuses. Il est connu que sa mère ne l'aime point et que, depuis qu'elle règne, elle refuse avec trop peu de

1. Cf. M. Lavater-Sloman : *Catherine II et son temps.*

bienséance toutes les marques de tendresse qu'elle lui prodiguait auparavant... Il demandait, il y a peu de jours, pourquoi on avait fait mourir son père et pourquoi on avait donné à sa mère le trône qui lui appartenait de droit. Il ajoutait que, quand il serait grand, il saurait bien se faire rendre raison de tout cela. On se dit, Monseigneur, que cet enfant se permet trop souvent de pareils propos pour qu'ils ne soient pas rendus (répétés) à l'impératrice. Or, personne ne doute que cette princesse ne prenne toutes les précautions possibles pour en prévenir l'effet. »

CHAPITRE XV

LA « LÉGISLOMANIE »

Une épidémie de variole ayant ravagé le pays, au printemps, Catherine rêve d'introduire la vaccination en Russie. Quelle gloire pour son règne si, devançant la France, elle parvient à imposer cette mesure à une nation que d'aucuns jugent rétrograde! Elle en discute avec le baron Tcherkassov, homme de bon sens et de culture, président de l'Institut d'hygiène. Comme elle, il croit à cette récente et merveilleuse découverte de la science. Mais il met respectueusement Sa Majesté en garde contre la réaction de ses sujets. Même les plus évolués d'entre eux seront terrorisés, dit-il, à l'idée d'accueillir dans leur organisme les germes d'une infection qui devraient, en principe, augmenter leur résistance au mal. Les partisans de « l'inoculation » sont rares dans le monde. Seuls quelques philosophes et quelques savants prônent les bienfaits de « la lancette diabolique ». Frédéric II, à qui Catherine fait part de son projet, l'adjure d'y renoncer par crainte d'un désastre. Grégoire Orlov lui représente la haine qui se lèvera contre elle, à la cour et dans le peuple, si l'expérience échoue. Comment se justifiera-t-elle avec des centaines de cadavres innocents sur les bras? On lui imputera même les morts les plus naturelles! Catherine décide alors de se soumettre seule à une épreuve trop hasardeuse pour les autres. Tcherkassov reçoit l'ordre de faire venir d'Angleterre un bon spécialiste. Épouvanté par la responsabilité qui lui tombe sur les épaules, Tcherkassov supplie Sa Majesté de réfléchir encore. Qu'adviendra-t-il de lui dans le cas d'une issue fatale? Ou même si l'impératrice est défigurée par les horribles pustules? Elle éclate de rire. Le danger, elle le connaît bien. Depuis sa jeunesse, elle ne redoute aucune maladie autant que la variole. Puisqu'une chance lui est donnée de la vaincre et d'entraîner les autres par son exemple, elle doit payer de sa personne. Toujours, en toute chose, elle veut être à la tête du mouvement, en première ligne, narguant le destin, attirant les regards. Elle maintient sa résolution. Par amour de son peuple, diront les uns. Par soif de renommée, diront les autres. En grand secret, Tcherkassov fait venir de Londres le fameux Thomas Dimsdale, propagateur de la méthode d'inoculation de la variole. A peine arrivé à Saint-Pétersbourg, en octobre 1764, le médecin prépare son intervention. Avertis des intentions de l'impératrice, ses proches se désolent, pleurent et prient. Un matin, brandissant sa lancette, Thomas Dimsdale incise légèrement le bras auguste qui se tend vers lui. De la chambre de l'impératrice, la nouvelle se répand dans toute la cour. L'émotion est aussi vive que si Sa Majesté avait juré de se donner la mort. Grégoire Orlov se fait inoculer sans attendre, pour partager jusqu'au bout le sort de celle à qui il doit sa splendeur. Pendant les neuf jours qui suivent, chacun s'inquiète, maudit le charlatan anglais et voit la Russie en deuil de sa souveraine. Seule Catherine garde son sang-froid. Avant même l'expiration de la période critique, elle entend confirmer l'intérêt qu'elle porte au progrès en créant une Académie des Sciences agrandie selon ses directives. Dans la lettre de fondation, rédigée par elle-même, alors qu'elle attend encore les résultats de « l'insertion » de la variole, elle déclare : « Quiconque a acquis la formation requise peut, même s'il était jusqu'à présent serf, devenir membre de l'Académie. Ces membres, tous, les adjoints comme les académiciens, ainsi que leurs enfants et leurs descendants, restent à jamais des hommes complètement libres; personne n'a le droit de faire d'eux ou de leurs descendants de nouveau des serfs. »

Certes, il existe alors en Russie des serfs que leurs seigneurs ont encouragés à se cultiver pour devenir secrétaires, peintres, musiciens, acteurs ou poètes. Mais leur nombre est infime et, en proclamant que ceux d'entre eux qui seront nommés à l'Académie échapperont *ipso facto* à l'esclavage, Catherine ne risque pas d'ébranler les fondements de la société.

Le même mélange de préoccupations sociales et de cynisme inconscient la guide dans l'institution de l'Asile des enfants trouvés. Au programme des études, essentiellement l'apprentissage des métiers manuels : « Les garçons commenceront à travailler à l'agriculture et au jardinage, tandis que les filles s'emploieront à la cuisine, à faire le pain, etc. à l'exemple des femmes fortes célébrées dans l'Évangile et des femmes laborieuses chantées par Homère... C'est ainsi qu'on verra éclore une génération d'hommes chez laquelle l'oisiveté, la négligence, la paresse et tous les défauts que ces vices drainent à leur suite seront inconnus. » Le décret de création de l'établissement précise que les pensionnaires seront déclarés libres à la fin de leurs études, que personne ne pourra « se les approprier ni se les asservir » et qu'ils transmettront cette « franchise » à leur postérité : « Nos élèves ne seront donc pas des esclaves, des forçats que l'on puisse employer au service des galères, aux travaux des mines et à d'autres usages semblables. » Cela revient à dire que le meilleur moyen pour un serf de réserver à ses enfants un sort plus enviable que le sien, c'est de les abandonner. Aux sans-famille, les avantages de l'indépendance. Ravie de sa trouvaille, Catherine indique, dans l'exposé des motifs du décret : « Il n'y a que deux états dans l'empire de Russie, la noblesse et la servitude, mais, par les privilèges accordés à ces établissements, nos élèves et leurs descendants seront libres à jamais et composeront un tiers état [1]. » Cela ne

1. Cf. Olga Wormser : *Catherine II.*

l'empêche pas, dans le même temps et avec la même tranquillité, d'étendre le servage à l'Ukraine. Les paysans de cette province n'auront plus le droit de quitter leur sol. Le poste d'hetman de l'Ukraine est supprimé. La Russie centrale appesantit partout sa loi de fer.

Les jours passent et l'impératrice ne manifeste aucun trouble après son inoculation. Elle feint de n'en être pas surprise. Autour d'elle, on loue son courage. A tous, elle apparaît comme la personnification radieuse de la science. Des offices d'actions de grâces sont célébrés dans les églises. Du fond des plus lointaines provinces, arrivent des messages de félicitation et d'adoration. Tcherkassov et Dimsdale sont portés aux nues. Maintenant, tous les courtisans veulent se faire vacciner. Sur l'injonction de sa mère, le grand-duc Paul se soumet à la règle. En récompense de ses services, Dimsdale est fait baron, nommé conseiller d'État et gratifié d'une pension de cinq mille livres. Le petit Alexandre Markov, âgé de sept ans, qui a fourni la lymphe pour l'inoculation de Catherine, reçoit la noblesse héréditaire et l'autorisation de se compter parmi les protégés personnels de l'impératrice sous le nom d'« Ospenny », « le porteur de variole[1] ».

De la Russie, l'enthousiasme gagne l'étranger. Les détracteurs de Catherine reconnaissent que, là, elle a marqué un point. L'opinion publique étant versatile, on est bien près de lui pardonner les coups d'épée qui ont transpercé Ivan VI pour le coup de lancette dont elle a laissé égratigner son bras. Voltaire, triomphant, écrit à « sa » souveraine :

« Eh! Madame, quelle leçon Votre Majesté impériale donne à nos petits-maîtres français, à nos sages Maîtres de Sorbonne, à nos Esculapes des écoles de médecine! Vous vous êtes fait inoculer avec moins d'appareil qu'une religieuse ne prend un lavement. Le prince impérial a suivi votre exemple. M. le comte Orlov va à la chasse dans la neige après s'être fait donner la

1. La famille portant ce nom a occupé, par la suite, en Russie, une haute situation.

petite vérole. Voilà comme Scipion en aurait usé, si cette maladie, venue d'Arabie, avait existé de son temps. »

Comme le général Brown, gouverneur de la Livonie, félicite, lui aussi, l'impératrice de sa témérité, elle répond avec une modestie tranquille : « L'honnête et habile docteur Dimsdale, votre compatriote, rend à Pétersbourg tout le monde entreprenant et il n'y a pas de grande maison où il n'ait quelque client à sa façon [1]. »

Reste à transporter cette pratique de la capitale à la province, de la cour à la multitude. D'après les rapports qu'elle reçoit, Catherine augure bien de l'avenir. Le peuple a trop souffert du retour régulier des épidémies pour ne pas comprendre les avantages de l'inoculation. Ce que la petite mère Catherine a eu le courage de subir pour se préserver de la variole, aucun de ses sujets n'a le droit de le refuser.

L'affaire de la variole étant réglée, Catherine se lance dans d'autres innovations. Elle est enragée de réformes. Sa passion est de pétrir la pâte épaisse de la Russie. Avec Ivan Betski, elle établit un *Règlement général pour l'éducation des enfants des deux sexes,* inspiré par les idées de Locke et de Jean-Jacques Rousseau. En confiant les enfants à l'école, les parents devront prendre l'engagement de ne les en retirer « sous aucun prétexte ». Mais où trouver des pédagogues? Catherine charge Schlözer de rafler à l'étranger toutes les têtes pensantes qui accepteraient de distribuer leur science aux petits Russes porteurs de grands noms. Il faut faire vite. Tant pis si la qualité n'y est pas. En organisant l'établissement du corps des Cadets, Betski prend pour directeur un ancien souffleur du théâtre français, pour inspecteur des classes, un ancien valet de chambre de la mère de Catherine. Plus tard, on enverra tous ces maîtres improvisés apprendre leur métier en Angleterre, en France, en Allemagne. La réalisation dont Catherine se déclare la plus fière, c'est incontestablement le fameux Institut Smolny

1. Cf. M. Lavater-Sloman : *Catherine II et son temps.*

des demoiselles nobles. Conformément au programme établi par Sa Majesté, l'internat y est rigoureux. Douze ans de réclusion. Presque pas de vacances. Pas de sorties, sinon pour se rendre à la cour où l'impératrice reçoit, de temps en temps, les élèves qu'elle a remarquées. Des maîtresses laïques. Les prêtres maintenus à leur juste place. Une sorte de couvent philosophique, sans fenêtres sur le monde extérieur et avec une seule porte ouvrant sur le paradis du palais impérial. Quelques jeunes filles de la bourgeoisie sont admises parmi les jeunes filles nobles. Cependant, si la couleur des vêtements est la même pour toutes, un tablier dénonce la condition inférieure de certaines [1]. L'égalité selon Catherine a des limites. Elle en parle plus qu'elle ne la met en pratique. Les lettres qu'elle écrit à Voltaire, à Frédéric II, à Mme Geoffrin, à Diderot sont d'une souveraine libérale, mais ses décisions sont d'une autocrate qui ne se berce pas d'illusions. Ainsi, le 11-22 février 1763 nomme-t-elle une Commission chargée de préciser et d'élargir le manifeste de Pierre III sur les prérogatives nobiliaires. En un mois, elle rédige un rapport où se trouve consigné l'essentiel de la Charte de la noblesse qu'elle promulguera vingt-deux ans plus tard. Tous les avantages anciens de l'aristocratie sont solennellement confirmés et étendus par la nouvelle souveraine. Une série d'ordonnances témoigne de sa sollicitude envers les grands du régime. Un de ces décrets stipule que tout noble, en quittant le service militaire, peut prétendre au grade d'officier, même s'il ne l'a pas atteint au moment de la retraite, cela « afin qu'il puisse se prévaloir d'un privilège vis-à-vis des roturiers »; un autre spécifie que les nobles ont le droit d'envoyer, de leur propre autorité, leurs serfs aux travaux forcés; un troisième accorde à la classe noble le monopole de la distillation de l'eau-de-vie. En outre, le 3-14 juillet 1762, à la suite de troubles paysans, Catherine, indignée, prend un oukase spécial affirmant sa volonté de « protéger énergiquement les gentilshommes proprié-

1. Cf. Waliszewski : *Le Roman d'une impératrice.*

taires dans leurs terres et leurs biens ». D'instinct, dès le début de son règne, elle sait qu'il faut plaindre les serfs en théorie et s'appuyer sur les seigneurs en réalité. La Russie est trop vaste, trop diverse, pense-t-elle, pour être gouvernée avec éclectisme. Et elle est seule pour tenir en main cette masse polymorphe. Monstre d'énergie, elle voit tout, elle contrôle tout, elle dirige tout, qu'il s'agisse de la réorganisation du Sénat ou de l'éducation du grand-duc, des constructions dans la capitale ou des négociations avec le sculpteur Falconet pour un monument à la gloire de Pierre le Grand.

Ces activités multiples ne l'empêchent pas de veiller à la stricte observance du programme de la vie à la cour. Chaque jour de la semaine a sa marque particulière : le dimanche, « cour »; le lundi, comédie française; le mardi, rien; le mercredi, comédie russe; le jeudi, tragédie ou opéra français, le public se rendant ensuite au ballet du maître Locatelli; le vendredi, bal masqué au palais; le samedi, rien. Catherine s'astreint à paraître à chacune de ces cérémonies. Elle s'éclipse avant la fin. Habituée à se lever dès l'aube, elle ne veut pas se coucher tard. Parfois, le matin, à six heures, elle allume elle-même le feu dans le grand poêle de faïence. Un jour, comme elle fait flamber quelques fagots, elle entend des cris perçants dans le conduit de fumée. Vite, elle éteint le foyer et présente ses excuses au petit ramoneur qui surgit, tout noir et tout penaud, devant elle. Des excuses à un ramoneur! L'incident est rapporté à la cour comme un trait de bonté exceptionnel de la souveraine. En général, tous ceux qui la servent louent sa simplicité et sa bienveillance. Femmes de chambre et valets de chambre l'adorent. Elle ne les bat jamais et les gronde rarement. Un soir, ayant vainement agité sa sonnette, elle se rend dans son antichambre et trouve ses domestiques en train de jouer aux cartes. Avisant l'un d'eux, elle lui demande doucement de porter la lettre qu'elle vient d'écrire pendant qu'elle le remplacera à la table de jeu. Elle n'ose renvoyer un cuisinier détestable et, quand il prend son tour de semaine, se contente de dire à ses amis : « Armons-nous de patience. Nous avons huit jours de jeûne devant nous. » Elle confie à Grimm : « Mes valets de chambre me donnent deux plumes neuves par jour, que je me crois en droit d'user; mais, quand elles sont gâtées, je ne m'enhardis guère d'en demander d'autres, mais je les tourne et les retourne comme je peux. » Elle ajoute : « Je n'ai jamais vu de plume neuve sans lui sourire et sans avoir senti une vive tentation de m'en servir. » Le premier rayon du jour la trouve ainsi disposée au bonheur et au travail, l'un n'allant pas sans l'autre. A peine a-t-elle ouvert les yeux que ses levrettes, qui couchent sur un coussin de soie garni de dentelles, bondissent sur le lit et lui lèchent les mains, le visage, en jappant de joie. Après avoir joué avec la petite meute, elle passe dans le cabinet de toilette où l'attend sa camériste. Quelques gorgées d'eau tiède pour se rincer la bouche, un morceau de glace pour se frotter la figure, et elle se rend dans son cabinet de travail. Là, vêtue d'une robe de chambre blanche en gros de Tours, à larges plis flottants, coiffée d'un bonnet de crêpe blanc, elle avale à longs traits un café si fort que personne d'autre ne pourrait en absorber sans souffrir de palpitations. La dose est : une livre de café pour cinq tasses. Biscuits, sucre et crème sont partagés avec les chiens. Quand le sucrier est vide, l'impératrice ouvre la porte et les chiens partent pour une brève promenade. Toute sa vie, elle aura besoin, pour être pleinement heureuse, de sentir, à ses côtés, la présence de quelques compagnons à quatre pattes affectueux et turbulents. Elle leur donne des noms drôles, s'amuse de leurs manies et leur consacre des pages entières dans ses lettres. « J'ai toujours aimé les bêtes, écrit-elle. Les animaux ont beaucoup plus d'esprit qu'on ne leur en suppose. » Et aussi : « Lady Anderson (une petite chienne de cinq mois) déchire tout ce qu'elle trouve, s'élance, mord les jambes de ceux qui entrent dans ma chambre, chasse oiseaux, mouches, cerfs et tel autre animal quatre fois plus grand qu'elle et fait à elle seule plus de bruit que ses frères, sœurs, tante, père, mère, aïeul et bisaïeul. » Tandis que ses chiens s'ébattent autour de son bureau, elle lit des rapports, annote des mémoires, rédige des ordres, griffonne un billet tendre à l'intention de Grégoire Orlov, qui, lui, doit dormir encore. En travaillant, elle prise du tabac. Mais seulement de la main gauche, par égard pour son entourage. « Vu les exigences de mon métier, dit-elle, je suis souvent obligée de me laisser baiser la main. Il ne serait, je crois, guère convenable que je parfume tout le monde autour de moi de mon tabac à priser. »

A neuf heures, toujours en petite tenue, elle repasse dans sa chambre à coucher et y reçoit les hauts fonctionnaires venus pour lui exposer leurs problèmes. Lorsqu'un laquais lui annonce, à voix basse, l'arrivée du favori, elle fait un signe de tête et tout le monde s'en va. Puis l'audience reprend jusqu'à midi, heure à laquelle Catherine retourne dans son cabinet particulier. Là, elle achève sa toilette, se fait coiffer et habiller. Ses cheveux bruns sont si longs que, quand elle est assise, ils tombent jusqu'à terre. Elle ne veut ni poudre, ni rouge, ni noir, ni mouches. Des intimes assistent au « petit lever » de Sa Majesté, dans la chambre de toilette officielle. La cérémonie dure quelques minutes. A table maintenant! Un menu frugal. Bœuf bouilli et concombres salés. Comme boisson, de l'eau avec du sirop de groseille. Comme dessert, des fruits. Le repas ne dure guère plus d'une heure. Une dizaine de convives entourent la tsarine. Tous rechignent, en secret, contre la mauvaise chère. Catherine, cependant, ne s'en aperçoit pas. Elle a aussi peu de goût pour la table que pour la musique. L'après-midi, les hauts fonctionnaires reviennent, présentent des rapports, demandent des instructions. Puis, c'est la réception des courtisans dans les salons. On papote, on joue au whist ou au piquet. Quand il n'y a pas spectacle, Sa Majesté se retire à dix heures, après avoir à peine touché au souper qui lui est préparé. Rentrée dans son appartement, elle boit un grand verre d'eau bouillie et se met au lit. Dans cette vie sobre, régulière, studieuse, à la fois philosophique et bourgeoise, les seuls débordements qu'elle se permette ont trait aux plaisirs de l'amour physique.

Le mardi et le samedi — jours sans réceptions — sont les plus appréciés de Catherine. Elle attend leur retour avec impatience. Ses soirées sont alors consacrées à de longs bavardages, très libres et très gais, avec ses proches, Grégoire Orlov, Panine, Narychkine, M. Pictet de Genève, la princesse Dachkov, Betski... Elle leur lit quelques lettres parmi les plus brillantes qu'on lui a envoyées de l'étranger, commente les derniers livres français arrivés sur sa table, s'émerveille de la verve de la *Correspondance littéraire et artistique* de Grimm et Diderot, journal bimensuel manuscrit qu'elle reçoit de Paris comme la plupart des souverains d'Europe. Grimm y donne une description détaillée des tableaux et des sculptures qu'il a admirés dans les salons. Catherine, en lisant ces comptes rendus, rêve de fonder sa propre galerie d'art, un lieu de beauté et de méditation, où elle se retirerait seule, ou avec quelques amis choisis, un « ermitage ». En attendant la création de ce musée intime, les réunions « en petit comité » se poursuivent dans une atmosphère de simplicité et de gentillesse. Il est interdit, dans ce cercle, de médire d'autrui, de mentir, d'employer de gros mots, de s'emporter, et même de se lever quand Sa Majesté va et vient à travers la pièce. L'amende est de dix kopecks. On joue à des jeux de société, avec gages et punitions comiques. L'impératrice parle d'abondance, folâtre, s'amuse d'un rien. La recherche de la gaieté est, pense-t-elle, un devoir pour chacun d'entre nous. Depuis son plus jeune âge, elle s'évertue à développer en elle cette disposition d'esprit optimiste. Elle en fait un parti pris, une hygiène spirituelle, un système. Chaque fois qu'un souci menace de l'abattre, elle réagit par un appel à la joie de vivre. « Il faut être gai, écrit-elle. Il n'y a que cela qui fait qu'on surmonte et supporte tout. » « Elle riait d'une pauvreté, dira le prince de Ligne, d'une citation, d'une bêtise... C'est ce contraste de simplicité dans ce qu'elle disait dans la société avec les grandes choses qu'elle faisait qui la rendait piquante. » Cela n'empêche pas cette forte femme d'avoir la larme facile. Mais ce ne sont, chez elle, que de rapides ondées. Pleurer la soulage et prépare le retour du soleil. Bientôt, le rire retentit de nouveau dans « l'ermitage ». Un rire de bon aloi, évidemment, car la tsarine ne tolère aucun propos grivois en sa présence. Si un invité se permet quelque polissonnerie, elle se glace et le réprimande. L'amour, qui tient une si grande part dans son existence, ne doit pas, estime-t-elle, donner prétexte à la plaisanterie. Exaltée dans la pénombre de l'alcôve, elle devient pudibonde dans la lumière des salons. Quelle que soit sa propension à la volupté, elle l'assujettit à certaines règles de conduite qui lui viennent peut-être de son enfance protestante. Les diplomates étrangers apprécient l'honnête cordialité de ces assises amicales. Après la pompe de Versailles, le baron de Breteuil s'enchante de l'accueil bon enfant qu'il découvre auprès de Sa Majesté, en Russie. L'ambassadeur d'Angleterre, Sir Robert Gunning, habitué à l'ennuyeuse étiquette de Saint-James, écrira : « Il règne là une ambiance d'harmonie et de bonne humeur telle qu'on se croirait dans un paradis de paix. »

L'hiver, c'est à Saint-Pétersbourg que Catherine s'efforce de charmer son monde par les apparentes vertus d'une femme au foyer. L'été, c'est à Tsarskoïé-Sélo. Vêtue sans recherche, les cheveux non poudrés, elle se promène, tôt le matin, avec ses chiens, dans le parc humide de rosée. A la main, une tablette, du papier, un crayon pour noter ses pensées. Elle donne ses audiences en plein air, sous un arbre, dans une gloriette, ou sur un balcon de sa résidence. Parmi les collaborateurs qu'elle distingue, l'un des plus doués est assurément le jeune agronome et économiste Jean-Jacques Sievers, qui lui a été présenté lors de sa visite en Courlande. Elle le nomme gouverneur de Novgorod. De même, contre l'avis de son entourage, elle choisit comme procureur général (le plus haut poste administratif de l'empire) un homme de trente-quatre ans, le prince Alexandre Viazemski. Le procureur général préside le Sénat, gère les Finances, l'Intérieur, la Justice. Il est le porte-parole de Sa Majesté et son collaborateur le plus proche. A l'oukase qui l'établit dans ses fonctions, Catherine joint une lettre destinée à l'éclairer sur les conceptions politiques de sa souveraine :

« L'empire russe est si grand que toute autre forme de gouvernement que celle d'un empereur absolu lui serait nuisible; tout autre gouvernement, en effet, est plus lent dans l'exécution, et laisse le champ aux passions qui dispersent la puissance et les forces de l'État... » Elle poursuit en indiquant que ce qui est bon pour les pays étrangers n'est pas obligatoirement bon pour la Russie et que « les institutions intérieures d'un pays doivent toujours se développer dans le sens du caractère de ce pays ». D'ailleurs, l'inertie des autorités russes, « parmi lesquelles personne n'ose penser ou agir par soi-même », justifie, s'il en est besoin, la nécessité d'un pouvoir central inflexible. En revanche, les provinces peuplées d'allogènes ont droit, selon elle, à un statut spécial. « La Petite Russie, la Livonie et la Finlande, écrit-elle, s'administrent en vertu de privilèges confirmés; violer ces privilèges serait très maladroit et les battre en brèche serait plus qu'une faute, ce serait une sottise. Ces provinces doivent être amenées avec la plus grande douceur à nous être favorables et à ne plus vivre comme des loups dans une forêt. »

Enfin, l'impératrice renseigne superbement le nouveau procureur général sur elle-même :

« Il faut que vous sachiez à qui vous avez affaire. Vous serez en contact quotidien avec moi et vous constaterez que je n'ai d'autre but que le bonheur et la gloire de la patrie, pas d'autre désir que le bien-être de mes sujets, à quelque classe qu'ils appartiennent. Toutes mes pensées tendent à obtenir qu'au-dedans comme au-dehors de l'empire on soit satisfait et tranquille. J'aime la vérité, vous pouvez me la dire sans crainte. Vous pouvez aussi sans inquiétude discuter avec moi, si vous êtes inspiré uniquement par le souci des affaires... Je veux encore ajouter que je n'aime pas la flatterie et n'en attends pas de vous. Ce que je demande, c'est de la franchise dans nos rapports et de l'énergie dans vos fonctions. »

Ces principes de collaboration entre un premier ministre et sa souveraine sont d'une hauteur de vue si exceptionnelle que toute l'Europe en est immédiatement informée. Une autre occasion s'offre bientôt à Catherine de frapper l'imagination des milieux intellectuels. Apprenant par son ambassadeur en France, le prince Golitzine, que Diderot, à court d'argent, veut vendre sa bibliothèque pour quinze mille livres, elle en propose seize mille et ajoute, comme condition, que les précieux volumes ne quitteront pas la maison de l'illustre écrivain aussi longtemps qu'il vivra : « Ce serait une cruauté de séparer un savant de ses livres. » Devenu bibliothécaire de la tsarine sans bouger de chez lui, Diderot touchera en outre un traitement de mille livres par an. Afin d'éviter tout retard dans les règlements, on le paiera même pour cinquante ans d'avance. Éberlué, Diderot écrit à sa bienfaitrice :

« Grande princesse, je me prosterne à vos pieds; je tends mes deux bras vers vous; je voudrais vous parler, mais mon âme se serre, ma tête se trouble, mes idées s'embarrassent, je m'attendris comme un enfant et les vraies expressions du sentiment qui me remplit expirent sur le bord de mes lèvres... O Catherine! Soyez sûre que vous ne régnez pas plus puissamment à Pétersbourg qu'à Paris! »

« Diderot, d'Alembert et moi, nous sommes trois à vous bâtir des autels », mande Voltaire à l'impératrice. Et aussi : « Aurait-on jamais soupçonné, il y a cinquante ans, qu'un jour les Scythes récompenseraient si noblement dans Paris la vertu, la science, la philosophie si indignement traitées parmi nous? »

Et Grimm : « Trente années de travaux n'ont pu attirer à Diderot la moindre récompense. Il a plu à l'impératrice de Russie d'acquitter en cette occasion la dette de la France. »

Lettre sur lettre apportent à Catherine la preuve que son argent a été bien placé. Ceux-là mêmes qui naguère considéraient la Russie comme un pays arriéré, enseveli sous les neiges et hanté par les loups, commencent à se dire que, là-bas, brillent peut-être les lumières de la générosité et de l'intelligence. Diderot bat la grosse caisse. Sa maison se transforme en agence de placement. Des hommes de lettres, des savants, des artistes, des artisans, des architectes, des ingénieurs viennent se renseigner auprès de lui et solliciter un engagement à Saint-Pétersbourg. Il les dirige sur le prince Golitzine, sur Betski. Catherine savoure son triomphe. Grâce à ce geste, qui lui a peu coûté, elle est devenue, selon l'expression de Voltaire, « la bienfaitrice de l'Europe ». Couronnée depuis trois ans à peine, elle règne non seulement sur des millions de Russes, mais aussi sur tous ceux qui, à l'étranger, ont voué leur vie à la réflexion. La protectrice des lettres et des arts. Une sorte de madone laïque, dispensatrice de roubles. La petite-mère-mécène de Saint-Pétersbourg. Celle qui ignore les frontières et ne connaît que les talents.

Consciente de ce regain de prestige, Catherine veut s'affirmer davantage comme une tête philosophique. Ayant, un jour, goûté des pommes de terre, au grand scandale des convives assis à sa table, elle déclare que cette « nourriture d'Indiens » a très bon goût et engage Sievers à développer la culture du tubercule. On fera surveiller les plantations par des gardes armés pour éviter que les paysans superstitieux ne viennent détruire l' « herbe du diable ». D'autres paysans la préoccupent encore : ce sont les « Raskolniks », les Vieux-Croyants, qui, menacés de persécution par l'Église, en tant qu'hérétiques, ont décidé, depuis peu, de se sacrifier sur un bûcher pour échapper à un monde où règne le Malin. Horrifiée, la tsarine fait proclamer par Sievers qu'elle protégera personnellement les dissidents. Mais ils ont pris goût au suicide collectif. Ils continuent à se livrer aux flammes, non plus pour se soustraire à la justice mais pour accéder le plus rapidement possible au royaume de Dieu. Sievers doit faire intervenir la troupe pour empêcher les holocaustes. Un oukase est promulgué, autorisant les « Raskolniks » à vivre suivant leurs croyances. Ils n'en savent aucun gré à l'impératrice. En leur facilitant l'exercice de la foi, elle diminue, pensent-ils, leur zèle mystique. Certains émigrent en Turquie où ils sont assurés du moins d'être martyrisés selon leurs vœux. Les voies qui mènent au ciel doivent être des voies de souffrance. La tolérance qui amollit les âmes est un piège du diable. Cette conception profondément russe de la rédemption par la douleur étonne Catherine. Il lui semble que la méfiance des Vieux-Croyants envers le bonheur terrestre est partagée par la masse du peuple illettré et fataliste. Peut-être les serfs ont-ils peur secrètement d'être émancipés et de passer ainsi de l'état de bêtes irresponsables à l'état d'hommes conscients de leurs droits et de leurs devoirs? Peut-être les idées libérales, si élégamment défendues dans les salons parisiens, ne conviennent-elles pas au sombre empire des Scythes? C'est avec une extrême prudence que l'impératrice aborde ce qu'elle considère comme la grande affaire de sa vie, son *Nakaz, Instruction en vue de l'élaboration d'un Code des lois.*

La Russie est encore soumise au vieux code complexe et barbare que le tsar Alexis Ier Mikhaïlovitch a promulgué en 1649, sous le titre d'*Oulogénié.* Quelques retouches apportées par Pierre le Grand, Catherine Ire, Pierre II et Anne Ivanovna n'ont guère clarifié la situation. Il faut dépoussiérer et moderniser cet appareil vétuste. Catherine s'attelle, en grand mystère, à une tâche de géant. Seuls Grégoire Orlov et Panine peuvent lire, de temps à autre, une page de son manuscrit. Ils sont confondus d'admiration. Panine s'exclame : « Ces axiomes renverseront des murailles! » La plume à la main, Catherine se sent éclairée par deux phares : Voltaire et Montesquieu. Elle écrit à d'Alembert :

« Pour l'utilité de mon empire, j'ai pillé le président de Montesquieu, sans le nommer. J'espère que si, de l'autre monde, il me voit travailler, il me pardonnera ce plagiat, pour le bien de vingt millions d'hommes. Il aimait trop l'humanité pour s'en formaliser. Son livre est mon bréviaire. »

Et, à Frédéric II : « J'ai agi tout comme le geai de la fable qui s'est paré des plumes du paon. »

En vérité, ce n'est pas seulement à Montesquieu qu'elle a volé des « plumes », mais aussi et surtout au juriste italien Beccaria, dont le *Traité des délits et des peines* a été publié en 1764. Cependant, tous ces emprunts sont agencés dans un ensemble qui en déforme le sens. L'*Instruction* est paradoxalement une interprétation autocratique du libéralisme des auteurs qui l'ont inspirée. Montesquieu et Beccaria y apparaissent déguisés en potentats, la balance dans une main, le knout dans l'autre. Ce n'est pas un code, mais une énumération des principes qui devront guider le futur législateur. Et ces principes, répartis en 655 paragraphes, témoignent d'une pensée qui, constamment, hésite entre le progrès de l'esprit et le maintien des traditions, le souci de l'égalité et le respect des privilèges, la nécessité de l'absolutisme et les bienfaits de la tolérance. A chaque ligne, Catherine en appelle à la charité, à l'équité, au patriotisme, à la raison. Mais cette marche du troupeau vers le bonheur doit se faire dans l'ordre et sous la houlette d'une bergère musclée. Elle seule sait ce qui convient à ses ouailles : fermeté et douceur. Championne de la monarchie, elle ne veut cependant pas être accusée de tyrannie. Pour elle, autocratie ne signifie pas despotisme, mais amour. Avec générosité, elle enjoint aux riches de ne pas opprimer les pauvres, flétrit la torture, réprouve la peine de mort, sauf en cas de délit politique, proclame que les peuples n'ont pas été créés pour les souverains mais les souverains pour les peuples. Cela ne l'empêche pas de se prononcer pour les prérogatives de la noblesse et de préciser que les gens ne doivent être réduits en esclavage qu'à bon escient. Donc pas d'abolition du servage, mais recommandation de traiter les serfs avec humanité. Un libéralisme international corrigé par l'empirisme national. Un accommodement des théories européennes à la sauce russe. Malgré son caractère décousu, le travail auquel Catherine s'astreint pendant plus d'un an apporte la preuve de son courage, de sa ténacité et de son sincère désir de changement. Sa « législomanie », comme elle dit, ne manque pas de grandeur.

A l'automne 1766, elle présente elle-même son œuvre au Sénat et ordonne de constituer une Commission législative, ou Grande Commission, chargée de codifier les principes exposés dans l'*Instruction*, après avoir pris connaissance des désirs du peuple. Consulter le peuple sur ses désirs! Inciter chaque province, chaque classe de la société à exprimer ses vœux dans des « Cahiers » respectueux! Associer la masse, fût-ce de très loin, à l'élaboration des lois! Quelle révolution! Les sénateurs ne savent s'ils doivent s'effrayer ou s'émerveiller de cette hardiesse. Ils choisissent d'éclater en sanglots et en ovations.

Sont appelés à faire partie de la Grande Commission non seulement les représentants du Sénat, du Synode et des Collèges, mais aussi des délégués de la noblesse, des citadins et des paysans, à l'exclusion, bien entendu, des paysans serfs. La noblesse élit un député par district, tous les nobles ayant droit au vote. Chaque ville a un député élu, mais seuls les possesseurs d'immeubles sont électeurs. Les députés des paysans libres de l'État sont élus à raison d'un par province. Pour être élu député de la noblesse ou des citadins, il faut avoir au moins vingt-cinq ans et justifier d'une conduite irréprochable. Pour être élu député des paysans libres de l'État, il faut avoir au moins trente-cinq ans et être marié et père de famille. Les députés reçoivent de leurs électeurs un Cahier de vœux rédigé par un comité de cinq membres. Ils seront défrayés de leurs dépenses par le Trésor, exemptés à vie de la peine capitale, de la torture, des châtiments corporels et de la confiscation des biens. Les élections, en vérité, se font sans enthousiasme; les abstentions sont nombreuses; chacun redoute, s'il est choisi, un surcroît d'obligations et de responsabilités. Et puis, les distances sont si grandes, pour la plupart des intéressés, candidats ou électeurs, entre le lieu d'habitation et le chef-lieu du district! Alors, on reste chez soi, on compte sur le voisin, on laisse aller le train du monde. Enfin, vaille que vaille, la Grande Commission est constituée autour de 1 441 Cahiers de vœux.

Réunis au printemps de l'année 1767, les députés commencent par s'interroger sur le titre qu'il convient de donner à l'impératrice pour la remercier de son initiative : « Catherine la Grande », « la Très Sage », « la Mère de la Patrie ». Les discussions durent plusieurs séances. Catherine s'impatiente.

« Je les ai réunis pour examiner des lois, écrit-elle au comte Bibikov, président de l'assemblée, et ils s'occupent de l'anatomie de mes qualités. » C'est le titre de « Catherine la Grande » qui recueille le plus de suffrages. Elle feint d'en être irritée. Mais, au vrai, cette nouvelle coiffure ne lui déplaît pas. Ayant ainsi baptisé sa souveraine, la Grande Commission se met au travail. Elle est composée de 28 représentants des principales institutions de l'État et de 536 députés, élus par les différentes classes de la population, moins les serfs. La tâche de ces hommes, si divers d'origine, est de trouver des lois qui conviennent à la fois aux chrétiens et aux musulmans, aux habitants des steppes tartares et à ceux des riches terres de l'Ukraine, aux Moscovites et aux Sibériens. Très vite, ils s'aperçoivent que cette entreprise dépasse leurs moyens. Catherine assiste à la plupart de leurs réunions. Sa première déception lui vient de la lecture des « Cahiers », dont elle espérait une révélation sur l'état des esprits dans son empire. Force lui est de constater qu'en Russie l'opinion publique n'existe pas. Personne n'ose se plaindre, par crainte des représailles. Pour les questions de gouvernement, chacun s'en remet « à la sagesse et aux soins maternels de l'impératrice ». Tout au plus les nobles souhaitent-ils humblement une extension de leurs prérogatives et les marchands, le droit de posséder des serfs comme les nobles. Quant aux serfs eux-mêmes, ils n'ont pas voix au chapitre. Afin d'y voir plus clair, la Grande Commission divise le travail entre dix-neuf commissions spéciales, lesquelles perdent leur temps en prudents bavardages. « Une comédie, écrit le chargé d'affaires français Rossignol. Ce sont les favoris et les affidés de l'impératrice qui dirigent tout, qui font la lecture des lois d'une voix si précipitée ou si basse qu'à peine on les entend... Ils demandent ensuite l'approbation de l'assemblée, qui n'a garde de la refuser à ce qu'elle n'a pas entendu et encore moins compris. »

En décembre 1768, après deux cents séances, le comte Bibikov prononce, par ordre de l'impératrice, la dissolution pure et simple de ces faux états généraux. Le prétexte invoqué est la déclaration de guerre de la Turquie à la Russie. En fait, la tsarine est excédée des lenteurs de la Grande Commission. Un délégué ayant demandé si les travaux de cette assemblée reprendront ultérieurement, on entend, dans la loge impériale, le bruit d'un fauteuil violemment renversé. Pour toute réponse, Sa Majesté s'est levée dans un mouvement de colère et a quitté la salle.

L'échec de son entreprise a renseigné Catherine sur l'incompétence des mandataires et la diversité de leurs opinions touchant des problèmes aussi graves que le servage, les impôts, les privilèges, la justice. Elle profitera de cette expérience décevante pour diriger le pays d'une main plus ferme encore. Après quelques mois de fièvre, la Russie retourne à son sommeil séculaire.

En revanche, l'Europe occidentale est dans l'enthousiasme. Catherine a fait traduire son *Instruction* en latin, en français et en allemand pour en assurer la diffusion dans tous les pays éclairés. Elle peut compter sur ses thuriféraires habituels. Ils sont tous là, fidèles au poste, la trompette à la bouche. Voltaire feint de croire que ce monument de sagesse n'est pas un simple « avant-propos », mais un code complet, détaillé et entré en application déjà. Il écrit : « L'impératrice, dans son nouveau code, le meilleur de tous les codes, remet le dépôt (des lois) au Sénat composé des grands de l'empire. » Il salue « le plus beau document du siècle, digne de Lycurgue et de Solon ». « La Justice et l'Humanité ont conduit la plume de Catherine II : elle a tout réformé! » Diderot et d'Alembert renchérissent. Frédéric II lui-même est ému. Comme pour consacrer le succès de Catherine à l'étranger, son *Instruction* est interdite à Paris, par les autorités de police. Elle s'indigne pour la galerie, mais sa jubilation est intense. Jamais un être n'a offert deux visages aussi différents, selon qu'il se trouve chez lui ou hors de sa maison. Autocrate en Russie, la voici républicaine en France. Ses courtisans sont, d'un côté, des nobles défenseurs du servage et, de l'autre, des philosophes épris de liberté. Et ce double jeu, elle le mène sans effort, laissant parler tantôt son cœur et tantôt sa raison, tantôt son goût de l'ordre occidental et tantôt sa tendresse pour l'extravagance russe.

CHAPITRE XVI

LES FRANÇAIS ET LES TURCS

Les nouvelles de Pologne sont inquiétantes. Dans la petite ville polonaise de Bar, non loin de la frontière turque, s'est formée, dès février 1768, une Confédération de patriotes qui ont juré, tous ensemble, de secouer le joug russe et de restreindre les droits civils des Polonais non catholiques. Ainsi, paradoxalement, c'est l'oppresseur russe qui est pour la tolérance religieuse et l'opprimé polonais qui refuse l'égalité de traitement pour les membres des différentes confessions. Catherine est enchantée de cet imbroglio qui lui donne bonne conscience dans la répression. C'est au nom de la liberté de pensée qu'elle va pouvoir rétablir l'ordre en Pologne. Ses troupes, depuis longtemps alertées, interviennent brutalement contre les bandes inorganisées des confédérés et les bousculent. Voltaire applaudit, selon son habitude : « L'exemple que donne l'impératrice de Russie est unique dans ce monde. Elle a envoyé quarante mille Russes prêcher la tolérance, la baïonnette au bout du fusil... » Et ailleurs : « Elle a fait marcher des armées... pour forcer (les gens) à se supporter les uns les autres. » Homme de paille, Stanislas Poniatowski s'incline.

A Varsovie, l'ambassadeur de Catherine se comporte comme

le gouverneur d'une province conquise. En France, les milieux proches de Louis XV bouillonnent d'indignation. Pourtant le gouvernement français ne songe pas à intervenir directement dans l'affaire polonaise. C'est de la colère tempérée de prudence. On préférerait une revanche par pays interposé. On cherche une courroie de transmission. Deux ans auparavant, le duc de Choiseul écrivait à Vergennes, alors ambassadeur de France à Constantinople : « Le moyen le plus certain... de culbuter de son trône usurpé l'usurpatrice Catherine serait de lui susciter une guerre. Il n'y a que les Turcs à portée de nous rendre ce service... C'est la guerre par les Turcs qui doit être l'unique objet de votre travail [1]. » Cette guerre, Catherine, loin de la redouter, l'appelle de tous ses vœux. Elle a confiance en la force de son armée et de sa flotte. Peut-être lui sera-t-il donné de réaliser le vieux rêve de Pierre le Grand : annexion de la riche Crimée, accès à la mer Noire et aux Dardanelles, anéantissement de la puissance turque, conquête de la ville sainte de Constantin, berceau de l'Église orthodoxe? Alors, oui, elle aura le droit de s'appeler Catherine la Grande! Elle prie pour qu'une étincelle jaillisse, qui enfin mettra le feu aux poudres. Un incident de frontière surgit à point nommé. Au cours d'une échauffourée avec des Polonais, un détachement d'Ukrainiens entre en territoire turc et s'empare de Balta, ville ottomane de Bessarabie. Poussé par la France, le sultan proteste et somme la Russie d'évacuer la Pologne. Catherine, ravie, refuse d'obtempérer. L'ambassadeur russe à Constantinople, Obreskov, est emprisonné au château des Sept-Tours. La Sublime Porte déclare la guerre aux ennemis du Prophète.

Dans toute la Turquie, on pavoise. En Russie aussi. Frédéric II, soupçonnant l'impréparation des deux parties, parle d'une guerre « des aveugles contre les paralytiques ». Certes, l'armée russe est désorganisée, mal montée, imparfaitement ravitaillée. Mais les Turcs sont encore moins bien partagés. La France a fait

1. Lettre du 21 avril 1766. Cf. Daria Olivier : *Catherine la Grande*.

un mauvais pari en misant sur eux. En septembre 1769, le comte Pierre Roumiantsev renverse les « infidèles » à Khotın, occupe les principautés danubiennes, s'empare d'Azov, de Taganrog et se prépare à envahir la Crimée. En 1770, dix-sept mille Russes étripent cent cinquante mille Turcs sur le fleuve Kagoul. La même année, la flotte russe, sous les ordres d'Alexis Orlov, « le Balafré », quitte la Baltique, traverse la Manche, pénètre en Méditerranée, relâche à Venise et, poursuivant sa route, paraît en mer Égée pour y rencontrer la flotte turque. Celle-ci est démantelée, dispersée, incendiée au cours d'un terrible combat dans la baie de Chio, devant le port de Tchesmé. A l'annonce de ces victoires répétées, Catherine confie à Panine qu'elle a peur de « mourir de joie ».

En Europe cependant, les souverains cèdent à la panique. Frédéric II et Joseph II se rencontrent pour étudier un moyen, pacifique si possible, de s'opposer au « torrent qui risque de submerger le monde ». A Versailles, le duc de Choiseul enrage d'avoir surestimé la capacité militaire de l'empire ottoman. Le gouvernement anglais constate avec amertume que la flotte russe a osé traverser la Manche et s'inquiète de cette nouvelle puissance maritime qui fausse les vieilles règles du jeu. En Suède, on envisage avec angoisse l'appesantissement de la menace russe sur la mer Baltique et dans le golfe de Finlande. D'abord traitée en dilettante de la politique, Catherine apparaît maintenant, à toutes les chancelleries occidentales, comme un génie malfaisant, une sorte d'ogresse, à l'esprit calculateur et au geste prompt. Ce qui exaspère par-dessus tout les cours étrangères, c'est que, plus avide que quiconque d'agrandir son empire, elle donne à ses conquêtes l'excuse de la philosophie libérale. Ne va-t-elle pas jusqu'à soutenir, la plume à la main, la cause des Corses de Paoli contre la France qui les opprime? « Je fais tous les matins une prière, écrit-elle au comte Tchernychev, son représentant à Londres : « Mon Dieu, sauvez la Corse des mains des coquins de Français. » A ses yeux, les Français sont les Turcs de l'Occident. Elle met les fleurs de lys et le croissant dans le même sac. « Les Turcs et les Français, écrit-elle encore, ont eu l'idée de réveiller le chat qui dormait... Et voilà que la chatte va courir sur les souris, et voilà que vous allez voir ce que vous verrez, et voilà qu'on parlera de nous, et voilà qu'on ne s'attendait pas à tout le tintamarre que nous ferons, et voilà que les Turcs seront battus, et voilà que les Français seront partout traités comme les Corses les traitent. » Frédéric II assure que Catherine a « une espèce d'aversion pour tout ce qui est français ». Et le chargé d'affaires français Sabatier de Cabre mande à son gouvernement qu'elle « hait les Français de toutes les haines » et que « sa préoccupation est de faire haineusement et sans examen le contraire de ce que la France veut ».

En vérité, quand Catherine parle des Français avec tant d'aigreur, ce n'est pas après la nation entière qu'elle en a, mais après Louis XV et ses ministres. Quelques écrivaillons français méritent, eux aussi, qu'on leur donne sur les doigts. Un certain abbé Chappe d'Auteroche, astronome et géographe, ayant fait un voyage en Sibérie, s'est permis, à son retour en France, d'écrire sur la Russie un livre calomnieux. N'ose-t-il pas critiquer toutes les institutions impériales, prétendre que les paysans de Lituanie manquent de pain pendant l'hiver et affirmer que la Sibérie est un pays de végétation pauvre? Pour prouver le contraire, Catherine envoie à Voltaire des noix d'un cèdre sibérien. Elle est sûre que cet affreux bouquin est un coup monté par le duc de Choiseul. Elle voudrait qu'un grand écrivain français y répondît, du tac au tac. Mais les grands écrivains français rechignent à la besogne. Alors, elle s'y met elle-même. Sa réplique, rédigée d'une plume vengeresse, s'intitule l'*Antidote*. Les deux premières parties sont publiées dans une édition superbe, en 1771 ; une suite est annoncée. Elle ne verra jamais le jour. Catherine s'est, entre-temps, lassée de l'entreprise. Elle a d'autres ennemis à pourfendre : les Turcs. En 1773, elle déclare à son amie, Mme de Bielke, que l'*Antidote* restera inachevé, « parce que l'auteur a été tué par les Turcs ». Elle refusera d'ailleurs toujours de reconnaître officiellement la paternité de cette œuvre. Autre sujet de colère : un ancien secrétaire de l'ambassade de France à Saint-Pétersbourg, Claude Carloman de Rulhière, vient de mettre en vente, à Paris, une brochure manuscrite relatant la prise de pouvoir de Catherine. Ce texte la présente comme une aventurière meurtrière de son époux. Avertie du contenu du libelle, Catherine songe d'abord à racheter toutes les copies en circulation, puis charge son ambassadeur, le prince Golitzine, d'en faire ordonner la saisie par les autorités françaises. Pour complaire à l'impératrice, le gouvernement menace Rulhière de la Bastille s'il ne livre pas ses papiers. Sommation purement formelle. A peine est-elle prononcée, que Monsieur, frère du roi, engage Rulhière comme secrétaire particulier et étend sur lui sa protection. L'affaire en reste là, et le pamphlet continue de se répandre dans le public. Afin de calmer l'impératrice, Diderot déclare : « Si vous faites, Madame, très grand cas des bienséances et des vertus, guenilles usées de votre sexe, cet ouvrage est une satire contre vous; mais, si les grandes vues, les idées mâles et patriotiques vous intéressent davantage, l'auteur vous y montre comme une grande princesse et, à tout prendre, il vous fait plus d'honneur que de mal[1]. » Catherine accepte cette interprétation lénifiante et ravale son dépit. Elle compte sur les plus fins esprits du siècle pour la défendre aux yeux de la postérité : Voltaire, Grimm, d'Alembert, Diderot... Comme toujours, c'est Voltaire qui donne le ton aux panégyristes. Est-il tout à fait désintéressé? Catherine ne lui envoie pas seulement des lettres. De coquettes sommes d'argent partent, à l'occasion, de Saint-Pétersbourg pour ce coin de Suisse. Fin 1770, Voltaire parle à l'impératrice de ses braves horlogers de Ferney, qui seraient tellement honorés si elle leur commandait des montres. Elle le prie de lui en réserver « pour quelques milliers de roubles ». Il lui en expédie toute une caisse, accompagnée d'une facture de 39 238 livres. Abasourdie par ce chiffre, elle finit par

1. Waliszewski : *Autour d'un trône.*

se résigner. Après tout, ce n'est pas payer trop cher le meilleur prêtre de son culte. La guerre contre la Sublime Porte fouette l'inspiration du « vieux radoteur des Alpes ». Il appelle le sultan Mustapha III « le gros cochon du Croissant » et prêche, lui, l'adversaire de la violence, une guerre sans merci. « Pourquoi donc faire la paix, quand on peut pousser si loin ses conquêtes, écrit-il. La guerre est très utile à un pays, quand on la fait avec succès sur ses frontières. La nation devient alors plus industrieuse, plus active, comme plus terrible. »

Et encore :

« Madame, Votre Majesté impériale me rend la vie en tuant les Turcs. La lettre dont elle m'honore, du 22 septembre, me fait sauter de mon lit en criant : *Allah! Catharina!* J'avais donc raison, j'étais plus prophète que Mahomet! Dieu et vos troupes m'avaient donc exaucé quand je chantais : « *Te Catharinam laudamus, te dominam confitemur!* » L'ange Gabriel m'avait donc instruit de la déroute entière de l'armée ottomane, de la prise de Khosin, et m'avait montré du doigt le chemin de Yassi. Je suis réellement, Madame, au comble de la joie; je suis enchanté, je vous en remercie. »

Il va plus loin, il voudrait participer à cette glorieuse campagne de Turquie, éventrer quelques mécréants, entrer à Constantinople, rétablir la croix sur le dôme de Sainte-Sophie, libérer Athènes et se promener aux côtés de Catherine, en philosophant, dans l'enceinte de l'Agora. Dommage qu'il soit trop vieux pour en découdre. Soixante-dix ans! Toutefois, il peut, dit-il, rendre un grand service au peuple russe qui se bat si vaillamment. Quelques années auparavant, il a imaginé une machine de guerre, selon le modèle des chars à faux d'Assuérus. Les plans de ce véhicule meurtrier n'ont pas reçu l'agrément du gouvernement français. Voltaire croit, dur comme fer, que, si Versailles avait adopté son engin, la guerre de Sept Ans aurait été gagnée par la France. Aussi offre-t-il maintenant son invention à Catherine pour l'extermination rapide des Turcs.

« Je ne suis point du métier des homicides, lui écrit-il. Mais, hier, deux excellents meurtriers allemands m'assurèrent que l'effet de ces chars était immanquable dans une première bataille, et qu'il serait impossible à un bataillon ou à un escadron de résister à l'impétuosité et à la nouveauté d'une telle attaque. »

Méfiante, Catherine répond évasivement que ces chars d'assaut seraient sans doute une arme redoutable, mais que, pour l'instant, le courage de ses soldats suffit à impressionner l'adversaire. Piqué dans son amour-propre, Voltaire fait semblant de croire que son projet n'est pas refusé mais mis à l'étude en vue d'une commande ultérieure. Combien plus dur est, pour lui, l'affront que lui inflige le Conseil de la République de Genève en refusant de laisser partir pour la Russie de jeunes Suissesses destinées à devenir les gouvernantes des enfants de l'aristocratie russe! Sur la demande de Catherine, il a veillé lui-même au recrutement de ces demoiselles. Et voici qu'au dernier moment tout est compromis, tout craque. De quoi aura-t-il l'air devant sa « Sémiramis »? Il proteste. Le savant Tronchin lui répond au nom de tous ses compatriotes : « Monsieur de Voltaire, le Conseil se regarde comme le père de tous les citoyens, en conséquence il ne peut souffrir que ses enfants aillent s'établir dans un pays dont la souveraine est violemment soupçonnée d'avoir laissé assassiner son mari et où les mœurs les plus relâchées règnent sans frein[1]. »

Décidément, ces Genevois ont des yeux pour ne pas voir, des oreilles pour ne pas entendre. Ils taxent les Russes de barbarie, alors qu'en pleine guerre contre la Turquie Catherine se préoccupe d'édifier un musée dans sa capitale. Oui, elle a fini par donner corps à son rêve. Le nouveau palais d'Hiver, dû à l'Italien Rastrelli, reçoit une annexe bâtie par le Français Vallin de La Mothe. Cette annexe, aux proportions élégantes, est baptisée « Ermitage ». Elle est reliée par une sorte de pont couvert au bâtiment principal. Dans la galerie, arrivent les premiers chefs-d'œuvre de l'art. L'impératrice a chargé Diderot,

1. Cf. Jean Orieux : *Voltaire.*

grand connaisseur, de lui acheter des tableaux, des statues, des meubles, des médailles. Plus sa vie politique est absorbante, plus elle éprouve le besoin de s'en évader, de temps à autre, pour se retrouver, avec quelques intimes, entre des murs voués à la beauté des formes et des couleurs. Certes, son goût artistique n'est pas très sûr — elle l'avoue elle-même —, mais tous les grands monarques qu'elle admire, Louis XIV en tête, ont été, plus ou moins, collectionneurs. Et puis, elle aime rafler, amasser, posséder. « Ce n'est pas amour de l'art, dit-elle, c'est voracité. Je ne suis pas *amatrice,* je suis glouton. » Elle achète à droite, à gauche, très cher ou pour presque rien, en gros ou en détail. D'abord, elle enlève un lot de tableaux que Frédéric II a refusés par souci d'économie. Puis, elle emporte, pour 180 000 roubles, les trésors du cabinet personnel du comte de Brühl, ex-ministre du roi de Pologne. En 1772, grâce aux efforts de Tronchin, de Diderot, du prince Golitzine et du comte Betski, elle acquiert, pour 438 000 livres, les cinq cent soixante-six tableaux de maître qui forment la collection Crozat. Il y a là des Raphaël, des Guide, des Poussin, des Van Dyck, des Rembrandt, des Téniers, des Véronèse, des Titien, des Clouet, des Watteau, des Murillo... Une avalanche de chefs-d'œuvre des Écoles française, italienne, hollandaise, flamande. Diderot écrit à Falconet : « Ah ! mon ami Falconet, combien nous sommes changés ! Nous vendons nos tableaux et nos statues au milieu de la paix. Catherine les achète au milieu de la guerre. Les sciences, les arts, le goût, la sagesse remontent vers le Nord, et la barbarie, avec son cortège, descend au Midi. » Mais Diderot est inquiet pour l'acheminement de toutes ces merveilles vers leur nouvelle patrie. L'année précédente, la collection Braancamp, achetée par Catherine en Hollande pour 60 000 écus, a sombré dans la mer Baltique avec le bateau qui la transportait. Cette fois-ci, le voyage se passe bien et les dix-sept caisses, après plusieurs semaines de navigation, sont livrées, en bon état, à l'Ermitage. Quelques mois plus tard, Catherine s'offre le luxe d'acheter, en vente publique, la collection de son ennemi déclaré, le duc de Choiseul. Insatiable, elle obtient encore en bloc toutes les pierres gravées du duc d'Orléans, elle commande des toiles à Chardin et à Vernet, elle se fait expédier une *Diane* de Houdon, qui n'a pu figurer au Louvre parce que trop peu vêtue.

Parmi ces richesses, réparties dans des salles immenses, elle déambule, contemplant sa gloire. « Mon petit réduit est tel, écrit-elle à Grimm, qu'aller et revenir de ma chambre fait trois mille pas. Là, je me promène au milieu de quantités de choses que j'aime et dont je jouis, et ce sont ces promenades d'hiver qui m'entretiennent en santé et sur pied[1]. »

Pour se donner plus d'agrément encore pendant la mauvaise saison, elle fait installer, au second étage du nouveau palais d'Hiver, une vaste serre au plafond vitré, avec des pelouses, des arbres, des parterres de fleurs, des jets d'eau, des oiseaux en liberté. En levant les yeux, elle aperçoit le ciel. Dehors, la neige tombe à lents flocons, les patins des traîneaux crissent en glissant, la Néva est prise sous la glace, les sentinelles enfarinées, aux abords du palais, ressemblent à de gros ours maladroits, et, ici, la douce chaleur de l'été répand ses bienfaits sur les plantes. Nier l'hiver, cette gageure plaît à Catherine. D'ailleurs, tout ce qui paraît impossible à l'esprit humain la tente. Ainsi s'est-elle mis en tête de faire transporter à Saint-Pétersbourg un énorme monolithe, pour servir de socle à la statue équestre de Pierre le Grand qu'elle a commandée à Falconet. Ce roc, elle l'a vu, en 1768, avec Falconet et Betski, en Finlande, alors que les entrepreneurs prospectaient le terrain pour y découvrir le granit nécessaire à la construction des quais de la Néva. Une pierre gigantesque, scintillante, sauvage, rappelant par sa forme une vague figée à l'instant du déferlement. D'après les calculs des spécialistes, le poids d'une telle masse doit dépasser les trois millions de livres[2]. Haute de vingt-deux pieds au-dessus du sol, longue de quarante-deux, large de trente-quatre, elle est

1. Waliszewski : *Le Roman d'une impératrice.*

2. Soit deux millions de livres de plus que le plus grand des obélisques apportés à Rome.

profondément enfoncée dans la terre molle. Pendant deux ans, Catherine rêve à ce piédestal, qui semble enraciné pour l'éternité dans un paysage désertique. Il lui faut son rocher. Dût-elle employer la moitié de ses sujets pour le traîner sur la route de Saint-Pétersbourg. Pierre le Grand n'aurait pas hésité à tenter l'aventure. Une récompense de sept mille roubles est offerte à qui indiquera le meilleur moyen de transport. Après plusieurs essais, un système ingénieux est mis en place : des poutres creusées en gouttières et garnies de boulets de cuivre sur lesquels roulera le monolithe. Cent chevaux sont prévus pour l'attelage. Catherine préside en personne à l'installation du dispositif. Le voyage dure un an, par une route spécialement construite à cet effet. Lorsque le bloc monumental arrive enfin sur la place de l'Amirauté, près du quai de la Néva, le peuple est frappé d'une stupéfaction religieuse. Petite mère Catherine ne gagne pas seulement la guerre contre les Turcs, elle déplace des montagnes.

Cependant, pour Catherine, il est plus facile d'arracher un roc à la terre où il reposait depuis la nuit des temps que de modeler à son idée le caractère des êtres qui lui sont chers. En prenant de l'âge, son fils, le grand-duc Paul, affirme un physique de plus en plus ingrat et un esprit de plus en plus tourmenté. En 1770, à l'époque des victoires contre les Turcs, il a seize ans. Ses yeux saillants, d'un bleu délavé, ont une expression hagarde. Des tics secouent ses gros traits ramassés en mufle. Il est sujet à des crises d'épilepsie. Des hallucinations nocturnes lui montrent son père assassiné. Très tôt, prêtant l'oreille aux chuchotements de la cour, il rend sa mère responsable de cette mort. La brochure de Rulhière, dont des conseillers malveillants lui glissent une copie, achève de le convaincre. Il se prend pour Hamlet. Des velléités de juste vengeance enflamment son cerveau. La liaison de l'impératrice avec Grégoire Orlov le révolte. Par contrecoup, il idéalise son père, qu'il n'a pour ainsi dire pas connu. Comme lui, il se passionne pour les exercices militaires. Le régiment, avec son odeur de cuir, de graisse d'arme, de poudre et de sueur, lui paraît le meilleur refuge contre l'ennui de l'existence quotidienne. Il voudrait vivre de revue en revue, de pétarade en pétarade. En même temps, la folie de la persécution le harcèle. Malgré les soins dont l'entoure sa mère, il craint qu'elle ne le fasse empoisonner ou poignarder. Il suffit qu'il la voie pour penser à la mort. Elle transporte autour d'elle un relent de tombeau. Un jour, trouvant de minuscules éclats de verre dans le plat que lui présente un serviteur, il blêmit de fureur, bondit de sa chaise, court en gesticulant à travers tout le palais et, arrivé devant l'impératrice, lui crie en pleine face qu'elle a voulu le tuer. Catherine, très calme, le sermonne et il baisse la tête, vaincu. De scène en scène pourtant, elle se refroidit à l'égard de cet adolescent sournois et haineux. Elle sait trop que, derrière son dos, il la maudit et l'insulte avec une rage impuissante. Il lui rappelle Pierre III. Elle voit en lui l'ennemi de sa tranquillité. Et peut-être de son trône. « On le croit (le grand-duc Paul) vindicatif, entier et absolu dans ses idées, écrit le chargé d'affaires français Sabatier de Cabre, le 20 avril 1770. Il est seulement à craindre qu'à force de réprimer son essor on n'opiniâtre les germes d'un caractère décidé, que la fausseté, la haine sourde et peut-être la pusillanimité n'en prennent la place et que l'élévation qu'on eût pu développer en lui ne soit enfin étouffée par la terreur que sa mère lui a toujours inspirée... Il est vrai que l'impératrice, qui sacrifie assez aux apparences sur tout le reste, n'en observe aucune vis-à-vis de son fils. Elle a toujours pour lui l'aspect et le ton d'une souveraine, et elle y joint souvent la sécheresse et les inattentions qui révoltent le jeune prince. Elle ne l'a jamais traité en mère. Aussi le grand-duc est-il avec elle comme devant un juge. »

L'autre fils de Catherine, le petit comte Bobrinski, élevé avec la plus grande douceur, l'afflige par sa paresse et son inconséquence. Le père de l'enfant, Grégoire Orlov, est, lui aussi, un inquiet, un insatisfait. Sa liaison avec l'impératrice date de dix ans, lorsque éclate la guerre contre la Turquie. Leurs premières ardeurs ont fait place, peu à peu, à une sorte de tendresse voluptueuse, coupée de querelles. Ils forment, aux yeux de tous, un ménage de vieux amants, fatigués l'un de l'autre et incapables de se séparer. Souffrant de n'être pour Catherine que le dispensateur des plaisirs nocturnes, Grégoire Orlov a essayé de lui prouver qu'il était capable de la suivre dans ses pensées aussi bien que dans ses ébats. Il s'est mis à lire, il a entamé une correspondance avec Jean-Jacques Rousseau, il s'est intéressé à la peinture, à l'agronomie, mais, chaque fois, son enthousiasme a tourné court. Paresseux et superficiel, ce sybarite taillé en colosse reconnaît maintenant avec amertume que, sans la bienveillance de Sa Majesté, il ne serait rien. Plus la silhouette de Catherine grandit à l'horizon politique, plus il rapetisse dans l'ombre des jupes impériales. Elle recherche ses baisers et le fait taire dès qu'il émet un avis sur les affaires publiques. A croire que la femme, c'est lui, dans ce couple disproportionné. Et, vraiment, la petite princesse allemande n'a pas seulement changé de patrie en devenant impératrice de Russie, elle a changé de sexe. Une double émigration. Oui, quand elle pense aux femmes, Catherine n'a pas l'impression d'appartenir à cette espèce qu'elle juge faible, frivole et geignarde. Seules ses entrailles ont parfois les mêmes exigences, les mêmes pulsions que celles de ses sœurs. Mais, par l'esprit, elle est un mâle conquérant. En possédant cette amazone, Grégoire Orlov s'étonne qu'elle puisse encore, une fois couchée, se conduire en amoureuse. Il s'attriste, il se plaint, il voudrait du moins se couvrir de gloire, à la guerre, comme son frère Alexis. Mais, quand il parle d'aller se battre contre les Turcs, Catherine refuse de le laisser partir. Elle prétend avoir besoin de sa présence, de ses conseils. En fait, il sait bien qu'elle le retient uniquement pour le service du lit. Le seul champ de bataille auquel il ait droit, c'est la chambre à coucher de Catherine. Encore le convoque-t-elle de moins en moins souvent. Les soucis de l'État la dévorent. Elle a quarante ans. Il en a trente-quatre. Pour se changer les idées, il la trompe, en secret, avec des partenaires de rencontre. Roturières ou aristocrates, tout lui est bon. Mais ces furtives victoires d'alcôve ne suffisent pas à contenter son ambition. Même dans les bras des autres, il ne cesse de penser à Catherine. Il veut l'étonner, la subjuguer, une fois pour toutes. L'occasion lui en est offerte, alors qu'il ne voit plus aucune issue à son état de soumission dorée : une épidémie de peste a éclaté à Moscou. Les autorités locales sont vite débordées. Le peuple refuse d'obéir aux ordres qui interdisent, par crainte de la contagion, les réunions sur les marchés et dans les églises. Puisqu'il s'agit d'un fléau de Dieu, le seul remède, estiment les fidèles, c'est la prière. Et voici qu'on leur défend de baiser les icônes miraculeuses. Ils se révoltent, ils crient à la trahison, ils enfoncent les portes des temples. Devant cette ruée, le métropolite de Moscou décide de faire enlever les images saintes. Comme il arrive en personne au Kremlin, pour veiller à l'exécution de ces consignes, il est reconnu par la multitude, assailli, jeté à terre, piétiné, massacré. Toute la ville sombre dans le désordre, le désespoir, la peur, la violence, la folie. Grégoire Orlov sollicite de Catherine l'autorisation de se rendre à Moscou pour ramener la foule à la raison. Il a en lui le goût du risque, un grand courage physique, le sens de l'initiative. Il l'a prouvé lors du coup d'État qui a porté Catherine au pouvoir. Qu'elle lui laisse la possibilité de le prouver à nouveau. Après des années de désœuvrement et de mollesse, il a besoin de se racheter, tant à ses propres yeux qu'aux yeux de l'impératrice. La décision de Catherine peut surprendre : alors qu'elle s'est toujours opposée au départ de Grégoire Orlov pour l'armée, elle consent à son départ pour Moscou. Ignore-t-elle qu'il y courra beaucoup plus de dangers que dans un état-major fastueux, loin du théâtre des opérations ? Certains, autour d'elle, chuchotent qu'elle l'envoie à la mort parce qu'elle est lasse de sa nullité et de ses prétentions. D'autres disent que l'espoir de le voir réussir glorieusement dans sa mission l'emporte chez elle sur toutes les considérations de prudence. D'autres encore avancent le nom d'un remplaçant possible, Wysocki... En fait, il semble que Catherine ait eu envie, tout à la fois, d'éloigner pour quelques semaines un amant trop encombrant et de lui donner, par charité, la chance de s'occuper d'une tâche noble et nécessaire.

Le 2 octobre 1771, Grégoire Orlov, galvanisé, part pour Moscou. Là, il se dépense avec une énergie, une audace et une efficacité stupéfiantes, imposant les mesures sanitaires à une population hostile, accompagnant les médecins au chevet des malades, veillant à la répartition des médicaments, aidant à l'enlèvement des cadavres qui pourrissent dans les maisons et jusque dans les rues. Il meurt de sept cents à huit cents personnes par jour. Grégoire Orlov fait brûler les vêtements des victimes. Il est partout à la fois, il dort à peine. Son autorité rend courage aux hésitants et apaise les révoltés. Il semble commander à la maladie. En trois mois, l'épidémie est enrayée. Il rentre à Saint-Pétersbourg en général victorieux. Catherine fait dresser pour lui un arc de triomphe, à Tsarskoïé-Sélo. Une artiste française, Mlle Collot, élève de Falconet, sculpte le buste du sauveur de Moscou. Sur une médaille, frappée à la même occasion, le portrait du favori accompagne la figure symbolique du héros romain Curtius [1], avec cette inscription : « La Russie a aussi de tels fils. » Pourtant, ces marques d'admiration et de reconnaissance ne suffisent pas à rassurer Grégoire Orlov sur la solidité de son retour en grâce. Catherine a beau manifester une grande joie de le revoir, il sent une bizarre contradiction entre les honneurs dont elle le comble en public et la froideur qu'elle lui témoigne en privé. Héros de la bataille contre la peste, il voudrait aujourd'hui retrouver ses prérogatives d'amant. Or, la porte de la chambre à coucher impériale ne s'ouvre plus pour lui que de loin en loin. Il n'en souffre pas dans sa chair, mais dans sa vanité. Depuis longtemps, le désir qu'il a de Catherine s'est assagi, non sa soif de paraître, de dominer, de briller. Quoi qu'il arrive, il ne cédera sa place à personne. Au besoin, il tuera le rival qui osera se présenter. Catherine le sait et surveille, du coin de l'œil, ce compagnon superbe et ombrageux.

1. Curtius s'était, selon la légende, jeté dans un précipice pour sauver sa patrie.

CHAPITRE XVII

LE MARIAGE DU GRAND-DUC

Prise de Bender, prise d'Akkermann, prise de Braïla, prise de Bucarest, la Russie vole de victoire en victoire. Frédéric II envoie son frère Henri à Saint-Pétersbourg pour inciter Catherine à entamer des pourparlers de paix avec la Turquie. Elle fait la difficile : il lui faut la Moldavie et la Valachie. Encore ses conseillers la poussent-ils à être plus exigeante, puisque l'adversaire chancelle. Là-dessus, voici que l'Autriche occupe le comté de Zias, en Pologne, sous le prétexte fallacieux de renforcer sa propre sécurité. Loin de s'indigner, Catherine laisse faire. En acceptant l'occupation autrichienne, elle justifie d'avance sa propre intervention. Du moment que l'Autriche s'est servie, « pourquoi ne prendrait-on pas aussi quelque chose », déclare-t-elle cyniquement. En janvier 1772, une convention secrète est conclue entre elle, Frédéric II et Joseph II en vue d'un partage de la Pologne. Peu après, le faible Stanislas Poniatowski apprend les mutilations décidées, en haut lieu, sur le corps de son pays. La Russie annexe la Russie Blanche, avec les villes de Polotzk, Vitebsk, Orcha, Mohilev, Mstislavl, soit un total de 1 600 000 habitants. La Prusse saisit la Warnie et les Palatinats de Pomérélie, moins Dantzig, avec

900 000 habitants. Quant à l'Autriche, malgré les pieuses protestations de l'impératrice Marie-Thérèse, elle se taille la part du lion en s'appropriant la Galicie, peuplée de 2 500 000 habitants. Ainsi, la Pologne se trouve-t-elle dépouillée d'un tiers de son territoire. Le traité définitif, signé à Saint-Pétersbourg (le 5 août 1772), assure dans son préambule que ces amputations ont été faites « pour rétablir l'ordre dans l'intérieur de ce pays et lui donner une existence politique plus conforme aux intérêts de son voisinage ».

Ces excuses outrecuidantes ne trompent personne. Si Stanislas Poniatowski accepte, selon son habitude, les décisions de Catherine, la noblesse polonaise tremble d'humiliation et de colère. De tous côtés, en Europe occidentale, s'élèvent des cris d'indignation contre les trois « brigands » qui ont fait main basse sur un peuple désarmé. Libelles, pamphlets, caricatures, poèmes vengeurs jaillissent des soupentes et gagnent les salons. Même Marie-Thérèse, dont le fils, Joseph II, a participé gaillardement au mauvais coup, déclare : « Je sens la honte me monter à la face. » Désespérés, les Polonais appellent à l'aide la France, l'Angleterre. Mais, en France, le bouillant duc de Choiseul a été remplacé par le prudent duc d'Aiguillon qui ne se soucie pas de déclencher une guerre « pour les beaux yeux de la Pologne ». Et l'Angleterre, elle aussi, se contente de déplorer la situation sans bouger un seul pion sur l'échiquier. Restent les philosophes. Vont-ils flétrir celle qu'ils ont pris l'habitude d'encenser? Non. Une fois de plus, ils justifient cette « souveraine éclairée », dont les troupes n'ont franchi la frontière polonaise que pour « combattre le fanatisme ».

« Tout devient légitime et même vertueux pour le salut public », constatait naguère Helvétius. Et Voltaire, parlant des trois complices du démembrement de la Pologne, déclare : « Voilà trois belles et bonnes têtes dans un bonnet. » Après le premier traité de partage, il exprime le souhait « qu'on ne s'arrête pas en si beau chemin ». La révolte des Polonais lui paraît être « une farce à l'italienne », « ce qu'il y a de plus honteux et de plus lâche dans le siècle[1] ». Enfin, il ose écrire : « C'est une chose assez plaisante et qui a l'air de la contradiction de soutenir l'indulgence et la tolérance les armes à la main, mais aussi l'intolérance (polonaise) est si odieuse qu'elle mérite qu'on lui donne sur les oreilles. » Et aussi, s'adressant à Catherine : « Je ne suis pas meurtrier, mais je crois que je le deviendrais pour vous servir. »

Ainsi, le philosophe pacifiste devient-il pamphlétaire belliciste par dévouement à sa « Sémiramis ». Elle, de son côté, avoue à Grimm : « Je suis peut-être bonne, je suis ordinairement douce, mais, par état, je suis obligée de vouloir terriblement ce que je veux. » Et elle veut « terriblement » la Pologne. Elle l'aura. Par morceaux. Ce premier succès la transporte. Elle veut aussi « terriblement » la Crimée, l'accès du Caucase et du bassin du Danube, la libre navigation sur la mer Noire. Pour cela, il lui faut acculer les Turcs au désespoir. Au printemps 1772, ils semblent suffisamment essoufflés pour se montrer des interlocuteurs compréhensifs. Les négociations de paix peuvent commencer dans la petite ville de Fokchany, en Moldavie. L'impératrice décide de se faire représenter à ce congrès par son favori Grégoire Orlov, qui vient de se couvrir de gloire en combattant la peste à Moscou. Est-ce pour lui témoigner mieux encore l'estime où elle le tient ou pour l'écarter, une fois de plus, pendant quelques mois, de sa personne ?

Il part en grande pompe. Un train royal l'accompagne. Catherine lui a fait cadeau d'un habit brodé de diamants sur toutes les coutures. Il est si beau dans ce costume, qu'un émerveillement la reprend au moment de la séparation. Le temps d'un regard, elle retrouve en elle les tendres émois de la grande-duchesse. Elle écrit à son amie Mme de Bielke : « Mes anges de paix (les plénipotentiaires), je pense, se trouvent présentement en présence et face à face avec ces vilains barbus turcs. Le comte Orlov, qui, sans exagération, est le plus bel

1. Cf. Waliszewski : *Autour d'un trône.*

homme de son temps, doit paraître réellement un ange vis-à-vis de ces rustres-là; sa suite est brillante et choisie... Je veux parier pourtant que sa personne écrase tout ce qui l'entoure. C'est un si singulier personnage que cet ambassadeur-là; la nature a été si extraordinairement libérale vis-à-vis de lui du côté de la figure, de l'esprit, du cœur et de l'âme!... »

Arrivé à Fokchany, Grégoire Orlov étale sa richesse et sa morgue aux yeux des Russes et des Turcs éberlués. Sa récente nomination comme plénipotentiaire lui est montée à la tête. Il se prend non plus pour le favori mais pour le tsar en personne. Il se pavane, fait la roue, se répand en discours fumeux et tranche de tout avec une incompétence pontifiante. Chargé de préparer la paix, il rêve de recommencer la guerre et d'éclipser, sur les champs de bataille, les autres chefs militaires russes, réclame le commandement de l'armée, se dispute, en pleine assemblée, avec le général Roumiantsev, qu'il menace de pendaison si celui-ci continue à le contredire, ne tient aucun compte des instructions que lui envoie Panine, médite un coup de main sur Constantinople, embrouille les discussions par ses interventions inopportunes, puis les arrête tout à coup pour consacrer son temps à une série de fêtes mirifiques, au cours desquelles il arbore le fameux habit constellé de diamants.

Des rapports inquiétants arrivent de Fokchany à Catherine au sujet de son flamboyant « ambassadeur ». Plus inquiétants encore paraissent les bruits qui courent sur lui dans la capitale. Les ennemis du favori s'empressent de renseigner Sa Majesté sur les frasques extra-impériales du comte Orlov. Ayant acquis la certitude qu'elle a été trompée, Catherine domine les mouvements de son amour-propre blessé. Pas question de rappeler l'infidèle Grégoire pour le punir ou, du moins, pour lui demander des explications. Il y a longtemps que leur liaison n'est plus qu'une habitude. Tout en rendant hommage à la beauté et à la vigueur de son amant, elle n'éprouve plus auprès de lui les fiévreux plaisirs de la découverte. Le mieux serait de le remplacer. Et vite. Les candidats ne manquent pas. Catherine les passe en revue. Évidemment, il y aurait ce Potemkine, jeune officier noble, pauvre et plein d'esprit, qui lui a offert sa dragonne, lors de la chevauchée décisive vers Péterhof. Depuis, il a participé avec beaucoup d'esprit et de compétence aux travaux de la Grande Commission. Distingué par Catherine, il est devenu un familier des réunions intimes de l'Ermitage et a dû faire face à la jalousie des Orlov. Le gigantesque et brutal Alexis s'est pris de querelle avec lui pendant une partie de billard et, dans la bagarre, lui a crevé un œil. Borgne et louchant de l'œil qui lui reste, Potemkine n'en a pas moins continué à intéresser l'impératrice. Il émane de lui un charme à la fois intellectuel et viril. Mélange très apprécié de Catherine. Elle surveille de près la carrière de son protégé, le fait mettre au courant des affaires du Sénat, lui donne un précepteur français, le pousse à reprendre du service dans l'armée. Le courage de Potemkine à la bataille de Khotin lui vaut des décorations et le grade de général major. Plus Grégoire Orlov irrite Catherine par ses foucades, plus elle pense à « l'autre ». Malheureusement, « l'autre » est retenu au loin par les opérations militaires. Il faut chercher ailleurs. Elle ne peut attendre. Nikita Panine lui vante les mérites d'un certain Alexandre Vassiltchikov. C'est un jeune homme de vingt-huit ans, cornette aux chevaliers gardes. Descendant d'une illustre famille russe, il a un beau visage, un corps robuste et une intelligence limitée. Mais on le destine à un autre usage que la conversation. Catherine l'observe à Tsarskoïé-Sélo, dans l'escorte caracolante qui entoure son carrosse. Un regard lui suffit pour apprécier le morceau. Le soir même, Vassiltchikov dîne à la table de Sa Majesté. Quand elle quitte Tsarskoïé-Sélo pour Péterhof, elle lui fait remettre une tabatière en or avec cette inscription : « Pour la bonne tenue des gardes du corps. » D'autres cadeaux suivront. Jusqu'au cadeau suprême : l'accès au lit de l'impératrice.

L'amant par intérim s'acquitte si bien de sa tâche, que Catherine, ravie, le nomme gentilhomme de la Chambre, le décore de l'Ordre de Saint-Alexandre Nevski et l'installe provisoirement dans l'appartement de Grégoire Orlov. A quarante-trois ans, elle pourrait presque être la mère de ce garçon si fougueux dans le lit et si timide dans les salons. La chair fraîche l'attire. Toute sa vie, elle choisira — elle le sait déjà — des hommes beaucoup plus jeunes qu'elle, par crainte d'être déçue. Celui-ci lui redonne joie et alacrité.

A la cour, c'est la stupéfaction. On s'était habitué aux défauts de Grégoire Orlov. Il faisait partie, depuis dix ans, des institutions de l'empire. Va-t-il falloir maintenant s'aplatir devant le joli petit officier qu'un caprice de la tsarine a distingué dans la foule et qu'elle impose à son entourage avec une tranquille impudeur? Les diplomates étrangers s'inquiètent. « Généralement, tous ceux qui appartiennent à la cour désapprouvent cette affaire, écrit le baron de Solms à Frédéric II. Elle cause parmi eux, parmi la famille et les amis du comte Orlov et parmi les domestiques de la chambre, les valets et les femmes de chambre une grande émotion. On les voit abattus, pensifs, mécontents... » Quant au ministre anglais Gunning, il est plus sévère encore : « Le successeur qu'on a donné (à Orlov) est peut-être la preuve la plus frappante de faiblesse et la plus grande flétrissure du caractère de Sa Majesté impériale. » Insoucieuse de ces ragots, Catherine s'amuse à choyer son nouveau favori. Elle lui offre un hôtel particulier, un domaine avec sept mille serfs, des bijoux, des tableaux, des bibelots pour le plaisir de l'entendre balbutier des remerciements. « Je n'étais qu'une fille entretenue, dira Vassiltchikov. On me traitait de même. » Mais, pour l'instant, il jouit de sa situation avec un émerveillement naïf de chérubin.

Bien entendu, Grégoire Orlov ne tarde pas à être averti par ses amis pétersbourgeois de la disgrâce qui le frappe. Le choc ébranle sa raison. Au diable les négociations de paix! Plantant là les délégués russes et turcs stupéfaits, il part, à bride abattue, pour Saint-Pétersbourg. L'estafette la plus rapide met seize jours à traverser la Russie du sud au nord. Chevauchant sans relâche, crevant ses montures l'une après l'autre, Grégoire

Orlov parvient en deux semaines aux abords de la capitale. Mais l'impératrice a été prévenue, entre-temps, de ses intentions. Elle en est à la fois furieuse et inquiète. On peut s'attendre au pire avec cette tête brûlée de Grégoire. A tout hasard, elle fait changer les serrures de l'appartement du nouveau favori et garder militairement les routes conduisant à Saint-Pétersbourg. Puis elle envoie à Grégoire Orlov, par un émissaire, l'ordre de se retirer dans son château de Gatchina et d'y attendre qu'elle ait statué sur son sort. Il accepte la quarantaine et elle lui sait gré de son apparente résignation. Au fond, tout en lui reprochant d'avoir trahi ses devoirs de plénipotentiaire, elle ne peut s'empêcher d'être émue à l'idée qu'il l'a fait par amour pour elle. Alors même qu'elle le condamne comme impératrice, elle l'excuse comme femme. Elle ne veut plus le revoir à la cour, mais elle envoie tour à tour Betski, Tchernychev, Alsoufiev pour l'assurer de son estime. Elle exige qu'il se démette volontairement de ses charges et de ses fonctions, mais elle lui écrit tous les jours. Elle affiche son attachement au nouveau favori, mais elle veut savoir ce que fait, ce que mange, ce que boit l'ancien, et s'il ne manque pas de linge. Elle multiplie les cadeaux de rupture : quelques milliers de paysans, un service en argent, un autre « pour l'usage journalier », des meubles, tous les objets qui garnissaient l'appartement d'Orlov au palais impérial... Ses ministres s'inquiètent de la voir négliger les affaires de l'État. Un jour, dans un sursaut de volonté, elle charge Panine de se rendre à Gatchina et de réclamer à Grégoire Orlov le petit portrait orné de diamants qu'elle lui a donné et qu'il porte toujours sur son habit. Avec fierté, l'amant évincé remet au messager la monture de diamants, mais refuse de se séparer de l'image. Quant à l'oukase qui le déclare démissionnaire et lui permet de voyager « pour sa santé », il le salue par un éclat de rire : il se porte à merveille et le seul voyage qui le tente est celui de Gatchina à Saint-Pétersbourg. Pour mettre un peu de baume sur les blessures de ce fou d'Orlov, Catherine publie, le 4 octobre 1772, un autre oukase lui conférant le titre de prince.

Du coup, il se croit pardonné et reparaît à la cour, un soir, au jeu de Sa Majesté. Catherine l'accueille avec froideur, mais ne le renvoie pas. De l'avis de tous, il n'est plus dans son état normal. Le geste nerveux, l'œil brillant, la parole saccadée, « il se conduit, écrit le chargé d'affaires français Sabatier de Cabre, comme un homme qui veut reprendre sa manière d'être ou se faire enfermer ». Dans un moment de lucidité, il déclare au même Sabatier de Cabre « qu'il pourrait vivre dans un cabaret sans regretter sa grandeur passée, mais qu'il est affligé de voir l'impératrice se donner en spectacle à toute l'Europe ». Il ajoute que « l'impératrice écrit à M. Vassiltchikov les billets les plus enflammés et lui fait des présents continuels et sans bornes [1] ». Cependant, loin d'en vouloir à Vassiltchikov qui l'a supplanté dans les faveurs de l'impératrice, il le prend en amitié et plaisante en public de sa propre disgrâce. Cette scabreuse complaisance dans l'infortune embarrasse et irrite jusqu'à ses amis. On le rencontre aussi bien dans les salons que dans les bouges. Il courtise les demoiselles d'honneur et couche avec des filles publiques, il bâfre, s'enivre, tient des propos décousus et donne à tous l'impression d'un homme qui cherche son salut dans la dégradation. Le nouveau ministre plénipotentiaire français, M. Durand de Distroff, écrit : « La nature n'a fait (de Grégoire Orlov) qu'un paysan russe et il sera tel jusqu'à la fin... Du matin au soir, il ne quitte pas les *fresles* (demoiselles) de la cour qui sont restées dans le château. Il y dîne, il y soupe; la table est cependant malpropre, les mets sont dégoûtants, et ce prince fait ses délices d'une pareille vie... Sa vie morale n'est pas meilleure. Il s'amuse de puérilités; son âme est comme son goût et tout est bon pour lui. Il aime comme il mange, s'accommode autant d'une Kalmouque ou d'une Finnoise que de la plus jolie

1. Dépêche de M. Sabatier de Cabre du 30 octobre 1772.

femme de la cour, et voilà le « bourlaque » tel qu'il est[1]. »

Enfin, « le prince-bourlaque » consent à voyager. Il parcourt l'Europe, éblouit les foules par la splendeur de son équipage, joue gros jeu à toutes les tables et rencontre quelques grands hommes, dont Diderot qui voit en lui « une chaudière qui bout toujours et ne cuit rien ». A son retour, l'impératrice lui fait cadeau d'un palais de marbre. Afin de n'être pas en reste, il lui offre, pour la Sainte-Catherine, un énorme diamant bleu de Perse, « le Nadir-Schah », (connu plus tard sous le nom de « l'Orlov »), d'une valeur de 460 000 roubles. Bien qu'elle ne l'aime plus physiquement, Catherine est liée à lui par tant de souvenirs qu'elle accepte avec une tendre indulgence ce qu'elle ne pardonnerait pas à un autre. « Sa tête est naturelle et va son train, écrit-elle à Grimm ; et la mienne la suit. »

La « tête naturelle » de Grégoire Orlov s'embrase soudain, à quarante-trois ans, pour une charmante jeune fille de quinze ans, Catherine Zinoviev. Elle est sa cousine germaine. Devant tant de fraîcheur, le vieux débauché oublie l'impératrice. Le voici de nouveau amoureux, mais, cette fois, sans autre ambition que celle de plaire. Envoûtée par ce prince qui a séduit tant de femmes avant elle, Catherine Zinoviev accepte follement de l'épouser. Leur union est annulée par une décision du Sénat, la loi civile et religieuse s'opposant aux mariages consanguins. Mais Catherine veille. Elle n'a plus de jalousie envers l'amant d'autrefois. Généreuse, elle casse l'arrêt du Sénat. Comblés de cadeaux, les jeunes mariés partent pour l'étranger en voyage de noces.

C'est incontestablement par la faute de Grégoire Orlov que les pourparlers de Fokchany ont été rompus. Sans en tenir rigueur à son « envoyé extraordinaire », Catherine fait poursuivre par d'autres les conversations en faveur de la paix, à Bucarest. Mais les Turcs se montrent intraitables. Tandis que la

1. « Bourlaque » ou « bourlak » : haleur de bateau et, par extension, homme grossier et vulgaire.

guerre continue, Catherine écrit à l'ambassadeur russe Obreskov, qui, libéré du château des Sept-Tours, conduit maintenant les négociations : « Si nous n'obtenons ni l'indépendance des Tartares, ni la navigation sur la mer Noire, ni quelques points d'appui entre la mer d'Azov et la mer Noire, nous n'avons, malgré nos victoires, pas gagné un sou. » Entre-temps, Roumiantsev a franchi le Danube et battu les Turcs à Choumla.

Installée à Tsarskoïé-Sélo, Catherine donne des instructions pour la levée de nouvelles recrues, s'occupe du financement des opérations militaires, étudie la construction de maisons d'Invalides et la fondation d'une Caisse de prêt et d'épargne pour les veuves et les orphelins de guerre, examine les rapports des gouverneurs de province, et, pour son plaisir personnel, surveille les transformations du palais et du parc. « J'aime à la folie, présentement, les jardins à l'anglaise, les lignes courbes, les pentes douces, les étangs en forme de lacs, les archipels en terre ferme, et j'ai un profond mépris pour les lignes droites, les allées jumelles, écrit-elle à Voltaire. Je hais les fontaines qui donnent la torture à l'eau pour lui faire prendre un cours contraire à sa nature ; les statues sont reléguées dans les galeries, les vestibules, etc., en un mot, l'anglomanie domine dans ma plantomanie. C'est au milieu de ces occupations que j'attends tranquillement la paix. »

Une autre « occupation », qu'elle ne mentionne pas dans sa lettre, accapare souvent son esprit : c'est la préparation d'un avenir raisonnable pour son fils, dont le caractère ténébreux et désordonné se détériore avec le temps. Comment fixer l'attention et assurer l'équilibre du grand-duc Paul, qui va avoir dix-neuf ans ? Nikita Panine propose de le marier à une jeune fille de bonne santé et d'extérieur aimable. Seule l'union avec une personne de qualité permettra, dit-il, d'assagir cet enfant attardé. Et puis Sa Majesté pourra ainsi avoir un petit-fils qu'elle élèvera selon ses vues. L'idée séduit Catherine. Mais à qui s'adresser pour trouver la fiancée idéale ? A Frédéric II, évidemment ! N'a-t-il pas prouvé son bon goût en dénichant

Catherine pour Pierre ? Il dénichera une autre Catherine pour Paul. A quelque trente ans de distance. Averti du service qu'on attend de lui, Frédéric II, le grand « marieur », songe immédiatement à l'une des filles de la landgrave de Hesse-Darmstadt. De la sorte, il renforcera, pense-t-il, les liens de la Russie avec la confédération germanique. Les deux filles aînées de la landgrave de Hesse-Darmstadt sont déjà mariées, mais les trois plus jeunes, Wilhelmine, Amalie et Louise, sont libres. Incapable de décider laquelle des trois est la plus digne de devenir l'épouse du futur empereur de Russie, Frédéric II les offre toutes « au choix ». Catherine invite donc la mère et le trio des candidates à se rendre auprès d'elle. Le père, comme ce fut le cas pour son père à elle, ne sera pas du voyage. Rien d'encombrant dans les tractations matrimoniales comme ce genre de personnages, imbus de principes protestants et soucieux du bonheur de leur progéniture ! En hâte, les trois demoiselles perfectionnent leur connaissance du français, apprennent à mieux danser, s'entraînent à plonger en de profondes révérences et complètent leur garde-robe. Première étape, Berlin, où, comme il l'a fait pour la petite Figchen, le roi de Prusse inspecte « la marchandise ». Satisfait, il remet 10 000 thalers à la landgrave pour les menues emplettes. Catherine a envoyé une flottille de quatre bateaux pour le transport des postulantes. C'est le meilleur ami du grand-duc Paul, le jeune André Razoumovski [1], qui commande la frégate à bord de laquelle s'installent les demoiselles et leur mère. D'emblée, il est séduit par ces charmantes passagères qui voguent vers un mariage princier. Wilhelmine surtout retient son attention. Bien qu'ayant une bonne chance sur trois de devenir tsarine, elle n'est pas insensible aux hommages du convoyeur. Un temps splendide. Une navigation calme. Des cabines somptueusement aménagées. Et, au bout de ce rêve de vagues, de soleil et de vent salé, l'impératrice de toutes les Russies. En recevant les trois jeunes filles qui, à tour de rôle, lui

1. Le fils de Cyrille Razoumovski.

baisent la main, Catherine se reporte, par la pensée, à ce jour de février 1744 où elle-même s'inclinait pour la première fois devant l'impératrice Elisabeth. Au degré de puissance et de gloire où elle est parvenue, elle n'a même pas le droit de s'attendrir sur ses lointains émois de pucelle. La réussite exclut le regret. Avec bienveillance, elle accueille les prétendantes terrorisées et s'efforce de les mettre à l'aise.

Deux jours après l'arrivée des princesses, le grand-duc a fait son choix. C'est l'aînée des trois, Wilhelmine, qui est l'élue. Elle est jolie, gaie, exubérante. Et puis elle plaît tellement à André Razoumovski! Auprès d'elle, Paul s'abandonne et se surprend à rire pour un rien. Mais que peut penser Wilhelmine de ce benêt à face camarde qui sera bientôt son époux? Catherine devine la déception de la jeune fille devant Paul et la compare à sa propre déception devant Pierre. Tout recommence dans les mêmes lieux avec d'autres personnages. Parlant des sentiments de sa fille, la landgrave écrit avec une réserve significative : « La distinction dont elle est l'objet de la part de l'héritier du trône ne semble pas lui être désagréable. » Sans plus. On célèbre les fiançailles avec faste. Wilhelmine est désormais grande-duchesse. Comme Figchen jadis, elle doit changer de religion et de prénom. Elle devient Nathalie. Sa mère l'adjure de ne jamais se mettre en travers des intentions de la tsarine. Pour elle, Catherine est d'une grandeur incomparable, « un événement historique ». En l'entendant vanter les mérites de Sa Majesté, Paul ricane.

De son côté, l'impératrice tient en haute estime la landgrave de Hesse-Darmstadt. Nature énergique et sage, cette femme lui apporte l'air de son pays natal. Elles ont de longues conversations en allemand. Catherine parle cette langue avec l'accent rude des petites gens de Stettin. C'est en allemand qu'elle explique la Russie à sa visiteuse qui l'écoute bouche bée. Comme une steppe dont l'horizon se confond avec le ciel, l'âme russe est illimitée, tantôt calme, dormante, tantôt traversée par un vent furieux. Le peuple, pénétré de sentiments religieux, cède parfois à des instincts bestiaux. Les mêmes gens qui se prosternent devant les icônes sont capables d'écharper un métropolite ou d'étriper un seigneur. Dans le bien comme dans le mal, le Russe ne connaît que l'excès. Voilà ce que dit Catherine, mais un amour fervent perce dans sa critique. Elle est fière non seulement de gouverner ce grand pays, mais encore d'être devenue russe. Elle veut faire admirer aux étrangers les merveilles de sa capitale. Le président Moser, Grimm et Louis, le fils aîné de la landgrave, étant arrivés pour assister au mariage, elle tient à leur montrer elle-même les nouveaux tableaux de l'Ermitage, les « jardins suspendus » du palais d'Hiver, l'Institut des jeunes filles nobles, où un essaim de demoiselles en uniforme entourent Sa Majesté d'une silencieuse adoration, l'appartement où elle fait élever quelques enfants trouvés : un petit Turc abandonné dans un village détruit, un petit Tcherkesse orphelin, un petit Russe ramassé à demi nu dans la neige... Elle s'est prise d'une véritable passion pour les enfants, alors qu'elle ne s'y intéressait guère dans son jeune âge. Toujours amoureuse et ardente au déduit, elle rêve d'être grand-mère. Avec attendrissement, elle contemple la silhouette gracile de sa future bru et souhaite la voir bientôt déformée. Les visiteurs allemands sont enthousiasmés par la bonté, le goût et les lumières de leur impériale hôtesse. Grimm, qui la compte depuis près de dix ans parmi les abonnés de sa *Correspondance littéraire,* la comble d'éloges hyperboliques mais décline l'honneur de se fixer pour toujours en Russie. Il affirme qu'il servira mieux le culte *catherinien* à Paris qu'à Saint-Pétersbourg. En fait, il redoute les intrigues de cette cour dont il feint d'admirer la distinction et la richesse.

Les fêtes se succèdent à Tsarskoïé-Sélo : banquets, bals, parties de campagne. On célèbre à la fois le bonheur des fiancés et de nouvelles victoires sur les Turcs. La landgrave, qui est de santé fragile, supporte difficilement la répétition de ces réjouissances. Elle a des vapeurs, des embarras gastriques, des accès de fièvre. Le médecin que Frédéric II lui a prêté pour le voyage accourt à son chevet et ordonne saignées et potions. Catherine plaisante les petites faiblesses de son amie. Pour sa part, elle a toujours traité ses malaises par le mépris. A-t-elle l'estomac barbouillé? et elle s'impose le jeûne; s'est-elle refroidie? et elle commande un bal de plusieurs centaines de personnes, pour transpirer dans la cohue et, ainsi, chasser l'infection. Par un après-midi torride, elle invite la landgrave à se plonger avec elle et les dames de la cour dans un bassin rempli d'eau froide. Toutes les baigneuses sont vêtues de chemises de futaine, les épaules couvertes d'une pèlerine, et le cou et la tête entourés de foulards blancs. Une fois immergées jusqu'au menton, elles barbottent et s'éclaboussent avec de petits rires. L'impératrice et ses suivantes ont décidément une santé de fer, pense la landgrave. Jamais elle-même, qui craint l'eau, fût-elle tiède, ne résistera à une pareille épreuve. Cependant elle se laisse entraîner dans le bain et, après un bref saisissement, s'émerveille de cette nouvelle invention des Russes.

Avec l'approche de la date du mariage, une difficulté surgit qui rappelle étrangement à Catherine ses propres débuts à la cour. Protestant comme l'était le père de Catherine, le père de Nathalie, alias Wilhelmine, s'oppose, à son tour, au changement de religion de sa fille. Orthodoxe comme l'était Elisabeth, Catherine refuse, à son tour, de céder sur ce point capital. Des pourparlers s'engagent. Devant les arguments de sa femme, le landgrave cède à contrecœur. Mais il n'assistera pas à la cérémonie.

Le mariage est célébré le 29 septembre-10 octobre 1773 avec tout l'éclat souhaitable. Paul exulte. Nathalie se console de sa désillusion sentimentale en rêvant à des lendemains glorieux. Catherine observe le couple avec un mélange d'espoir et de méfiance. De nouveau, il y a une vieille cour dont elle est le centre et une jeune cour qu'animent la gaieté et le primesaut de la grande-duchesse. Le présent imite le passé. Et même parfois le singe. Catherine est un peu triste. La landgrave se prépare à partir avec ses deux filles laissées pour compte. Son fils, Louis, entrera au service de la Russie comme général de brigade. Il est impatient de participer à la campagne de printemps contre les Turcs. La première neige tombe sur Saint-Pétersbourg.

CHAPITRE XVIII

DIDEROT ET POUGATCHEV

La landgrave de Hesse-Darmstadt, ses filles, sa suite et Grimm se trouvent encore à Saint-Pétersbourg, lorsqu'un autre invité de marque annonce son arrivée dans le cercle des beaux esprits qui entourent Catherine : Denis Diderot. A soixante ans, après de longues hésitations, le vieux philosophe casanier et frileux, qui n'a jamais encore voyagé, si ce n'est pour se rendre de Paris à Montmorency, chez Mme d'Epinay, s'est décidé enfin à partir pour la lointaine Russie. Il veut remercier sa bienfaitrice et lui parler du financement de son projet : une nouvelle *Encyclopédie,* sorte de répertoire des idées ajouté au répertoire des choses, gigantesque vocabulaire philosophique embrassant toute la pensée humaine depuis la création du monde. En vérité, cette entreprise ambitieuse l'effraie moins que la perspective de traverser la moitié de l'Europe pour arriver jusqu'au pays de neige et de violence où règne l'impératrice de son cœur. Sujet à des crampes d'estomac, il craint la nourriture russe. Et presque autant les courants d'air. Tant pis, il se met en route, au mois de mai 1773. Cahin-caha, brisé, toussant, crachant, il parvient à La Haye et, là, s'arrête trois mois, pour se reposer, chez le prince Golitzine. Puis, à l'approche de l'automne, malgré de fortes « coliques », il repart, en compagnie du comte Narychkine, pour Saint-Pétersbourg. Blotti au fond de la chaise de poste, il espère arriver à destination avant le début de l'hiver. Mais il neige sur la capitale, lorsque l'équipage franchit la barrière. Affolé, Diderot veut courir directement chez Falconet pour retrouver du moins, auprès de lui, l'air de la France. Or, Falconet le reçoit très mal. Il n'a pas un coin pour loger son compatriote et se débat dans des soucis qui lui ôtent toute envie de se pencher sur ceux des autres. Éconduit par le sculpteur, Diderot accepte l'hospitalité de Narychkine. Le lendemain de son arrivée, il est réveillé par des sonneries de cloches et des salves d'artillerie : le mariage du grand-duc Paul et de la princesse Wilhelmine, devenue Nathalie. Les festivités continuent pendant deux semaines après la cérémonie nuptiale. Indifférent à cette joyeuse bousculade, Diderot rend visite à l'impératrice. Son vêtement noir fait scandale parmi les costumes chatoyants de la cour. Catherine l'accueille avec des transports d'amitié et d'estime. D'emblée, il est conquis par la simplicité de la souveraine. Elle le reçoit chaque jour, dans son cabinet de travail, pour discuter avec lui pendant « une petite heure ». Souvent, cette « petite heure » se prolonge jusqu'au dîner. Tout à fait à l'aise, Diderot palabre, glapit, gesticule, et l'impératrice rit de son exubérance et de ses familiarités. « Il lui prend les mains, écrit Grimm, il lui secoue le bras, il tape sur la table, tout comme s'il était dans la synagogue de la rue Royale[1]. » Catherine elle-même raconte à Mme Geoffrin qu'elle s'arrange toujours pour mettre une table entre elle et son interlocuteur, car elle sort de ces conversations « les genoux meurtris et des taches bleues sur les cuisses ». Parfois, dans le feu du débat, il arrache sa perruque et la jette dans un coin. La tsarine la ramasse et la lui rend avec un sourire indulgent. Il crie : « Merci », fourre la touffe de poils dans sa poche et continue son discours véhément. En premier lieu, il tient à

1. Maison du baron d'Holbach. à Paris

exposer son point de vue sur l'éducation du grand-duc Paul. Après avoir suivi une sorte d'apprentissage d'homme d'État dans les différentes administrations, le jeune homme devra parcourir la Russie, en compagnie de géologues, de juristes, d'économistes, afin de mieux connaître les différents aspects de son pays. Puis, ayant fait un enfant à sa femme pour assurer la succession du trône, il visitera l'Allemagne, l'Angleterre, l'Italie et la France.

Si Diderot s'était borné à ces sages suggestions, Catherine en aurait été enchantée. Mais il ne se prend pas seulement pour un conseiller en matière d'éducation. Il veut aussi éclairer l'impératrice sur la meilleure façon de gouverner le peuple. N'est-il pas auprès d'elle l'apôtre de la philosophie libérale? Imbu de son rôle, il soumet Sa Majesté à un questionnaire en quatre-vingt-huit points, portant aussi bien sur la quantité de goudron fourni par chaque province, que sur l'organisation des écoles vétérinaires, ou sur le nombre de Juifs vivant dans l'empire, ou sur les rapports entre « le maître et l'esclave ». Piquée, elle répond qu'il n'y a pas d' « esclaves » en Russie, mais seulement des paysans attachés à la terre. Les serfs, affirme-t-elle, sont indépendants par l'esprit, s'ils subissent quelque contrainte par le corps. Singulier euphémisme! Croit-elle vraiment qu'en octroyant des milliers de moujiks comme cadeau à un favori elle fait d'eux des hommes libres? Diderot la contredit, l'appelle « ma bonne dame », lui cite les Grecs, les Romains, la presse de réformer les institutions pendant qu'il en est temps encore. Cela dit, il convient qu'il existe de « bons despotes », mais, « si deux ou trois bons despotes se succèdent, le peuple en vient à oublier la valeur de l'opposition et de la libre manifestation des opinions ». Elle hausse les épaules. Décidément, son cher philosophe n'a aucun sens de la réalité russe. « Monsieur Diderot, lui dit-elle, j'ai entendu avec le plus grand plaisir tout ce que votre brillant esprit vous a inspiré; mais, avec tous vos grands principes, que je comprends très bien, on ferait de beaux livres et de mauvaise besogne. Vous oubliez, dans tous vos plans de réforme, la différence de nos deux positions : vous, vous ne travaillez que sur le papier, qui souffre tout, il est tout uni, souple et n'oppose d'obstacles ni à votre imagination ni à votre plume, tandis que moi, pauvre impératrice, je travaille sur la peau humaine qui est bien autrement irritable et chatouilleuse. » Pourtant, il continue à donner des conseils à tort et à travers : sur le programme des études dans les écoles, sur le choix des pièces de théâtre à faire jouer par les élèves et même sur la politique étrangère du gouvernement. Durand de Distroff l'ayant engagé à user de son influence pour inciter l'impératrice à faire la paix avec la Turquie et à se rapprocher de la France, elle dit carrément au diplomate que Diderot lui paraît à la fois trop vieux et trop jeune pour cet emploi d'intercesseur, « ayant l'air d'avoir cent ans par certains côtés et dix par d'autres ». Et, quand Diderot déclame devant elle contre les courtisans dont la flatterie mériterait les pires supplices en enfer, elle l'interrompt par une question abrupte : « Voulez-vous me dire ce que l'on raconte à Paris de la mort de mon mari? » Interloqué, Diderot cherche à changer de conversation, mais elle l'arrête encore : « Il me semble que vous voilà prenant le chemin sinon de l'enfer, au moins du purgatoire. »

Venu pour semer le bon grain sur cette terre inculte, Diderot devine, peu à peu, que l'impératrice n'entend pas mettre en pratique, dans l'immédiat, les belles théories dont il l'entretient à longueur de journée. Elle l'approuve, sourit, et la Russie continue de vivre comme par le passé. Néanmoins, il rédige ses conseils pour elle sous le titre de *Mélanges philosophiques et historiques*. Elle accueille ce document avec un intérêt ému et le range dans une cassette pour mieux l'oublier. L'hiver tirant à sa fin, Diderot, à la fois déçu et charmé, songe au départ. On ne le retient pas. L'impératrice lui offre une bague, une fourrure, sa propre voiture et « trois sacs de mille roubles chacun ». « Mais, écrit-il à sa femme, si je prends sur cette somme la valeur d'une plaque en émail et de deux tableaux dont j'ai fait présent à l'impératrice, les frais de mon retour et les présents qu'il est honnête que nous fassions aux Narychkine..., il nous restera cinq ou six mille francs, peut-être même un peu moins. »

Catherine n'a pris aucun engagement précis en ce qui concerne la publication de la nouvelle *Encyclopédie*. Peu importe : pour Diderot, elle a « l'âme de Brutus avec les charmes de Cléopâtre ». La séparation, au mois de mars 1774, est mélancolique. Diderot redoute le voyage de retour. Il a raison de s'inquiéter. Au passage de la Duna, les glaces du fleuve craquent, l'eau jaillit autour de la voiture, qui s'enfonce lentement. Sur le point d'être englouti, le vieil homme est tiré de la caisse par des serviteurs, tandis que les chevaux se noient. Quitte pour la peur, une bonne fièvre et quelques coliques, le philosophe doit se mettre au lit. Les trois quarts de ses bagages sont perdus. Arrivé à La Haye, il retrouve néanmoins assez de forces pour écrire des *Observations sur l'Instruction de Sa Majesté impériale aux députés pour la confection des lois*. Quand elle découvrira ce message sincère, Catherine ne pourra maîtriser son indignation. En quelques mois de conversations avec Diderot, elle a compris qu'il était un hurluberlu, un songe creux, un jongleur. Et voici qu'il se permet de critiquer son *Nakaz*. « Cette pièce (*les Observations*) est un vrai babil dans lequel on ne trouve ni connaissance des choses, ni prudence, ni clairvoyance, écrira-t-elle à Grimm après la mort de Diderot. Si mon *Instruction* avait été du goût de Diderot, elle aurait été propre à mettre toutes les choses sens dessus dessous. »

Cependant, à peine revenu à Paris, Diderot expédie à sa bienfaitrice une lettre de gratitude éperdue : « C'est du sein de ma famille que j'ai l'honneur d'écrire à Votre Majesté. Pères, mères, frères, sœurs, enfants, petits-enfants, amis, connaissances se précipitent à ses pieds et la remercient de toutes les bontés dont elle m'a honoré à sa cour. Vous voilà à côté de César, votre ami, et un peu au-dessus de Frédéric, votre dangereux voisin. Il reste une place à prendre à côté de Lycurgue ou de Solon et Votre Majesté s'y assoira. C'est le souhait qu'ose lui présenter le philosophe gallo-russe. »

Un autre « philosophe gallo-russe » voit d'un mauvais œil la concurrence qui lui est ainsi faite dans le cœur de l'impératrice. Les récits et les anecdotes de Diderot sur son long séjour au bord de la Néva agacent tellement Voltaire, qu'il en tombe malade de jalousie. Plus une lettre de Saint-Pétersbourg, depuis des mois, au vieil ermite de Ferney! Catherine ne se serait-elle pas détournée de lui pour s'enticher d'un autre? N'y tenant plus, il écrit à sa « Sémiramis du Nord », le 9 août 1774 :

« Madame, je suis positivement en disgrâce, à votre cour. Votre Majesté impériale m'a planté là pour Diderot, ou pour Grimm, ou pour quelque autre favori. Vous n'avez eu aucun égard pour ma vieillesse. Passe encore si Votre Majesté était une coquette française; mais comment une impératrice victorieuse et législatrice peut-elle être si volage?... Je cherche des crimes pour justifier votre indifférence. Je vois bien qu'il n'y a point de passion qui ne finisse. Cette idée me ferait mourir de dépit, si je n'étais déjà tout près de mourir de vieillesse... » Signé : « Votre admirateur, votre délaissé, votre vieux Russe de Ferney. »

Catherine lui répond sur le même ton de plaisanterie : « Vivez, Monsieur, et raccommodons-nous; car aussi bien il n'y a pas de quoi nous brouiller... Vous êtes si bon Russe, que vous ne sauriez être l'ennemi de Catherine. »

Satisfait, Voltaire affirme qu'il rend les armes et « rentre dans les chaînes ». A présent, il rêve (mais évidemment sans y croire) de finir ses jours au bord de la Néva : « Pourquoi n'aurais-je pas le plaisir de me faire enterrer dans quelque coin de Pétersbourg, d'où je puisse vous voir passer et repasser sous vos arcs de triomphe, couronnée de lauriers et d'oliviers? » Une surenchère d'éloges s'établit entre lui et Diderot. C'est à qui balancera le plus haut l'encensoir. Si Voltaire songe à mourir en Russie, Diderot regrette, soi-disant, de ne pouvoir y vivre, car c'est là, et nulle part ailleurs, qu'il s'est senti à l'aise dans le maniement des idées. « Je me souviens d'avoir dit à Votre Majesté que j'avais l'âme d'un esclave dans le pays de ceux qu'on appelle libres et que j'avais trouvé l'âme d'un homme libre dans le pays de ceux qu'on appelle des esclaves, écrit-il. Ce n'était pas le mot d'un courtisan, c'était celui de la vérité, et je m'en aperçois, dès ici. »

Au vrai, le départ de la landgrave et de sa petite suite, puis le départ de Diderot, ont grandement soulagé Catherine. Pendant des semaines, elle a dû se dominer, au milieu des fêtes de la cour et des conversations oiseuses avec son philosophe, pour cacher l'angoisse qui la ronge. Entendre parler du bonheur des serfs par un Français à l'esprit fumeux alors qu'une révolte populaire, partie de l'Oural, menace de secouer l'empire, il faut des nerfs d'acier pour supporter ce contraste avec le sourire! Déjà le nom du chef des rebelles circule dans les salons : Emilian Pougatchev. Qui est-il? Un simple Cosaque du Don, qui a servi pendant la guerre de Sept Ans et la guerre contre la Turquie. Déserteur, condamné, évadé, repris, évadé de nouveau, il s'est fait passer pour un moine Vieux-Croyant, puis a prétendu être l'empereur Pierre III, miraculeusement sauvé de ses assassins. Entre 1762 et 1770, quatre faux Pierre III sont apparus dans les provinces du Sud-Ouest : Bogomolov, Krémenev, Aslanbekov, Ievdokimov... Le cinquième est peut-être le bon! Aux yeux du peuple, les tombeaux des grands ne sont jamais complètement fermés. Qui, sinon un tsar, peut prétendre au don de survie? Certes, Pougatchev ne ressemble en rien à Pierre III. L'empereur était grand, étroit d'épaules et parlait surtout l'allemand, alors que Pougatchev est de taille moyenne, râblé, avec une barbe noire et s'exprime parfaitement en russe. Mais on ne va pas chicaner un revenant sur des détails. On a trop besoin d'un sauveur pour ne pas croire d'emblée en celui-ci. Le pays souffre. Catherine a distribué tant de terres que le nombre des serfs s'est accru avec rapidité. La guerre polonaise et la guerre turque ont entraîné une augmentation d'impôts qui retombent lourdement sur le dos des plus humbles. Malgré les promesses de l'impératrice, les Vieux-Croyants sont pourchassés et persécutés. Dans les usines d'armement et les mines de l'Oural, les ouvriers travaillent dans des conditions abominables et la troupe doit intervenir fréquemment pour réprimer des émeutes. L'autonomie des Cosaques ayant été restreinte par oukase, ces hommes fiers, libres et courageux admettent difficilement le nouvel ordre des choses. Ils forment une sorte de petit peuple aventureux au milieu du grand peuple russe, grisâtre et amorphe. Ils ont leurs coutumes, leurs lois, leurs chefs. Ils veulent continuer à vivre, la tête haute. Et voici que, dans le Jaïk, région située au sud de l'Oural, surgit un personnage, Pougatchev, qui se donne pour Pierre III et lance des manifestes incendiaires. Dans ses proclamations, il s'adresse à la tourbe des mécontents, serfs attachés à la terre et serfs attachés aux usines, Bachkirs, Kirghiz musulmans dépossédés de leurs biens, Cosaques de toutes les régions. A chacun, il promet la liberté et la fortune. Les Cosaques du Jaïk notamment apprennent que, par sa volonté, le fleuve Jaïk [1] leur appartiendra sur toute sa longueur, qu'ils recevront une solde, du blé, de l'argent, du plomb. La nouvelle se répand comme une traînée de poudre : Pierre III est revenu, après onze ans d'absence, pour libérer son peuple du joug du servage. Si son épouse a tenté de l'assassiner, c'est parce qu'il voulait le bien de ses sujets. Mais Dieu l'a sauvé au dernier moment, parce que Dieu aime la Russie. L'heure est venue de faire payer à « l'Allemande », à « la fille du Malin » le crime qu'elle a commis contre le tsar et contre la nation. Par milliers, les Cosaques se rallient à ce nouveau chef, les paysans de la région de l'Oural et du sud-ouest de la Russie se rassemblent, armés de fourches, de faux, de haches pour conquérir par la force le droit au bonheur. Croient-ils tous que celui qui les guide est réellement l'empereur? Non, bien sûr! Si les paysans illettrés et superstitieux voient en lui le petit père ressuscité d'entre les morts, la plupart des Cosaques, d'un esprit plus perspicace, le considèrent simplement comme un des leurs, capable de les mener à la victoire. « Qu'est-ce que cela peut faire qu'il soit le tsar ou non, disent-

1. L'actuel Oural.

ils. Nous pourrions faire un prince avec de la crotte. S'il n'arrive pas à conquérir l'empire de Moscou, nous ferons notre royaume au Jaïk [1]. » Dès octobre 1773, Pougatchev réunit ainsi, autour de sa personne, une armée hétéroclite composée de Cosaques habiles au combat, de serfs évadés, de paysans mystiques, d'ouvriers des usines en révolte et de brigands des grands chemins. Porté par l'enthousiasme de la foule, il ne sait plus très bien lui-même s'il est véritablement investi d'une mission sacrée ou s'il n'est qu'un simulateur adroit. En tout cas, il a le don d'entraîner les masses par la parole. Il se montre volontiers en public, vêtu d'un caftan brodé d'or, coiffé d'une toque de fourrure, la poitrine couverte de médailles. Ses « officiers » l'entourent, habillés comme lui avec un luxe barbare. Sabre au clair, bannières au vent, l'état-major et son escorte parcourent les campagnes. Par insolence et dérision, Pougatchev donne à ses compagnons les plus proches le nom des hauts personnages de l'empire : comte Tchernychev, comte Vorontzov, prince Orlov, comte Panine. Il fait frapper des roubles à son effigie avec cette inscription : « Pierre III, empereur de toutes les Russies. » De village en village, la horde grossit, torrentueuse. Une multitude, illuminée par la haine, roule sur les routes ou remonte la Volga en barques, comme du temps de Stenka Razine, ce bandit qui, cent ans plus tôt, a terrorisé le pays. A l'approche des rebelles, les riches, abandonnés par leurs domestiques, se terrent, épouvantés, au fond de leurs vastes maisons. Leur capture excite la férocité populaire jusqu'à la démence. Les enfants nobles sont massacrés, les femmes sont violées avant d'être égorgées parmi les rires, les seigneurs sont mutilés, écorchés vifs, brûlés, découpés en morceaux. Le moment est venu de mettre le monde cul par-dessus tête. Aux affamés, aux humiliés, les plus hauts gradins. Aux anciens maîtres, la boue et la mort. Pougatchev maintenant verse des

1. Cité par Gaïssinovitch : *La Révolte de Pougatchev.*

primes : cent roubles pour un noble tué ou un château pillé, mille roubles et le titre de général pour dix nobles assassinés et dix châteaux rasés. Les fortins, où une faible garnison tremble de peur, tombent l'un après l'autre. La marée hurlante remonte vers le nord. Catherine envoie bien quelques régiments dans la région de la Volga. Mais les soldats n'éprouvent aucune envie de se battre contre ces « frères », dont ils comprennent trop la révolte : ils profitent de la nuit pour changer de camp. Le général Karr, dont l'impératrice fait grand cas, ne peut arrêter l'avance des insurgés. Tandis que Catherine converse aimablement avec Diderot, Orenbourg est assiégé. Pougatchev écrit au gouverneur de la ville : «Apprends, fripouille, qu'en tentant ta vilaine chance tu te mets au service de ton père le diable. » Le 10 décembre 1773, Catherine mande à Sievers : « J'ai eu, il y a deux ans, la peste au cœur de l'empire; maintenant j'ai, à ses frontières, une peste politique qui nous donne à penser... Avec l'aide de Dieu, nous l'emporterons, car il n'y a ni raison, ni ordre, ni habileté du côté de ce ramassis de gueux; ce ne sont que des brigands venus de partout, à la tête desquels se trouve un imposteur aussi hardi qu'effronté. Tout cela finira certainement par la corde. Mais quelle perspective, pour moi qui n'aime pas le gibet! L'opinion de l'Europe nous croira revenus à l'époque du tsar Ivan Vassiliévitch. » Ce qui exaspère le plus Catherine, c'est de constater que son mari, si impopulaire de son vivant à cause de sa germanophilie, est devenu, après sa mort, une sorte de héros de légende spécifiquement russe, le tsar libérateur, le martyr de la cause plébéienne, reparu miraculeusement sur terre pour chasser l'usurpatrice, abaisser les grands et rendre justice aux petits. En femme logique, elle ne comprend pas ce revirement des foules obscures. Elle juge les événements avec un esprit occidental, alors qu'elle se trouve devant un phénomène asiatique. Malgré toutes ses armées, tous ses canons, toutes ses forteresses, une angoisse la gagne. Jusqu'à quand sera-t-elle poursuivie par ce spectre absurde et pitoyable? Abattre Pougatchev est nécessaire à la santé du pays comme à sa santé personnelle. Devant les échecs répétés de Karr, elle décide de le remplacer par Bibikov. Celui-ci organise la lutte avec méthode. Cerné par les troupes régulières, Pougatchev bat en retraite. Mais Bibikov meurt et est remplacé, à son tour, par l'indolent prince Stcherbatov. Aussitôt, Pougatchev se ressaisit. Il prend d'assaut la ville de Kazan. A Nijny-Novgorod, les serfs se révoltent et mettent la région à feu et à sang. Tout le monde s'attend que les rebelles marcheront bientôt sur Moscou et Saint-Pétersbourg. A Moscou, on applique déjà des mesures de défense extraordinaires. La police pourchasse les émissaires de Pougatchev qui répandent parmi les habitants des manifestes promettant la liberté et la terre aux déshérités, la mort aux mauvais maîtres et le couvent à la fausse impératrice.

La situation apparaît d'autant plus dangereuse que la guerre contre la Turquie continue, avec des fortunes diverses, et que les messagers du grand vizir excitent les tribus musulmanes de l'Oural et des bords de la mer Caspienne à rejoindre Pougatchev. Catherine voudrait en finir au plus vite avec l'ennemi extérieur pour consacrer toutes ses forces au rétablissement de l'ordre intérieur. Elle donne des instructions secrètes à ses plénipotentiaires pour hâter la conclusion de la paix. Mais il faut les victoires remportées par Souvorov à Kosloudja et par Roumiantsev à Choumla, sur le Danube, pour amener l'adversaire à baisser les bras. En juillet 1774, après six ans de guerre, un traité est enfin signé à Kutchuk-Kaïnardji. La Russie obtient les forteresses du littoral de la mer d'Azov, le protectorat sur le Khanat de Crimée, les Khabarda et la steppe entre le Boug et le Dniepr, l'accès à la mer Noire et à la mer Égée, une indemnité de guerre de 4 500 000 roubles et le droit de veiller sur la liberté religieuse des sujets chrétiens du sultan.

Ayant ainsi réalisé le rêve de Pierre le Grand, Catherine peut ordonner à son armée de se reporter vers le Nord pour disperser les bandes de Pougatchev. Pierre Panine[1] est nommé généralis-

1. Le frère du ministre Nikita Panine.

sime. On fait venir sur la Volga Souvorov en personne. Effrayé par cette vaste concentration de troupes, Pougatchev renonce à marcher sur Moscou et se dirige vers le Sud. Ses hommes, déçus par une retraite qu'ils ne comprennent pas, commencent à s'inquiéter des conséquences de leur révolte. L'autorité magique de l'imposteur se dissipe d'étape en étape. Les désertions se multiplient parmi ses partisans. Il n'est plus entouré que d'hommes de main, de vagabonds, de maraudeurs. Talonné par les régiments du général Mikhelson, il subit une grave défaite le 24 août-4 septembre 1774, devant Sarepta, prend la fuite, mais ses propres lieutenants se saisissent de lui, le garrottent et le livrent prisonnier, en échange de leur grâce. Amené devant Pierre Panine, Pougatchev tombe à genoux, se déclare publiquement simulateur et reconnaît avoir gravement péché devant Dieu et devant Sa Majesté impériale. Enchaîné et enfermé dans une cage de fer, montée sur un chariot à deux roues, il est promené, telle une bête fauve, à travers les provinces qui l'ont naguère accueilli en triomphateur. Une nombreuse escorte en armes l'entoure, par crainte des mouvements de la populace. Mais, après sa capture, l'insurrection s'est calmée comme par enchantement.

En arrivant à Moscou, terme de son long voyage, Pougatchev n'est plus qu'un homme exténué, désespéré et qui aspire à la mort. Bien que ses crimes soient flagrants, il n'est pas supplicié, Catherine ayant interdit l'usage de la torture. Mais il tombe de si haut que sa chute lui met la tête à l'envers. Il s'évanouit à plusieurs reprises au cours de son procès. Ses juges craignent qu'il ne fausse compagnie au bourreau en rendant le dernier soupir avant le jour de l'exécution capitale. « Le marquis de Pougatchev[1] dont vous me parlez encore, écrit Catherine à Voltaire, a vécu en scélérat et va mourir en lâche. » Et aussi : « Il ne sait ni lire ni écrire, mais c'est un homme hardi et déterminé. Jusqu'ici, il n'y a pas la moindre trace qu'il ait été

1. Surnom ironique que Catherine donnait au chef rebelle.

l'instrument de quelque puissance... Il est à supposer que M. Pougatchev est maître brigand et non valet d'âme qui vive. Personne n'a été plus nocif que lui depuis Tamerlan. Il espère sa grâce à cause de son courage. S'il n'avait offensé que moi, son raisonnement serait juste et je le pardonnerais ; mais cette cause est celle de l'empire qui a ses lois. »

Condamné à être écartelé, puis décapité, Pougatchev bénéficie de la clémence impériale et a la tête tranchée avant que son corps ne subisse l'écartèlement. Catherine tient à paraître plus humaine que ne l'a été Louis XV avec Damiens. L'exécution a lieu à Moscou, le 10-21 janvier 1775, devant un grand concours de monde. Les gens de haute condition se réjouissent, le peuple, consterné, murmure. N'a-t-on pas, une fois de plus, mis à mort le véritable empereur ? Les complices de l'imposteur sont écartelés, pendus ou décollés. Le knout s'abat sur le dos des comparses, qui ont ensuite les narines arrachées et sont expédiés au bagne. La tsarine gracie les neuf bandits qui ont trahi leur chef. Tout rentre dans l'ordre. Catherine respire. Pendant un an, elle a senti le sol bouger sous ses pieds, comme le pont d'un navire pris dans la tempête. Mais elle n'a pas lâché la barre. Elle a tenu le cap. Elle est contente.

Dans les campagnes cependant, la répression se poursuit, impitoyable. Souvent les propriétaires fonciers font eux-mêmes la police. C'est un règlement de compte à l'échelle nationale. Chaque village a son échafaud dressé sur la place publique. On pend, on fustige, on déporte. Le fleuve Jaïk, de sinistre mémoire, est débaptisé : il s'appellera désormais l'Oural. Il est expressément défendu de prononcer le nom de « l'effrayant rebelle » Pougatchev. En 1773, Bibikov écrivait : « Ce qui importe, ce n'est pas Pougatchev, c'est le mécontentement général. » Et, en effet, Pougatchev disparu, le « mécontentement général » demeure. La méfiance, la haine muette montent comme un brouillard entre les classes possédantes et les déshérités, entre l'impératrice et ses sujets du dernier rang. Mais Catherine n'en a cure. Instruite par les événements, elle pourrait être tentée de désarmer l'hostilité du peuple en appliquant les généreux principes contenus dans son *Instruction.* A la conciliation, elle préfère la fermeté. Si elle a songé autrefois, même très vaguement, à l'affranchissement des serfs, elle repousse aujourd'hui cette idée avec horreur. De quelles violences ces hommes primitifs ne seraient-ils pas capables si on les libérait tout à coup? Elle les a idéalisés dans ses méditations philosophiques. Ils viennent de lui montrer leur vrai visage. De même, il serait dangereux, elle en est convaincue à présent, de restreindre les pouvoirs des seigneurs sur leur cheptel d'esclaves. Ce sont les nobles, les propriétaires fonciers qui représentent les colonnes de l'empire. Les schismatiques, envers qui d'abord elle a marqué quelque mansuétude, ont prouvé, en suivant Pougatchev, qu'ils ne valent pas la corde pour les pendre. Et ce n'est pas le moment, alors que la disette sévit dans les provinces dévastées par les rebelles et que les caisses de l'État sont à sec, de réduire les impôts! Que tout reste en place. Le salut de la Russie est dans l'immobilité. Du moins pour quelque temps encore. Quand le peuple sera mûr pour les réformes, on avisera. En attendant, il est toujours loisible d'en discuter avec les philosophes français.

A peine Catherine en a-t-elle fini avec Pougatchev, qu'une autre affaire d'imposture menace sa tranquillité. Elle apprend que, depuis deux ans déjà, une jeune femme très séduisante, aux cheveux châtain cendré et aux yeux bleu-noir, se fait passer pour la fille de l'impératrice Elisabeth Ire et de son favori Alexis Razoumovski. Voyageant en France, en Italie, en Allemagne, cette prétendue petite-fille de Pierre le Grand change de nom selon les circonstances, s'appelant tantôt Ali Emettée, princesse de Vlodomir, tantôt princesse d'Azov, tantôt comtesse Pimberg, tantôt princesse Tarakanova. Mais, quel que soit le titre dont elle s'affuble, elle s'obstine à proclamer qu'elle est l'héritière légitime du trône des Romanov usurpé par Catherine II. Elle détient, dit-elle, dans un coffret, le testament secret de sa mère, Elisabeth, lui léguant la couronne de Russie.

Sa beauté, ses mœurs faciles et ses hautes prétentions politiques attirent autour d'elle quelques seigneurs épris de galanterie et d'aventure. Richement entretenue par les uns et les autres, elle varie souvent dans ses réponses quand on l'interroge sur son passé, mais jamais quand on l'interroge sur son avenir : elle doit reconquérir un sceptre qui lui appartient de droit. Le duc de Limbourg et le prince Radziwill s'enthousiasment pour son dessein avec une crédulité puérile. On rêve de s'embarquer pour la Turquie, afin d'apporter à la cause turco-polonaise l'appui de la vraie tsarine, Elisabeth II, contre la fausse tsarine, Catherine II. La signature du traité de Kutchuk-Kaïnardji réduit à néant les espérances de Radziwill et de ses amis. Le projet de voyage à Constantinople est abandonné. Alexis Orlov, qui se trouve à Livourne avec son escadre, n'en demande pas moins à Catherine des instructions au sujet de « l'aventurière ». Bien entendu, Catherine ne croit pas un mot de la fable inventée par la Tarakanova. Elle sait pertinemment qu'Elisabeth Ire n'a jamais eu d'enfant. Du reste, si la défunte souveraine en avait eu un, elle l'aurait fait élever à la cour, comme Catherine en a usé avec Alexis Bobrinski, le fils naturel né de sa liaison avec Grégoire Orlov. Non, à coup sûr, cette femme qui nargue l'impératrice de toutes les Russies est une mythomane, une « escroque » selon l'expression même de Catherine. Ses inventions ne méritent que le mépris. Mais le soulèvement de Pougatchev a rendu la tsarine susceptible à l'extrême. Elle ne peut plus supporter que quiconque, fût-ce une demi-folle, une fantasque, mette en doute la légitimité de ses droits. Dans une lettre datée du 12 novembre 1774, elle prescrit à Alexis Orlov de s'emparer de « cette créature, qui s'est si insolemment attribué un nom et une origine qui ne lui conviennent nullement ». Qu'il use « de menace en cas d'insubordination et de châtiment au besoin ». Qu'il bombarde la ville de Raguse, s'il le faut, pour forcer les autorités à lui livrer la misérable. Mais il vaudrait mieux évidemment opérer en douceur et que tout se passe « sans bruit, si c'est faisable ». Alexis Orlov, docile, choisit donc la ruse. Un plan diabolique a germé dans son cerveau. Il fait savoir à la « prétendante » qu'il est convaincu de l'authenticité de sa filiation et qu'il n'a, depuis la disgrâce de son frère Grégoire, que rancune et haine pour l'impératrice. Il adjure la jeune femme de le rejoindre à Pise afin d'examiner avec elle le meilleur moyen de la soutenir dans sa lutte pour la conquête du pouvoir. Elle ne flaire pas le piège, se rend dans cette ville et s'émerveille d'y être reçue en souveraine par un aussi haut personnage de l'empire. Le « Balafré » l'installe somptueusement, multiplie les fêtes en son honneur et finit par lui déclarer sa passion. Oui, il est, dit-il, tombé amoureux d'elle au premier regard. Qu'elle consente à l'épouser, et il partagera avec elle la charge de diriger la Russie. Éblouie, elle accepte, suit son soupirant à Livourne et embarque avec lui sur le vaisseau amiral où se déroule une bénédiction nuptiale factice. Un officier de marine déguisé en pope unit le couple, tandis que retentissent les salves d'artillerie et les cris de « Vive l'impératrice! » La nouvelle mariée en verse des larmes de bonheur. Mais soudain, Alexis Orlov disparaît. Des soldats entourent « Sa Majesté », la conduisent rudement dans une cabine et l'y enferment sans explication. Le navire lève l'ancre. C'est l'amiral Greigh qui le commande. Il est chargé de transporter la captive à Saint-Pétersbourg. Alexis Orlov, lui, ayant fait son mauvais coup, est resté à Livourne.

Dès l'arrivée du bateau à Cronstadt, le 12-23 mai 1775, la Tarakanova est jetée dans un cachot de la forteresse Saint-Pierre et Saint-Paul. Le feld-maréchal prince Golitzine est chargé de l'interrogatoire.

D'après son premier rapport, la prisonnière est de belle prestance; elle a l'air d'une Italienne; elle parle le français et l'allemand, mais ne sait pas un mot de russe; les médecins qui l'ont examinée la jugent poitrinaire et même gravement atteinte; elle dit se nommer Elisabeth et avoir vingt-trois ans. Plus tard, questionnée sans relâche, elle avoue ne connaître ni son père, ni sa mère, ni sa nationalité, ni son lieu de naissance, prétend avoir vécu à Bagdad, puis à Ispahan, se contredit et finit par écrire à Catherine pour lui promettre de « grands avantages » si on annule « toutes les histoires qui ont été tramées contre elle ». La lettre est signée : « Elisabeth. » « Voilà une fieffée canaille! » s'écrie Catherine à la lecture du billet. Cependant, la maladie de consomption que les médecins ont décelée chez la Tarakanova fait de rapides progrès. Soumise à un régime rigoureux, surveillée jour et nuit, grelottant de froid, souvent privée de nourriture, elle écrit une fois de plus à l'impératrice pour la supplier de lui pardonner si elle l'a offensée et de la tirer de son cachot car « son état fait frémir la nature ». Catherine demeure inébranlable. Capable de tendresse, voire de charité en temps normal, elle sait, lorsque la raison d'État l'exige, se durcir jusqu'à l'intransigeance. Soudain, une armure de fer l'enveloppe. Elle n'est plus accessible à la chaleur humaine. Elle devient sa propre statue. En matière de politique, pense-t-elle, les décisions d'indulgence finissent toujours par se retourner contre leur auteur. La Tarakanova a joué. Elle a perdu. Qu'elle paie. Non seulement Catherine ne songe pas à libérer la prisonnière, mais encore elle refuse d'adoucir son sort. Les semaines passent. Personne ne s'intéresse plus à l'enterrée vivante de la forteresse Saint-Pierre et Saint-Paul. Elle meurt enfin, le 4 décembre 1775, non point noyée par une crue soudaine de la Néva, comme certains l'ont prétendu depuis, mais les poumons rongés par la tuberculose, à bout de souffle, à bout de forces, crachant le sang, dans les ténèbres glaciales de sa casemate [1].

Un an plus tard, malgré le supplice infligé à « l'effrayant rebelle » qui se faisait passer pour Pierre III et l'incarcération de « la folle » qui se faisait passer pour Elisabeth II, on arrêtera un troisième imposteur qui prétendra être le héros national Pougatchev revenu sur la terre [2]. Catherine ne comprend pas.

1. L'inondation à laquelle fait allusion la légende n'a eu lieu que deux ans après la mort de la Tarakanova, en 1777.

2. Rapport du marquis de Juigné, ambassadeur de France, du 24 février 1777 (Archives du ministère des Affaires étrangères.)

Quel singulier pays que la Russie! Les légendes y ont souvent plus de poids que la réalité. Pour régner sur ce peuple irrationnel, il faut se battre tantôt contre des êtres vivants et tantôt contre des fantômes.

CHAPITRE XIX

POTEMKINE

Au milieu des soucis de la politique, Catherine voudrait pouvoir compter sur un homme dont l'amour et la fermeté l'aideraient à persévérer dans sa tâche. Or, ce n'est pas le joli petit Vassiltchikov, « à la tête pleine de foin », qui peut lui être de quelque secours. L'acquiescement souriant, la docilité gracieuse de cet amant de pacotille lui paraissent indignes de son grand destin. Elle ne peut lui parler de rien, elle n'est jamais aussi seule qu'en sa présence, l'âme n'a aucune part dans leurs tristes ébats. Bref, il l'ennuie, elle ne lui pardonne pas les prérogatives que, par faiblesse, elle lui a concédées. De plus en plus, elle songe à ce Potemkine, si drôle, si rude et si courageux, qui se bat sous les murs de Silistrie. Depuis longtemps, elle le tient en réserve. A plusieurs reprises, elle lui a adressé de courts billets de sympathie, par l'intermédiaire de son secrétaire. Le 4 décembre 1773, elle lui écrit de sa main : « Monsieur le lieutenant-général, vous êtes si occupé, je parie, à regarder Silistrie que vous n'avez pas le temps de lire mes lettres, et, quoique je ne sache pas jusqu'à ce jour si votre bombardement a eu du succès, je suis néanmoins assurée que tout ce que vous entreprenez ne devra être attribué à rien d'autre qu'à votre zèle ardent pour moi personnellement, et, de manière générale, pour la chère patrie que vous aimez servir. Mais, comme de mon côté je désire conserver les hommes zélés, braves, intelligents et avisés, je vous prie de ne pas vous attarder en vain à vous demander dans quel but ceci a été écrit. A cela je puis vous répondre que c'est afin que vous ayez une confirmation de ma façon de penser à votre égard, car je suis toujours votre très bienveillante Catherine. »

Cette déclaration d'amour à peine déguisée jette Potemkine dans la joie et l'impatience. Autrefois, il a songé à se faire moine par désespoir de n'avoir pu gagner les faveurs de l'impératrice, réservées à Grégoire Orlov. « O Dieu, quel tourment d'aimer celle à qui on n'ose le dire, qui ne peut être mienne, écrivait-il alors. Ciel barbare, pourquoi la fis-tu si belle, pourquoi si grande? Pourquoi faut-il que ce soit elle et elle seule que je puisse aimer? » Et voici que l' « Inaccessible » l'appelle d'une voix douce par-dessus le fracas des batailles. En janvier 1774, il demande un congé et quitte l'armée pour se rendre précipitamment à la cour.

Là, une grave déception l'attend : le favori Vassiltchikov est encore à son poste. Et c'est un jeune homme de si belle tournure, que lui, Potemkine, en se voyant dans une glace, perd tout espoir d'être choisi comme remplaçant. S'il faisait autrefois penser à « Alcibiade », il offre aujourd'hui, à trente-cinq ans, un aspect grimaçant et massif. Le cheveu noir, la peau brune, il est borgne et ne porte pas de bandeau sur son œil crevé. Ses traits se sont empâtés, son grand corps robuste s'est alourdi, déformé; cependant une sorte de folie généreuse, de force primitive rayonnent de son visage. Il en impose aux femmes. Certaines le trouvent hideux, d'autres sont agréablement troublées par le feu de sa prunelle unique et l'éclat de sa denture. Elles respirent autour de lui une atmosphère de passion. Il a l'air d'un cyclope habillé en courtisan. « Le cyclope a un défaut mignon, note Ribeaupierre. Il se ronge les ongles avec passion, avec frénésie, jusqu'à la peau. » L'ambassadeur d'Angleterre, Sir Robert

Gunning, écrit que le nouveau venu est d' « une taille gigantesque, disproportionnée » et que « sa physionomie est loin d'être agréable ». Pourtant il ajoute : « Il semble avoir une grande connaissance de l'humanité et plus de faculté de discernement que ses compatriotes n'en possèdent en général. »

Jaloux de Vassiltchikov et craignant de ne pouvoir rivaliser avec lui sur le terrain de la galanterie, Potemkine annonce de nouveau qu'il va entrer dans les ordres par chagrin d'amour. Il espère ainsi émouvoir l'impératrice, qui, comme toute femme, doit mesurer la sincérité d'une passion aux décisions extrêmes qu'elle inspire. Catherine n'en demande pas tant. A peine son soupirant s'est-il retiré au couvent qu'elle lui envoie la comtesse Bruce avec ordre de le ramener dans le monde, où il trouvera toutes les satisfactions souhaitables. Il répond par une longue lettre en sollicitant humblement l'honneur d'être nommé « aide de camp général et personnel » de Sa Majesté, ce qui équivaut à briguer la succession du favori. « Cela ne peut offenser personne, écrit-il, mais je le considérerais comme le comble de mon bonheur, d'autant plus que, me trouvant sous la protection spéciale de Votre Majesté, j'aurais l'honneur de recevoir vos sages ordres, et, en les étudiant, je deviendrais plus capable de servir votre Impériale Majesté et la patrie. » Catherine accède de grand cœur à sa prière et ordonne à Vassiltchikov de quitter la capitale pour « raisons de santé ». En récompense de ses vingt-deux mois de loyaux services, le favori congédié recevra cent mille roubles, sept mille paysans, des diamants en vrac, une rente viagère de vingt mille roubles et un palais à Moscou, d'où il ne devra plus bouger. Dès qu'il a libéré son appartement, qui a été précédemment celui de Grégoire Orlov, Potemkine s'y installe. La place est encore chaude. Il n'a que deux pas à faire, un escalier en spirale à gravir, pour être dans la chambre de l'impératrice. Il s'y rend ponctuellement, la nuit, géant chevelu et borgne, nu sous sa robe de chambre. Malgré son faciès tourmenté, elle le trouve beau. Et vigoureux. De corps et d'esprit. Il l'amuse, il l'étonne, il la charme, il la soumet, il la bouscule, il lui rend sa jeunesse. Elle écrit à Grimm : « Je me suis éloignée d'un certain excellent mais très ennuyeux citoyen, qui a été tout de suite remplacé, je ne sais comment, par un des plus grands, des plus drôles et des plus amusants originaux de ce siècle de fer. »

Le lendemain de l'établissement du nouveau favori au palais, la femme du feld-maréchal Roumiantsev écrit à son mari : « Un conseil, mon trésor : si tu as quelque chose à demander, adresse-toi à Potemkine. » La fille de Cyrille Razoumovski s'indigne : « Comment faire la cour à ce vilain aveugle et pourquoi? » Sir Robert Gunning mande à son chef, lord Suffolk : « Il (Potemkine) peut naturellement entretenir l'espérance de s'élever à la hauteur à laquelle le pousse son ambition sans bornes. » « Elle en est folle », dit le sénateur Jélaguine à Durand de Distroff. Et aussi : « Ils doivent bien s'aimer, car ils se ressemblent complètement! » Un jour, croisant Grégoire Orlov sur les marches du palais, Potemkine lui demande aimablement : — « Que dit-on à la cour? » — « Rien, répond Grégoire Orlov, sinon que vous montez et que je descends. »

Potemkine « monte » si haut que, de toute évidence, personne avant lui n'a atteint ce degré d'intimité physique et intellectuelle avec l'impératrice. Pour la première fois de son existence, elle s'abandonne à un amour libre, fougueux, désintéressé et enrichissant. Elle oublie son rang, sa puissance, pour s'inquiéter de l'humeur de son amant. Elle a quarante-cinq ans. Dix de plus que lui. Elle ne vit pas une minute sans voler vers lui en pensée. Quand il n'est pas auprès d'elle, vite, elle lui écrit un billet doux, que ce soit de nuit, ou en plein conseil, ou à l'aube, tandis que le palais dort encore. Un valet sûr court porter le message. Potemkine répond. Elle brûle ses lettres. Il garde celles de sa maîtresse dans une poche de sa veste, contre son cœur. Quelques lignes griffonnées en hâte. Une avalanche de mots insensés. Un balbutiement fiévreux. Sa Majesté, impératrice de toutes les Russies, invente pour son amant les appellations les plus saugrenues : « Mon mignon chéri..., mon âme sœur..., ma poupée chérie..., mon cher jouet..., mon tigre..., mon petit perroquet..., mon giaour..., mon petit Gricha..., mon faisan doré..., mon coq d'or..., mon lion de la jungle..., espèce de loup et d'oiseau... »

Elle l'admire et le lui dit : « Ma beauté en marbre..., mon chéri auquel aucun roi ne ressemble..., nul homme au monde ne peut t'égaler... »

Soudain, l'ardeur de sa propre passion l'effraie et elle feint de vouloir se reprendre :

« J'ai donné l'ordre formel à tout mon corps et jusqu'au plus petit de mes cheveux de ne plus vous montrer le moindre signe d'amour. J'ai enfermé mon amour dans mon cœur, sous dix verrous, il y suffoque, il y est mal à l'aise et j'en crains l'explosion. »

Puis elle s'avoue vaincue : « Tout un fleuve de mots absurdes s'écoule de ma tête. Je ne comprends pas comment tu peux supporter une femme aux idées si incohérentes. » Et elle ajoute fièrement : « Oh! monsieur Potemkine! Quel fichu miracle vous avez opéré de déranger ainsi une tête qui, ci-devant dans le monde, passait pour être une des meilleures de l'Europe!... Quelle honte! Quel péché! Catherine Seconde en proie à cette folle passion! Tu le dégoûteras par ta folie! me dis-je. »

Aiguillonnée par l'enthousiasme, il lui arrive de l'apostropher rudement : « Il y a une femme au monde qui vous aime et qui a droit à un mot tendre de votre part. Imbécile, Tartare, Cosaque, Giaour, Moscovite, morbleu! » Ou bien, ne trouvant plus de mots dans le vocabulaire habituel, elle se lance dans des improvisations hardies : « Mon bouton..., Mon bonbon de profession... » Elle sait gré à son « giaour » des anecdotes qu'il lui raconte : « Chéri, quelles farces tu m'as rapportées hier! Je ne cesse de rire en y pensant... Nous restons ensemble quatre heures sans une ombre d'ennui et je te quitte toujours à contre-cœur. Mon pigeon chéri, je vous aime beaucoup. Tu es beau, intelligent, amusant. » D'autres jours, ce n'est pas aux plaisirs de leur conversation qu'elle se réfère, mais à la perfection de leurs rapports physiques. Grande connaisseuse en volupté, elle apprécie la façon dont son nouveau favori la traite. Leur entente sensuelle donne plus de prix encore, pense-t-elle, à leur entente sentimentale. Elle confesse humblement l'appétit qu'elle a de ce corps viril, lourd et odorant : « Il n'y a pas une cellule de tout mon corps qui ne soit tendue vers vous, oh! giaour!... » « Je te remercie de ton régal d'hier. Mon petit Gricha m'a nourrie et il a étanché ma soif, mais pas avec du vin... » « Ma tête est pareille à celle d'une chatte en chaleur... » « Je serai pour toi « une femme de feu », comme tu le dis si souvent. Mais je tâcherai de cacher mes flammes... » « Les portes seront ouvertes et il dépendra du vouloir et de la possibilité de qui il appartient; pour moi, je vais me coucher... » « Chéri, je ferai comme tu l'ordonneras, dois-je venir chez toi, ou viendras-tu chez moi? »

D'humeur changeante, lunatique, vaniteux, ombrageux, jaloux, passant de la gaieté la plus folle à un abattement morbide, Potemkine lui reproche un jour d'avoir eu quinze amants avant lui. Ulcérée, elle n'en reconnaît que cinq : « J'ai pris le premier par contrainte, le quatrième par désespoir! s'écrie-t-elle. Pour les trois autres, Dieu sait que ce n'était pas par débauche, pour laquelle je n'ai jamais eu aucune inclination[1]. » Il lui reparle de Vassiltchikov. N'est-elle pas encore amoureuse de lui? Elle répond : « Tu n'as pas la moindre raison de crainte. Je me suis bien brûlé les doigts avec cet imbécile de Vassiltchikov... Tu peux lire dans mon âme et dans mon cœur... Je t'aime sans limites. » Parfois, il se montre insolent, distant, agacé sans motif. Parce que le ciel est gris, parce qu'il s'est levé du pied gauche. Alors, elle le raisonne par des billets de chaude gronderie : « Si votre stupide mauvaise humeur vous a quitté, veuillez m'en informer... Vous êtes un Tartare méchant! » « Je viens chez toi pour te dire combien je t'aime et je trouve ta porte fermée! » « Tu me tourmentes pour rien... » « Au moment où je me sens le plus à l'abri, la montagne tombe sur moi... »

1. Soloveïtchik : *Potemkine.*

« Vraiment, il est temps de vivre en parfaite harmonie. Ne me tourmente pas en me maltraitant. Tu ne verras pas alors ma froideur... » « Ma petite âme, je possède une ficelle à laquelle j'ai attaché une pierre à un bout et, à l'autre bout, toutes nos querelles, et j'ai jeté le tout dans un gouffre sans fond... Bonjour, mon chéri! Bonjour, sans querelles, sans discussions, sans disputes... »

Elle se sent si proche de lui par la chair, qu'elle ne lui cache même pas ses malaises les plus intimes :

« Je ne viendrai pas chez toi, car j'ai transpiré toute la nuit et tous mes os me font mal, comme hier... » « J'ai une légère diarrhée aujourd'hui, mais, à part cela, je vais bien mon adoré... » « Ne te chagrine pas à cause de ma diarrhée, cela nettoie bien les intestins [1]. »

Emportée par sa passion, elle va, croit-on, jusqu'à épouser secrètement Potemkine. La céremonie nuptiale, d'après certains témoignages, a lieu vers la fin de 1774, à l'église de Saint-Samson, à Saint-Pétersbourg, en présence de la fidèle femme de chambre Pérékouzikina, du comte Samoïlov, neveu de Potemkine et du chambellan Tchertkov. Les documents relatifs à ce mariage clandestin ont disparu. En revanche, les termes de vingt-trois lettres adressées par Catherine à son favori laissent entendre la nature toute conjugale de leurs rapports : « Mon époux bien-aimé... Mon mari chéri, le plus doux, le plus gentil... Mon cher époux... Mon mignon mari... Je te prie de ne plus m'humilier... Ce n'est pas très gentil envers n'importe qui, mais surtout envers sa femme... Je t'embrasse de tout mon cœur et de tout mon corps, ô cher époux... A quoi bon croire ton imagination maladive plutôt que les faits réels qui tous confirment les paroles de ta femme?... Ne te suis-je pas, depuis deux ans, attachée par les liens les plus sacrés?... Je reste votre fidèle épouse qui vous aime d'un amour éternel. »

Uni ou non par le mariage, le couple de Catherine et de

1. *Lettres d'amour de Catherine II à Potemkine*, publiées par G. Oudard.

Potemkine n'en représente pas moins l'association de deux natures violentes, autoritaires, exceptionnelles, riches de santé et d'intelligence, avides de plaisir et de travail. Bien qu'enchaîné au lit de la tsarine, Potemkine, dès le début, montre qu'il n'a rien d'un favori intérimaire. Subjuguée par son compagnon, elle le consulte sur toutes les décisions importantes en matière de politique et se soumet, parfois, à ses avis. Avant l'amour, après l'amour, le jour, la nuit, entre deux caresses, ils discutent des affaires de l'État, épluchent les rapports des ministres, les dépêches des ambassadeurs, échafaudent des projets de réformes, envisagent des alliances, font et défont la Russie et l'Europe. « Le point de notre désaccord est toujours le pouvoir et jamais l'amour, lui écrit-elle. Parlez-moi de vous et je ne me fâcherai jamais. » En vérité, même leurs divergences de vues la charment. Elle est heureuse d'avoir pour la première fois, en face d'elle, un esprit fort qui lui renvoie la balle. Enfin, elle n'est plus seule à régner sur la Russie.

Potemkine accède rapidement aux plus hautes fonctions. Nommé membre du Conseil secret, vice-président du Conseil de guerre, avec rang de général en chef, comblé de charges et d'honneurs, il devient chevalier de l'Ordre de Saint-André. Frédéric II lui octroie l'Aigle noir de Prusse; le roi de Pologne, ancien amant de Catherine, l'Aigle blanc; le Danemark, l'Éléphant blanc; la Suède, le Saint-Séraphin; Joseph II, malgré l'opposition de Marie-Thérèse, le fait prince du Saint-Empire. Deux échecs pourtant : la France refuse de conférer au favori de Catherine l'Ordre du Saint-Esprit, réservé aux catholiques, et l'Angleterre, celui de la Jarretière. Entre-temps, à l'occasion des fêtes célébrant la conclusion de la paix avec la Turquie, Catherine lui décerne le titre de comte de l'Empire russe et le gratifie de son portrait en miniature, dans un cadre de diamants. Il le portera, comme naguère Grégoire Orlov, sur son habit. Les poètes russes du temps célèbrent ses vertus en vers pompeux. La cour est à ses pieds. Les ambassadeurs étrangers recherchent sa bienveillance Un murmure de basse adulation l'entoure.

Toute sa famille est installée au palais : sa mère, sa sœur, ses cinq nièces, si jolies et si peu farouches qu'il les séduira l'une après l'autre. Bientôt, il deviendra gouverneur des provinces du Sud, « La Nouvelle Russie ». Quand il a une grave décision à prendre, il s'enferme dans son bureau et joue avec des pierres précieuses, sur sa table, les assemblant et les dispersant jusqu'à ce qu'une solution s'impose à lui; ou bien il nettoie interminablement, l'esprit perdu dans la réflexion, les chatons de ses bagues avec une petite brosse. Les dons en argent, en bijoux, en terres, en paysans pleuvent sur sa tête. Il touche douze mille roubles par mois et sa maison est entièrement défrayée par la cassette impériale. Ses repas et ses vins sont payés sur le budget de la cour. Les équipages et la livrée de la cour sont à son service. Le petit officier pauvre, sorti du rang, nage dans l'opulence. Il dépense d'ailleurs sans compter, perd au jeu, accumule les dettes et se tourne chaque fois vers l'impératrice qui règle ses factures en souriant, car elle-même est trop prodigue pour reprocher ce défaut à son favori.

Cependant, cet homme dont la réussite étonne le monde a des accès de désespoir et de dégoût qui lui font regretter le couvent. Doué des plus grandes facultés, musicien, poète, amateur d'art, guerrier, administrateur, diplomate, économiste, bâtisseur, il aborde tous les problèmes avec fougue, et subitement s'effondre, refuse de s'intéresser à quoi que ce soit, passe des journées entières à demi nu, prostré sur un divan, sans se laver ni se peigner, mangeant des croûtons de pain et se rongeant les ongles à petits coups de dents. Un jour, dînant avec lui, son neveu Engelhardt le complimente sur sa bonne humeur. Aussitôt, Potemkine s'assombrit et dit : « Peut-il y avoir un homme plus heureux que moi? Tous mes souhaits, tous mes désirs ont été remplis par une sorte d'enchantement. J'ai voulu avoir de grandes charges — je les ai; des ordres — je les ai tous; j'ai aimé le jeu — j'ai pu perdre des sommes incalculables; j'ai aimé donner des fêtes — j'en ai donné de splendides; j'ai aimé acheter des terres — j'en possède autant que je veux; j'ai aimé bâtir des maisons — j'ai bâti des palais; j'ai aimé les bijoux — aucun particulier n'en a de plus beaux et de plus rares. En un mot, je suis comblé. » Là-dessus, il brise une assiette précieuse en la jetant sur le parquet, disparaît dans sa chambre à coucher et s'y enferme [1]. Il est l'homme des extrêmes. Slave jusqu'aux racines. Tour à tour tendre et emporté, gai et triste, paresseux et actif, sauvage et délicat. Gros mangeur et gros buveur, il avale indifféremment les boissons et les mets les plus fins comme les plus rudes. A sa table, à Saint-Pétersbourg, on sert des huîtres, des sterlets, des figues de Provence, des melons d'eau d'Astrakhan, mais, avant, il avale avec délices des gousses d'ail et des *pirojki* (petits pâtés) qu'il arrose avec du *kwass*. Si, à la cour, il paraît dans des habits brodés d'or, couverts de diamants, constellés de plaques, chez lui, sa tenue ordinaire est une ample robe de chambre. Il ne porte ni pantalon ni caleçon sous ce vêtement commode et reçoit ainsi non seulement l'impératrice mais encore les dames d'honneur, les ministres, même les ambassadeurs. Quand le comte de Ségur lui rend visite, lors de son arrivée à Saint-Pétersbourg, il trouve un géant chevelu et borgne, étendu sur son lit et qui ne songe même pas à se lever pour donner audience à l'envoyé du roi de France. Ségur laissera de lui un portrait assez vif : « Rien n'égalait la vigueur de son esprit et la mollesse de son corps. Aucun danger n'arrêtait son courage, aucune difficulté ne le faisait reculer, mais tous les succès de ses entreprises lui causaient une amère déception... Avec lui, tout était compliqué : les affaires, le plaisir, l'humeur, l'équipage... Il était morose avec ceux qui étaient serviles auprès de lui et affable avec ceux qui l'approchaient avec familiarité. Prodigue de promesses, les remplissant rarement et n'oubliant jamais ce qu'il avait vu ou entendu. Personne n'a moins lu que lui, peu de personnes ont été aussi bien informées... L'inégalité de son tempérament produisait une singularité indescriptible dans ses désirs, dans sa conduite et

1. Waliszewski : *Autour d'un trône.*

dans sa manière de vivre... Ces singularités, bien qu'ayant souvent fâché l'impératrice, le lui rendaient, néanmoins, encore plus intéressant. »

Le prince de Ligne écrira, de son côté : « C'est l'homme le plus extraordinaire que j'aie jamais rencontré. Il a l'air paresseux et il travaille sans cesse..., toujours couché et ne dormant ni jour ni nuit parce que son zèle pour la souveraine qu'il adore l'agite toujours... Triste dans les plaisirs, malheureux à force d'être heureux, blasé sur tout, se dégoûtant aisément, morose, inconstant, philosophe profond, ministre habile, politique sublime et enfant de dix ans... ; prodigieusement riche sans avoir un sou ; parlant de théologie à ses généraux et de guerre à ses archevêques ; ne lisant jamais, mais sondant ceux à qui il parle... ; voulant tout comme un enfant, sachant se passer de tout comme un grand homme... Quelle est donc sa magie ? Du génie, et puis du génie, et encore du génie ! »

Par ce mélange d'élan et de désaffection, de galanterie et de brutalité, Potemkine retient constamment l'attention de l'impératrice. Même quand le feu de la passion charnelle décline entre eux, avec le temps, il veut demeurer pour elle le suprême recours. Est-ce lui qui le premier éprouve quelque lassitude auprès de cette femme vieillissante ? Est-ce elle qui, fatiguée des sautes d'humeur de son « giaour », souhaite une aventure plus banale et plus fraîche ? Toujours est-il qu'après deux ans de communion dans la jouissance, il lorgne les jeunes femmes et elle s'intéresse aux jeunes gens. Ni l'un ni l'autre ne font un drame de ce désenchantement réciproque. L'affaiblissement de leur appétit sexuel n'entame en rien l'amour et l'admiration qu'ils ont l'un pour l'autre. Le premier soin de Potemkine, quand il constate ce changement de climat dans leurs rapports, c'est de conserver son ascendant sur Catherine par l'intermédiaire d'un remplaçant de son choix. Ainsi, bien que possédée par un autre, elle ne cessera pas tout à fait de lui appartenir. Cet « autre » sera un jeune et charmant Ukrainien, Pierre Zavadovski. A peine présenté comme successeur aux regards de l'impératrice, il est agréé et mis à l'épreuve. L'essai est concluant. En apprenant cette révolution d'alcôve, tout le monde, à la cour, croit à la disgrâce de Potemkine. Certains s'en réjouissent. « Son comportement hautain pendant qu'il était au pouvoir lui a créé tant d'ennemis qu'il peut s'attendre avec raison à ce qu'on lui rende la pareille dans sa disgrâce, écrit Sir Richard Oates dans un rapport chiffré. Il ne serait point surprenant ni tout à fait inattendu de le voir terminer sa carrière dans un monastère, mode de vie pour lequel il a toujours manifesté une prédilection. »

C'est mal connaître Potemkine. Après un court voyage dans son gouvernement de Novgorod, il revient à Saint-Pétersbourg et cède son appartement de fonction à Zavadovski, moyennant cent mille roubles. En réglant ce singulier pas de porte, le nouveau favori achète le droit d'accès à la chambre impériale. Il paie une commission, au passage, à l'ancien bénéficiaire. Mais celui-ci n'a nullement l'intention de se tenir désormais à l'écart de la bien-aimée. Certes, il n'envisage pas un instant de retrouver sa place dans le lit de Catherine, mais il ne permettra pas qu'un intrus l'occupe autrement que le temps d'un caprice. N'étant plus l'amant de l'impératrice, il sera son pourvoyeur. C'est dans la mesure où les faveurs de celle-ci seront éphémères, que sa domination, à lui, sera grande. Il doit donc la pousser au changement, à la diversité. Et même, bizarrement, plus il est jaloux, plus il est entier, plus il lui faut souhaiter que les jeunes gens se succèdent à un rythme accéléré dans la couche de la femme qu'il aime. Tant qu'elle ne recherchera rien d'autre que son plaisir auprès de ces galants, il restera le maître. Son calcul est juste. Il s'est installé dans un hôtel particulier qu'une galerie couverte relie au palais impérial. Ainsi, l'impératrice peut-elle lui rendre visite à tout moment sans éveiller l'attention. Elle ne s'en prive pas. Jamais elle n'a eu autant besoin des conseils de son Gricha. Elle fait deux parts dans sa vie. Les jeux folâtres de la nuit, avec un comparse; les fructueux échanges de l'amitié, avec celui qu'elle considère comme son époux. Désormais, tous les « élus » de l'impératrice seront choisis par Potemkine. Leur règne ne durera guère plus de quelques mois. Zavadovski est destitué en juin 1776. « Il a reçu de Sa Majesté cinquante mille roubles, cinq mille de pension et quatre mille paysans en Ukraine où ils valent beaucoup », écrit le chevalier de Corberon, nouveau chargé d'affaires de France en Russie, à son frère. Et il ajoute : « Conviens, mon ami, que ce métier est bon ici [1]. »

A Zavadovski, succédera Simon Zoritch, surnommé « l'Adonis » par les dames de la cour. L'impératrice l'appellera tendrement « Sima » et lui trouvera « une tête sublime ». Le même Corberon écrit : « (Potemkine), qui est mieux vu que jamais et qui joue maintenant le rôle que faisait la Pompadour sur la fin de sa vie auprès de Louis XV, lui a présenté (à l'impératrice) un nommé Zoritch, major de hussards, qu'on a fait lieutenant-colonel et inspecteur de toutes les troupes légères. Ce nouveau favori a dîné avec elle. On dit qu'il a reçu 1 800 paysans pour son coup d'essai ! Après le dîner, Potemkine a bu à la santé de l'impératrice et s'est mis à ses genoux. »

Le beau Zoritch, Serbe d'origine, est si heureux de sa promotion, qu'il offre cent mille roubles à Potemkine en guise de remerciement. Au diable les scrupules ! Potemkine accepte, et l'usage s'établit ainsi, entre les « appelés », de verser cent mille roubles, le jour de leur avènement, à celui qui s'est entremis pour eux auprès de l'impératrice. Ce n'est pas payer trop cher l'assurance de finir sa carrière dans la richesse et la dignité après avoir connu, pendant quelque temps, la gloire de partager la couche impériale. Mais voici que Zoritch chancelle. Le nouvel ambassadeur d'Angleterre, James-Howard Harris, mande dans une dépêche à son gouvernement : « Le présent favori, Zoritch, semble être sur son déclin. Il est probable que Potemkine sera chargé de lui trouver un successeur et j'ai entendu dire qu'il a déjà jeté les yeux sur un certain Akharov. » Et aussi, dans une lettre particulière : « Zoritch s'attend à être renvoyé, mais on dit

1. Le chevalier de Corberon : *Un diplomate français à la cour de Catherine II.*

qu'il est décidé à en demander raison à son successeur. « Je sais bien, disait-il l'autre jour, que je dois sauter, mais, par Dieu! je couperai les oreilles à celui qui prend ma place [1]. » Soupçonnant son « patron » d'avoir déjà un candidat dans sa manche, Zoritch lui fait une scène violente, l'abreuve d'injures et le provoque même en duel. Potemkine traite cet éclat par le mépris et invite l'impératrice à se débarrasser sans tarder du trublion. Le soir même, elle fait dire au jeune homme qu'elle n'a plus besoin de sa présence au palais et qu'il ferait bien de voyager. Furieux, il s'élance vers l'appartement de sa maîtresse pour demander une explication et trouve toutes portes closes. Les conseils de Potemkine, la promesse d'une rente viagère et le don de quelques bonnes terres peuplées de sept mille paysans apaisent les rancœurs du favori déchu. Il plie bagage, tandis qu'un certain Rimsky-Korsakov, poussé par Potemkine, s'avance, d'un pas timide, sous le regard encourageant de la tsarine. D'autres viendront.

Grâce à Potemkine, qui l'initie aux délices de la perversité, Catherine, la sage, la fidèle, la bourgeoise, découvre, peu à peu, le goût du grappillage dans la vigne. A chaque nouveau favori, elle croit avoir pêché la perle rare. Amoureuse, rajeunie, électrisée, elle le présente à la cour comme un surhomme, le traîne, superbement vêtu, aux réceptions officielles, se pâme à ses moindres mots d'esprit, mais lui interdit toute familiarité en public. De service vingt-quatre heures sur vingt-quatre, il doit, le jour, se comporter en galant cavalier et, la nuit, en amant frénétique. La crainte de n'être pas à la hauteur, le moment venu, tourne chez certains à l'obsession. Ainsi, le jeune Lanskoï, malade, aura recours, pour éviter la disgrâce, à des aphrodisiaques qui achèveront de détraquer sa santé. Certes, Catherine, qui a de l'expérience, admet de temps à autre une défaillance dans l'exécution du contrat. Mais, si l'incident se renouvelle trop souvent, c'est la porte. Quand le favori a cessé de plaire, on

1. La lettre et la dépêche sont du 13 février 1778.

lui charge les bras de cadeaux, on lui assure une large pension et il quitte discrètement son appartement d'emploi, tandis que Potemkine se met en quête d'un autre aide de camp. Mieux que quiconque, « le borgne génial » connaît les préférences de l'impératrice. Rarement, elle lui renvoie l'article qu'il a déniché pour elle. Toutes ces tractations libertines se déroulent avec une franchise qui frise le cynisme. La procédure d'intronisation suppose des précautions élémentaires. Une fois distingué par Potemkine et agréé par l'impératrice, le jeune homme est appelé à la cour, où le médecin de Sa Majesté, l'Anglais Rogerson, l'examine avec un soin scrupuleux. Puis il est mis en présence de la comtesse Bruce, qui l'interroge aimablement pour se rendre compte de son esprit, de sa culture et de son caractère. Enfin, la même comtesse Bruce (plus tard ce sera Mlle Protassov) soumet le candidat à une épreuve plus intime, afin de tester ses capacités physiques[1]. Un rapport détaillé est fait par l' « essayeuse », ou l' « éprouveuse », à l'impératrice qui juge en dernier ressort. Si les conclusions sont satisfaisantes, le jeune homme est conduit dans l'appartement de fonction libéré par son précédent locataire. Là, il trouve, dans un secrétaire, une cassette contenant cent mille roubles en or, premier don d'usage, annonciateur d'autres présents. Le soir, devant la cour assemblée, il paraît aux côtés de l'impératrice, sous le regard complice de Potemkine. A dix heures, le jeu terminé, elle se retire dans ses appartements, et le nouveau favori y pénètre, à sa suite. Un murmure d'envie l'accompagne. Pourtant, il n'en mène pas large. Il sait que son avenir va se jouer dans l'heure.

Si Catherine accepte d'être ainsi approvisionnée par Potemkine, c'est qu'elle a trop à faire pour se préoccuper de ces

1. Byron y fait allusion dans une strophe célèbre de son *Don Juan* :

> « ... *As also did Miss Protassoff then there*
> *Named from her mystic office l'* « *Eprouveuse* »
> *A term inexplicable to the muse.* »

Cf. Waliszewski : *Autour d'un trône.*

menues emplettes sentimentales. A partir d'un certain degré d'activité intellectuelle, il faut pouvoir, pense-t-elle, se décharger sur une personne sûre du soin de vous procurer des objets de plaisir. Elle ne met aucun mystère autour de ses préférences amoureuses. La satisfaction des sens correspond, chez elle, à une fonction naturelle dont elle ne veut ni rougir ni se vanter. Peu de femmes ont autant qu'elle ignoré les labyrinthes obscurs de l'inconscience, les tourbillons secrets, les remous venus du tréfonds de l'être. Un monstre de clarté. Un génie diurne.

Les diplomates étrangers sont scandalisés par la licence de la tsarine. « Sa cour, écrit Harris, est devenue, peu à peu, un théâtre de dépravation et d'immoralité... Il ne faut plus à présent espérer que l'impératrice se retire de ce bourbier, et, à moins d'un miracle, on ne doit pas, à un âge où il est presque trop tard pour s'amender, s'attendre à aucun changement favorable, soit dans sa conduite publique, soit dans sa conduite privée. Le prince Potemkine la gouverne absolument. Il connaît à fond ses faiblesses, ses désirs, ses passions, et il les règle à son gré. Outre cet ascendant qu'il a sur elle, il l'entretient dans une terreur constante du grand-duc et il lui a persuadé qu'il est le seul homme au monde qui puisse découvrir à temps toute entreprise qui serait tentée contre elle de ce côté-là, et, dans ce cas, de la protéger. » Le même Harris analyse ainsi le caractère de Catherine : « Il me paraît que l'impératrice a une force d'esprit virile, de l'opiniâtreté à poursuivre un plan et de l'intrépidité dans l'exécution. Mais elle manque des vertus plus mâles, telles que la délibération, la modération dans la prospérité et la justesse de jugement. En revanche, elle a, au plus haut point, les faiblesses que l'on attribue généralement à son sexe, l'amour de la flatterie et la vanité qui en est inséparable, la répugnance à écouter et à suivre des avis salutaires mais désagréables, et un penchant à la volupté qui l'entraîne dans des excès qui déshonoreraient toute femme, quelle que fût sa condition. » Et le chevalier de Corberon, envoyé du Cabinet de Versailles, renchérit · « Comment, dira-t-on, se gouverne donc cet État, comment peut-il se soutenir? Je répondrai presque qu'il se gouverne par le hasard et se soutient par son équilibre naturel, semblable à ces grandes masses que leur poids immense rend solides et qui, résistant à toutes les attaques, ne cèdent qu'aux assauts non interrompus de la corruption et de la vieillesse. »

Ce jugement sévère est, certes, très différent de celui que Catherine porte elle-même sur sa personne et sur son œuvre. Quand elle jette un regard en arrière, elle ne voit qu'une succession de réussites. A quarante-six ans, face à une Europe hostile et persifleuse, elle a annexé une partie de la Pologne et installé un roi bien à elle dans ce qui reste de ce misérable pays; elle a écrasé la Turquie, reculé les frontières de la Russie dans le Sud et ouvert à sa flotte de nouvelles routes maritimes; elle a tenu en échec la diplomatie française; elle a maté la révolte de Pougatchev; elle a ébloui les philosophes par le mirage de ses grandes idées; elle a écarté la menace que faisait peser sur son trône l'ombre d'Ivan VI...

A présent, son principal souci lui vient encore de son fils. Le mariage de Paul est un échec. « La grande-duchesse aime en toutes choses les extrêmes, écrit Catherine à Grimm. Elle n'écoute aucun avis et je ne vois en elle ni séduction, ni esprit, ni raison. » Et encore : « Tout est à l'excès, chez cette dame! Tout est toupillage! (*sic*) » En outre, cette petite pécore, qui refuse d'apprendre le russe, est une intrigante. Elle rêve de porter son mari sur le trône. Une liste de conjurés circule dans le palais. Catherine en prend connaissance, convoque le grand-duc et la grande-duchesse et, devant eux, jette au feu le papier révélateur. Les deux conspirateurs comprennent la leçon et se retirent, tête basse.

Si Nathalie éprouve un tel besoin d'accéder au pouvoir, c'est qu'elle est profondément déçue dans sa vie de femme. Elle a présumé de sa faculté d'acceptation en épousant ce prince laid, ricaneur, borné et cruel. Heureusement qu'il y a, tout à côté de leur couple, le séduisant André Razoumovski, le meilleur ami de

Paul. Très vite, Nathalie s'éprend de lui et tombe dans ses bras. Les deux amants font absorber habituellement un peu d'opium au mari pour réduire, après le souper, « leur trio à un simple tête-à-tête », selon l'expression du comte d'Allonville. Toute la cour est avertie des infidélités de la grande-duchesse. L'impératrice veut éloigner André Razoumovski du palais. Mais Paul, qui n'est au courant de rien, proteste qu'il ne laissera jamais partir l'être qui lui est le plus cher au monde après sa femme. Catherine pourrait lui dévoiler l'inconduite de Nathalie. Un scrupule l'arrête : Nathalie est enceinte. De Paul ou d'André? La question n'est pas là. Elle porte, dans son ventre, la promesse d'un héritier. Elle est donc sacrée, comme Catherine l'a été, pour l'impératrice Elisabeth, lors de sa grossesse « officielle ». Paul est ivre de fierté à l'idée d'avoir prochainement un fils. Catherine l'approuve dans son illusion.

Quand Nathalie ressent les premières douleurs, la tsarine noue un grand tablier sur sa robe et assiste la sage-femme dans sa besogne. La naissance est laborieuse; la parturiente hurle de douleur pendant trois jours; des médecins sont appelés à la rescousse. « Moi non plus je n'ai pas moins mal au dos que l'accouchée, mande Catherine dans un billet à Potemkine. Cela vient sûrement de l'angoisse éprouvée. » L'enfant est enfin arraché au ventre de sa mère. C'est une petite masse de chair bleuie et muette. Un fils. Énorme. Mort-né. On n'a pas voulu faire « l'opération césarienne ». Nathalie n'a pu être délivrée. La gangrène s'installe. Une puanteur envahit la chambre. Peu après, vers six heures du soir, le 15 avril 1776, la jeune femme, épuisée, rend le dernier soupir. Catherine est atterrée, mais elle garde son sang-froid. Il le faut, car Paul, frappé de folie, casse tous les meubles dans son appartement et essaie de se jeter par la fenêtre. Elle le raisonne, il ne veut rien entendre. On n'enterrera pas sa femme. Il exige de la garder auprès de lui. Elle est vivante. Les médecins ont menti! Catherine écrit à Mme de Bielke : « Aucun secours humain ne pouvait sauver cette princesse... Elle était barrée... Après sa mort, à l'ouverture du corps, on a trouvé qu'il n'y avait que quatre doigts d'espace et que les épaules de l'enfant en avaient huit. » Le chevalier de Corberon est d'un avis tout différent. Ayant interrogé le chirurgien Moreau au cours d'un dîner, il écrit : « Vis-à-vis de moi, il (Moreau) a dit qu'il regardait les chirurgiens et les médecins de la cour comme des ânes. La mort de la grande-duchesse ne devait point arriver. Au vrai, il est bien étonnant qu'on ne prenne pas plus de soins d'avance d'une grande-duchesse. Le peuple est très fâché, il pleure et s'aigrit. On entendait hier et aujourd'hui, aux boutiques, dire : « Les jeunes dames meurent; les vieilles *babas*[1] ne meurent point. »

Certes, l'impératrice est désolée de cette disparition, mais, avec une froide lucidité, une cruauté pratique, elle conclut sa lettre à Mme de Bielke par cette phrase : « Enfin, comme il est démontré qu'elle (Nathalie) ne pouvait avoir d'enfant en vie, ou plutôt qu'elle n'en pouvait mettre au monde, il faut bien n'y plus penser. » Cette étrange oraison funèbre ne lui suffit pas. Comme toujours devant une catastrophe, elle songe à la riposte. Elle déteste la tristesse, la résignation qui minent la volonté de l'individu. Vivre consiste à regarder droit devant soi, non en arrière. L'essentiel maintenant est de remplacer la défunte. Et vite. Le jour même où meurt la grande-duchesse, Catherine envoie à Potemkine un billet griffonné en hâte, au crayon, pour lui faire part de ses intentions. C'est un plan en six points, prévoyant le remariage du grand-duc. On l'expédiera à Berlin, on lui choisira une autre princesse allemande, on obligera la jeune fille à se convertir, les fiançailles auront lieu à Saint-Pétersbourg : « *Motus* jusqu'à ce que tout soit en train. » On en est encore à faire la toilette du cadavre, que la tsarine, déjà, énumère, dans sa tête, les candidates possibles à la succession : c'est Sophie-Dorothée de Wurtemberg qui, à première vue, lui paraît la mieux placée. Encore faut-il qu'elle plaise à cet imbécile de Paul! Or, il s'obstine à sangloter, à hurler, à injurier

1. Les vieilles « bonnes femmes ». Allusion à Catherine.

son entourage. Comme il arrive souvent chez les faibles, le malheur renforce la haine qu'il éprouve pour sa mère. Il la tient pour responsable de tout. Devant ce déchaînement, Catherine décide d'employer les grands moyens. Elle force le petit bureau de Nathalie et, ainsi qu'elle s'y attendait, trouve la correspondance amoureuse de la jeune morte avec André Razoumovski. La charité lui commanderait de brûler ces lettres pour laisser son fils dans l'aveuglement. Mais la raison d'État, en elle, est la plus forte. Et aussi le désir de dégriser cet insensé par un choc salutaire. Avec une sécheresse calculée, une audace tranchante, elle fourre sous le nez du malheureux la preuve de son infortune. Il lit, se trouble, rugit de souffrance, de honte, de colère, puis, les nerfs rompus, accepte d'obéir à toutes les décisions de sa mère. Catherine triomphe. A Grimm, qui lui envoie une lettre de condoléances pathétique, elle écrit d'une plume raide : « Je ne réponds jamais aux jérémiades... Je n'ai pas perdu de temps. Tout de suite, j'ai mis les fers au feu pour réparer la perte, et, par là, j'ai réussi à dissiper la profonde douleur qui nous accablait... Et puis j'ai dit : « Les morts étant les morts, il faut penser aux vivants!... Puisqu'on a cru être heureux, qu'on a perdu cette croyance, faut-il désespérer de la reprendre? Allons, en deux mots, cherchons une autre. » « Mais qui? » — « Oh! j'en ai une en poche » — « Comment, déjà? » — « Oui, oui, et même un bijou! » Et ne voilà-t-il pas la curiosité en mouvement. — « Qui est-ce?... Est-elle brune, blonde, petite, grande? » — « Douce, jolie, charmante, un bijou, un bijou... » Et voilà que les cœurs serrés commencent à se dilater. »

André Razoumovski est envoyé à Reval. La grande-duchesse est enterrée au milieu des chants et des pleurs. Le grand-duc porte son deuil avec une hébétude qui ressemble à de l'indifférence. La cour se transporte à Tsarskoïé-Sélo. Et là, tout en s'abandonnant au charme des pique-niques et des excursions champêtres, Catherine et le prince Henri de Prusse, qui se trouve en mission diplomatique auprès de la cour de

Russie, étudient les possibilités d'une rencontre à Berlin entre le jeune veuf et la petite Sophie-Dorothée de Wurtemberg. On écrit à Frédéric II, qui règne sur un vivier tout frétillant de princesses à marier. Il accepte gaiement de se remettre en campagne, pour resserrer les liens qui unissent les deux pays. Des messages mystérieux volent entre Berlin, Stuttgart et Saint-Pétersbourg. Le voyage du grand-duc se prépare dans la fièvre. Il part de Tsarskoïé-Sélo en grand équipage, avec une suite digne de son rang. Le prince Henri l'accompagne. A Riga, première halte, le prince Henri reçoit une lettre de Catherine. « Je ne crois pas qu'il y ait d'exemple d'une affaire de cette nature, traitée comme celle-ci, écrit-elle. Aussi est-ce la production de l'amitié et de la confiance la plus intime. Cette princesse (Sophie-Dorothée) en sera le gage. Je ne pourrai la voir sans me ressouvenir comment cette affaire a été commencée, menée et finie par la maison royale de Prusse et celle de Russie[1]. » Elle attend avec anxiété les échos de la première entrevue entre les jeunes gens. Pourvu que son benêt de fils ne flanche pas au dernier moment ! Il en est bien capable, ne serait-ce que pour la contrarier. Que faire s'il refuse Sophie-Dorothée ? A tout hasard, elle passe en revue d'autres noms. Tous à consonance germanique.

1. J. Castéra : *Vie de Catherine II.*

CHAPITRE XX

CATHERINE LA GRANDE

C'est un succès! Mis en présence de Sophie-Dorothée de Wurtemberg, que Frédéric II a convoquée à Berlin, Paul déborde d'enthousiasme. Pour la troisième fois en trente-deux ans, le roi de Prusse a déployé ses talents de marieur au bénéfice de la monarchie russe. Sophie-Dorothée était d'abord promise à l'héritier de Darmstadt. Qu'à cela ne tienne, sur l'injonction de Frédéric II, les fiançailles avec ce personnage secondaire sont rompues, et la jeune fille, libre, consentante et émue — elle a seize ans — s'offre au choix, autrement flatteur, du grand-duc héritier de Russie. Piaffant d'impatience, Paul a oublié son deuil et même sa mésaventure conjugale. Il ne rêve plus que de mettre Sophie-Dorothée dans son lit. Le fait qu'elle lui soit recommandée par Frédéric II la lui rend deux fois plus désirable. Car, à l'instar de son père putatif Pierre III, il a une admiration sans bornes pour ce monarque et, en général, pour tout ce qui est prussien. Frédéric II, lui, trouve Paul « altier, haut et violent, ce qui fait appréhender à ceux qui connaissent la Russie qu'il n'ait de la peine à se soutenir sur le trône [1] ». Fêtes, cérémonies diverses et salves d'artillerie achèvent de tourner la tête au grand-duc. Pour récompenser l'agence matrimoniale de

1. Frédéric II : *Mémoires.*

Berlin, Catherine renouvelle son traité d'alliance avec la Prusse. C'est avec allégresse qu'elle accueille la jeune princesse allemande qui, suivant de près son fiancé, débarque en Russie avec ce mélange d'espoir et d'inquiétude dont elle-même a connu jadis le goût doux-amer. Enchantée de sa future belle-fille, elle écrit à Mme de Bielke :

« Je vous avoue que je me suis engouée de cette charmante princesse, mais engouée à la lettre. Elle est précisément telle qu'on la voudrait : taille de nymphe, teint de lys et de rose, la plus belle peau du monde, grande et avec de la carrure ; elle est légère ; la douceur, la bonté de son cœur, la candeur sont répandues sur sa physionomie. »

Convertie en un tournemain à la religion orthodoxe, la jeune fille prend le titre de grande-duchesse et troque son nom de Sophie-Dorothée contre celui de Marie Fedorovna. Au lendemain des fiançailles, elle écrit à son futur : « Je jure, par ce papier, de vous aimer, de vous adorer toute ma vie et de vous être toujours attachée, et rien au monde ne me fera changer à votre égard. Ce sont là les sentiments de votre à jamais tendre et fidèle promise. »

Paul, de son côté, mande à Henri de Prusse : « Elle (la grande-duchesse) a l'art non seulement de chasser tous mes papillons noirs, mais même de me rendre la bonne humeur que j'avais entièrement perdue pendant ces trois malheureuses années. » Et, à Sacken : « Vous voyez que je ne suis pas de marbre et que je n'ai pas le cœur aussi dur que bien des gens le pensent ; ma vie le justifiera [1]. »

On hâte les préparatifs de la cérémonie nuptiale. Moins d'un an après l'enterrement de Nathalie, les cloches sonnent pour le mariage de Marie avec le grand-duc Paul.

Au début, Marie affiche une complète satisfaction de son sort. « Ce cher mari est un ange, je l'aime à la folie », écrit-elle à la baronne d'Oberkirch. Catherine compte sur sa bru pour

1. Cf. Constantin de Grunwald : *L'Assassinat de Paul Ier, tsar de Russie*

ramener Paul à la sagesse. Dans un suprême effort de conciliation, elle-même prend sur son temps si précieux et réserve deux matinées par semaine à l'apprentissage politique de son fils. Mais il refuse de s'occuper des affaires de l'État. Ce qui l'intéresse, ce sont les plus petits côtés du métier militaire. Et en cela, il a, pense-t-il, de qui tenir. Étrange mimétisme : certes, dans cette cour où le moindre propos malveillant est répété à tous les échos, il a dû entendre murmurer cent fois que son père n'est peut-être pas Pierre III, mais Saltykov. Il refuse de croire à ces ragots. De toute son âme, il se considère comme le fils du tsar assassiné. Et, pour mieux se le prouver et le prouver aux autres, il adopte les manies du défunt. Il se veut prussien comme lui, violent comme lui, soldat comme lui. Dans ses rapports avec l'armée, il dépasse vite Pierre III par l'aberration des ordres et la cruauté des sanctions. Son idée fixe est de réduire la troupe à une collection d'automates. Pour un bouton mal cousu ou un mouvement mal exécuté, c'est le knout, la déportation. Infatigablement, il passe ses régiments en revue, les fait manœuvrer dans la boue, organise des simulacres de batailles, s'égosille, tempête, menace, jouant tantôt au stratège génial tantôt au sous-officier ivre de son pouvoir sur les hommes.

Navrée de le voir céder à la folie militaire, l'impératrice se console en pensant que, du moins, contrairement à Pierre III, il est capable de féconder une femme. En effet, très vite, Marie est enceinte. Catherine triomphe. Serait-elle grosse elle-même, qu'elle n'en aurait pas plus de joie. Ce petit-fils qui va naître — car ce ne peut être qu'un petit-fils! — lui appartient déjà par la chair, par le sang, par l'esprit. Il héritera de son œuvre. Il la continuera. Il sera ce que Paul n'a pas su être. Oui, dès avant la venue au monde de l'enfant, germe, dans l'esprit de la future grand-mère, l'idée de léguer le pouvoir, non à son fils indigne, mais à son petit-fils inconnu. Après tout, elle n'a que quarante-huit ans. Elle aura tout loisir de former son jeune successeur. Ce rejeton impérial, elle le veut parfait de corps et d'intelligence.

Pour être sûre de bien l'élever, elle se plonge, malgré les multiples travaux qui la sollicitent, dans les traités pédagogiques. Elle dévore l'*Émile* de Jean-Jacques Rousseau, prend connaissance des recherches nouvelles de Pestalozzi, ingurgite les théories de Basedow et de Pfeffel. Admiratrice de Lavater, la grande-duchesse Marie conseille à sa belle-mère de lire les *Fragments de Physiognomonie*. Catherine note sur un papier les principes de puériculture qu'elle veut mettre en pratique et qui, presque tous, vont à l'encontre des usages du temps : « Il vaut mieux que les enfants ne soient point vêtus ou couverts trop chaudement en hiver ou en été. Il vaut mieux que les enfants couchent la nuit sans bonnet. Laver les enfants le plus souvent possible dans de l'eau froide... Il serait bon d'apprendre à nager à un enfant, lorsqu'il est d'âge pour cela... Laissez-le jouer au vent, au soleil, à la pluie sans chapeau... » Elle compte les jours qui la séparent de cette naissance quasi divine. Toute la cour est suspendue au ventre de la grande-duchesse. Enfin, le 12-23 décembre 1777, après quelques heures de travail et sans la moindre complication, Marie accouche d'un garçon. Il est lourd, vigoureux, bien constitué, il crie, c'est le futur empereur. Émerveillée, Catherine tombe à genoux devant les icônes et prie. Ses yeux sont noyés de larmes. Puis elle fait baigner le marmot, l'enveloppe, le presse convulsivement contre son cœur. Ce futur potentat ne peut porter qu'un grand nom : il s'appellera Alexandre. Oubliant le chagrin qu'elle a éprouvé lorsqu'Elisabeth l'a, jadis, séparée de son fils, Catherine emporte le nouveau-né dans ses appartements. Les parents auront le droit de voir l'enfant, de temps en temps, mais c'est elle qui l'élèvera. On ne peut confier à un jeune couple inexpérimenté le soin de veiller sur l'éducation du tsarévitch. Les canons tonnent, les cloches des églises carillonnent gaiement, un *Te Deum* solennel est célébré à la cathédrale de Kazan et le fameux poète de cour Derjavine compose, le jour même de la naissance, une interminable *Berceuse pour la nourrice du jeune Aigle* .

Ah! en ces temps de froidure,
Où Borée en fureur
S'abat sur les plaines
Du septentrion, un enfant
Nous est né dans la pourpre.
Il est né et le vent du Nord
Aussitôt cessa de hurler...

Alexandre est couché dans un petit lit de fer et non dans un berceau, pour que personne n'ait la tentation de le bercer. Sa nourrice est la femme d'un jardinier de Tsarskoïé-Sélo, que les médecins ont jugée bonne laitière. On parle toujours haut autour de lui, même pendant son sommeil. Le thermomètre de sa chambre ne marque jamais plus de 14 ou 15 degrés. Hiver comme été, il est lavé à l'eau froide. « A quatre mois, afin qu'on ne le porte pas sur les bras, je lui ai donné un tapis qu'on étend dans sa chambre, écrit Catherine au roi de Suède Gustave III [1]. Là, une ou deux femmes s'asseyent par terre et on couche Monsieur Alexandre sur le ventre. C'est là qu'il se vautre, que c'est plaisir à voir... Il ne connaît point de refroidissement, il est gros, grand, bien portant et fort gai, n'ayant pas une dent et ne criant presque jamais. »

Bientôt, elle installe le « divin nourrisson » tout près de sa table de travail. Grimm, qu'elle nomme plaisamment son « souffre-douleur », a droit aux détails les plus précis sur le caractère, les jeux, l'éducation et les mots d'enfant du petit prodige. « Je raffole de ce marmot, lui écrit-elle. L'après-midi, mon marmot revient autant de fois qu'il veut et passe trois ou quatre heures par jour dans ma chambre... » Et encore : « J'en fais un marmot délicieux. Il est étonnant que, sans savoir parler, cet enfant a des connaissances, à vingt mois, au-dessus de la faculté de tout autre enfant de trois ans. Grand-maman en fait ce qu'elle veut. Morgué! il sera aimable! » Ou bien : « Depuis

1. Le roi Gustave III était, par son père Adolphe-Frédéric de Holstein-Gottorp, cousin germain de Catherine.

deux mois, tout en « législotant », j'ai entrepris, pour mon amusement, à l'usage de Monsieur Alexandre, un petit a b c de maximes, qui ne se mouche pas du pied. Tous ceux qui voient cela en disent tout le bien possible... De maxime en maxime, enfilées comme des perles, nous allons de chose en chose ; je n'ai que deux buts en vue : l'un d'ouvrir l'esprit à l'impression des choses, l'autre d'élever l'âme en formant le cœur. »

Elle envoie à Grimm le croquis d'un costume qu'elle a inventé pour son petit-fils : « Tout cela est cousu ensemble et se met tout d'un coup et se ferme par derrière avec quatre ou cinq petits crochets... A tout cela, il n'y a aucune ligature et l'enfant ignore presque qu'on l'habille : on lui fourre les bras et les pieds dans son habit à la fois, et voilà qui est fait. C'est un trait de génie de ma part que cet habit. Le roi de Suède et le prince de Prusse ont demandé et obtenu un modèle de l'habit de Monsieur Alexandre. »

Catherine est persuadée que jamais le père et la mère de « Monsieur Alexandre » n'auraient su éveiller à ce point l'esprit et le cœur de l'enfant. Il est son œuvre. Il est sa propriété. Il n'obéit qu'à elle. Il n'aime qu'elle. Un jour, le petit prodige interroge une femme de chambre de l'impératrice pour savoir à qui il ressemble.

— « A votre mère par le visage.

— « Et par mon humeur, par mes manières ?

— « A votre grand-maman.

— « Je l'espérais ! » s'écrie Alexandre en se jetant au cou de la femme de chambre.

Catherine se délecte de ce trait et le rapporte à qui veut l'entendre. Elle mande encore à Grimm, en parlant de son petit-fils : « Cela deviendra un excellentissime personnage, pourvu que la *secondaterie* ne me retarde point dans ses progrès. » *Secondat, secondaterie,* termes méprisants imaginés par l'impératrice pour désigner « les seconds », autrement dit son fils et sa bru.

Pourtant la *secondaterie* ne chôme pas. Marie a des flancs

de poulinière. Le temps de souffler, et la voici grosse de nouveau. Dix-sept mois après la naissance d'Alexandre, elle met au monde un autre garçon. Catherine est aux anges. A ce deuxième petit-fils, elle donne le prénom de Constantin, dans l'espoir de le voir régner un jour sur l'empire de Constantinople [1]. Une médaille est frappée à cette occasion : elle représente, sur l'endroit, Sainte-Sophie de Constantinople, sur le revers, une carte de la mer Noire surmontée d'une étoile. Aux fêtes organisées par Potemkine pour célébrer l'événement, on lit des vers d'Homère. Mais le bébé est de complexion chétive. Déçue, la grand-mère écrit froidement : « Pour de l'autre (Constantin), je ne donnerai pas dix sous : je me trompe fort si cela restera sur terre. »

Or, « cela » reste sur terre, « cela » grandit en vigueur et en intelligence, si bien que Catherine retrouve, peu à peu, devant le lit de l'enfant, la confiance et les rêves d'hégémonie byzantine. Pour nourrir ce nouveau monarque, destiné à dominer l'empire d'Orient, il faut du lait venu de l'Olympe. On fait donc appel à une nourrice grecque. Elle apporte, dans ses seins gonflés à bloc, toutes les vertus antiques. Ce sont maintenant deux « divins marmots » qui jouent sur le tapis du bureau impérial, et Catherine, compulsant des dossiers, dictant des rapports, signant des oukases, fond de bonheur, chaque fois qu'à travers ses préoccupations politiques percent les rires de ses petits-fils.

Les préoccupations politiques, elle en a plus que jamais. Toute l'Europe bouge autour d'elle. Peu de jours après la naissance d'Alexandre, elle apprend la mort du prince électeur de Bavière, Maximilien-Joseph, survenue le 30 décembre 1777. Dans l'équilibre international de l'époque, la personnalité d'un souverain, ses amitiés, ses aversions, ses liens de famille, ses

1. Paul et Marie eurent dix enfants : le futur tsar Alexandre Ier (1777-1825); le futur vice-roi de Pologne, Constantin (1779-1831); Alexandra (1783-1801); Hélène (1784-1803); Marie (1786-1859); Catherine, future reine de Wurtemberg (1788-1819); Olga (1792-1795); Anne, future reine des Pays-Bas (1795-1869); le futur tsar Nicolas Ier (1796-1855); Michel (1798-1849).

espérances secrètes jouent un rôle si important que sa disparition peut changer du tout au tout le destin d'une nation. A chaque décès royal, Catherine a supputé les conséquences du bouleversement à venir, afin d'en tirer le plus grand bénéfice possible pour la Russie. Elle a déjà vécu ainsi, au cours de sa carrière, plusieurs trépas historiques de première grandeur : celui de Charles VI et de Charles VII d'Allemagne, celui de la tsarine Elisabeth, celui d'Auguste III de Saxe-Pologne, celui, en 1774, de Louis XV.

Ce dernier changement de règne a été marqué par un véritable revirement sentimental de l'impératrice à l'égard de la France. Elle professait, pour Louis XV, un mépris voisin de la haine; elle affiche, envers Louis XVI, la plus grande estime. Le marquis de Juigné, nouvel ambassadeur de France, note à ce sujet, dès 1776 : « Je ne pense pas du tout que les préventions de Catherine contre la France soient irréductibles. Je crois même qu'elles sont diminuées relativement au gouvernement et sur les points essentiels. » Catherine écrit, de son côté, à Grimm : « Votre M. de Juigné est arrivé. Je l'ai vu hier. Sti-là (celui-là) n'a pas l'air d'un étourdi. Je prie Dieu qu'il lui élève l'esprit au-dessus des rêves creux, des fièvres chaudes, des grosses et lourdes calomnies, des bêtises et des transports au cerveau politique de ses prédécesseurs, et surtout qu'il le préserve du radotage sur toutes les matières du dernier[1] et du fiel, bile et hypocondrie noire et atrabilaire de la petite canaille ministérielle qui les a devancés tous les deux. » Et encore : « J'ai si bonne opinion de tout ce qui se fait pendant le règne de Louis XVI, que j'aurais envie de gronder ceux qui y trouvent à redire. »

Par une sorte de reflux, aussi imprévisible que puissant, l'opinion publique française, d'abord hostile à la Russie, lui devient subitement favorable. Tout ce qui est russe jouit d'une naïve popularité. Le théâtre s'empare de sujets empruntés à l'histoire russe : *les Scythes*, de Voltaire, le *Pierre le Grand*, de

1. Ce « dernier » était Durand de Distroff.

Dorat, le *Menzikof* de La Harpe... Un peu partout, à Paris, poussent des « hôtels de Russie » et des « cafés du Nord ». Une marchande de modes ouvre ses portes sous l'enseigne : « Au Russe galant. » Un autre boutiquier voue son commerce « A l'impératrice de Russie ». Un tailleur, nommé Fagot, fait fortune en confectionnant des vêtements d'enfant d'après le modèle que Catherine a communiqué à Grimm. Les mères parisiennes les plus huppées veulent avoir leur poupon habillé comme le petit Alexandre. Catherine s'en amuse. « Pour Monsieur Fagot, écrit-elle, je trouve qu'il fait son métier, *ma* (mais) il est curieux que la mode vient du Nord et plus curieux encore que le Nord et surtout la Russie soient en vogue à Paris. Comment! après en avoir pensé, dit et écrit tant de mal. »

Cependant, si la mort de Louis XV a réchauffé tant soit peu les rapports franco-russes, la mort de l'électeur de Bavière est d'une tout autre portée sur le plan international. La disparition de Maximilien-Joseph et l'extinction de la lignée bavaroise donnent à l'Autriche la possibilité, si longtemps caressée, d'agrandir ses possessions territoriales. Mais l'extension de l'influence de Joseph II de Habsbourg à la Bavière ne peut être acceptée par les autres maisons princières allemandes, et, en premier lieu, par la maison de Hohenzollern. « Plutôt une guerre éternelle qu'une tutelle des orgueilleux Habsbourg! » s'écrie Frédéric II. Une fois de plus, l'Autriche et la Prusse s'affrontent en paroles et menacent d'en venir aux mains. Mais ni l'une ni l'autre ne sont sûres du succès de leurs armes. Égales par la puissance militaire et diplomatique, elles ne peuvent compter que sur une guerre d'usure pour les départager. A moins que la Russie n'apporte immédiatement son appui à l'un des deux adversaires.

Cela, Catherine le sait et, avec tranquillité, elle mesure la montée de son prestige dans un monde qui l'a d'abord traitée en aventurière. Frédéric II, après lui avoir fourni une deuxième bru, supplie sa « sœur russe » de se présenter en « arbitre de l'Europe ». D'elle seule, dit-il, dépend aujourd'hui la paix ou la guerre. Qu'elle se déclare prête à soutenir la Prusse, c'est-à-dire les princes allemands, et Joseph II et Marie-Thérèse s'inclineront[1]. Mais, de son côté, Marie-Thérèse, qui exècre Catherine, lui adresse maintenant des lettres aimables et l'engage, elle aussi, à trancher le conflit, bien entendu en faveur de la monarchie autrichienne. Sollicitée par les deux parties, Catherine hésite à se prononcer. Elle a de l'amitié pour Frédéric II et pour Joseph II. En outre, elle a besoin de l'un et de l'autre si elle veut, en toute impunité, finir de démembrer la Pologne et chasser les Turcs de leurs territoires d'Europe. C'est seulement si ces deux souverains ferment les yeux et se croisent les bras qu'elle peut poursuivre sa politique en Orient. Comment favoriser la Prusse sans mécontenter l'Autriche, et vice versa? Fière d'être choisie comme médiatrice, Catherine n'en est pas moins fort tourmentée à l'idée de la décision que l'on attend d'elle du côté des Habsbourg comme du côté des Hohenzollern. « Qui du diable peut avoir raison? écrit-elle à Grimm. Qui a tort? Où est le menteur? O mon Dieu! si seulement la question de la succession de Bavière pouvait être établie avec clarté et justesse! » En avril 1778, le roi de Prusse, ne recevant aucune assurance de Catherine, perd patience et se met en campagne. Catherine attend encore, éludant les questions, les suggestions, les pressions des diplomates qui se succèdent dans son antichambre.

En vérité, sans perdre de vue un seul instant la querelle de la succession de Bavière, elle jouit, à cœur perdu, de tous les agréments de sa vie privée. Comblée comme grand-mère, elle l'est de nouveau comme amante. L'officier de hussards Zoritch vient, grâce à Potemkine, d'être remplacé auprès d'elle par le sergent russe Ivan Nicolaïevitch Rimsky-Korsakov qui appartient, lui aussi, au régiment des hussards. Le nouveau favori, issu d'une famille noble de Smolensk, a vingt-quatre ans.

1. Joseph II était empereur d'Autriche et co-régent de sa mère, Marie-Thérèse, depuis la mort de son père, l'empereur François Ier, en 1765.

Comme Grimm taquine prudemment Sa Majesté parce qu'elle s'est « engouée » d'un nouveau favori, elle laisse fuser, à quarante-neuf ans, un enthousiasme juvénile :

« Engouée, engouée! Savez-vous bien que ce terme ne convient point lorsqu'on parle de Pyrrhus, roi d'Épire, de l'écueil des peintres, du désespoir des sculpteurs? C'est de l'admiration, Monsieur, c'est de l'enthousiasme que les chefs-d'œuvre de la nature inspirent... Quand Pyrrhus prend un violon, les chiens l'écoutent; quand il chante, les oiseaux viennent l'écouter, comme Orphée. Jamais Pyrrhus ne fit un geste, un mouvement qui ne fût ou noble ou gracieux; il est rayonnant comme le soleil, il répand l'éclat autour de lui; tout cela n'est pas efféminé, mais mâle et comme vous voudriez que quelqu'un fût... Tout est harmonie. Il n'y a point de pièce détachée; c'est l'effet des précieux dons de la nature accumulés dans son beau... [1] »

Et, plus tard : « Dites-nous seulement si Pyrrhus est beau, s'il a la mine noble et fière, et sachez que, si vous l'entendiez chanter, vous pleureriez comme vous avez pleuré en entendant chanter la Gabriella chez Elaguine [2]. »

Rimsky-Korsakov chante en effet, et, pour lui servir de partenaires, les premiers artistes d'Italie sont appelés à Saint-Pétersbourg. Il voudrait également s'initier aux arts, à la littérature. Un libraire est chargé de lui constituer une bibliothèque. — « Quels livres Sa Seigneurie souhaiterait-elle posséder? » demande ce libraire. — « Vous savez bien, répond-il, de gros volumes en bas et de petits en haut, comme chez l'impératrice. »

Le chevalier de Corberon, qui a bien connu Rimsky-Korsakov, écrit à son sujet : « C'était le mannequin de la fatuité, mais de la plus petite espèce, de celle qui ne serait pas tolérée même à Paris. » Sans doute est-ce la niaiserie radieuse de ce

1. Lettre du 1er octobre 1778.
2. Lettre du 7 mai 1779.

jeune homme qui a incité Potemkine à le pousser dans les bras de Catherine. Il sait bien qu'un pareil bellâtre ne peut constituer pour lui un rival dangereux. Comme d'habitude, il cherche à divertir la tsarine avec d'autres pour se réserver la meilleure part, celle du cœur et de l'esprit. Nommé aide de camp et chevalier de l'Aigle blanc polonais, couvert, selon l'usage, de titres, de décorations et de présents, Pyrrhus se laisse griser par sa chance et décide de mettre un peu de diversité dans son ordinaire. Ainsi prend-il pour maîtresse, accessoirement, la comtesse Stroganov. Mais cet écart ne lui suffit pas : ayant gardé un excellent souvenir de ses rapports avec la comtesse Bruce, qui a été son « éprouveuse », il retourne à elle pour un nouvel examen. Catherine les surprend voluptueusement enlacés. Cette fois, la comtesse Bruce ne peut invoquer la nécessité du service de l'impératrice pour justifier ses ébats. Catherine laisse éclater son courroux. Mais c'est un orage superficiel. Le cœur n'y est pas. Sans doute Sa Majesté était-elle déjà un peu lasse de Pyrrhus. La comtesse Bruce sera reléguée pour quelque temps à Moscou et Rimsky-Korsakov, renvoyé après une liaison de quinze mois, recevra une dotation généreuse. La tsarine ne garde jamais rancune à ses anciens amants.

A qui le tour maintenant? Naguère, comme Voltaire lui reprochait respectueusement d'être changeante, elle répliquait qu'elle était au contraire « absolument fidèle ». « A qui? Mais à la beauté. Elle seule m'attire! » Aujourd'hui, elle voudrait bien bavarder de tout cela avec le vieil ermite de Ferney. Mais il est mort, le 30 mai 1778. Catherine ressent douloureusement la perte de cet homme qu'elle n'a pourtant jamais rencontré.

« Je me suis senti un mouvement de découragement universel et un très grave mépris pour toutes les choses de ce monde, écrit-elle à Grimm. Pourquoi ne vous êtes-vous pas emparé, vous, de son corps, et cela en mon nom? Vous auriez dû me l'envoyer, et, morgué!... je vous promets bien qu'il aurait eu la tombe la plus précieuse possible... Faites l'achat de sa bibliothèque et de tout ce qui reste de ses papiers, inclusivement mes lettres. Pour moi, volontiers, je paierai largement ses héritiers, qui, je pense, ne connaissent pas le prix de tout cela[1]. »

Et encore : « Depuis qu'il est mort, il me semble qu'il n'y a plus d'honneur attaché à la belle humeur; c'était lui qui était la divinité et la gaieté. Au reste, c'est mon maître, c'est lui, ou plutôt ses œuvres, qui ont formé mon esprit et ma tête. »

Par l'intermédiaire de Grimm, Catherine négociera l'acquisition de la bibliothèque de Voltaire avec les héritiers de l'écrivain. Cette bibliothèque, dont la plupart des volumes sont annotés de la main du patriarche de Ferney, ira rejoindre, à l'Ermitage, celle de Diderot et y sera longtemps ensevelie dans un oubli total. Une statue de Voltaire par Houdon accompagnera l'envoi. Catherine imagine même, un moment, de construire, à Tsarskoïé-Sélo, une copie du château de Ferney. Puis, elle y renonce. Entre-temps, elle s'oppose farouchement à la publication de sa correspondance avec le défunt. Elle craint que ses lettres à elle ne soient trop mal écrites et que celles de Voltaire n'apparaissent trop flatteuses pour elle, trop irrespectueuses pour d'autres monarques.

Au milieu de ces deuils, de ces joies, de ces inquiétudes intimes, elle finit par arrêter sa décision dans le conflit austro-prussien. Après des nuits d'insomnie, elle tranche dans le vif. Le bon droit, pense-t-elle, est du côté de la Prusse. Elle fait savoir à Marie-Thérèse et à Joseph II que, s'ils ne renoncent pas à leurs prétentions sur la Bavière, elle « ne pourra contempler avec indifférence une guerre inique et se verra contrainte à prendre des mesures pour sauvegarder les intérêts de la Russie et de ses amis les princes allemands, qui se sont tournés vers elle pour demander son aide ». Frédéric II jubile. Marie-Thérèse s'indigne. Joseph II, déçu, s'efforce néanmoins de faire bonne figure et songe même, pour rétablir la situation, à conclure un pacte d'amitié avec la Russie. Catherine, très habilement, alerte Versailles. Les ambassadeurs français et

1. Lettre du 21 juin 1778.

russes s'agitent. Et ce fiévreux ballet diplomatique aboutit, le 13 mai 1779, à la signature des accords de Teschen entre la Prusse et l'Autriche [1]. Paradoxalement, toute cette affaire, où la Russie n'était qu'indirectement impliquée, a surtout servi les intérêts de la politique russe. D'un bout à l'autre de l'imbroglio, Catherine a fait preuve d'une clairvoyance, d'un sens pratique et d'une fermeté que même ses ennemis sont obligés de reconnaître. Tout à coup, elle apparaît comme une sorte de « juge de paix de l'Europe », selon sa propre expression, au-dessus des autres souverains ahuris.

Cette même année, elle refuse de prendre parti entre la Grande-Bretagne d'un côté, la France et l'Espagne de l'autre, dans l'affaire de l'indépendance américaine et déclare ne pouvoir tolérer que les flottes de ces trois pays arraisonnent les navires marchands des pays neutres, comme la Russie. Poussée par sa « législomanie », elle rédige une « Déclaration de neutralité maritime » pour garantir la liberté du commerce et de la navigation des non-belligérants. Dans toutes les cours d'Europe, le projet de l'impératrice est salué comme un chef-d'œuvre d'équité. « Parmi tant de merveilles qui illustrent le règne de Votre Majesté impériale, écrit Frédéric II, on ne peut tenir pour la moindre la récente proclamation du Code maritime. Et celle qui donna des lois si sages à la plus grande monarchie d'Europe avait le même droit de les étendre à l'empire des mers. » La plupart des États adhèrent à cette convention. Seule l'Angleterre fulmine. La détérioration des rapports russo-britanniques prépare l'amélioration des rapports franco-russes.

Quant aux rapports entre la Russie, l'Autriche et la Prusse, ils subissent, après la paix de Teschen, une évolution pour le moins étrange. Frédéric II, ayant obtenu l'appui de Catherine II, est moins bien vu à Saint-Pétersbourg que Joseph II, qui aurait

1 La paix de Teschen donna à l'Autriche le quartier de l'Inn, à la Prusse, l'expectative des margravats d'Anspach et de Bayreuth, et garantit la succession de l'électeur palatin Charles-Théodore (mort en 1799) à Maximilien, son cousin.

plutôt à se plaindre d'elle. En effet, les plénipotentiaires prussiens entretiennent maladroitement des relations amicales avec le grand-duc et la jeune cour, ce qui irrite l'impératrice. Et l'empereur d'Autriche proclame partout son admiration pour elle, ce qui la flatte. Depuis l'affaire de Bavière, il songe même, de plus en plus sérieusement, à se rapprocher de Saint-Pétersbourg. A la stupéfaction de sa mère, il annonce qu'il souhaiterait rendre visite à Catherine. Marie-Thérèse suffoque : quoi, son fils, l'empereur du Saint Empire romain germanique, le descendant de Charles Quint, s'aventurer dans ce pays barbare pour mendier l'amitié d'une « Princesse de Zerbst catherinisée », d'une meurtrière, d'une fornicatrice dont les exploits amoureux défraient la chronique de toutes les cours européennes ? Il tient bon. Marie-Thérèse cède, tout en écrivant à sa fille, la reine Marie-Antoinette, qu'elle est très inquiète du « coup » que projette son fils. Elle confie même à Kaunitz, son chancelier : « C'est une nouvelle preuve de mon impuissance à empêcher les projets de mon fils. Et pourtant, c'est sur moi que retombera ensuite le blâme ! » Catherine se déclare profondément « honorée » par la perspective d'une telle rencontre. En vérité, elle est curieuse de se retrouver tête à tête avec ce jeune empereur dont on lui vante la culture à la Voltaire et la simplicité à la Rousseau. Le lieu de l'entrevue est choisi : Mohilev. Joseph II s'y rendra, en compagnie de deux gentilshommes, sous le nom de « comte de Falkenstein ». Il voyagera en particulier, sans apparat, s'arrêtant dans des auberges et demandant au passage, chez les paysans, un verre de lait, un quignon de pain, la nourriture la plus humble. En apprenant ces intentions de sobriété rustique, Catherine ne peut s'empêcher de sourire. Elle pense à la sœur de Joseph II qui, dans les jardins de Trianon, joue à la bergère et noue des faveurs roses au cou de ses brebis. Puisque le « jeune homme de Vienne » refuse de loger dans les châteaux des nobles russes aux différentes haltes de son voyage, on respectera sa lubie démocratique. Mais comment faire ? Il n'existe pas d' « auberges », en Russie. Au plus de méchants relais de poste, envahis de punaises et tout à fait impropres à recevoir un Habsbourg, quel que soit son goût proclamé pour les mœurs champêtres. Catherine use d'un subterfuge et fait préparer des maisons d'habitation privées, avec, au-dessus de la porte, l'enseigne d'un hôtel. Les propriétaires ont ordre de rester invisibles pendant le séjour du soi-disant comte de Falkenstein, et la domesticité, de se comporter avec lui comme les valets et les servantes d'un vulgaire gîte d'étape.

Catherine, en revanche, se déplace avec toute la pompe possible, transformant chaque entrée dans une ville en triomphe officiel. A Mohilev, les deux grands souverains font assaut de charme. Catherine est sensible à la jeunesse, à la distinction et à la vaste culture de son interlocuteur. Mais cela ne l'empêche pas de déceler, dès l'abord, qu'il est un homme « à double face », une sorte de « Janus », dont les paroles mielleuses cachent une absence totale de scrupules. Lui, de son côté, admire l'impératrice pour son génie politique, mais la juge sévèrement sur le plan humain. La correspondance qu'il adresse à Vienne, et dont il sait qu'elle sera lue, au passage, par la police secrète russe, déborde d'appréciations flatteuses sur Catherine, cependant que son messager personnel emporte des lettres d'une toute autre encre. « Il faut savoir, écrit-il, qu'on a affaire avec une femme qui ne se soucie que d'elle et pas plus de la Russie que moi ; ainsi, il faut la chatouiller. Sa vanité est son idole ; un bonheur enragé et l'hommage outré et à l'envi de toute l'Europe l'ont gâtée. Il faut déjà hurler avec les loups : pourvu que le bien se fasse, il importe peu de la forme sous laquelle on l'obtient. »

S'il « chatouille » Catherine pendant cette entrevue, elle le « chatouille » au moins autant. C'est un concours d'amabilités éperdues. On parle politique, bien sûr, mais la conversation dévie rapidement et on rit à gorge déployée, « tandis que l'Europe est intriguée de savoir ce qui se dit céans ». « Certains pensent nous voyant toujours côte à côte et pendus à l'oreille l'un de l'autre que nous allons nous épouser », écrit Catherine à Grimm. Ce sont des fiançailles qui s'ébauchent en effet, au cours de ces tête-à-tête, à Mohilev d'abord, puis à Tsarskoïé-Sélo, où Joseph rejoint Catherine, des fiançailles de politique et d'ambition. Joseph consent de bonne grâce à écouter les plans de Catherine en vue d'un partage des territoires turcs : elle s'appropriera l'archipel grec, Constantinople et, bien entendu, la Crimée, qui est déjà sous son influence; Joseph empochera la Serbie, la Bosnie et la Herzégovine. Il ne dit pas non. De toute façon, désormais, jure-t-il, l'Autriche n'entreprendra rien sans avoir consulté la Russie.

Catherine écrit à Potemkine : « Petit père Prince! Je pense qu'aucun souverain présentement vivant ne l'approche (Joseph II) en fait de mérite, de connaissance et de politesse; je suis enchantée d'avoir fait sa connaissance. » Cet aveu, rédigé en français, est suivi de quelques lignes en russe : « Sois assuré que mon amitié pour toi est égale à ton attachement pour moi, qui n'a pas de prix à mes yeux. Alexandre Dimitrievitch (Lanskoï) vous salue; c'est fou ce que nous nous languissons de vous! »

Potemkine, à qui s'adresse le billet, a, bien entendu, en tant que conseiller intime, participé aux conversations de Mohilev. A peine a-t-il quitté sa souveraine, qu'elle éprouve le besoin de lui crier, de loin, son « amitié ». Quant à son amour, elle le réserve à d'autres. Dès le 9 février 1779, Harris avertit le cabinet britannique : « L'impératrice ayant exprimé l'intention de changer de favori, un grand nombre de candidats se sont mis sur les rangs. » Il cite des noms, hasarde des pronostics : Strakhov, Levaskov, Svykoski, tous patronnés par le prince Potemkine et la comtesse Bruce. « Le prince Potemkine est suprême pour tout ce qui concerne les affaires sérieuses et les plaisirs, écrit-il; la comtesse n'intervient que dans les plaisirs, et cela par la même raison par laquelle, dans les temps passés, un noble était chargé de goûter le vin et les mets avant qu'ils ne fussent présentés au souverain. » Finalement, c'est Alexandre Lanskoï, celui-là même dont il est question dans la lettre de l'impératrice à Potemkine, qui l'emporte sur tous les autres prétendants.

« Un jeune homme bien fait et d'une bonne composition », note Harris. Nommé aide de camp après la disgrâce de Rimsky-Korsakov, Lanskoï est installé dans l'appartement des élus. Ainsi, en rendant visite à l'impératrice, Joseph II la voit-il flanquée de son favori d'avant-hier et de celui d'aujourd'hui. Le favori d'avant-hier est un vieux lion massif, au mufle puissant et à l'œil torve, celui d'aujourd'hui est un jeune homme de vingt-cinq ans, svelte, beau et d'une grande élégance de manières. A-t-il été pour Catherine une sorte de fils spirituel, comme l'affirment certains [1], ou un amant couvé avec un soin jaloux, comme le prétendent les autres? Khrapovitski, le secrétaire particulier de Sa Majesté, écrit dans son *Journal :* « Les rapports ne pourraient être plus confiants entre une mère et un fils. » Mais l'ambassadeur d'Angleterre mande à son gouvernement : « M. Lanskoï paraît être toujours au zénith de la faveur. La tsarine lui manifeste, même en public, son attention et sa préférence par des démonstrations qui, sans être peut-être incompatibles avec le strict décorum, apparaissent (du moins à un nouveau venu tel que moi) un peu extraordinaires. » Le chevalier de Corberon ne se fait aucune illusion sur le vrai rôle du jeune homme auprès de l'impératrice : « Rien n'est plus naturel que ce sentiment de la part d'une femme maîtrisée, à son âge, par cette espèce de passion; rien n'est plus fâcheux, en même temps, parce qu'il conduit à des faiblesses mineures de la part d'une souveraine. Il serait à désirer qu'elle n'eût d'amants que pour le physique; mais c'est une chose rare chez les gens âgés, et, lorsque leur imagination n'est pas amortie, ils font plus de folies cent fois qu'un jeune homme. »

Ce que l'on peut dire, avec certitude, c'est que Lanskoï est, pour Catherine, d'une essence très supérieure à un Rimsky-Korsakov ou à un Zoritch. Auprès de cet éphèbe, elle ne

1. C'est notamment la thèse soutenue par Mme Lavater-Sloman.

recherche pas seulement des satisfactions nocturnes. Il l'émeut, il l'intéresse, il la distrait, elle envisage pour lui une grande carrière politique. Elle le connaît de longue date. Il a été élevé au palais en même temps que le fils illégitime de Catherine, Bobrinski (dix-huit ans en 1780), et un protégé de Potemkine, Platon Zoubov (treize ans en 1780). Les trois jeunes gens ont reçu une éducation soignée et entendu les leçons des meilleurs professeurs. En les instruisant selon ses idées, Sa Majesté espère former les ministres de l'avenir. Le plus doué d'entre eux, le plus fin, le plus gracieux est évidemment Lanskoï. Quelle différence avec le grand-duc Paul, à demi fou, ombrageux, violent, et Bobrinski, futile, dissipé, l'un et l'autre incapables de s'intéresser aux affaires publiques! Déçue par ses deux fils, Catherine reporte sur Lanskoï son amour maternel exacerbé et son besoin de façonner un être jeune à son école. Elle voit en lui un disciple. Celui qui, un jour, peut-être, remplacera Potemkine. Mais comment concevoir que cette femme ardente, qui, en temps normal, ne peut se passer d'homme pendant plus d'un mois, se résigne, par tendresse envers Lanskoï, à rester chaste pendant des années? Sans doute, tout en le chérissant comme une mère, lui ouvre-t-elle, la nuit, la porte de sa chambre. Il est à la fois son amant et son fils. Délicieux mélange où l'âme et le corps trouvent également leur compte, où la frontière entre les générations s'efface, où le plaisir d'enseigner un enfant s'achève par la volupté de céder à un homme.

A la cour, tout le monde est au fait de la nouvelle toquade impériale. Comme il se doit, Sa Majesté nomme Lanskoï général, chambellan, chef de son régiment des cuirassiers, et le décore de l'Ordre de l'Étoile polaire. Les présents coulent de ses mains : argent, palais, terres, paysans, diamants pour un total de sept millions de roubles. Elle donne à Lanskoï un professeur de français, elle l'encourage à lire, elle s'extasie sur ses progrès en toute chose : « Il a commencé par « gloutonner » les poètes et les poèmes dans un hiver, plusieurs historiens dans un autre, écrit-elle à Grimm, en juin 1782. Les romans nous ennuient... Sans avoir étudié, nous avons des connaissances sans nombre et nous ne nous plaisons que dans la compagnie de tout ce qu'il y a de meilleur et de plus instruit. Outre cela, nous bâtissons et nous plantons, nous sommes bienfaisant, gai, honnête et rempli de douceur. » Au vrai, dans ses descriptions à Grimm, tous ses amants successifs se ressemblent. Avec un ressort infatigable, elle poursuit, de liaison en liaison, le compagnon idéal. A lire ses lettres, on pourrait croire que c'est toujours le même homme qui, sous des noms différents, occupe son lit et sa pensée. De l'avis général, d'ailleurs, le nouveau venu est vraiment affable et intelligent. Dans ses *Mémoires secrets*, Masson, qui est si hostile à l'impératrice, écrit au sujet de Lanskoï : « C'est un modèle de bonté, d'humanité, d'amabilité, de modestie et de beauté... Amateur des arts, ami des talents, il est humain, bienfaisant... » Peu à peu, Catherine prend l'habitude de convoquer Lanskoï pour travailler avec lui pendant deux heures d'affilée sur les rapports de ses ministres. Il collabore de si près à ses décisions, que Potemkine en conçoit quelque ombrage. Ces brefs accès de jalousie, de la part du grand favori envers le petit favori, amusent Catherine sans l'alarmer outre mesure.

En Europe cependant, la rencontre entre Joseph II et l'impératrice inquiète le parti prussien. Frédéric II refuse de croire que, « le duo chanté, il n'en restera rien », comme le prétend son ambassadeur, et décide d'envoyer à Saint-Pétersbourg son neveu et héritier, le prince Frédéric-Guillaume. Apprenant la nouvelle, Joseph II écrit à sa mère : « Le prince de Prusse arrivera ici... dans le but de gâter tout ce que j'aurai réussi à faire d'utile. » Sa méfiance est sans objet. Catherine ne varie pas facilement dans ses desseins. Elle reçoit Frédéric-Guillaume avec une froideur protocolaire, souffre de son caractère borné et balourd, s'ennuie en sa compagnie et le montre. C'est à peine si elle lui adresse la parole, laissant Potemkine et Lanskoï s'évertuer à distraire l'importun. Vexé, celui-ci se tourne vers le grand-duc Paul et lui manifeste une amitié qui achève d'agacer l'impératrice.

Comme pour mieux compromettre la mission du prince de Prusse, voici que surgit à la cour, venant tout droit de Vienne, le prince Charles de Ligne en personne, cet arbitre de la fine culture et de l'élégance cosmopolites. Agé de quarante-cinq ans, il est chambellan de Joseph II et mari de la princesse Françoise de Liechtenstein. Sa physionomie avenante, sa bravoure et son esprit malicieux lui ont valu à Paris le surnom de « Prince charmant ». Voici comment il se présente lui-même : « Bon vivant et mal vivant, dévot sans être pieux, chrétien sans être catholique, mais prêt à le devenir, marmottant une ode d'Homère au lieu d'un Kyrie, j'ai six ou sept patries : Empire, Flandre, France, Espagne, Autriche, Pologne et presque Hongrie [1]. » Officiellement, il est autrichien, puisque la Belgique fait alors partie des Pays-Bas autrichiens et qu'il sert l'empereur Joseph II, mais, en fait, il n'est de nulle part. Tous les salons le réclament, toutes les femmes raffolent de lui. On se chuchote le récit de ses bonnes fortunes internationales. Dès qu'il paraît à Saint-Pétersbourg, les autres renommées pâlissent. Catherine tombe sous son charme. Il note laconiquement : « Elle était encore bien. » Évidemment, elle ne peut prétendre, à cinquante et un ans, rivaliser avec les jeunesses dont il s'éprend d'ordinaire. Mais son esprit est plus vif que jamais. Sa conversation avec le prince de Ligne est une escrime rapide. Lors des petites réunions du soir, à l'Ermitage, elle défaille de joie aux bons mots et aux anecdotes de son invité. Pour donner plus d'imprévu aux reparties, elle propose qu'on se tutoie. Imperturbable, le prince de Ligne commence : « Que pense Ta Majesté de... » Un éclat de rire souverain lui coupe la parole. Un autre jour, lui montrant son nouveau palais de Moscou, elle lui dit : « Avouez que voilà une belle enfilade ! » Il répond froidement : « C'est la beauté d'un hôpital ! » Et elle s'amuse de son effronterie. Elle écrit à Grimm : « Nous avons ici le prince de Ligne, qui est des êtres les plus plaisants et les plus aisés à vivre

1. Cf. Henry Vallotton : *Catherine II.*

que j'aie jamais vus. Voilà bien une tête originale, qui pense profondément et fait des folies comme un enfant. » A côté de ce voyageur espiègle, le prince Frédéric-Guillaume fait figure de soliveau. Il suffit que Catherine le rencontre dans son champ visuel pour en être incommodée. Immédiatement, son visage se fige en un masque dur et autoritaire. Frédéric-Guillaume s'en rend compte et cela augmente son humeur, sa méfiance et sa gaucherie. Quand il part enfin, conscient de son échec, elle pousse un soupir de soulagement. « Je vous jure, écrit-elle à Grimm, qu'il (Frédéric-Guillaume) a considérablement augmenté, par l'ennui qu'il m'a fait essuyer, une douleur rhumatismale que j'avais au bras et qui commence à diminuer depuis qu'il est hors d'ici. »

Frédéric II ne tarde pas à constater le service que son neveu a rendu, par sa maladresse, à la cause autrichienne. Une colère le prend. Il en a un accès de goutte. Entre-temps, Catherine et Joseph II ont échangé des lettres autographes qui constituent une véritable convention secrète pour le partage de l'empire ottoman[1]. Frédéric II, avisé de cette collusion contre nature, rentre ses griffes et s'étrangle de rage. Sa correspondance avec la tsarine se ralentit, puis s'arrête. Les traités entre la Russie et la Prusse, qui venaient à expiration en 1780, ne sont pas renouvelés. La mort de Marie-Thérèse, le 29 novembre de la même année, libère Joseph II d'une tutelle tyrannique et l'incite à se rapprocher encore de l'impératrice. Catherine, bien qu'élève de Voltaire, a l'impression parfois que le ciel l'aide dans ses entreprises les plus hardies. Il n'y a certes aucun mysticisme dans son attitude. Elle hait les élans incontrôlés de l'âme. Mais elle porte en elle la conviction fondamentale, irraisonnée d'être une personne d'exception née pour la réussite. Si Dieu existe, il est sûrement avec elle. C'est lui qui l'inspire quand elle s'efforce de continuer l'œuvre de Pierre le Grand? Il

1. Deux lettres de Catherine, datées du 12 avril 1781, et deux lettres similaires de Joseph II, datées du 18 mai 1781.

est temps de s'occuper sérieusement du monument qu'elle destine à la gloire de son prédécesseur.

Falconet travaille, depuis de longues années, à la statue colossale du tsar, au milieu de l'incompréhension générale. Pour l'aider à saisir le mouvement du cheval cabré, un écuyer est venu, pendant des mois, faire manœuvrer devant lui les deux montures favorites de l'impératrice : *Brillant* et *Caprice*. C'est à une élève française de l'artiste, Mlle Collot, qu'on doit la tête du Grand Bâtisseur [1]. Au printemps de 1770, le modèle est achevé. Lors de sa visite à Saint-Pétersbourg, Diderot, en voyant la gigantesque forme de terre glaise, s'est exclamé : « Je vous savais un très habile homme, mais je veux mourir si je vous croyais rien de pareil dans la tête! » Cependant, les tracas de Falconet ne font que commencer. Le vieux Betski, président de l'Académie des Beaux-Arts, le considère comme un bas exécutant, « un serf de fonderie », et prétend lui donner des conseils. Selon lui, Pierre le Grand devrait regarder à la fois du côté de l'Amirauté et du côté de l'édifice des Douze Collèges. On a grand-peine à lui expliquer que cela ferait loucher le tsar des deux yeux. Falconet ayant représenté son héros vêtu en empereur romain, les plus hauts dignitaires du clergé protestent auprès de Catherine : de quel droit ce petit Français se permet-il de donner au tsar de toutes les Russies, chef de l'Église grecque-orthodoxe, l'aspect d'un monarque païen? Au vrai, elle-même est un peu déroutée par ce cavalier antique, dans lequel elle ne reconnaît pas son Pierre Ier, si rude, si russe, si proche du peuple. Néanmoins, elle fait confiance à Falconet et calme les prélats en leur assurant que le Pierre Ier qu'ils ont sous les yeux n'est nullement habillé « en païen ». « Il porte, dit-elle, le costume russe idéalisé. » Cette déclaration, si elle satisfait les ecclésiastiques, mécontente les nobles : pourquoi avoir montré l'empereur dans un « costume russe idéalisé », alors qu'il a lutté toute sa vie pour introduire, dans son pays, le costume

1. Plus tard, Mlle Collot epousera le fils de Falconet.

européen? Là encore, Catherine renvoie les donneurs d'avis en trois mots très secs. De 1770 à 1774, quatre années se passent en recherches vaines pour découvrir un spécialiste capable de fondre une masse de cette importance. Exaspéré, Falconet décide de tenter lui-même l'aventure. Deux fois de suite, ses ouvriers prennent peur et se sauvent, au milieu de la coulée. C'est un échec. Définitif peut-être. L'argent manque, Falconet s'impatiente, les mois se succèdent dans l'inaction et le désespoir. Enfin, une troisième coulée réussit. L'œuvre est debout. Mais Catherine, occupée ailleurs, ne songe pas à inaugurer le monument. Certains ne comprennent pas pourquoi on a représenté le tsar trois fois grandeur nature. Il a l'air moins « vrai » parce que l'artiste en a fait un géant. Et le cheval, où a-t-on vu un cheval pareil? Excédé par les critiques, les retards, la fatigue, la maladie, Falconet maudit cette Russie ingrate où il vient de passer douze ans et demande à prendre congé de la souveraine. Elle refuse de le voir, lui fait payer son dû et le laisse partir. Il retourne tristement à Paris où l'attendent la grisaille, les honneurs, la vieillesse.

L'inauguration de la statue aura lieu plus tard, en l'absence de l'artiste [1]. Les régiments de la garde sont rangés sur la place du Sénat, face au monument voilé. Catherine, entourée des ministres, des ambassadeurs, des courtisans et des invités de marque, donne le signal. Une salve d'artillerie éclate, le drap tombe et la foule pousse un cri d'admiration devant le tsar d'airain qui maîtrise son cheval, cabré au-dessus de l'abîme. La main gauche du monarque tient fermement les rênes du pouvoir, sa main droite étendue domine la Néva, le fleuve inhospitalier autour duquel il a bâti sa capitale, son regard traverse l'horizon, et les sabots de sa monture écrasent sur le sol le serpent tordu de l'envie. Dans cette apothéose, l'artiste est oublié. Nul ne mentionne son nom. L'œuvre est née d'elle-même. C'est une production de la nature. Comme le rocher qui

1. Le 7 août 1782.

la supporte. Il n'y a face à face que Pierre le Grand et Catherine la Grande. Ce monument, elle sait déjà qu'il consacre à la fois la gloire de son devancier et la sienne propre. Quand on lui demande quelle inscription elle désire faire graver sur le socle, elle répond fièrement :

« A Pierre premier, Catherine deux. »

CHAPITRE XXI

LANSKOÏ

Patiemment, Catherine mûrit son « projet grec ». Potemkine bâtit des fortins le long de la frontière turque. Souvorov s'implante solidement dans la région du Kouban. Bezborodko, le nouveau conseiller privé de l'impératrice, parle d'attaquer Pérékop et de neutraliser la citadelle turque d'Otchakov. Partout l'armée s'entraîne, les généraux se consultent, les arsenaux travaillent, la fièvre monte. Dans leur échange de lettres, Catherine et Joseph II envisagent de plus en plus sérieusement l'expulsion des Turcs hors de l'Europe. Catherine propose la fondation d'un empire de Dacie, gouverné par un souverain orthodoxe et comprenant la Moldavie, la Valachie, la Bessarabie, la forteresse d'Otchakov, le territoire entre le Boug et le Dniestr, et quelques îles de l'Archipel. Quant à la Crimée, où règne une « heureuse anarchie », elle la considère déjà comme virtuellement acquise à la Russie. Joseph II se déclare d'accord sur le principe, mais exige pour lui la Bosnie, la Serbie, une partie de la Valachie, Orsova, Vidin et les possessions vénitiennes sur terre ferme. Ces prétentions sont jugées tout à fait « immodestes » par Catherine, qui le fait savoir sèchement à son partenaire. Celui-ci se rebiffe. On se chamaille autour du gâteau turc, avant même d'avoir levé le couteau pour le découper. Frédéric II, « le vieux renard de Sans-Souci », s'amuse de cette dispute et prédit que jamais Vienne et Saint-Pétersbourg ne se mettront d'accord sur la question ottomane. Mais Catherine garde son espoir intact : une bonne guerre clarifiera la situation. Et un jour, si Dieu est réellement du côté russe, le grand-duc Constantin montera sur le trône de Dacie. Ainsi les deux petits-fils de la tsarine régneront-ils, après sa mort, sur deux des plus vastes empires du monde. Évidemment, il faudra changer l'ordre de succession pour que ce soit le charmant Alexandre qui lui succède et non Paul, le maniaque, le dément. En secret, elle est, depuis longtemps, acquise à cette idée. Et c'est pourquoi elle s'obstine à conserver les deux jeunes grands-ducs auprès d'elle, comme s'ils étaient ses propres enfants. Elle sait trop que, si elle les restituait aux parents qui les réclament, ceux-ci les élèveraient dans la haine de leur grand-mère et le mépris de son œuvre politique. Pour se consoler, la grande-duchesse Marie a les deux filles qui lui sont nées, coup sur coup, après Constantin. On les lui laisse volontiers. On l'engage même à en faire d'autres, pour se distraire. Mais elle se plaint : « Nous n'osons pas placer une âme chez les enfants (les garçons), l'impératrice nomme jusqu'aux filles de garde-robe. » Quant au grand-duc Paul, dépossédé de sa progéniture mâle, il se sent comme déchu de la puissance paternelle et sa rancune à l'égard de l'impératrice tourne à l'idée fixe. Pourquoi cette mère, qui ne s'est jamais occupée de lui, l'empêche-t-elle de s'occuper de ses fils? Par quel raffinement de cruauté lui interdit-elle d'avoir une vie de famille normale? De quelque côté qu'il se tourne, il la trouve sur son chemin. Dans son cerveau malade, elle prend l'allure d'une gigantesque pieuvre aux tentacules toujours en mouvement. Elle le ligote, elle le fascine, elle l'étouffera, elle le tuera peut-être : pour donner le sceptre à Alexandre. Il est encouragé dans sa révolte par Nikita Panine, qui vient, à soixante-treize ans, d'être écarté du pouvoir et ne le pardonne pas à Catherine. Depuis sa mise à la retraite, le vieux ministre s'est rapproché de la jeune cour et flatte la folie de celui qu'il se plaît maintenant à considérer comme l'héritier légitime.

Témoin du désaccord entre la mère et le fils, Joseph II, lors de son séjour à Saint-Pétersbourg, a suggéré à Catherine que le couple grand-ducal fasse un voyage en Europe. Éloigné pour un temps de l'impératrice, Paul, a-t-il dit, retrouvera le calme dont il a tant besoin, et la fréquentation des cours étrangères achèvera de polir son caractère abrupt. Projet excellent, pense Catherine. Mais comment le faire accepter par le grand-duc? Toute idée venant d'elle lui est suspecte. Il ne s'intéresse qu'aux entreprises qui peuvent la contrarier. Elle recourt donc à la ruse et charge le jeune prince Repnine de représenter à Paul qu'il est temps pour lui de braver la volonté de sa mère et d'exiger qu'elle le laisse partir, avec sa femme, à la découverte des capitales européennes. Ainsi aiguillonnés, Paul et Marie s'emballent. En effet, jugent-ils, leurs futures responsabilités politiques rendent indispensable cette rencontre avec les meilleures têtes du monde contemporain. De plus, la grande-duchesse pourra, en faisant un crochet par le Wurtemberg, embrasser ses parents bien-aimés. On poussera jusqu'en Suisse, pour y voir Lavater, dont le mysticisme nébuleux enchante le jeune ménage et exaspère Catherine. On ira aussi à Paris, à Versailles, bien sûr!... Joseph II, Marie-Antoinette, Louis XVI, Grimm, Diderot... Tout un programme. La tête enfiévrée, Paul sollicite de sa mère la faveur de le laisser entreprendre cette tournée politique et mondaine dont il croit être l'inventeur. Elle feint l'étonnement, la méfiance, l'inquiétude. Comment peut-il songer, lui, l'héritier du trône, à abandonner Saint-Pétersbourg? Il l'implore à genoux; Marie pleure; Catherine joue l'émotion et finalement consent. Les préparatifs du voyage se font dans la joie. L'itinéraire prévu traverse la Pologne, l'Autriche, la Suisse, l'Italie, la France, la Hollande, la Belgique. Mais, connaissant la passion néfaste de son fils pour Frédéric II, Catherine lui interdit Berlin. Toutes les cours étrangères sont officiellement informées. Le jeune couple se déplacera *incognito,* sous le nom transparent de comte et comtesse du Nord.

Cependant, au milieu de l'allégresse générale, le vieux Nikita Panine jette son pavé dans la mare. Sa rancœur à l'égard de Catherine le rend machiavélique. Pour contrecarrer les plans de l'impératrice, il persuade Paul qu'il s'agit là d'un coup monté contre lui par sa mère. S'il s'en va, elle ne le laissera pas revenir en Russie et profitera de son absence pour publier un manifeste proclamant Alexandre héritier direct. Abasourdis, Paul et Marie se voient déjà exilés, privés de la couronne, séparés à jamais de leurs enfants. Après avoir supplié l'impératrice de les autoriser à partir, ils la supplient de les autoriser à rester. Elle s'obstine, disant que les cours étrangères ont pris leurs dispositions. Cris, larmes, imprécations saluent cette fin de non-recevoir. Paul hurle qu'il ne bougera pas. Marie se pâme de douleur. De scène en scène, Catherine s'efforce en vain de raisonner les jeunes gens. Le jour du départ, ils refusent de quitter leurs appartements. Catherine doit traîner son fils par le bras jusqu'à la berline ; derrière elle, le prince Repnine porte la grande-duchesse évanouie. Il l'installe, inerte, dans la voiture, à côté de son époux qui a le visage blême d'un condamné à mort. Fouette cocher ! Catherine pousse un soupir de soulagement. Faudra-t-il vraiment, un jour, remettre la Russie entre les mains de ce fils à la tête fêlée ?

Les rapports qu'elle reçoit à chaque étape du voyage confirment son inquiétude. A Florence, devant Léopold de Toscane, Paul critique la politique d'expansion de sa mère, affirme son admiration pour le roi de Prusse et profère des menaces contre les familiers de l'impératrice, tous vendus à la cour de Vienne : « Dès que j'aurai quelque pouvoir, je les ferai fouetter, je les casserai, je les chasserai. » A Bruxelles, en présence du prince de Ligne, il raconte des histoires de fantômes et parle de ses hallucinations dont aucun médecin ne peut le guérir. A Versailles, où on le reçoit avec faste et amitié, il confie à Louis XVI et à Marie-Antoinette qu'à Saint-Pétersbourg il est entouré « de gêne et de noirceur », que les favoris de sa mère le persécutent, que sa vie est un enfer. Et, comme la reine lui demande s'il est vrai qu'il ne peut compter sur personne, il s'écrie : « Je serais bien fâché d'avoir avec moi un caniche qui me fût attaché, parce que nous ne quitterions pas Paris que ma mère ne l'eût fait jeter à la Seine avec une pierre au cou. » Soupers intimes, spectacle à l'Opéra de Versailles, fête au Petit Trianon, grand bal dans la galerie des Glaces, revue des gardes françaises au Champ de Mars, concert à Bagatelle, visite à l'Académie, réception chez le prince de Condé, à Chantilly, — le « comte du Nord » a l'impression d'être plus important en France qu'en Russie. Il se gonfle, il éclate, il ne tient plus sa langue. Bien que Grimm, toujours flatteur, assure à Catherine que son fils et sa belle-fille ont remporté à Paris un plein succès, « sans un si, ni un mais »[1], il semble que le passage de ce couple ombrageux, bavard et revendicateur ait plongé les souverains, les ministres et les courtisans dans l'embarras. Après le séjour de Paul dans le grand-duché de Bade, le ministre d'État Edelsheim résumera l'opinion générale en écrivant : « Le prince héritier réunit en lui la folie et l'arrogance, la faiblesse et l'égoïsme; sa tête semble être faite pour porter sa couronne en terre. » Et le prince de Ligne : « Son esprit est faux, son cœur droit, son jugement est un coup du hasard. Il est méfiant, susceptible... Faisant le frondeur, jouant le persécuté... Malheur à ses amis, ses ennemis, ses alliés et ses sujets!... Il déteste sa nation et m'en a dit autrefois, à Gatchina, des choses que je ne puis répéter. » Lors de la visite de Paul à Vienne, comme il doit assister à une représentation de *Hamlet,* l'acteur Brockman refuse de jouer la pièce devant lui, par crainte que l'illustre spectateur ne voie dans le désordre du prince de Danemark une allusion à sa propre infortune.

Ce qui irrite peut-être le plus Catherine, c'est d'apprendre que son fils et sa belle-fille ont eu une entrevue, à Zurich, avec

1. Lettre du 7 juin 1782.

Lavater. Elle se méfie de l'influence que peuvent avoir sur un caractère hystérique les théories fumeuses du théologien protestant. Elle déplore que la grande-duchesse encourage son mari dans la rêverie surnaturelle. Elle vomit les Rose-Croix, les francs-maçons, les martinistes et autres écumeurs de l'au-delà. Elle a d'ailleurs interdit à Cagliostro de paraître à la cour. Les Russes ne sont que trop sujets à la divagation mystique. C'est par un dérangement de l'esprit que sont nés, chez eux, le mythe d'Ivan VI et la révolte de Pougatchev. Il leur faut, pour les gouverner, un cerveau clair, organisé, rationnel. Un Pierre le Grand, une Catherine II. Non un Paul Ier.

Si elle a été impatiente naguère de voir partir son fils, elle est impatiente maintenant de le voir revenir, par crainte qu'il n'accumule les sottises sur sa route. Au retour du couple, elle s'indigne des nombreux achats que les jeunes gens ont faits à l'étranger et ordonne de renvoyer les stupides échantillons de mode française dont débordent leurs bagages. Il s'agit là, écrit Harris, de « deux cents caisses remplies de gazes, de pompons et autres articles de toilette de Paris ». Devant ce désastreux refus, la fameuse couturière Mlle Bertin pousse des cris de colère. « Elle a défendu ses falbalas », note Grimm. En interrogeant le grand-duc, Catherine constate que les réceptions flatteuses dont Paul a été l'objet n'ont servi qu'à renforcer sa folie et son arrogance. Plus que jamais, elle juge nécessaire de tenir ses petits-fils à l'écart de leur père. Mais elle ne doit pas, pour autant, négliger ses petites-filles qui, malheureusement, ont été laissées à la garde de leurs parents. Il faut, à ces jeunes princesses, une gouvernante exceptionnelle, capable de contrebalancer, par son autorité et sa douceur, l'influence pernicieuse du milieu familial.

Alerté par Sa Majesté, Sievers jette son dévolu sur Charlotte de Lieven, veuve d'un général-major, qui vit modestement, avec ses quatre enfants, dans un faubourg de Riga. Avertie de l'honneur qui l'attend, Mme de Lieven se récuse : elle ne tient pas à quitter sa retraite pour affronter les intrigues de la cour.

Cependant, les ordres d'une impératrice ne souffrent aucune résistance. Puisqu'elle ne veut pas se rendre à Saint-Pétersbourg de bon gré, Mme de Lieven y sera conduite de force. Jetée dans une calèche de voyage, transportée sous escorte au palais d'Hiver, elle est mise en présence d'un secrétaire de Sa Majesté qui lui fait subir un premier interrogatoire. Exténuée, indignée, elle parle de ses enfants qu'elle a dû abandonner, de sa répugnance pour les fastes de la vie publique, de son désir de calme et de solitude. Une voix féminine l'interrompt : « Vous êtes la personne qu'il me faut ! Suivez-moi ! » L'impératrice, qui l'écoutait derrière une tapisserie, vient à elle, l'embrasse et lui jure qu'elle seule peut assurer l'éducation de ses petites-filles. Attendrie, Mme de Lieven cède. Ses quatre enfants viendront la rejoindre [1].

Tandis que la nouvelle gouvernante essaie de gagner l'affection de ses élèves, le grand-duc Paul voit mourir son dernier conseiller et son meilleur soutien : le vieux Nikita Panine. Après le décès de l'ancien ministre, il lui semble qu'un vide funèbre se creuse autour de lui. Il ne sait plus sur qui compter pour encourager ses extravagances. De colère, il en vient à considérer sa femme et ses filles comme appartenant au clan ennemi.

Un autre cas de folie inquiète Catherine. Son ancien amant, Grégoire Orlov, ayant perdu sa jeune épouse, morte à Lausanne, le 16 juin 1782, s'est efforcé d'oublier son deuil en parcourant l'Europe. De Karlsbad à Ems et d'Ems à Vichy, il a suivi des cures d'eaux et de repos qui n'ont en rien amélioré son état. La nostalgie et le remords le rongent. Quand il reparaît à

1. Mme de Lieven restera près d'un demi-siècle à la cour. Elle dirigera l'éducation des petites-filles et même, en partie, celle des petits-fils de Catherine, avec dignité, fermeté et mesure. Alexandre et Nicolas la traiteront en grand-mère. Aimée et respectée de tous, elle mourra en 1828, après avoir été faite comtesse, puis princesse. Elle était la belle-mère de la célèbre princesse de Lieven, celle-là même qui séduisit Metternich, tint salon à Paris, devint l'égérie de Guizot et reçut le surnom de « sibylle de l'Europe ».

Saint-Pétersbourg, Catherine est épouvantée par le cadavre vivant, au faciès décharné, aux cheveux blancs et à l'œil hagard, qu'est devenu le fougueux compagnon de sa jeunesse. Il se juge responsable de la disparition de sa femme, qu'il n'a su, dit-il, ni comprendre ni aimer. Cependant, c'est un autre fantôme qui hante ses nuits. Dans son égarement, il voit, par instants, dressé devant lui, le spectre de Pierre III. Il se désigne comme son assassin et balbutie : « C'est mon châtiment ! » Catherine le loge au palais et le fait surveiller par ses médecins. Parfois, il hurle de terreur. Alors, prévenue par un domestique, elle accourt, s'assied au chevet du malade et lui parle doucement, affectueusement, jusqu'à ce qu'il se calme. Peu à peu, la démence de Grégoire Orlov prend des proportions telles qu'on est obligé de le transférer dans une maison isolée, à Moscou. Il y meurt, en avril 1783. « Quoique très préparée à ce douloureux événement, je vous avoue que j'en ressens l'affliction la plus vive, écrit Catherine à Grimm. On a beau me dire et je me dis à moi-même tout ce qu'on peut dire en pareilles occasions : des bouffées de sanglots sont ma réponse et je souffre terriblement... Le génie du prince Orlov était très vaste... Avec ses grandes qualités, il avait peu de suite... La nature l'avait gâté et, pour tout ce qui ne lui venait pas à l'esprit dans la minute, il était paresseux... Il y a une singularité dans ce décès du prince Orlov : c'est que le comte Panine est mort quatorze ou quinze jours avant lui et qu'aucun des deux n'a su la mort de l'autre. Ces deux hommes, continuellement d'avis contraire et ne s'aimant point du tout, se seront fort étonnés en se revoyant dans l'autre monde. »

Pour remplacer ces deux disparus, Catherine a, près d'elle, le jeune Alexandre Lanskoï, son cher « Sacha », si séduisant, si intelligent, si affable, et, loin d'elle, « sur le terrain », l'impétueux et indolent Potemkine. Celui-ci s'est mis en tête de lui offrir la Crimée. « La Crimée, par sa situation, coupe nos frontières, écrit-il à Catherine. Que nous ayons à affronter les Turcs sur le Boug ou du côté du Kouban, il y a toujours la

Crimée sur notre route... Maintenant, imaginez que la Crimée soit à vous, que cette verrue sur le nez soit enlevée, alors, d'un seul coup, la position sur les frontières devient admirable. »

En avril 1783, Potemkine, appuyé par les troupes du général Samoïlov, entre en pourparlers avec le khan pro-russe Chaguine-Ghireï, qu'on s'est arrangé pour faire élire en Crimée, comme on s'est arrangé naguère pour faire élire Poniatowski en Pologne. Et, de même que Poniatowski a consenti au démembrement de son pays, de même le khan Chaguine-Ghireï, ayant pris l'avis des tribus tartares du Kouban, accepte de céder la Crimée, qui devient une province de l'empire russe. Catherine suit l'affaire de très près, car il ne s'agit pas, en emportant le morceau, de provoquer une guerre européenne. Joseph II s'incline devant le fait accompli. La France se borne à une démonstration diplomatique : elle offre d'intervenir auprès de la Turquie, si la Russie s'engage à ne pas pousser plus loin son avantage. Catherine refuse de se lier par une telle promesse. « J'ai pris la ferme décision de ne compter sur personne hormis nous-mêmes, écrit-elle à Potemkine. Quand le gâteau sera cuit, chacun aura de l'appétit. Autant je compte peu sur mes alliés, autant je crains et respecte peu le tonnerre français, ou, pour mieux dire, ses éclairs de chaleur. » Lâché de toutes parts, le sultan Abdul-Hamid reconnaît qu'il ne dispose pas encore d'une force armée suffisante pour ouvrir les hostilités, et les choses en restent là. Le 21 juillet 1783, la tsarine annonce, par un manifeste, l'annexion de la Crimée et félicite Potemkine de son succès. A présent, la Russie contrôle la mer Noire, comme elle contrôlait déjà la mer Caspienne.

Dans cette Crimée, qu'il vient de réunir à la couronne, Potemkine mène la vie fastueuse d'un chef oriental. Sacré « prince de Tauride » par la volonté de la souveraine, il est pris d'une véritable frénésie d'organisation et de construction sur les terres vierges soumises à son pouvoir. Il fonde des villes dans le désert, trace des routes, crée des universités, dessine des parcs, plante des vignobles, creuse des ports, ouvre des chantiers navals, attire les colons, finance leur etablissement. Il a sur place son harem, son « poulailler » selon sa propre expression, constitué par ses cinq jolies nièces Engelhardt. Elles deviennent, tour à tour, ses maîtresses. La différence d'âge ne le trouble pas, ni la parenté. Mari non officiel de l'impératrice, il lui voue une adoration indéfectible tout en goûtant à des fruits plus verts. Les lettres qu'il adresse à l'une de ses favorites, la petite Barbe, témoignent de son ardeur : « Je t'aime, ô mon âme, et comment ? Comme je n'ai jamais aimé... Je t'embrasse toute... » « Mon amie, mes petites lèvres chéries, ma petite mère, mon trésor... » « Ma tendre maîtresse, ta victoire sur moi est forte et éternelle... » « Arrive, ô ma maîtresse, dépêche-toi, ô mon amie, don sans pareil que Dieu lui-même m'a fait... » « Je suis gai quand tu es gaie, rassasié quand tu n'as plus faim. Je te suis partout, jusque sur cette escarpolette où tu prends plaisir à te balancer ; seulement, je me sens mal à l'aise quand tu vas trop haut. » Catherine a-t-elle jamais reçu de son amant des messages aussi poivrés ? En tout cas, elle n'est pas jalouse. Comment le serait-elle, alors qu'elle-même, à cette époque, file le parfait amour, à cinquante-quatre ans, avec son Sacha Lanskoï qui en a vingt-cinq ?

En cette année 1783, Lanskoï lui donne toutes les satisfactions qu'elle peut espérer. Les tentatives de séduction des souverains étrangers, qu'il s'agisse de Joseph II, du prince de Prusse ou de Gustave III de Suède, le laissent insensible. Dévoué à Catherine, il n'a en vue que le bonheur de sa maîtresse et la grandeur de son pays. Sa douceur de caractère lui a gagné la confiance du couple grand-ducal. La cour s'étonne de constater qu'il se tient à l'écart des intrigues. Avide de se cultiver, il emploie toutes ses ressources à agrandir sa bibliothèque. Il se passionne, avec la tsarine, pour l'histoire de la Russie. Tous deux compulsent, coude à coude, les vieilles archives des couvents. Depuis 1772, Catherine se sert de lunettes pour lire. Elle n'hésite pas à les mettre devant son favori. Leur intimité est si grande qu'elle exclut la coquetterie. Peut-être même est-ce l'échange des idées qui constitue leur principal plaisir? Cette collaboration s'affirme avec éclat lorsqu'il s'agit de redonner vie à l'Académie russe, tombée en léthargie sous la direction de Domachnev. Lanskoï suggère de remplacer ce bonhomme dépensier et brouillon par la remuante princesse Dachkov. Elle vient de rentrer en Russie et se pose en victime de l'ingratitude impériale, Sa Majesté n'ayant pas daigné reconnaître, dit-elle, les services qu'elle lui a rendus lors du coup d'État de 1762. Excellente occasion de fourrer une friandise entre ces mâchoires avides. Et puis, quelle leçon donnée aux esprits éclairés d'Europe si une femme est nommée à la tête de l'Académie russe!

Catherine approuve le projet. Or, la princesse Dachkov se rebiffe : « Nommez-moi directrice de vos blanchisseuses! » répond-elle, en plein bal de cour, à la souveraine. Sans doute espère-t-elle un poste plus important. De retour chez elle, toujours vêtue de sa robe d'apparat, elle écrit une longue épître à l'impératrice en motivant sa fin de non-recevoir par la crainte de n'être pas à la hauteur de la tâche. A sept heures du matin, elle envoie la lettre au palais et, une heure après, reçoit en réponse quelques lignes aimables où il n'est nullement question de son refus. « Vous vous levez plus tôt que moi, ma belle dame, lui écrit Catherine, et vous m'avez envoyé un billet pour mon déjeuner... D'abord, puisque vous ne repoussez absolument pas ma proposition (?), je vous pardonne... Veuillez être certaine qu'en toutes les occasions je me ferai un plaisir de vous servir en paroles et en actions. » Sur quoi, le soir même, un oukase est transmis au Sénat nommant la princesse Dachkov au poste de directrice de l'Académie. Elle écume de colère, mais il est trop tard pour se dérober. A quelques jours de là, à la fois furieuse et honorée, elle entre, au bras de l'octogénaire Euler, pour présider la séance inaugurale de la compagnie. Très vite d'ailleurs, elle prend goût à ses travaux. Inspirée par l'exemple de l'Académie française, elle engage l'Academie russe à élaborer le premier dictionnaire de la langue nationale et à fixer les règles de l'orthographe, de la grammaire et de la prosodie. Pour le classement des mots, les nouveaux lexicographes adoptent l'ordre étymologique et non l'ordre alphabétique. Le résultat déçoit Catherine. « L'ouvrage est... sec et maigre, écrit-elle à la princesse Dachkov. Dans son état actuel, je ne puis y voir qu'un simple vocabulaire de mots qui ne sont nullement naturalisés ou qui ne sont pas d'un usage général. Pour ma part, j'affirme que je n'en comprends pas la moitié... L'Académie française a purifié la langue nationale en lui enlevant tout ce qu'elle avait de barbare. » Découragée par l'incompréhension de Sa Majesté, la princesse Dachkov n'en poursuit pas moins sa tâche. Elle met à nettoyer la langue et les locaux une ardeur de ménagère. En réorganisant le musée des Beaux-Arts, elle découvre, avec stupeur, deux bocaux contenant, dans de l'esprit-de-vin, deux têtes coupées jadis par ordre de Pierre le Grand : la tête de la maîtresse du tsar, Marie Hamilton, coupable d'infidélité, et la tête de William Mons, amant de la tsarine[1]. Ces vestiges macabres figuraient dans la galerie depuis 1724 et attiraient la curiosité du public. La princesse Dachkov prend sur elle de les faire disparaître. Elle s'occupe également d'imprimer, à la typographie de l'Académie, les écrits historiques de Catherine et sollicite sa collaboration pour le journal qu'elle vient de créer : *l'Interlocuteur des amis de la langue russe*. L'impératrice, ravie, écrit anonymement une série de petits articles de bonne humeur, portraits-charges de ses familiers, souvenirs cocasses, persiflages anodins coupés de parenthèses et de *N.B.* Lanskoï corrige les fautes d'orthographe de Sa Majesté. Mais le style, ironique et aigu, n'appartient qu'à elle. « Il faut que vous sachiez, mande-t-elle à Grimm, qu'il sort depuis quatre mois un journal russe, à Saint-Pétersbourg, où les *N.B.* et les remarques sont employés souvent à mourir de rire. En général, ce journal est un salmigondis de choses très amusantes. » Elle compose aussi, toujours anonymement, des pièces de théâtre, qui sont montées

1. Marie Hamilton avait été décapitée en 1719 et William Mons en 1724.

sur la scène de l'Ermitage. « Vous me demandez, écrit-elle encore à Grimm, pourquoi je fais tant de comédies... *Primo,* parce que cela m'amuse ; *secundo,* parce que je voudrais relever le théâtre national, qui, faute de pièces nouvelles, se trouvait un peu négligé ; et *tertio,* parce qu'il est bon d'étriller un peu les visionnaires qui commencent à lever le nez. *Le Trompeur et le Trompé* ont eu un prodigieux succès... Ce qu'il y a de plus plaisant, c'est qu'à la première représentation on a demandé l'auteur, qui... a gardé le plus parfait incognito. » Dans *le Trompeur et le Trompé,* Catherine a présenté une sorte de Cagliostro entouré de ses stupides admirateurs. La plupart de ses pièces sont d'ailleurs des satires philosophiques mal ficelées, et pauvres en caractères. Encore est-il probable qu'elle a été aidée en secret dans son travail par quelque publiciste bien en cour. La tendance générale de ces œuvrettes révèle un mélange d'esprit voltairien et de tradition russe. A Grimm, qui lui adresse de timides critiques à leur sujet, elle répond gaiement : « Eh bien, ces œuvres dramatiques, les voilà pulvérisées n'est-ce pas ? Point du tout. Je soutiens que cela est toujours bon là où il n'y en a pas de meilleures et, puisqu'on y a couru, qu'on y a ri et qu'elles ont fait l'effet d'arrêter l'effervescence sectaire, ce sont des pièces, qui, malgré leurs défauts, ont eu le succès à elles désirable. En fera de meilleures qui pourra, et, quand celui-ci sera trouvé, nous n'en ferons plus, mais nous nous amuserons des siennes. » Elle s'essaie même à la poésie, en russe, en français, en allemand, mais reconnaît sa faiblesse dans ce domaine : « J'ai rimaillé pendant quatre jours, *ma* (mais) il faut employer trop de temps à cela et j'ai commencé trop tard. »

De tous les genres littéraires, c'est évidemment la comédie qu'elle préfère. Elle aime rire. Mais sainement. Sans arrière-pensée. Ainsi sera-t-elle choquée par *Le Mariage de Figaro.* « En fait de comédie, si j'en fais, écrira-t-elle à Grimm, *Le Mariage de Figaro* ne me servira pas de modèle, car... je ne me suis jamais trouvée en plus mauvaise compagnie que dans cette noce célèbre. C'est apparemment pour imiter les Anciens qu'on a remis sur le théâtre ce goût-là qu'on avait cru purifié depuis. Les expressions de Molière étaient libres et sortaient d'une gaieté naturelle comme effervescence; mais sa pensée n'était jamais vicieuse, au lieu que, dans cette pièce si connue, le sous-entendu ne vaut rien continuellement et cela dure trois heures et demie. Outre cela, c'est un tissu d'intrigues où il y a un travail continuel et pas un brin de naturel. Je n'ai pas ri une seule fois à sa lecture [1]. »

En vérité, ce qu'elle reproche au *Mariage de Figaro,* ce sont surtout — elle ne le dit pas — les idées subversives de l'auteur qui percent à travers le cliquetis des mots. Elle devine en Beaumarchais un de ces boutefeux qu'elle exècre. Du reste, le théâtre français, qui l'a tant amusée, l'ennuie maintenant. « Le dormir me vient de la plupart des pièces françaises, parce que cela est froid comme glace et maniéré à périr, confie-t-elle encore à Grimm. Il n'y a point de nerf, ni de sel dans tout cela; je ne sais, mais il me semble que le nerf, en compagnie du goût vif pour le beau et le grand, quitte de plus en plus ce monde... O Voltaire, c'est vous qui saviez rallumer les étincelles qui en restaient dans la cendre. » Elle récrirait volontiers — mais elle n'en a pas le temps! — toutes ces pièces françaises qui la déçoivent. Si elle n'aime pas « dormir » à une comédie, elle n'aime pas davantage pleurer à une tragédie. Il suffirait souvent de quelques phrases modifiées pour sauver une œuvre. Le respect de la volonté de l'auteur n'obnubile pas Catherine. Même lorsqu'il s'agit de son grand Voltaire. Le dénouement funeste de *Tancrède* la contrarie tellement qu'elle donne l'ordre de le changer sur la scène de l'Ermitage. Point de « tuerie ». A la fin du spectacle, Tancrède, après avoir sauvé Aménaïde, ne meurt pas devant elle mais l'épouse. N'est-ce pas mieux ainsi? C'est d'ailleurs vers cette époque que Catherine commence à se détacher de la littérature française. A part Voltaire, qui l'a « mise au monde », Corneille qui lui a « toujours élevé l'âme » et

1. Lettre du 22 avril 1785.

l'inimitable Molière, les écrivains français ne valent même pas la peine qu'on feuillette leurs livres. Le salut, à présent, brille du côté de la littérature allemande. Avec sa fougue habituelle, Catherine parle déjà de planter là les auteurs français et de se constituer une bibliothèque exclusivement germanique. Mais bizarrement elle ignore Lessing, Schiller et Goethe, ses illustres contemporains, pour s'engouer d'écrivains allemands secondaires. « Cette littérature tudesque laisse tout le reste du monde derrière elle et va à pas de géants [1] », écrit-elle.

Quant à la musique allemande, elle la méconnaît superbement. Comme d'ailleurs toutes les autres musiques. Néanmoins, pour être agréable à son charmant Sacha Lanskoï qui se dit mélomane, elle engage le fameux chef d'orchestre Sarti et organise des concerts à l'Ermitage. Malheureusement, elle ne peut supporter de rester assise plus d'une heure sous la cascade maligne des notes. Sa récompense est d'entendre ensuite Sacha Lanskoï lui expliquer, de sa voix grave, l'esprit et l'architecture du morceau qu'ils ont écouté ensemble. Tout ce qui vient de lui la ravit et la réconforte. C'est à lui qu'elle s'en remet du choix d'un éducateur pour les grands-ducs Alexandre et Constantin. Sacha Lanskoï propose, avec insistance, César-Frédéric de Laharpe, un farouche républicain suisse de vingt-neuf ans.

Natif de Rolle, sur le lac de Genève, Laharpe, exaspéré par les tracasseries du gouvernement de Berne, a décidé de partir pour l'Amérique afin d'y participer à la fondation d'une société idéale, ennemie des contraintes. Son camarade d'études, Ribeaupierre, membre étranger de l'Académie russe, lui a suggéré, exil pour exil, de se rendre plutôt en Russie. En effet, à cette époque-là, le favori de l'impératrice cherche un mentor non pour les grands-ducs, mais pour ses deux jeunes frères, les comtes Lanskoï, mauvais garçons qui voyagent en Europe et qu'il faut ramener a Saint-Pétersbourg. Après avoir longtemps hésité, Laharpe finit par accepter la mission. Mais, alors qu'il se

1. Cf. Waliszewski : *Le Roman d'une impératrice.*

trouve en Italie avec ses deux lascars, un découragement le saisit devant leur insolence, leur fatuité et leur bêtise. A la fois agacé et amusé par sa situation, il écrit à Ribeaupierre pour lui raconter son aventure avec tant d'ironie et de bon sens, que celui-ci, enchanté, montre la lettre à Sacha Lanskoï, lequel la soumet à Catherine. Dès ce moment, le favori a son idée : un homme du caractère de ce Laharpe mérite d'autres élèves que les deux chenapans dont on l'a chargé d'assurer le retour au bercail. Il faut lui confier les grands-ducs. Catherine est d'accord. Amie des philosophes, comment résisterait-elle à la tentation de remettre ses petits-fils à ce fanatique de la justice et de la liberté? Républicain éducateur de deux futurs autocrates, Laharpe, pense-t-elle, leur inculquera le respect de la personne humaine sans mettre en cause la légitimité de leur pouvoir. C'est à Rome que Laharpe reçoit la lettre officielle l'invitant, lui, l'ennemi de tout despotisme, à éduquer deux princes destinés à régner en despotes sur des millions de sujets. Dans cette lettre, il est dit qu'il doit s'attacher à faire de ces potentats de demain « des hommes ». Enthousiasmé, il s'imagine déjà modelant comme dans de la cire des monarques libéraux et sauvant ainsi la Russie du joug de l'absolutisme.

En arrivant à Saint-Pétersbourg, Laharpe reçoit un accueil très chaleureux de Catherine, qui lui remet une « Instruction », sorte de programme d'éducation qu'elle a établi, avec l'aide de Sacha Lanskoï. La lecture de ce document transporte le nouveau précepteur, qui le trouve digne de figurer à une place d'honneur dans l'histoire de la pédagogie : « Les enfants doivent aimer les animaux et les plantes et apprendre à les soigner... Rien ne doit être plus interdit et traité avec plus de rigueur que le mensonge... Le but de l'éducation est d'inspirer aux enfants l'amour du prochain... Il faut préparer l'esprit des élèves à écouter même la contradiction, fût-elle la plus opiniâtre, de sang-froid... Les connaissances qu'ils doivent acquérir ne doivent servir qu'à leur permettre de bien comprendre leur métier de princes. Leur inculquer de bonnes mœurs et des vertus est le point capital ; ont-elles pris racine dans l'âme de l'enfant, le reste viendra avec le temps, par surcroît. »

Ces principes admirables sont, il est vrai, difficiles à mettre immédiatement en pratique, car les deux grands-ducs sont âgés respectivement de six et quatre ans. En attendant que Leurs Altesses puissent goûter son enseignement républicain, Laharpe est invité à leur apprendre quelques mots de français et à les emmener en promenade. Déçu dans ses ambitions, il se cabre et, bravant le protocole, écrit au Conseil d'éducation des jeunes princes pour exposer son programme personnel et demander si on l'a fait venir à Saint-Pétersbourg comme éducateur ou comme répétiteur de français et bonne d'enfants. Au lieu de s'offusquer, Catherine est séduite par ce langage direct. Enfin un homme qui sait ce qu'il veut, méprise les faveurs de la cour et pose ses conditions sans se laisser impressionner par la grandeur de l'appareil impérial ! Ou on l'accepte tel qu'il est, ou il plie bagage et retourne en Suisse. Pour rien au monde, Catherine ne se séparerait de cet hurluberlu génial qui a la franchise d'un fer de hache. En marge du programme de Laharpe, elle trace de sa main l'appréciation suivante : « Celui qui a composé cet écrit est vraiment capable d'enseigner plus que le français. »

Au début de l'été 1784, Catherine réside à Tsarskoïé-Sélo : Sacha Lanskoï, Alexandre et Constantin, qui sont auprès d'elle, représentent les trois sommets d'un triangle magique dont dépend son bonheur. Appuyée au bras de son amant, l'ardente grand-mère regarde avec attendrissement ses petits-enfants s'ébattre sur une pelouse. Il fait beau, la verdure du parc brille dans sa jeune fraîcheur, les premières roses s'ouvrent dans les massifs, les jets d'eau murmurent intarissablement, les poneys anglais des grands-ducs courent dans la prairie, Potemkine est attendu, retour du Sud où il a accompli des prodiges, la Russie est puissante, l'air est pur, Catherine a l'impression, malgré ses cinquante-cinq ans et son embonpoint, d'avoir des ailes aux talons et du soleil dans le cœur. Et soudain, le choc, la culbute, le noir. Le soir du 19 juin, Sacha Lanskoï est obligé de se mettre au lit, grelottant de fièvre, la gorge enflammée et comme serrée dans un étau. D'heure en heure, il respire avec plus de peine. Bientôt, il ne peut plus parler. Les médecins appelés à son chevet diagnostiquent une diphtérie et supplient Sa Majesté de s'éloigner, par crainte de la contagion. Elle refuse et s'installe à demeure dans la chambre de celui qu'elle nomme « son enfant » Sans changer de vêtements, dormant à peine, se passant de manger, elle devient mère pour soigner ce jeune corps brûlant qui lutte contre la mort. Le 24 juin, le célèbre docteur Wickard, convoqué d'urgence, arrive à Tsarskoïé-Sélo, examine le malade et le déclare perdu. L'impératrice refuse de le croire : « Vous ne savez pas quelle forte nature il a ! » Elle pense à leurs nuits. Le docteur Wickard, dans ses *Mémoires*, laisse entendre que cette « forte nature » de Sacha Lanskoï est le fait de la poudre de cantharides qu'il absorbait à hautes doses avant de passer à l'action[1]. Ce serait même cette pratique qui aurait détraqué sa santé. D'autres, dont Masson, prétendent qu'il a été empoisonné, par ordre de Potemkine, jaloux de son ascendant sur l'impératrice. Quoi qu'il en soit, le 25 juin, à l'âge de vingt-six ans, Alexandre Lanskoï, le beau, l'irremplaçable Sacha, rend le dernier soupir dans les bras de Catherine.

L'enterrement a lieu dans le parc de Tsarskoïé-Sélo. Après les funérailles, Catherine, brisée par la douleur, doit s'aliter elle-même. Les médecins craignent un transport au cerveau. Pendant une semaine, elle sombre dans le dégoût de toute activité. Le 2 juillet, elle se lève enfin et trouve sur son bureau une lettre à Grimm, restée inachevée. Elle reprend la plume et poursuit tristement :

« Lorsque je commençai cette lettre, j'étais dans le bonheur et la joie, et mes pensées passaient si rapidement que je ne savais ce qu'elles devenaient. Il n'en est plus de même ; je suis plongée dans la douleur la plus vive et mon bonheur n'est plus. J'ai

1. Cf. Waliszewski : *Autour d'un trône.*

pensé moi-même mourir de la perte irréparable que je viens de faire, il y a huit jours, de mon meilleur ami. J'espérais qu'il deviendrait l'appui de ma vieillesse. Il s'appliquait, il profitait, il avait pris tous mes goûts. C'était un jeune homme que j'élevais, qui était reconnaissant, doux, honnête, qui partageait mes peines quand j'en avais et se réjouissait de mes joies. En un mot, en sanglotant, j'ai le malheur de vous dire que le général Lanskoï n'est plus... Ma chambre, si agréable pour moi ci-devant, est devenue un antre vide, dans lequel je me traîne à peine comme une ombre... Je ne puis voir face humaine sans que les sanglots ne m'ôtent la parole. Je ne puis dormir, ni manger. La lecture m'ennuie et l'écriture excède mes forces. Je ne sais ce qu'il deviendra de moi, mais, ce que je sais, c'est que, de ma vie, je n'ai été si malheureuse que depuis que mon meilleur et aimable ami m'a ainsi abandonnée. J'ai ouvert mon tiroir, j'ai trouvé cette feuille commencée, j'ai tracé ces lignes, je n'en peux plus... »

Pendant quelques jours, elle se déclare incapable de s'occuper des affaires politiques. « Depuis la mort de M. Lanskoï, elle n'a vu aucun de ses ministres, ni même aucune personne de sa société privée », écrit l'ambassadeur d'Angleterre Fitz-Herbert. Enfin, elle se ressaisit et revient à sa tâche avec obstination. Potemkine est auprès d'elle. Il « hurle » de chagrin avec Sa Majesté. Mais, en vérité, il ne doit pas être mécontent de cette disparition qui le délivre d'un rival trop bien doué à son goût. Catherine est heureuse de sentir à ses côtés la forte stature de son amant d'autrefois, de son mari clandestin. Il l'aide à remonter la pente. « N'allez pas croire que, malgré l'horreur de cette situation, j'aie négligé la moindre des choses où mon attention était nécessaire, écrit-elle à Grimm, deux mois plus tard. Dans les moments les plus affreux, on me demandait des ordres pour tout et je les donnais bien, avec ordre et intelligence... Je suis devenue un être fort triste qui ne parle même que par monosyllabes... Tout m'afflige et je n'ai jamais aimé faire pitie. »

Dans le jardin privé de Tsarskoïé-Sélo, elle fait ériger une urne funéraire portant cette inscription gravée, en français : « A mon plus cher ami. » Plus tard, elle fera bâtir une église pour servir de sépulture à toute la famille Lanskoï. Mais seul le favori y sera enseveli. Aucun de ses parents n'acceptera l'offre de l'y rejoindre un jour. Pour tous les siens, il s'est déshonoré en devenant l'amant de la tsarine. C'est la seule fois qu'une famille russe considérera comme un opprobre la « faveur » d'un de ses représentants auprès de Catherine. Le frère du défunt, Jacques Lanskoï, ayant construit une église sur ses propres terres, y fera peindre des icônes de saints dont les visages reproduisent les traits des différents membres de sa famille, tandis que, dans un tableau évoquant l'enfer, il fera figurer l'effigie du beau Sacha, parmi les flammes éternelles. Ignorant cette animosité du clan Lanskoï, Catherine, au lendemain de la mort, écrit une lettre très tendre à la mère du disparu. Les mois passent et « le cœur lui saigne comme au premier moment ».

Pour lutter contre sa mélancolie, elle se plonge dans l'étude comparée des langues et s'entoure de dictionnaires. Le finnois, le tchérémisse, le turc, l'abyssin, tout y passe. Elle correspond avec le naturaliste Pallas, elle prie l'éditeur berlinois Nicolaï de lui procurer des documents, elle s'efforce, par tous les moyens, de prouver la présence de l'élément slave dans les grands mouvements historiques du monde, enfin elle entre en relations épistolaires avec le docteur Zimmermann, médecin et philosophe suisse de la cour de Hanovre, dont le livre, *Sur la solitude,* l'a aidée à supporter les premiers jours de désarroi après la mort de Lanskoï. Zimmermann, écrivain spirituel, mordant, parfois cynique, devient pour elle un autre Diderot. Elle lui soumet ses œuvres, elle le charge de découvrir pour elle des trésors littéraires et artistiques, elle lui demande de recruter, en son nom, des savants, des médecins qui viendront exercer leur science en Russie. Son souhait le plus ardent serait que Zimmermann vînt s'installer lui-même à Saint-Pétersbourg. Mais Zimmermann exige, pour s'expatrier, l'assurance d'un traitement de huit mille thalers pour le moins. « C'est un homme cher », déclare Catherine. Et elle renonce à poursuivre les négociations. Cela ne l'empêche pas de continuer à correspondre avec le médecin-philosophe, abordant fougueusement les sujets les plus divers, histoire et mysticisme, art et morale, politique et fabrication des fromages.

Toutefois, ces vains exercices de l'esprit ne peuvent remplacer pour elle la chaude nourriture de l'amour. Potemkine le comprend et, dès qu'il la sent un peu plus disponible, il pousse en avant, avec prudence, un nouveau candidat : Alexandre Ermolov. Agé de trente et un ans, il est grand, blond, avec des yeux fendus en amande et un nez légèrement épaté, qui lui a valu, de la part de Potemkine, le surnom de « nègre blanc ». Pour le reste, il paraît n'avoir ni esprit ni gaieté. Le ministre Bezborodko lui reconnaît pourtant des qualités de modestie, de sérieux et de bonne éducation. Quant à l'impératrice, elle écrit à Grimm : « En un mot comme en cent, j'ai un ami très capable et très digne de l'être. » Cependant, au sortir de son immense chagrin, elle n'est pas encore disposée à un entraînement amoureux de première importance. Sans doute prend-elle cet amant par hygiène, par habitude, par besoin d'avoir un compagnon de lit. Mais le cœur reste en arrière. A la cour, on suppute les chances du favori, on surveille attentivement les sourires, les mots, les silences de la tsarine en sa présence ; les courtisans se rapprochent de lui, espérant quelque faveur, puis s'en éloignent au premier froncement de sourcils de Sa Majesté ; les ambassadeurs se demandent à quel clan politique appartient le nouvel élu et commentent, dans leurs dépêches, les moindres fluctuations de la liaison impériale comme s'il s'agissait d'une affaire d'État. La plupart estiment qu'Alexandre Ermolov ne tiendra plus longtemps. Il n'a pas l'étoffe. Bientôt, trahissant les intérêts de celui à qui il doit sa situation, il commet l'imprudence de passer dans le camp des adversaires du prince de Tauride. Ils sont nombreux et puissants Poussé par eux, le jeune homme révèle à Catherine que Potemkine détourne à son profit les crédits qui lui sont alloués pour la colonisation de la Russie Blanche. Immédiatement, Potemkine se justifie devant la tsarine en disant qu'il s'agit d'un simple emprunt de sa part et qu'il restituera l'argent à la caisse de l'État dès qu'il aura vendu une de ses terres. Alors, sur le conseil de ses amis, Alexandre Ermolov soumet à Catherine une lettre de l'ex-khan de Crimée, interné à Kalouga, qui se plaint de ne plus recevoir sa pension parce que le prince de Tauride se l'approprie au passage. Ébranlée dans sa confiance, Catherine témoigne à Potemkine une froideur qui est remarquée par tous les courtisans. Certains déjà tournent le dos au galeux. L'envoyé d'Angleterre, Sir Fitz-Herbert, écrit à Londres : « La confiance en Potemkine a fortement diminué à cause de son attitude hautaine et de sa présomption, jointes à de nombreux abus de pouvoir et à des caprices variés. La haine contre lui est si forte qu'on peut éprouver de sérieuses craintes. »

Cependant, quand on met Potemkine en garde contre une disgrâce probable, il répond avec superbe : « Rassurez-vous, ce n'est pas un gamin qui me renversera. D'ailleurs qui l'oserait? » Et il disparaît de la cour pour quelque temps, afin qu'on sache bien, en haut lieu, qu'il est offensé et qu'il souffre. Puis, le jour anniversaire du couronnement, il reparaît, dans un habit splendide, constellé de décorations, fusille du regard le lamentable Alexandre Ermolov qui se figure avoir déjà gagné la partie, et se précipite, sans être annoncé, dans le boudoir de l'impératrice. Elle est aux mains de son coiffeur. Sans préambule, Potemkine crie : « Madame, il faut opter et chasser Ermolov ou moi; car, tant que vous garderez ce nègre blanc, je ne remettrai pas les pieds chez vous! » Cette violence émeut Catherine, qui n'a plus guère de goût pour l'insipide favori attaché à sa personne. La jalousie de Potemkine la flatte. Des bouffées de souvenirs lui reviennent à l'esprit. Comment pourrait-elle hésiter entre « le nègre blanc » et « le borgne rugissant »? C'est sans le moindre regret qu'elle sacrifie son jeune amant. Congédié tout à trac, il demande la permission de voir une dernière fois son impériale maîtresse avant de quitter le palais. Catherine refuse de le recevoir. Mais, comme toujours, elle ne lésine pas sur le cadeau de rupture : cent trente mille roubles et quatre mille paysans.

L'appartement des favoris est vide. Aucun pas ne fait plus craquer les marches de l'escalier en spirale qui conduit à la chambre de Sa Majesté. C'est la pénurie, l'abstinence, la tristesse. Les ennemis de Potemkine, consternés par le renvoi d'Alexandre Ermolov, s'efforcent de trouver un autre champion capable de fixer les ardeurs de l'impératrice. Un instant, ils semblent avoir gain de cause avec le Courlandais Mengden, mais c'est un faux espoir. Catherine n'en veut pas. De l'avis général, elle se montre, cette fois, plus difficile qu'à l'ordinaire. Énorme, essoufflée, marquée par l'âge, elle ne veut que du premier choix. Aucun postulant ne l'amuse. Enfin Potemkine distingue un jeune officier de la garde, Alexandre Mamonov, vingt-six ans, bien tourné, racé, élégant. Celui-là, à coup sûr, fera l'affaire, se dit-il. Et, selon ce qui est convenu avec l'impératrice, il lui envoie son protégé, porteur d'une aquarelle. Catherine feint d'examiner la peinture, tout en détaillant le messager d'un œil compétent. Puis elle marque au dos du papier : « Les contours sont beaux, mais le choix des couleurs est moins heureux », ce qui signifie que le garçon est bien bâti, mais que son teint jaunâtre laisse à désirer. Mamonov rapporte à Potemkine l'aquarelle ainsi annotée. Est-ce à dire qu'il s'agit d'un échec? Non, tout compte fait, Sa Majesté passe sur « les couleurs » par estime pour « les contours ». Mamonov est agréé. Grand émoi à la cour autour du nouveau favori qui vient d'emménager dans son appartement de fonction. On le dit tout acquis à la cause française. De bonne famille, amateur d'art et de littérature, il parle couramment la langue de Voltaire et montre de l'esprit dans la conversation. Catherine, brusquement ragaillardie, oublie enfin son deuil et laisse éclater une joie de jeune mariée aux côtés de celui qu'elle appelle, à cause de son uniforme, « Monsieur l'Habit rouge ». Elle écrit à Grimm :

« Cet habit rouge enveloppe un être qui a un cœur excellentissime joint à un grand fond d'honnêteté; de l'esprit, on en a comme quatre, un fond de gaieté intarissable, beaucoup d'originalité dans la conception des choses et dans la façon de les rendre, une éducation admirable, singulièrement instruit de tout ce qui peut donner du brillant à l'esprit. Nous cachons comme un meurtre notre penchant pour la poésie; nous aimons passionnément la musique; notre conception en toute chose est d'une facilité rare; Dieu sait ce que nous ne savons pas par cœur. Nous déclamons, nous jasons, nous avons le ton de la meilleure compagnie; nous sommes d'une très grande politesse; nous écrivons en russe et en français comme il est rare chez nous qu'on écrive, tant pour le style que pour le caractère; notre extérieur répond parfaitement à notre intérieur; nos traits sont très réguliers; nous avons deux superbes yeux noirs avec des sourcils tracés comme on n'en voit guère; taille au-dessus de la médiocre, l'air noble, la démarche aisée; en un mot, nous sommes aussi solide intérieurement qu'adroit, fort et brillant pour notre extérieur. Je suis persuadée que, si vous rencontriez cet Habit rouge, vous demanderiez son nom, si vous ne le deviniez tout d'abord[1]. »

Deux semaines plus tard : « Monsieur l'Habit rouge n'est rien moins qu'un personnage ordinaire; cela pétille d'esprit sans jamais courir après; cela narre parfaitement bien, et cela est d'une gaieté rare. Enfin cela est pétri d'*honnêteté,* de politesse et d'esprit; en un mot, cela ne se mouche pas du pied[2]! »

Et encore :

« Cet Habit rouge est d'ailleurs si aimable, si spirituel, si gai, si beau, si complaisant, de si bonne compagnie que vous ferez bien de l'aimer sans le connaître[3]. »

Comment cette femme de cinquante-sept ans, cette souve-

1. Lettre du 17 décembre 1786.
2. Lettre du 2 janvier 1787.
3. Lettre du 2 avril 1787.

raine rompue à toutes les ruses de la politique, peut-elle parler aussi naïvement de « l'honnêteté » du très jeune homme qu'elle a mis d'autorité dans son lit? Croit-elle sincèrement qu'il éprouve une attirance physique pour ses charmes flétris? Ne devrait-elle pas l'admirer davantage pour sa vigueur aveugle que pour sa moralité accommodante? Quand il s'agit d'amour, du moins au début d'une liaison, la puissance d'illusion de Catherine tient du vertige. Elle veut croire, pour mieux se donner. Ses « fureurs utérines », pour employer l'expression de Masson [1], s'entourent toujours des diaprures de la poésie. Elle est tout ensemble sensuelle et sentimentale. Il lui faut, auprès d'elle, un être neuf, beau, grand, robuste, capable de satisfaire les exigences de son tempérament de feu, mais aussi un ami, un conseiller, un interlocuteur charmant, parfois même un enfant qu'elle pourra consoler et bercer. Les plaisirs de la chair n'excluent jamais, chez elle, la tendresse, l'amitié, le dévouement. Elle n'a rien d'une hystérique, d'une nymphomane. Prodigieusement saine et simple, elle a besoin du mâle pour son équilibre physique, mais aussi pour son épanouissement spirituel. Elle aime le climat viril. Peu de femmes l'attirent. En revanche, qu'un homme montre de l'esprit, du courage, et elle va à lui, subjuguée. Même si elle n'a nullement l'intention d'en faire son amant. Elle a été émerveillée ainsi, naguère, par le prince de Ligne, elle l'est aujourd'hui par le nouvel ambassadeur de France, le comte Louis-Philippe de Ségur, qui vient d'arriver à la cour.

Agé de trente-deux ans, mondain, séduisant, subtil, cultivé, Ségur a été choisi par Vergennes pour réchauffer l'atmosphère entre la Russie et la France, et préparer les négociations d'un traité de commerce. Catherine est, dès l'abord, intriguée par ce personnage singulier qui, malgré son grand nom, a des idées démocratiques et applaudit les révolutionnaires ennemis de sa

1. Masson : *Mémoires secrets sur la Russie.* Masson fut maître de mathématiques du grand-duc Alexandre.

caste. Il s'est embarqué un jour, avec vingt jeunes nobles, pour se battre, aux côtés de La Fayette, en Amérique. Revenu en France, salué du titre de « héros de la liberté », il rêve, tout en servant le roi, de faire le bonheur du peuple. Ce mélange discordant ne déplaît pas à la tsarine. N'a-t-elle pas, elle-même, choisi un Suisse républicain comme précepteur de ses petits-fils? Elle se figure parfois encore être une souveraine aux conceptions philosophiques. La plume à la main, elle court sur les traces de Voltaire. Quitte à se réveiller dès qu'un de ses sujets bronche dans l'empire. Elle écrit au docteur Zimmermann :

« J'ai fait cas de la philosophie, parce que mon âme a toujours été singulièrement républicaine. Je conviens que c'est peut-être un phénomène que cette trempe d'âme avec le pouvoir illimité de ma place, mais aussi personne, en Russie, ne dira que j'en ai abusé... Pour ma conduite politique, j'ai tâché de suivre les plans qui m'ont paru les plus utiles à mon pays et les plus supportables aux autres... L'humanité, en général, a en moi un ami qui ne s'est démenti en aucune occasion. » Et elle compose sa propre épitaphe, en français, dans un style humoristique :

« Ci-gît Catherine seconde, née à Stettin, le 21 avril-2 mai 1729. Elle passa en Russie, l'an 1744, pour épouser Pierre III. A l'âge de quatorze ans, elle forma le triple projet de plaire à son époux, à Elisabeth, à la nation. Elle n'oublia rien pour y réussir. Dix-huit années d'ennui et de solitude lui firent lire bien des livres. Parvenue au trône de Russie, elle voulut le bien et chercha à procurer à ses sujets bonheur, liberté et propriété. Elle pardonnait aisément et ne haïssait personne. Indulgente, aisée à vivre, d'un naturel gai, l'âme républicaine et le cœur bon, elle eut des amis. Le travail lui était facile, la société et les arts lui plaisaient. »

Ainsi se voit-elle, ainsi souhaite-t-elle que ses amis la voient. Et d'abord celui dont l'opinion lui importe le plus, pour l'instant : Ségur. La conversation de cet homme l'enchante. Elle l'interroge sur l'Amérique, sur les colons puritains, sur sa chevauchée à travers les terres vierges du Venezuela, sur Versailles aussi, sur Voltaire qui l'a complimenté pour des vers de jeunesse, sur le cher Diderot, qui est mort en 1784, sur Frédéric II, qui a disparu en 1786, laissant la place à son balourd de neveu Frédéric-Guillaume, sur Mme du Deffand, sur Marie-Antoinette. Ségur devient bientôt l'un des convives indispensables aux soupers intimes de l'Ermitage. Nul ne le dépasse dans les petits jeux littéraires. Les bouts-rimés sont sa spécialité. Mis au défi de composer un quatrain sur les rimes *amour, tambour, frotte, note,* il écrit sans hésiter :

« D'un peuple très heureux Catherine est l'*amour ;*
Malheur à l'ennemi qui contre elle se *frotte ;*
La renommée aura pour elle son *tambour ;*
L'histoire avec plaisir sera son garde-*notes.* »

On s'exclame d'admiration. Catherine écrit à Grimm : « Le premier poète de la France, sans contredit, c'est le comte de Ségur. Je n'en connais présentement aucun qui l'approche. » Potemkine a de la sympathie pour le Français. Mamonov, l'Habit rouge, recherche sa compagnie et ses conseils. Catherine voit en Ségur un ami plus qu'un diplomate. Pour lui témoigner sa bienveillance, elle fait représenter une pièce dont il est l'auteur : *Coriolan.* Ces marques d'estime ne s'adressent pas à un ingrat. Ségur trouve Mamonov « très distingué par les agréments de sa figure et de son esprit », apprécie le génie brouillon de Potemkine qui va par bonds et par boutades, et porte sur la vie amoureuse de Catherine un jugement d'une grande délicatesse : « On peut fermer les yeux avec indulgence sur les erreurs d'une femme grand homme, lorsqu'elle montre jusque dans ses faiblesses tant d'empire sur elle-même, tant de clémence et tant de magnanimité. Il est rare de trouver réunis le pouvoir absolu, la jalousie et la modération, et un semblable caractère ne pourrait être condamné que par un homme sans cœur et par un prince sans faiblesse. » L'ambassadeur de France est moins tendre pour le grand-duc Paul, dont « le caractère mobile » lui paraît inquiétant pour l'avenir de la Russie. « Jamais, écrit-il, on ne vit un homme plus léger, plus craintif, plus capricieux, enfin moins capable de faire le bonheur des autres, ni le sien... L'histoire de tous les tsars détrônés ou immolés était pour lui une idée fixe... Ce souvenir revenait comme un fantôme qui, l'assiégeant sans cesse, troublait les lumières de son esprit et offusquait sa raison. »

Depuis son retour en Russie, Paul s'est retiré à Gatchina, avec sa femme et ses filles. Il les traite avec rudesse, avec brutalité, et maudit l'impératrice qui l'empêche de voir ses fils, Alexandre et Constantin, autrement que de loin en loin, et sur permission spéciale. Lui-même d'ailleurs ne rencontre plus guère sa mère qu'aux cérémonies officielles. Pour garder le contact, ils échangent des lettres froides et protocolaires. « Ma bonne et chère mère, la lettre de Votre Majesté impériale m'a fait un sensible plaisir. Je la supplie de recevoir l'expression de ma reconnaissance », écrit-il. Et elle réplique : « J'ai reçu, mon cher fils, votre lettre du 5 de ce mois avec l'expression de vos sentiments auxquels les miens répondent. Adieu, portez-vous bien. »

A Gatchina, Paul donne libre cours à sa passion militaire. Entouré de ses bonnes troupes allemandes, il nomme les officiers, habille les hommes à son idée, les plie sous une discipline de fer, les abrutit de manœuvres quotidiennes. Enfermé dans son rêve, il n'a plus aucun rapport avec la vie politique de son pays. Catherine juge de moins en moins utile de l'associer à ses projets de gouvernement. Et pourtant elle est en train de préparer une expédition pacifique à laquelle, logiquement, le couple grand-ducal devrait participer. Il s'agit, sur l'invitation de Potemkine, d'un solennel et fastueux voyage en Crimée. En visitant les provinces du Sud nouvellement acquises, la tsarine pourra constater sur place l'œuvre administrative, architecturale et militaire accomplie par le prince de Tauride. Les ministres étrangers qui accompagneront Sa

Majesté informeront leurs cabinets respectifs du miracle russe. Les Turcs enfin, convaincus de l'intérêt que l'impératrice porte à ces territoires et de la puissance dont elle dispose pour les défendre, hésiteront à s'opposer par les armes à de nouvelles rectifications de frontières. Toute la cour est agitée par les préparatifs de cette randonnée exceptionnelle. Catherine invite Joseph II et le prince de Ligne à la rejoindre en cours de route. Elle désigne les diplomates européens qui la suivront : le comte Cobenzl, ambassadeur d'Autriche, Sir Fitz-Herbert, ambassadeur d'Angleterre, le comte de Ségur, ambassadeur de France. Des ministres russes, de hauts fonctionnaires, des dames d'honneur et, bien entendu, le favori de l'heure, Mamonov, feront également partie de l'escorte impériale.

Potemkine part en avant pour préparer la réception de la souveraine. Catherine se promet beaucoup de joie de ce changement de décor. Elle voudrait emmener ses deux petits-fils. Mais les parents protestent : pourquoi les enfants et pas eux? Catherine n'ose leur répondre que leur seule présence suffirait à lui gâcher le voyage, alors qu'elle serait si heureuse et si fière de promener Alexandre et Constantin à travers l'empire. Elle écrit à Paul et à sa femme : « Vos enfants sont à vous, ils sont à moi, ils sont à l'État. Dès leur plus tendre enfance, je me suis fait un devoir et un plaisir d'en prendre le soin le plus tendre... Voici comment j'ai raisonné : ce me sera une consolation, éloignée de vous, de les avoir auprès de moi. Des cinq, trois resteraient avec vous [1]. N'y aura-t-il que moi seule qui serai privée, sur mes vieux jours, pour six mois, du plaisir d'avoir quelqu'un de ma famille avec moi? » Finalement, Alexandre et Constantin, dont on craint qu'ils ne supportent mal les fatigues de la route, seront laissés à leurs parents.

On arrange hâtivement les traîneaux, on rassemble des troupeaux de chevaux aux relais, on renouvelle les garde-robes, on expédie des courriers dans les grandes villes d'étape. A la fin

1. En 1786, le couple grand-ducal avait eu une troisième fille, Marie.

du mois de décembre 1786, tout est prêt pour le départ. Le 1er janvier 1787, l'impératrice reçoit, comme d'habitude, l'hommage de la cour et du corps diplomatique à l'occasion du Nouvel An. Mais, tandis qu'elle écoute les fades compliments d'usage et répond d'une inclination de tête aux révérences, son esprit vole déjà sur la route enneigée vers les fabuleuses richesses du Sud.

CHAPITRE XXII

LE VOYAGE EN CRIMÉE

Le froid est vif (17°) en ce début du mois de janvier 1787, lorsque, salué par les décharges d'artillerie et les acclamations du menu peuple massé devant le palais, le cortège impérial se met en mouvement. Les traîneaux de Sa Majesté, des ministres, des grands dignitaires, des diplomates sont au nombre de quatorze. Ce sont de confortables maisonnettes, montées sur patins, éclairées par trois fenêtres de chaque côté, pourvues de sièges à coussins, de tapis, de divans, de tables. Les voitures sont assez hautes pour qu'on puisse s'y tenir debout. Huit à dix chevaux tirent ces salons princiers sur la neige. La « suite » et les serviteurs s'entassent dans cent soixante-quatre traîneaux plus modestes. Six cents chevaux attendent à chaque relais. Pour guider les conducteurs à travers la trompeuse blancheur du paysage, Potemkine a fait disposer sur le trajet d'énormes bûchers, qui brûleront nuit et jour, entretenus par des chauffeurs, jusqu'au passage du convoi.

L'hébergement est assuré dans des maisons appartenant à la couronne et qui ont été meublées avec le plus grand soin pour la circonstance, ou chez des particuliers qui ont reçu d'avance les crédits nécessaires pour mettre leurs demeures en état. Une nuée de domestiques précède l'arrivée de la souveraine et de ses invités. Quand ceux-ci mettent pied à terre, des plats chauds les attendent sur une table richement décorée. A chaque repas, on se sert de vaisselle neuve et de linge neuf, qui sont laissés ensuite en cadeau au propriétaire lorsqu'il s'agit d'une habitation privée, à quelque membre de l'escorte lorsqu'il s'agit d'une habitation de l'État.

En dépit des incertitudes du déplacement, Catherine s'en tient à un emploi du temps très strict. Levée à six heures du matin, elle travaille seule ou avec ses ministres jusqu'à huit heures, puis convoque la petite société qui forme sa cour habituelle pour le déjeuner. On repart à neuf heures, on glisse jusqu'à deux heures de l'après-midi à travers un infini neigeux, on s'arrête dans quelque palais de bois hâtivement construit, pour se restaurer, et, de nouveau, en route. A quatre heures, le train s'immobilise en rase campagne, les serviteurs s'affairent, disposent des samovars bouillants dans la neige, versent le thé et courent, portant verres et gâteaux, d'un traîneau à l'autre. Pendant cette halte, les voyageurs changent de place pour le renouvellement des conversations et des sympathies. Catherine désigne ceux qui doivent la rejoindre. Le plus souvent, Ségur est du nombre. Chaque fois, il retrouve, aux côtés de Sa Majesté, « l'enfant gâté », « l'Habit rouge », Mamonov. Comme aux soirées intimes de l'Ermitage, le cercle se répand en papotages, charades, petits jeux, bouts-rimés. L'impératrice donne le ton en racontant certaines aventures comiques de son long passé. Elle a connu tant de gens divers, traversé tant d'événements étranges! Elle rit de bon cœur en les évoquant. Mais, dès qu'un de ses invités se lance dans une anecdote libertine, elle l'arrête. Malgré le relâchement de l'étiquette résultant du voyage, elle ne tolère pas davantage les propos grivois dans son traîneau que dans son palais.

L'impératrice est reçue à la frontière de chaque province par le gouverneur général, et celui-ci l'accompagne ensuite pendant toute la traversée de son territoire. Elle passe un ou deux jours dans les villes les plus importantes. Les foules accourent à elle et se prosternent. Son apparition, pour tous ces gens habitués à la considérer comme un personnage irréel, tout-puissant et inaccessible, tient du prodige. Elle est la reine des cieux descendant sur la terre.

Le 9 février 1787, le cortège, ayant parcouru quatre cents lieues, atteint Kiev. Là, Catherine s'arrête pour se reposer en attendant la venue du printemps. Des délégués de tous les pays affluent pour lui rendre hommage. Elle reçoit même des dignitaires chinois, persans, indiens, tartares, chargés de présents. Ségur écrit : « L'œil étonné voyait à la fois une cour somptueuse, une impératrice conquérante, une riche et belliqueuse noblesse, des princes et des grands, fiers et fastueux, des marchands aux longues robes avec de grandes barbes, des officiers de toutes armes, ces fameux Cosaques du Don richement vêtus à l'asiatique, des Tartares autrefois dominateurs de la Russie et maintenant humblement soumis au joug d'une femme et d'une chrétienne, un prince de Géorgie portant au pied du trône de Catherine les présents du Phase et de la Colchide, plusieurs envoyés de ces nombreuses tribus de Kirghiz, enfin ces sauvages Kalmouks, véritable image de ces Huns dont jadis la difformité inspirait autant d'effroi à l'Europe que le redoutable glaive du féroce monarque Attila. » Tous ces envoyés sont logés et nourris aux frais de Sa Majesté. « Elle avait défendu qu'on nous laissât rien payer », note encore Ségur avec reconnaissance.

Fait singulier, le *deus ex machina* de toutes ces splendeurs, Potemkine, après avoir installé ses hôtes dans des palais, s'installe lui-même dans une cellule du couvent de Pétchersk. Les personnes désireuses de lui rendre hommage doivent quitter l'animation mondaine qui entoure l'impératrice pour se plonger dans le calme et le recueillement du saint lieu.

« Il semblait qu'on y assistait à l'audience d'un vizir de Constantinople, de Bagdad ou du Caire, écrit Ségur. Le silence et une sorte de crainte y régnaient. Soit par une indolence

Christian-Auguste d'Anhalt-Zerbst,
père de Catherine II.
Gravure / Photo Roger-Viollet.

Jeanne-Elisabeth de Holstein-Gottorp,
princesse d'Anhalt-Zerbst,
mère de Catherine II /
Photo Roger-Viollet.

Frédéric II de Prusse,
gravure par Johann-Jakob Kleinschmidt.
Bibliothèque nationale / Photo B.N.

Le grand-duc Pierre Féodorovitch,
futur Pierre III.
Gravure de Ridinger.
Bibliothèque nationale / Photo B.N.

L'impératrice Elisabeth.
Bibliothèque nationale / Photo B.N.

Catherine II
en costume de voyage,
d'après un tableau de Chibanov.
Bibliothèque nationale /
Photo B.N.

Catherine II âgée,
d'après
un tableau de Van Wilk.
Bibliothèque nationale /
Photo B.N.

Catherine II.
Gravure d'Outkine
d'après le tableau
de Borovikovsky.
Bibliothèque nationale
Photo B.N.

Catherine II
par Lampi
Leningrad
Musée de l'Ermitage
Photo Alinari-Giraudon

La grande-duchesse Catherine à cheval, par Groot, vers 1750.
Leningrad, Musée russe / Photo Agence Novosty.

Grégoire Orlov,
par S. Torelli.
Leningrad, Musée russe /
Photo Agence Novosty.

Les frères Orlov,
Alexis et Grégoire.
Leningrad, Musée russe /
Photo Agence Novosty.

Le couronnement de Catherine II. Bibliothèque nationale / Photo B.N.

Stanislas-Auguste Poniatowski. Bibliothèque nationale / Photo B.N.

Platon Zoubov, par Lampi. Bibliothèque nationale / Photo B.N.

Alexandre Lanskoï. Bibliothèque nationale / Photo B.N.

Ivan Rimsky-Korsakov. Bibliothèque nationale / Photo B.N.

Alexandre Mamonov. Bibliothèque nationale / Photo B.N.

Grégoire Potemkine, par Lampi. Leningrad, Musée russe / Photo Agence Novosty.

Vue de la place
de Podnovinsky à Moscou
au XVIIIe siècle,
d'après une peinture
de De La Barthe.
Bibliothèque nationale /
Photo B.N.

Catherine II
et Gustave III de Suède,
vers 1791,
par C. Hoyer.
Stockholm, Nationalmuseum /
Photo du Musée.

Catherine II.
Dessin.
Ancienne collection
Jacques Doucet /
Photo Archives Photographiques.

Diderot,
par Louis-Michel van Loo.
Paris, musée du Louvre /
Photo Flammarion.

Pougatchev.
Gravure populaire
d'après un portrait
de Topffer.
Bibliothèque nationale /
Photo B.N.

Catherine II
Leningrad
Musée russe /
Photo Agence Novosty

Catherine II et sa famille.
Gravure de D. Berger, vers 1791.
Moscou, Musée d'Histoire /
/ Photo Agence Novosty.

Le grand-duc Paul Petrovitch.
Bibliothèque nationale / Photo B.N.

Vue du Nouveau Palais d'Hiver de Saint-Pétersbourg. Bibliothèque nationale / Photo B.N.

Vue d'Oranienbaum. Bibliothèque nationale / Photo B.N.

Vue de Péterhof. Bibliothèque nationale / Photo B.N.

naturelle, soit par une hauteur affectée, qu'il croyait utile et politique, ce puissant et capricieux favori de Catherine, après avoir paru quelquefois en grand uniforme de maréchal, couvert de décorations en diamants, bordé de broderies et de dentelles, coiffé, bouclé, poudré comme le plus ancien de nos courtisans, se tenait le plus habituellement couvert d'une pelisse, le cou décolleté, les jambes demi-nues, les pieds dans de larges pantoufles, les cheveux plats et mal peignés; il restait mollement étendu sur un large divan, entouré d'une foule d'officiers et des plus grands personnages de l'empire, invitant rarement quelqu'un d'eux à s'asseoir... Ennemi de toute gêne, et cependant insatiable de volupté, de pouvoir et d'opulence, voulant jouir de tous les genres de gloire, la fortune le fatiguait et l'entraînait... On pouvait rendre un tel homme riche et puissant, mais il était impossible d'en faire un homme heureux. »

Parmi les hautes figures qui composent la société de Catherine à Kiev, c'est avec joie que Ségur salue l'arrivée du prince de Ligne, venant en avant-coureur de son souverain Joseph II. « Sa présence, écrit-il, ranima tout ce qui languissait, dissipa toute ombre d'ennui et rendit la chaleur à tous les plaisirs. De ce moment, nous crûmes sentir que les rigueurs d'un sombre hiver allaient s'adoucir et que le joyeux printemps ne tarderait pas à renaître. »

Catherine, elle aussi, est ravie de ce nouvel interlocuteur, dont elle n'a pas oublié la prestance et la verve. Leurs retrouvailles sont franchement amicales. Le prince de Ligne la baptise « Catherine le Grand » et déclare que « son génie enchanteur l'a conduit à un séjour enchanté ». Plus tard, se souvenant de leur rencontre, à Kiev, il tracera d'elle ce portrait : « On voyait qu'elle avait été belle plutôt que jolie; la majesté de son front était tempérée par des yeux et un sourire agréables, mais ce front disait tout. Sans être un Lavater, on y lisait, comme dans un livre, génie, justice, justesse, courage, profondeur, égalité, douceur, calme et fermeté; la largeur de ce front annonçait les cases de la mémoire et de l'imagination : on voyait qu'il y avait place pour tout Son menton un peu pointu n'était pas absolument avancé... Son ovale n'était pas bien dessiné, mais devait plaire infiniment, car la franchise et la gaieté habitaient ses lèvres. Elle doit avoir eu de la fraîcheur et une belle gorge; celle-ci ne lui était arrivée cependant qu'aux dépens de sa taille, qui avait été mince à se rompre; mais on engraisse beaucoup en Russie. Elle était propre et, si elle n'avait pas tant fait tirer ses cheveux, qui auraient dû, tombant un peu plus bas, accompagner son visage, elle aurait été bien mieux. On ne s'apercevait pas qu'elle était petite. Elle m'a dit lentement qu'elle avait été extrêmement vive, chose dont on ne pouvait pas se faire l'idée... Tout était, chez elle, mesuré et méthodique. Elle avait l'art d'écouter et tant d'habitude de présence d'esprit qu'elle avait l'air d'entendre même quand elle pensait à autre chose. Elle ne parlait pas pour parler et faisait valoir ceux qui lui parlaient... L'impératrice avait tout le bon, c'est-à-dire tout le grand, de Louis XIV. Sa magnificence, ses fêtes, ses pensions, ses achats, son faste lui ressemblaient. Elle tenait mieux sa cour, parce qu'elle n'avait rien de théâtral ni d'exagéré... Ce n'était pas l'adoration extérieure qu'elle exigeait. On tremblait à la vue de Louis XIV, on était rassuré à celle de Catherine II. Louis était ivre de sa gloire; Catherine la cherchait et l'étendait sans perdre la tête. »

Entre le prince de Ligne et le comte de Ségur, Catherine se sent constamment et spirituellement encensée. Elle dit d'eux qu'ils sont ses « ministres de poche ». Soucieuse de leur plaire, tant par sa munificence que par sa simplicité, elle n'hésite pas à recevoir, devant eux, d'humbles paysans. Ces malheureux l'entretiennent d'un four communal en ruine, d'une récolte perdue, d'une église qui se lézarde, et elle les écoute aussi attentivement que s'ils étaient les envoyés d'un roi. Ce qui surprend le plus les diplomates étrangers, c'est le mélange de vénération et de familiarité qui marque les rapports de la souveraine et de ses sujets. Les mêmes moujiks, qui se prosternaient devant elle comme devant une icône, lui parlent ensuite avec une sorte de liberté inconsciente, la tutoyant, l'appelant « petite mère ». Catherine, bien que depuis longtemps russifiée, est, elle aussi, parfois déroutée, charmée, comme aux premiers jours, par les multiples contradictions de son peuple. Il est à la fois mystique et païen, ébloui par Dieu et miné par toutes les superstitions; il accepte aisément l'esclavage du corps, mais chante la liberté de l'esprit; il est doux et soudain des accès de cruauté l'enivrent; il déteste la guerre et se bat avec une vaillance folle; il rosse sa femme et respecte l'idée de la mère; il hait la noblesse et ne peut se passer de maître... Par moments, l'impératrice songeuse se demande si elle n'en apprend pas plus sur la Russie auprès de ces quémandeurs ignares qu'auprès de ses ministres avisés. Mais on ne va pas contre le métier. La politique se fait dans les cabinets, non sur le terrain, dans la foule. Pour agir, il faut s'abstraire de la réalité fragmentaire des visages et des âmes. Voir par masses. Compter par millions d'habitants. Déplacer les frontières sans se soucier des individus. La tendresse n'est pas une vertu gouvernementale.

Enfin, le printemps, si impatiemment attendu, tiédit l'atmosphère, la neige fond, des salves d'artillerie annoncent « la débâcle du Borysthène » (le Dniepr). Potemkine a décidé que le voyage, pour plus de commodité, se poursuivra par voie d'eau. Afin de faciliter la navigation dans la partie sud, il a fait sauter les rochers et égaliser les bancs de sable qui, çà et là, embarrassaient le fleuve. Sept galères gigantesques, peintes en rouge et or, sont réservées à la tsarine et à ses hôtes de marque. Soixante-treize autres, plus sommaires, transporteront le menu fretin de la cour. L'équipage total se compose de trois mille hommes. Parmi eux, combien de galériens rivés à leurs rames? Les mémorialistes ne le disent pas : la chose est trop banale pour être notée. On embarque avec joie. Dans les cabines, les passagers émerveillés découvrent un réduit pour la toilette avec une réserve d'eau, un lit confortable, un divan tendu de taffetas chiné, un bureau d'acajou, des fauteuils. Chaque bateau de luxe a une salle de musique, un salon commun avec bibliothèque, et une tente, sur le pont, pour pouvoir prendre l'air à l'abri du soleil. Douze musiciens soulignent d'un petit air guilleret les entrées et les sorties des invités. L'orchestre du navire impérial est dirigé par le maestro Sarti en personne. Les repas des intimes se prennent sur la galère de Catherine, mais une galère spéciale, comportant une salle à manger de soixante-dix places, réunit les convives pour les réceptions importantes. Une nuée de chaloupes et de canots va et vient sans cesse sur les flancs de cette escadre qui ressemble, dit Ségur, « aux créations de la féerie ». Les deux lits jumeaux que chacun peut voir dans la cabine de l'impératrice ne laissent aucun doute sur ses relations avec Mamonov. Un soir, Mamonov retient quelques personnes pour une partie de cartes. Le prince de Nassau, qui est du nombre, raconte la scène : « A peine étions-nous à jouer dans le petit salon de l'impératrice, qu'elle entra, en déshabillé, décoiffée et prête à mettre son bonnet de nuit. Elle nous demanda si elle ne nous gênerait pas. Elle s'assit près de nous, fut très gaie et d'une amabilité charmante. Elle nous fit des excuses sur son déshabillé qui était cependant des plus galants. Il était de taffetas abricot, avec des rubans bleus... Elle resta avec nous jusqu'à dix heures et demie. »

La cabine du prince de Ligne jouxte celle du comte de Ségur. Au matin, l'envoyé de Joseph II frappe à la cloison, réveille son voisin et lui récite les impromptus en vers qu'il vient de composer. Puis il lui envoie son chasseur avec une lettre où se mêlent « la sagesse, la folie, la politique, la galanterie, les anecdotes militaires et les épigrammes philosophiques ». Ségur lui répond sur le même ton. « Rien ne fut jamais plus suivi et plus exact, écrit-il, que cette étrange correspondance entre un général autrichien et un ambassadeur français, couchés l'un à côté de l'autre sur la même galère, non loin de l'impératrice du Nord, et naviguant sur le Borysthène, à travers le pays des Cosaques, pour aller visiter celui des Tartares. »

Quand l'impératrice s'ennuie, elle fait hisser un signal au mât de son navire et les amuseurs habituels se précipitent : le spirituel comte de Ségur, l'élégant prince de Ligne, le frivole Cobenzl, Fitz-Herbert avec son humour froid, le prince de Nassau, Mamonov, Léon Narychkine... Au cours de ces conversations à bâtons rompus, la politique n'est jamais tout à fait oubliée. Entre deux répliques plaisantes, l'un ou l'autre des ambassadeurs glisse une question insidieuse pour sonder les intentions de Catherine. A moins que ce ne soit elle qui soudain n'embarrasse son voisin de table par une remarque acerbe. C'est ainsi qu'elle apostrophe Ségur : « Vous ne voulez pas que je chasse vos protégés, les Turcs ? En voilà qui vous font honneur ! Si vous aviez, en Piémont ou en Savoie, des voisins qui assassinaient ou capturaient des milliers de vos compatriotes, que diriez-vous s'il me venait soudain l'idée de les défendre ? »

Depuis le début de ce voyage « inimitable », Ségur rêve au meilleur moyen de remplir sa mission qui est de conclure un traité de commerce, Fitz-Herbert s'efforce de persuader l'impératrice des avantages qu'elle tirerait d'un rapprochement avec l'Angleterre et Cobenzl prêche la nécessité d'une identité de vues parfaite entre la Russie et l'Autriche. Heureusement pour Ségur, il a, dans cette affaire, la sympathie de Potemkine. Mais le prince de Tauride est rarement à bord. Son travail de metteur en scène l'oblige, la plupart du temps, à précéder la flottille pour dresser le décor. Un jour, se trouvant aux côtés de Ségur sur le bateau, il le presse de rédiger immédiatement un mémoire sur les clauses du traité qu'il envisage. Ainsi pourra-t-on le présenter, dès ce soir, à l'impératrice. Ravi de l'occasion qui lui est offerte, Ségur s'aperçoit tout à coup que son domestique s'est absenté, emportant la clef de sa table-bureau. Qu'à cela ne tienne : il demande à Fitz-Herbert de lui prêter, pour un moment, son nécessaire à écrire. Celui-ci s'exécute aussitôt, sans méfiance, et c'est avec la plume de l'ambassadeur d'Angleterre et sur son papier à lettres que Ségur établit le projet de traité dont son collègue britannique ne veut à aucun prix. Peu de temps après, le traité sera signé et Fitz-Herbert, apprenant les conditions étranges dans lesquelles il a été préparé, s'amusera, avec *fair-play*, de sa mésaventure diplomatique.

La descente du Dniepr se poursuit avec lenteur et magnificence. Les orchestres jouent des airs entraînants sur les galères pavoisées. La flottille accoste souvent pour que la souveraine et ses invités puissent voir de près la foule bariolée des adorateurs de Sa Majesté. Les façades des maisons sont décorées de guirlandes et de tapis. Tout est riant, accueillant et prospère. Il n'y a que des gens heureux en Russie. Pas une masure délabrée, pas un mendiant haillonneux. Les individus de mauvaise mine sont refoulés à l'intérieur des terres et les bicoques croulantes sont dissimulées derrière des architectures légères, en bois peint. Ce sont les « villages à la Potemkine », dont le prince de Ligne se demande s'ils ont des toits, des portes, des fenêtres et des habitants. Ce qui est vrai, en tout cas, c'est le paysage grandiose, le ciel bleu, le soleil, la steppe parsemée de fleurs. Parfois, des troupes de cavaliers cosaques surgissent du désert et se livrent à des chevauchées farouches, à des jeux équestres dont la violence et l'adresse laissent les voyageurs pantois. Mais ne sont-ce pas les mêmes guerriers que l'on retrouve, sous un autre costume, à la halte suivante? La figuration se déplace avec les bateaux. Des villages entiers sortent du néant. Pendant la nuit, des équipes d'ouvriers tracent des routes qui ne serviront qu'une fois, des jardins destinés à un seul regard. « L'impératrice passée, on rechassa tous ces malheureux chez eux, écrit Langeron. Beaucoup moururent des suites de cette transplantation. »

Potemkine se révèle le magicien de l'instant, le roi du trompe-l'œil. Pourtant, tout n'est pas illusoire dans son œuvre. Il a vraiment levé une armée de Cosaques, organisé l'agriculture, fondé des villes, attiré des populations nomades, des colons étrangers, construit des bateaux, ouvert des ports. Cela ne lui paraît pas suffisant. Pour être digne de l'impératrice, il ajoute à la réalité la fiction. Il introduit, dans le présent, les couleurs d'un avenir possible. Catherine se rend bien compte qu'il y a beaucoup d'artifice dans cette présentation optimiste de son pays. Mais elle sait faire la part de l'authenticité et celle de l'hommage. Habituée aux arcs de triomphe et aux salves d'artillerie, elle trouve presque naturel qu'on enjolive la vérité. Le comte de Ségur et le prince de Ligne, en revanche, ont l'impression de vivre un mirage. Tout est faux autour d'eux, les objets et les sentiments. Et cependant, tout les charme. Transportés hors du temps, ils font partie de la flotte de Cléopâtre. Moderne reine d'Égypte, « Catherine, écrit le prince de Ligne, n'avale point de perles, mais elle en donne beaucoup ». Avec de Ligne, Ségur, Cobenzl, Fitz-Herbert, Nassau, c'est toute l'Europe des ambassades et des salons qu'elle promène, enchaînée par des guirlandes de fleurs. De jour en jour, Potemkine, l'organisateur du spectacle, se persuade un peu plus de sa réussite. En servant Catherine, il sert sa propre renommée. La gratitude de la tsarine lui est acquise. Elle est fière, tout ensemble, de son mari et de son pays. Et les ambassadeurs qui l'accompagnent, sans être entièrement dupes de la mise en scène, reconnaissent la grandeur écrasante de la Russie et en font part à leurs gouvernements inquiets.

« D'immenses troupeaux animaient les prairies, écrit Ségur, des groupes de paysans vivifiaient les plages ; une foule innombrable de bateaux, portant des jeunes garçons et des jeunes filles qui chantaient des airs rustiques de leur pays, nous environnaient sans cesse ; rien n'était oublié... Cependant, en retranchant tout ce qu'il y avait d'artifice dans ces créations, on y reconnaissait aussi quelques réalités. Lorsqu'il (Potemkine) avait pris possession de son immense gouvernement, on n'y comptait que deux cent quatre mille habitants et, sous son administration, la population, en très peu d'années, s'était élevée à huit cent mille. »

A Kaniev, la navigation s'interrompt pour permettre une singulière rencontre. Stanislas-Auguste Poniatowski, roi de Pologne et amant inconsolable de Catherine, a obtenu la grâce de la revoir après vingt-huit ans de séparation. En prenant pied sur la galère impériale, il tient à marquer qu'il ne vient pas en souverain, mais en ami, et annonce aux dignitaires réunis pour l'accueillir : « Messieurs, le roi de Pologne m'a chargé de vous recommander le prince Poniatowski. » Il espère que de tendres souvenirs de jeunesse éclaireront son tête-à-tête avec la tsarine. Mais il n'y a pas de tête-à-tête. Catherine le reçoit en présence de son favori Mamonov. Devant Poniatowski, à la place de la svelte grande-duchesse qu'il a connue, se tient une forte matrone au menton proéminent, au buste rebondi et à l'œil dominateur. Il est néanmoins très ému. Même épaissie par l'âge, elle demeure pour lui l'unique femme qu'il ait aimée. Il tente de lui expliquer que l'ambassadeur de Russie en Pologne, le prince Repnine, est devenu le véritable maître du royaume, que le pays souffre de cette tyrannie étrangère, qu'elle seule pourrait adoucir le sort des pauvres Polonais. Elle l'écoute avec une aimable indifférence, sous l'œil vindicatif de « Monsieur l'Habit rouge ». Poniatowski la quitte, pâle et désespéré. Entre elle et lui, le passé est mort à jamais. Il vient de voir sinon une femme sans cœur, du moins une femme sans mémoire. De son côté, Catherine est ravie de l'occasion qui lui a été offerte, en recevant son amant d'autrefois, de piquer la vanité de son amant du jour. Mamonov, en effet, simule le dépit, la colère. Il ose lancer de timides reproches à Sa Majesté, et elle les accueille avec joie, trop heureuse de pouvoir encore susciter la jalousie d'un si jeune homme. Elle fait part à ses intimes de la pitié que lui inspire l'ombrageux « Sacha ». Ségur et de Ligne sont stupéfaits par l'ingénuité de la tsarine. Mais nul n'ose la détromper. Et la scène s'achève pour elle sur le délicat plaisir d'une victoire sentimentale. Au dîner offert en son honneur par Poniatowski, elle traite le roi de Pologne avec une froideur protocolaire, tout en surveillant, d'un regard amusé, le comportement de son favori. En se levant de table, Poniatowski cherche son chapeau. Catherine le lui tend. Avec tristesse, il murmure : « Ah ! Madame, vous m'en avez donné autrefois un bien plus beau ! » Il la supplie de lui accorder encore une journée à bord de la galère. Elle refuse. A quoi bon remuer la cendre ? Il paraît si ébranlé par ce renvoi brutal que le prince de Ligne lui dit à l'oreille : « N'ayez donc pas cet air affligé : vous faites triompher la cour qui vous entoure et vous déteste! » Il s'en va, brisé, regrettant sans doute d'avoir gâché tant de beaux souvenirs par une rencontre inopportune.

A peine est-il loin, qu'on annonce l'arrivée de l'hôte le plus attendu : Joseph II. Selon son habitude, il se déplace sous le pseudonyme de comte de Falkenstein et entend être traité en simple touriste. Il embarque à Kaydak et subit à son tour l'extraordinaire envoûtement du voyage. Tout en ironisant sur le caractère théâtral de cette entreprise, il reconnaît, à part soi, que la Russie le confond par sa richesse et son étendue. Une aigre pointe d'envie se mêle à sa prétendue amitié pour Catherine. Sur l'emplacement de la future ville d'Iekaterinoslav (autrement dit « Gloire de Catherine[1] ») le gouverneur, les dignitaires, le clergé sont assemblés pour la cérémonie inaugurale Catherine pose la première pierre et offre à Joseph II de sceller la deuxième. Après avoir rendu la truelle, il se tourne vers Ségur et chuchote : « L'impératrice a posé la première pierre et moi la dernière. » Prophétie erronée, car la cité se construira et se développera avec rapidité. « Nous autres, en Allemagne et en France, n'aurions jamais osé entreprendre ce qui se fait ici, observe Joseph II avec rancœur. Ici, on compte pour rien la vie et l'effort humains; ici, on construit des routes, des ports, des forteresses, des palais, sur des marais; on plante des forêts dans les déserts; tout cela, sans payer les ouvriers qui, sans proférer une plainte, sont privés de tout, couchent par terre et souvent souffrent de la faim... Le maître ordonne, l'esclave obéit... En outre, Catherine peut dépenser ce que bon lui semble, et cela sans s'endetter. Sa monnaie vaut ce qu'elle veut qu'elle vaille : elle peut battre de la monnaie de cuir[2]. »

1. Aujourd'hui, Dniepropétrovsk.

2. Cf. Henry Vallotton. *Catherine II*. A rapprocher de l'opinion de Possochkov, citée plus haut, p. 202.

Des cataractes coupent, à Kaydak, le cours du Dniepr. Abandonnant les galères, toute la compagnie poursuit sa randonnée par la route, à travers la steppe. Le voyageur étranger ne peut se défendre d'un sentiment de petitesse et d'angoisse devant ces vastes étendues vertes, qui courent, sous un ciel de feu, jusqu'à l'horizon vibrant. L'absence de toute habitation l'incline à croire qu'il a définitivement quitté le monde des hommes. Il est livré, sans défense, à la volonté du soleil, de l'herbe, de la poussière et du vent. Avec quel soulagement, il voit se profiler au loin le moindre monticule, le plus humble village! L'arrivée à Kherson est saluée par tous comme une victoire sur l'obsédante monotonie des plaines du Sud. Catherine exulte. Il y a six ans à peine que cette localité est tombée aux mains des Russes, et déjà Potemkine en a fait une cité de première grandeur. Maisons blanches, rues droites, végétation exubérante. Des centaines de bateaux de commerce dressent leurs mâts au-dessus de l'estuaire, les entrepôts des quais débordent de marchandises, les cloches des églises sonnent, un peuple disparate se presse dans les rues, la forteresse pointe ses canons vers le large, deux grands navires de guerre bombent leurs flancs au chantier naval et Ségur, courant les boutiques, y découvre avec stupeur des articles à la dernière mode de Paris. L'impératrice voudrait pousser jusqu'à Kinburn, vis-à-vis d'Otchakov; mais une petite escadre turque vient mouiller dans le Liman, près de la forteresse ottomane, et Sa Majesté renonce sagement à la provocation. Il y a tant à voir, dans le reste du pays! Après quelques jours de repos, la caravane reprend sa marche vers Pérékop.

A présent, on passe la nuit en pleine steppe, sous des tentes richement décorées et meublées. Comme Ségur déplore la platitude du paysage, Catherine lui dit, avec humeur : « Pourquoi vous gêner, monsieur le comte? Si vous craignez l'ennui des déserts, qui vous empêche de partir pour Paris où tant de plaisirs vous appellent? » Ségur se récrie : « C'est, Madame, me juger aveugle, ingrat, sans discernement et sans goût! J'ose même ajouter que j'y vois avec peine un reste de prévention contre les Français qui ne méritent pas une opinion si peu fondée! Nulle part vous n'êtes plus appréciée et admirée qu'en France! » Catherine se radoucit.

Le soir, en quittant la tente de la tsarine, Joseph II prend Ségur par le bras et l'entraîne dans la steppe. La nuit étoilée, d'une pureté irréelle, pèse sur cette étendue sans bornes, sombre, moirée d'argent. Une caravane de chameaux passe, en ombres chinoises, à l'horizon. Dans le silence interplanétaire, les cris des conducteurs retentissent comme venant d'un autre monde.

— « Quel singulier voyage! soupire l'empereur. Et qui aurait pu s'attendre à me voir, avec Catherine II et les ministres de France et d'Angleterre, errant dans le désert des Tartares? C'est une page toute neuve d'histoire!

— « Il me semble plutôt, lui répond Ségur, que c'est une page des *Mille et une nuits,* que je m'appelle Giafar, et que je me promène avec le calife Haroun-al-Rachid, déguisé selon sa coutume! »

Quelques pas plus loin, les deux hommes tombent sur un campement de nomades. « Je ne sais si je veille ou si votre mot des *Mille et une nuits* me fait illusion! s'écrie l'empereur. Regardez de ce côté! » A leur grande surprise, l'une des tentes, en poil de chameau, marche à leur rencontre. Les Kalmouks, réfugiés à l'intérieur, déplacent leur gîte sans le démonter. Ségur et Joseph II leur rendent visite dans leur maison portative. Puis, comblés de pittoresque, ils retournent à leur propre campement.

Les tentes des hôtes de marque sont soutachées d'argent. Celles qui abritent l'impératrice, l'empereur, Potemkine et les ambassadeurs sont, en outre, parsemées de pierres rares qui scintillent dans la pénombre. La plus spacieuse et la plus haute de ces constructions de toile est surmontée d'une couronne et d'un aigle bicéphale[1]! Sous cet emblème orgueilleux, repose

1. Cf. M. Lavater Sloman : *Catherine II et son temps.*

une petite femme replète, à la santé inébranlable et à l'esprit vif, qui, jusque tard dans la soirée, a travaillé avec ses ministres. Perdue dans les steppes du Sud, elle doit cependant gouverner son empire avec autant de fermeté que si elle siégeait dans son palais, à Saint-Pétersbourg. La capitale de la Russie est là où se trouve la tsarine. A chaque halte, des courriers la rejoignent, venant des quatre coins du monde. Elle suit avec une attention particulière les dissensions de l'Angleterre et de la France au sujet d'un éventuel conflit entre la Russie et la Turquie. Un jour, agacée par les échos qui lui parviennent de la cour de Saint-James et de la cour de Versailles, elle assigne à Ségur et à Fitz-Herbert la même tente, qui ne contient qu'une seule petite table. Assis face à face, les deux ambassadeurs rédigent leurs rapports ultra-secrets, et probablement contradictoires, en échangeant, de temps à autre, un regard soupçonneux. Le soir, au souper, on rit de la taquinerie impériale.

La gaieté des voyageurs se change en inquiétude au moment où le convoi pénètre en Crimée. En effet, pour manifester sa sympathie à la population de ces territoires récemment annexés, Catherine décide de renoncer à être gardée, en cours de route, par des troupes russes. Or, il n'y a pas quatre ans que le khan de Crimée a cédé sa place à un gouverneur nommé par elle. Dans ce pays farouchement musulman, des fonctionnaires chrétiens ont succédé aux fonctionnaires mahométans, des églises à coupoles dorées ont poussé entre les minarets, des femmes dévoilées ont envahi les rues, suscitant la colère des tenants de l'ancien ordre des choses. En dépit du danger, la tsarine fait confiance au loyalisme de ces tribus qui se sont « volontairement » rangées sous son drapeau. Elle sait que l'Orient a le respect de la parole donnée. Elle exige de faire son entrée à Bakhtchisaraï, entourée d'une escorte indigène. Tout à coup, les ambassadeurs épouvantés voient arriver douze cents cavaliers tartares, superbement vêtus. et armés jusqu'aux dents. Comment ces hommes si dédaigneux de la femme et si hostiles aux chrétiens peuvent-ils accepter qu'une femme et une chrétienne les commande? Roulant dans la même voiture que le comte de Ségur, le prince de Ligne lorgne d'un œil amusé les farouches guerriers au teint olivâtre et aux pommettes proéminentes qui chevauchent à leur hauteur. « Convenez, mon cher Ségur, dit-il en riant, que ce serait un étrange événement, qui ferait un beau bruit en Europe, si les douze cents Tartares qui nous enveloppent s'avisaient de nous entraîner à toute bride vers un petit port voisin, d'y embarquer l'auguste Catherine, ainsi que le puissant empereur des Romains, Joseph II, et de les conduire à Constantinople pour l'amusement et la satisfaction de sa hautesse Abdul-Hamid, le souverain commandeur des croyants; et ce tour d'adresse n'aurait rien d'absolument immoral; car ils pourraient bien, sans aucun scrupule, escamoter deux souverains qui viennent, au mépris du droit des gens et de tous les traités, d'escamoter leur pays, de détrôner leur prince et d'enchaîner leur indépendance. »

Mais les nouveaux sujets de Catherine lui témoignent, comme elle l'a prévu, une fidélité sans défaut. Ils lui sauvent même la vie, lorsque, sur la route qui descend en pente raide vers Bakhtchisaraï, les chevaux de son carrosse s'emballent. Lancée à fond de train, la voiture dévale la côte en tressautant et en penchant de droite et de gauche. Impossible de l'arrêter. Encore une seconde, et elle s'écrasera contre les rochers. Enfin, à l'entrée de la ville, les chevaux se cabrent, tombent, les roues leur passent sur le corps, la caisse va chavirer, sous la violence du choc, mais les cavaliers tartares se précipitent et la maintiennent en équilibre. Les occupants sont indemnes. Joseph II, qui se trouvait à l'intérieur, avoue qu'il a eu très peur. Cependant, dit-il, « Catherine n'a laissé voir sur ses traits aucune trace de crainte ».

A Bakhtchisaraï, l'impératrice s'est installée dans l'ancien palais du khan. « Elle jouissait, avec l'orgueil d'une souveraine, d'une femme et d'une chrétienne, de se voir assise sur le trône des Tartares, jadis conquérants de la Russie et qui, peu d'années avant leur défaite, venaient encore ravager ses provinces », écrit

Ségur. A ses hôtes étrangers, elle explique volontiers que, pendant plus de dix siècles, les rudes habitants de cette terre ont pillé les terres voisines et expédié, chaque année, des milliers d'esclaves blancs en Asie Mineure. Malgré les griefs qu'elle pourrait avoir contre une population orgueilleuse qui traite encore les Russes d' « infidèles » et de « chiens », elle a décidé de protéger la religion, les mœurs et la langue des Tartares. Cette tolérance est payante. Pas de révolte dans le pays. Mais une indifférence apathique, un flegme affecté. Dans la rue, les passants, les marchands, les artisans feignent d'ignorer la splendeur du cortège impérial. Ils regardent ailleurs ou tournent le dos. « Loin de s'humilier, écrit Ségur, jamais ils n'attribuent la honte de leurs revers à leur ignorance : ils n'en accusent que la fatalité. »

C'est avec ivresse que les voyageurs découvrent les douceurs de la Crimée. Sous la chaude lumière méridionale, ils admirent les maisons blanches engourdies, les oliviers au tendre feuillage argenté, les palmiers aux plumets baroques, brillant d'un éclat verni, les jardins débordant de roses, de lauriers, de jasmins, les montagnes violettes et, au loin, la mer d'un vert émeraude opaque et dur. Est-il possible que ce paradis luxuriant fasse partie du même empire que les plaines neigeuses du Nord? Décidément, Catherine a tous les fruits de la terre dans son sac!

De Bakhtchisaraï, la compagnie fait un saut jusqu'au nouveau port de Sébastopol. Un repas en musique réunit les invités dans la salle du palais. Soudain, les fenêtres donnant sur un large balcon s'ouvrent à deux battants et les convives stupéfaits aperçoivent, au milieu de la rade, une magnifique flotte, dont les navires, rangés en ordre de bataille, saluent l'impératrice du bruit de leurs canons. Le vacarme de l'artillerie semble destiné autant à honorer la souveraine qu'à intimider Constantinople. Les ministres russes trépignent d'ardeur belliqueuse. Il n'a fallu que deux ans à Potemkine pour construire et équiper la prodigieuse armada du Sud. Que Sa Majesté dise un mot, et toute cette puissance de feu se tournera contre les Turcs. Mais

Catherine garde la tête froide. Le moment n'est pas encore venu. Elle passe la flotte en revue, assiste au lancement de trois bâtiments et charge Boulgakov, ambassadeur de Russie auprès de la Porte, de présenter au sultan une note pacifique. Après avoir visité la ville nouvelle de Sébastopol, où une foule d'ouvriers s'affaire sur les chantiers, elle demande à Ségur ce qu'il pense de cette cité, de ce port, de cette flotte. « Madame, répond-il, par la création de Sébastopol, vous avez achevé dans le Midi ce que Pierre le Grand avait commencé dans le Nord. »

En revenant à Bakhtchisaraï, Ségur et de Ligne retrouvent leurs appartements dans le palais du khan. De fait, ils sont logés dans l'ancien harem du prince. Chacun dispose d'une vaste chambre, aux parois de marbre et au sol dallé. Un divan en fait le tour. Au centre, dans une vasque, murmure un jet d'eau. Les fenêtres sont à demi masquées par un entrelacs de végétation, où se mêlent les rosiers, les lauriers, les jasmins, les grenadiers et les orangers. Le séjour dans ce « cabinet voluptueux », selon l'expression de Ségur, incline l'âme aux débordements sentimentaux. Le prince de Ligne, malgré ses cinquante ans, ne tient plus en place. « Il faut au moins, avant de quitter la Tauride, que j'entrevoie une femme sans voile! dit-il à Ségur. Voulez-vous m'accompagner dans cette entreprise? » Ségur accepte et les deux chasseurs se mettent en route. Après avoir longtemps erré à travers la campagne, ils aperçoivent, à la lisière d'un petit bois, trois femmes qui se lavent les pieds dans un ruisseau. Dissimulés derrière un bouquet d'arbres, ils les contemplent à leur aise. Elles ont ôté leur voile. Mais, quelle déception! elles ne sont ni jeunes ni jolies. « Ma foi, chuchote de Ligne, Mahomet n'a pas tant de tort en voulant qu'elles se cachent! » A peine a-t-il prononcé ces mots, que les trois femmes, tournant la tête, avisent les impudents, poussent des cris et se masquent le visage. A leur appel, des Tartares accourent, brandissant des coutelas. Ségur et de Ligne détalent à travers l'épaisseur du bois. Le lendemain, au cours d'un grand dîner, de Ligne, toujours soucieux d'égayer Sa Majesté, lui raconte leur équipée de la veille. Quelques convives éclatent de rire, mais Catherine fronce les sourcils. « Messieurs, dit-elle, cette plaisanterie est d'un très mauvais goût et d'un très mauvais exemple. Vous êtes au milieu d'un peuple conquis par mes armes; je veux qu'on respecte ses lois, son culte, ses mœurs et ses préjugés. Si l'on m'avait raconté cette aventure sans m'en nommer les héros, loin de porter mes soupçons sur vous, j'en aurais plutôt cru coupables quelques-uns de mes pages, et je les aurais sévèrement punis. » Les deux fautifs baissent la tête. L'impératrice, magnanime, n'insiste pas.

Le voyage se poursuit dans l'euphorie. Certains arcs de triomphe, élevés au passage de la tsarine, portent une inscription provocatrice : « Chemin de Byzance. » Il y a tant de feux d'artifice, tant d'illuminations, que le prince de Ligne « craint de devenir un lampion à force d'en voir ». Pour le récompenser de sa bonne compagnie, de son esprit, de son entrain, Catherine lui fait don d'une terre grande comme une province française. Elle l'emmène en carrosse pour jeter de la menue monnaie aux populations agenouillées. Il puise à pleines mains dans un sac ouvert à son côté et il sème. « Les habitants viennent de quinze à vingt lieues se mettre sur notre passage pour voir l'impératrice, écrit-il. Ils se couchent ventre à terre dès qu'elle arrive. Ce sont ces dos et ces têtes baisant la terre que j'écrase d'or, au grand galop, et cela m'arrive six fois par jour. Je me trouve, par hasard, le grand aumônier de la Russie. »

Ségur est également comblé de cadeaux. Par Catherine bien sûr, mais aussi par Potemkine. Le prince de Tauride est d'une humeur de plus en plus capricieuse. Tantôt il se réfugie pour jeûner et prier dans la grotte d'un ermite du voisinage, tantôt, débordant de force, d'allégresse et d'invention, il convie la tsarine et ses invités à une fête dont l'éclat a raison de leur fatigue et de leur accoutumance. Certain jour, il reçoit les diplomates étrangers affalé sur un divan, les cheveux ébouriffés, l'œil atone, et se plaint des difficultés financières de l'empire, puis, au cours d'une réception fastueuse, il remet à l'impératrice un collier de perles d'un prix incalculable. Son originalité, pense Ségur, frise la folie. Un matin, comme l'ambassadeur de France s'apprête à sortir, il se heurte à une jeune beauté, vêtue en Circassienne. La stupeur le cloue sur place : l'inconnue ressemble, trait pour trait, à sa femme. « Je crois un moment que madame de Ségur est venue de France me retrouver et qu'on s'est plu à me le cacher et à me ménager cette rencontre inopinée », écrit-il. Comme la vision s'éloigne de lui, Potemkine le prend par le bras et dit : « La ressemblance est-elle donc si parfaite? » « Complète et incroyable », répond Ségur. Potemkine éclate de rire. Sans doute a-t-il eu l'occasion de voir le portrait de la comtesse sous la tente de l'ambassadeur. « Eh bien! mon petit père, reprend-il, cette jeune Circassienne appartient à un homme qui m'en laissera disposer; et, dès que vous serez à Pétersbourg, je vous en ferai présent. » Interloqué, Ségur balbutie : « Je vous remercie, je ne l'accepte point, et je crois qu'une telle preuve de sentiment paraîtrait fort étrange à madame de Ségur. » Potemkine est ulcéré par ce refus, qu'il juge incompréhensible. Pour apaiser la susceptibilité du prince de Tauride, l'ambassadeur de France devra accepter un autre cadeau : un jeune enfant kalmouk, nommé Nagun. « J'en pris soin quelque temps, écrira Ségur; je lui fis apprendre à lire; mais... la comtesse de Cobenzl, qu'il divertissait beaucoup, me pressa si vivement de le lui céder, que j'y consentis. »

Le convoi prend enfin la route du retour. Depuis une semaine, Joseph II est rendu soucieux par les nouvelles de troubles aux Pays-Bas. Il se demande ce qu'il est venu faire dans ce train de rêve. « On nous a menés d'illusion en illusion, dit-il à Ségur. Ce qui est intérieur, ici (en Russie), a de grands défauts; mais l'extérieur a autant de réalité que d'éclat. » Et il ajoute, parlant de Catherine : « Ce que je ne conçois pas, c'est qu'une femme si fière et si soigneuse de sa gloire montre une si étrange faiblesse pour les caprices de son jeune aide de camp Mamonov, qui n'est réellement qu'un enfant gâté. » A Borislav, l'empereur prend congé de l'impératrice, non sans lui avoir recommandé la prudence à l'égard de la Turquie et la fermeté à l'égard de la Prusse.

Quelques jours plus tard, à Poltava, un spectacle grandiose, monté par Potemkine, attend les voyageurs qui croyaient avoir épuisé toutes les possibilités de surprise. Cinquante mille hommes de troupe, habillés les uns en soldats russes, les autres en soldats suédois, reproduisent, par leurs manœuvres, les différentes phases de la fameuse bataille qui, en 1709, s'est achevée par l'écrasante victoire de Pierre le Grand sur Charles XII. Le tsar, le roi de Suède, Menchikov, Chérémétiev sont figurés par des officiers russes. Charges de cavalerie, feu vif de l'infanterie, canonnade, les spectateurs médusés se croient transportés en pleine guerre. « La joie et la gloire brillaient dans les yeux de Catherine, écrit Ségur. On aurait pu croire que le sang de Pierre le Grand coulait dans ses veines. »

Après cette exhibition militaire, le cortège des voitures continue sa lente progression vers le Nord. Dans cette partie de l'empire, on n'a pas besoin d'un régisseur génial pour dresser les décors et ameuter la figuration. La richesse des provinces traversées saute aux yeux. Les vivats hurlés au passage de l'impératrice partent d'un cœur sincère. Même le sceptique Ségur écrit : « Là, on recevait l'impératrice comme une mère, et le peuple, protégé par elle contre les abus de pouvoir des seigneurs, faisait éclater un enthousiasme qui n'était inspiré que par la reconnaissance. »

A Kharkov, Potemkine, saisi d'une brusque lassitude, décide de fausser compagnie à Sa Majesté et de retourner dans le Sud. Catherine s'inquiète de le voir si abattu après son triomphe d'organisateur. N'est-il pas malade? Elle lui écrit : « Par la grande chaleur que vous avez dans le Midi, je vous demande très humblement, faites-moi le plaisir de bien vous soigner, pour l'amour de Dieu et pour le nôtre. » Et encore : « Vous me servez et j'en suis reconnaissante, voilà tout! Quant à vos ennemis, vous leur avez tapé sur les doigts par votre dévouement pour moi et par vos soins pour l'État. » Il lui répond :

« Mère impératrice,... vous êtes plus qu'une mère pour moi, car vos soins et le souci de mon bien-être dérivent d'un élan réfléchi... La malice et l'envie n'ont pas réussi à me porter préjudice à vos yeux et toute la perfidie a été vaine... Cette région n'oubliera pas son bonheur. Au revoir, ma bienfaitrice et ma mère. Que Dieu me donne l'occasion de montrer au monde entier à quel point je suis votre obligé et que je suis votre dévoué esclave jusqu'à la mort [1]. »

Par Koursk, Orel, Toula, Moscou, à travers réceptions, bals, spectacles et feux d'artifice, l'impératrice se rapproche de la capitale. Les journées sont chaudes, les étapes épuisantes. Assis, avec Fitz-Herbert, dans le carrosse de Sa Majesté, Ségur constate, à un moment, qu'elle s'est assoupie. Il poursuit à voix basse sa conversation avec l'ambassadeur d'Angleterre. Celui-ci soutient que la révolution américaine, en enlevant treize colonies à la couronne, a été, tout bien réfléchi, plus avantageuse que nuisible à son pays. En effet, dans peu de temps, débarrassé de la dépense que lui occasionne l'administration de ces lointaines contrées, Londres gagnera beaucoup d'argent en commerçant avec elles. La discussion continue sans que l'impératrice, tête inclinée et souffle égal, ne lève les paupières. Le lendemain, elle prend Ségur à part et lui dit : « Vous avez eu hier avec Fitz-Herbert la plus inconcevable conversation, et je ne conçois pas qu'ayant autant d'esprit il ait pu soutenir une opinion si singulière. » Et, comme Ségur s'étonne qu'elle ait tout entendu alors qu'elle paraissait dormir, elle lui réplique : « Je n'avais garde d'ouvrir les yeux. J'étais trop curieuse d'entendre la suite de votre entretien. J'ignore si le roi George III est du même avis que son ministre ; mais, pour moi, je sais bien que, si j'avais comme lui perdu, sans pouvoir la reprendre, une des treize provinces qu'on lui a enlevées, je me serais brûlé la cervelle d'un coup de pistolet. » Une autre réflexion de Catherine étonne le même Ségur. Il se trouve auprès d'elle, lorsqu'on lui annonce

1. Cf. Daria Olivier : *Catherine la Granae.*

l'arrivée d'un gouverneur de province, coupable de n'avoir pris aucune mesure pour lutter contre la disette. « J'espère, dit le ministre Bezborodko, que Votre Majesté lui adressera publiquement la sévère réprimande qu'il mérite. » « Non, répond Catherine, ce serait trop l'humilier : j'attendrai qu'il soit seul avec moi; car j'aime à louer, à récompenser tout haut et à gronder tout bas. »

La randonnée tire à sa fin. Catherine distribue à ses compagnons de route des médailles frappées à l'occasion de l'événement et montrant, d'un côté, le profil de la tsarine, de l'autre, l'itinéraire de son voyage en Crimée. Une inscription rappelle que cette expédition a eu lieu pour le vingt-cinquième anniversaire de son règne, une autre, qu'elle a été entreprise pour « le bien public ».

Lorsqu'on questionne Catherine sur l'impression que lui a laissée cette tournée d'inspection, elle répond avec ironie : « J'ai vu, moi qui vous parle, les montagnes de la Tauride s'avancer à pas graves vers nous et faire la révérence d'un air penché. Qui ne veut pas le croire n'a qu'à aller voir les nouveaux chemins qu'on y a pratiqués! Il verra partout les lieux escarpés changés en pentes douces. »

Le 22 juillet 1787, après plus de six mois d'absence, Catherine rentre à Saint-Pétersbourg. Le cortège se disperse, et chacun, échappé au « cercle de la féerie », éprouve de la peine à reprendre pied dans la grisaille de la vie quotidienne. « Il fallait en revenir aux calculs secs de la politique », note Ségur avec mélancolie. Catherine part pour Tsarskoïé-Sélo, où elle compte passer les grandes chaleurs du mois d'août. Une joie l'attend, en cours de route : ses petits-fils Alexandre et Constantin, accompagnés de Laharpe, viennent au-devant d'elle et l'escortent jusqu'à sa résidence estivale. Aucun arc de triomphe ne lui a procuré plus de plaisir que la vue de ces jeunes visages échauffés par la curiosité. Les enfants lui posent mille questions sur les pays qu'elle a vus, et elle les interroge, avec autant d'avidité, sur leurs études. La rencontre avec le grand-duc Paul est moins exaltante. Il est toujours aussi aigri et aussi ombrageux. Sa femme, la grande-duchesse Marie, attend un sixième enfant.

Le chaudron de la politique bout à gros bouillons. Il faut s'en occuper immédiatement. Joseph II bombarde Catherine de lettres pour la supplier de modérer ses vues sur la Turquie. Elle lui répond évasivement. Ce coin-là sent la poudre. Elle doit, en même temps, tâter le terrain du côté de Gustave III de Suède, dont les plans lui paraissent suspects. Et aussi calmer l'Angleterre, irritée par le traité de commerce franco-russe. Sans oublier de flatter la Prusse, dont les nouvelles prétentions sur la Pologne méritent un examen approfondi. « Je travaille comme un cheval, écrit-elle à Grimm, et mes quatre secrétaires ne me suffisent pas. » Toutes les décisions dépendent d'elle. Les ministres qui l'entourent ne sont que le reflet tremblant de sa pensée. Elle porte à elle seule l'Europe dans sa tête. Un soir, alors qu'elle parle de son « cabinet de Saint-Pétersbourg », où se traitent tant d'affaires internationales, le prince de Ligne lui dit : « Je n'en connais pas un plus petit, car il n'a que quelques pouces de dimension : il s'étend depuis une tempe à l'autre, et de la racine du nez à celle des cheveux! »

CHAPITRE XXIII

GUERRES

Comme il fallait s'y attendre, le voyage de Catherine en Crimée a provoqué, à Constantinople, une colère que les ambassadeurs britannique, prussien et même français s'empressent d'attiser. En dépit des assurances apaisantes de l'impératrice, Abdul-Hamid se juge personnellement offensé par les manœuvres de la flotte et de l'armée de terre russes dans cette zone récemment arrachée à son influence. La presqu'île de Tauride n'est plus, pense-t-il, la province des plaisirs délectables mais une base de départ pour des expéditions militaires, une machine de guerre braquée sur le cœur de la Turquie. En hâte, il rassemble ses troupes. A Catherine, qui feint de s'en indigner, Ségur réplique ironiquement : « Imaginez que le sultan, entouré de ses dignitaires, accompagné d'un puissant allié, avec une flotte énorme et cent cinquante mille hommes, se soit présenté à Otchakov, pourrait-on s'étonner si vous preniez des mesures de précaution? » Ségur a reçu de son gouvernement l'ordre d'adresser à l'impératrice un avertissement solennel. Elle l'écoute avec dédain, le plaisante sur ses amitiés avec les barbus à turbans et le surnomme : « Ségur-Efendi »[1]. Pour elle, il est

1. Efendi : titre turc, signifiant Seigneur.

incompréhensible que la plupart des États occidentaux, au lieu de soutenir les peuples chrétiens d'Europe, se rangent aux côtés des musulmans d'Asie. Tous ces pays prétendument civilisés ont-ils si peur de la prépondérance russe qu'ils se donneraient au diable pour la contrecarrer? En tout cas, la France de Louis XVI est politiquement trop malade pour qu'on tienne compte de son humeur. L'Angleterre et la Prusse montreront les dents, en cas de conflit, mais ne bougeront pas. Si seulement l'Autriche pouvait en finir avec ses difficultés aux Pays-Bas pour appuyer résolument la Russie! La sagesse serait d'attendre pour mettre le feu à la mèche. D'autant que la disette ravage les provinces de l'Est et que l'armée et la flotte russes, admirables à la parade, ne sont pas encore prêtes pour le combat. Il faut réorganiser, équiper, discipliner, entraîner, approvisionner... Pendant ce temps, des officiers français travaillent à moderniser l'armée turque et des émissaires russes s'infiltrent dans les Balkans, en Égypte, en Syrie, pour acheter des alliances locales. Catherine espère que le sultan, intimidé par la récente démonstration de la puissance russe en Crimée, ravalera sa fureur et hésitera à attaquer, laissant ainsi à Potemkine la possibilité de préparer sérieusement son affaire. Or, Abdul-Hamid, sans doute bien renseigné, remet un ultimatum à Boulgakov, ambassadeur à Constantinople, sommant la Russie de restituer la Crimée. Bien entendu, Boulgakov refuse et il est emprisonné au château des Sept-Tours. C'est la guerre! L'Angleterre et la Prusse se déclarent pour la Porte, la France proclame sa neutralité, la Suède, hostile à la Russie, reste dans l'expectative, en attendant « une occasion propice », et Joseph II, le merveilleux compagnon de voyage, écrit à Catherine : « Je regrette infiniment qu'à cette minute nous ne nous trouvions plus à Sébastopol, d'où nous nous serions dirigés sur Constantinople saluer le sultan et ses déraisonnables conseillers par des coups de canon. »

Malgré ce témoignage d'amitié, Catherine est inquiète. Son secrétaire, Khrapovitski, la voit souvent le front entre les mains, le regard perdu, l'air fatigué, absent. Elle devine que cette guerre ne sera pas facile. Pour les Turcs, il s'agit d'une lutte sainte contre les infidèles. Le grand vizir a parcouru les rues de Constantinople, à l'ombre de l'étendard de Mahomet, appelant le peuple à ne pas ménager son sang pour faire triompher la bonne cause. Du côté russe, aux défauts d'organisation et d'équipement des armées de terre et de mer s'ajoutent les dissensions dans le haut commandement. Des généraux expérimentés, comme Souvorov, Repnine, Roumiantsev, répugnent à recevoir les ordres d'un Potemkine, qui n'a pas encore fait ses preuves sur les champs de bataille. C'est de lui pourtant que dépend le sort de la guerre. Par la volonté de l'impératrice, il cumule les charges de feld-maréchal et de grand amiral. Mais il traverse une crise de dépression et de scepticisme. On dirait que la préparation du voyage en Crimée a usé toute son énergie et qu'il n'a plus assez de ressort pour affronter, après tant d'illusions aimables, la dure réalité des combats. « La représentation est finie, le rideau est tombé, le directeur dort », écrit le prince de Ligne.

Tandis que les Turcs fanatisés attaquent le fort de Kinburn, Potemkine conseille, par lettre, à Catherine de signer la paix avant qu'il ne soit trop tard. Stupéfaite par cette dérobade honteuse devant l'obstacle, elle essaie de lui remonter le moral, à distance. « Fortifie ton esprit et ton âme contre toutes ces difficultés, lui écrit-elle, et sois certain que tu en viendras à bout avec une certaine patience; mais ce serait une vraie faiblesse si, comme tu me l'écris, tu faisais fi de toutes tes capacités et disparaissais. » En octobre 1787, Souvorov défait les Turcs aux portes de Kinburn. Les pertes de l'ennemi sont considérables. Catherine pousse un soupir de soulagement : si Kinburn était tombé, il aurait été impossible de conserver Kherson. Tout le Sud se serait ouvert, mou et sans défense, à la ruée de l'envahisseur. Mais la flotte russe de la mer Noire a été endommagée par une tempête qui a duré cinq jours. Et voilà de nouveau Potemkine qui désespère. Une fois de plus, Catherine le secoue : « Je ne te comprends plus du tout : pourquoi devons-nous renoncer aux avantages que nous avons acquis? Quand un homme est sur un cheval, va-t-il en descendre pour aller à pied? » Et, comme il envisage toujours de se replier avec la flotte et d'abandonner la Crimée, elle éclate : « Qu'est-ce à dire? Sans doute as-tu eu cette idée au premier moment, pensant que toute la flotte avait péri! Mais que deviendrait cette flotte après l'évacuation? Et comment commencer une campagne par l'évacuation d'une province qui n'est pas menacée? Il vaudrait mieux attaquer Otchakov ou Bender, changeant ainsi en offensive la défensive que tu dis toi-même nous convenir moins. D'ailleurs, le vent n'a pas soufflé contre nous seuls, j'imagine! Du courage! Du courage! Je t'écris tout cela comme à mon meilleur ami, mon pupille et mon élève, qui parfois montre plus de résolution que moi-même, mais, en ce moment, j'ai plus de courage que toi, parce que tu es malade et je me porte bien... Je pense que tu es impatient comme un enfant de cinq ans, alors que les affaires qui te sont confiées, dans le temps présent, exigent une patience inébranlable. »

Malgré cet encouragement, dont la tendresse n'exclut pas la fermeté, Potemkine tergiverse. Engourdi par une sorte de sommeil hivernal, son principal souci n'est pas de conquérir Otchakov, mais de limiter les pertes en vies humaines. Il se préoccupe beaucoup du bien-être de ses soldats, adoucit la discipline, donne des instructions aux officiers pour limiter les bastonnades et transforme radicalement la tenue de la troupe. Les vieux uniformes malcommodes, les hautes bottes, les casques pesants sont remplacés par des capotes confortables, des bottes basses, des casques légers. Il ordonne aussi que les hommes coupent leurs tresses « queues-de-rat » et ne se poudrent plus les cheveux, qui seront portés court. « Friser les cheveux, les poudrer, les natter, est-ce là une occupation de soldat? dit-il. Ils n'ont pas de valets attachés à leur personne. A quoi leur servent les papillotes? Tout le monde comprend qu'il est bien plus sain de leur faire laver la tête, de peigner les cheveux, au lieu de les remplir de poudre, de suif, de farine, d'épingles à cheveux et de nattes. La coiffure du soldat doit être telle, qu'aussitôt debout il est prêt. » Ce nouveau règlement est accueilli avec enthousiasme dans l'armée et l'impératrice publie un manifeste exprimant sa satisfaction. En revanche, elle continue de déplorer le manque d'agressivité militaire du feld-maréchal. Avec un entêtement absurde, Potemkine empêche Souvorov d'exploiter ses premiers succès. Sa stratégie personnelle n'est pas l'assaut, mais le piétinement. Il compte sur le temps, sur l'usure de l'adversaire et Souvorov, indigné, lui répond : « On ne prend pas une forteresse rien qu'en la regardant. » Catherine est aux cent coups. Elle harcèle le prince de Tauride : « Qu'en est-il d'Otchakov ? » « Prendrez-vous Otchakov ? » « Quand tombera Otchakov ? » A-t-il oublié les raisons de cette guerre ? Veut-il voir la Crimée envahie ? Rongée de soucis, elle prétend qu'on doit lui rétrécir toutes ses robes. Mais toujours elle s'inquiète de la santé de son grand homme inactif. « Dans ce moment-ci, mon cher ami, lui écrit-elle, vous n'êtes pas un petit particulier qui vit et qui fait ce qui lui plaît. Vous êtes à l'État, vous êtes à moi. Vous devez et je vous ordonne de prendre garde à votre santé. » Ou bien : « Je t'envoie toute une pharmacie de mes remèdes et je souhaite de tout cœur que tu n'en aies aucun besoin... Le second envoi contient une pelisse en renard et un bonnet en zibeline pour que le froid ne te fasse pas de mal... La couronne de lauriers ne sera prête que dans quinze jours. »

En juin 1788, la flotte turque ayant subi de durs revers en deux batailles successives, l'escadre russe peut enfin assiéger Otchakov du côté de la mer, pendant que Potemkine prend l'objectif sous le feu d'une nombreuse artillerie terrestre. Mais, bien qu'il lui soit possible maintenant d'enlever la forteresse par un élan de ses troupes, il reste sourd aux adjurations de Souvorov et laisse traîner le siège.

A présent, sur la carte de la Russie, les regards de Catherine vont vers un autre point, non plus au sud, mais à l'ouest. Jugeant l'impératrice, sa voisine, suffisamment empêtrée avec les Turcs, Gustave III de Suède se rappelle opportunément qu'il est l'allié de la Porte et déclare la guerre à la Russie. Il espère, par des succès militaires, en imposer à la noblesse suédoise qui conteste encore son autorité dans le pays. L'Allemagne et l'Angleterre le soutiennent dans ses intentions belliqueuses. La France le désapprouve. L'ultimatum du roi de Suède, que Catherine appelle plaisamment « Frère Gu », est d'une telle insolence que Ségur le considère comme totalement « dépourvu de raison ». « Il me semble, dit-il à Catherine, que le roi de Suède, bercé par un songe trompeur, a rêvé qu'il venait déjà de gagner contre Votre Majesté trois grandes batailles. » « Quand bien même il aurait gagné trois grandes batailles, monsieur le comte, repond Catherine avec feu, et quand bien même il serait maître à présent de Saint-Pétersbourg et de Moscou, je lui montrerais encore ce que peut, à la tête d'un peuple brave et dévoué, une femme d'un grand caractère, debout sur les débris d'un grand empire. »

Pour déconsidérer son adversaire, elle fait représenter, au théâtre de l'Ermitage, un opéra burlesque de sa composition, *Le Guerrier malheureux*, où Gustave III se montre sous la forme d'un prince nabot, coiffé d'un casque trop grand qui lui descend jusqu'au ventre et chaussé de bottes gigantesques qui lui montent jusqu'à la ceinture. Ainsi équipé, il est mis en fuite, à coups de béquilles, par le commandant invalide d'un fortin russe. Les diplomates assistent, gênés, à ce spectacle, et Catherine devine, à travers leurs fades compliments, la déception qu'elle leur cause par la puérilité de ses railleries. Mais elle a besoin de libérer sa bile, à un moment où le pays se bat sur deux fronts sous le regard malveillant des grandes nations européennes. Pour satisfaire aux exigences de la campagne dans le Sud, elle a dû dégarnir le Nord de ses meilleures troupes et, ainsi, la capitale présente un objectif facile pour les Suédois. Heureusement, la nouvelle flotte, qu'elle avait l'intention d'envoyer en mer Noire après lui avoir fait contourner toute l'Europe, n'a pas encore quitté la mer Baltique. Catherine charge le prince de Nassau, qui est entré au service de la Russie, d'organiser les opérations navales dans ce secteur. Placé sous son autorité directe, le très valeureux et très efficace amiral Greigh va tenter de disperser l'escadre suédoise. Il y a donc un espoir de ce côté-là. Sur terre, en revanche, tout va mal. Les troupes russes sont écrasées ; la place forte de Nyslott tombe aux mains de l'ennemi ; Gustave III marche sur Friedrikshamm. La voie de Saint-Pétersbourg est ouverte. Sûr du succès, Gustave III déclare qu'il donnera un grand bal à Péterhof pour les dames de sa cour, qu'il fera célébrer un *Te Deum* dans la cathédrale Saint-Pierre et Saint-Paul et qu'il jettera bas la statue de Pierre le Grand. La panique s'empare de la capitale. Tandis que des sergents recruteurs raflent et instruisent en hâte des domestiques et des ouvriers pour en faire des soldats, les rumeurs les plus pessimistes courent dans les salons. La ville sera, dit-on, abandonnée, les Suédois se préparent à faire un carnage. Dans les bureaux de l'Administration, des fonctionnaires hagards emballent les archives. Les objets précieux sont enfermés dans des caisses et hissés sur des chariots. La cour attend un ordre de l'impératrice pour se replier sur Moscou. Ceux que leurs charges n'obligent pas à rester sur place prennent déjà la route dans le désordre. A pied, à cheval, en voiture, riches et pauvres fuient un même danger. Catherine ne retient personne. Elle plaisante même. « Il faut reconnaître, dit-elle, que Pierre Ier a créé sa capitale bien près de la Suède ! » A-t-elle l'intention de partir, elle aussi ? Elle ne peut courir le risque de tomber prisonnière. Et pourtant, comment, elle, l'héritière et la continuatrice de Pierre le Grand, accepterait-elle de s'incliner devant ces Suédois qu'il a défaits à Poltava ? Dans l'ignorance des desseins de l'impératrice, les ambassadeurs étrangers se demandent s'ils doivent se préparer à déguerpir avec leurs dossiers ou à rester jusqu'à la reddition de la ville. Délégué par eux, Ségur se rend au palais d'Hiver pour tenter de savoir ce que Sa Majesté a derrière la tête. Comme elle l'interroge sur les bruits qui circulent à son sujet, il ose lui dire :

« On donne presque partout pour certain que Votre Majesté doit partir cette nuit ou l'autre pour Moscou. » Imperturbable, elle demande : « L'avez-vous cru, monsieur le comte ? » « Madame, répond Ségur, les sources d'où vient ce bruit lui donnent un grand air de vraisemblance ; votre caractère seul me porte à en douter. » La tête droite, le regard fier, Catherine oppose à l'inquiétude de son interlocuteur une assurance qui le stupéfie. Les mauvaises nouvelles de ces derniers jours n'ont en rien ébranlé sa foi en la victoire finale. Si elle a fait réunir cinq cents chevaux à chaque poste, sur la route de Moscou, c'est uniquement, affirme-t-elle, pour hâter l'arrivée des renforts nécessaires à la défense de Saint-Pétersbourg. « Mandez donc à votre cour, dit-elle, que je reste dans ma capitale et que, si j'en sortais, ce ne serait que pour aller au-devant du roi de Suède. »

Ségur prend cette attitude pour un défi à l'évidence. Mais les faits donnent raison à l'impératrice. La flotte ennemie est rejointe par l'amiral Greigh qui la repousse et l'enferme dans le port de Sveaborg. L'indignation éclate parmi la noblesse suédoise. Les officiers déçus reprochent à Gustave III d'avoir déclaré la guerre sans consulter la Diète. Cette dissidence, connue sous le nom de Confédération d'Anjala, stoppe net l'avance de l'envahisseur. Le rêve ambitieux de Gustave III semble brusquement compromis.

Catherine se réjouit sans réserve de cette trahison dans les rangs de l'adversaire. « Si le roi était un autre homme, on pourrait avoir pitié de lui, dit-elle. Mais que faire ? Puisqu'on le peut, il faut profiter de l'occasion pour faire baisser pavillon à l'ennemi. » Elle a permis à son fils, que l'exemple de Frédéric II ne laisse pas en repos, de prendre part aux opérations militaires contre la Suède. Mais elle l'a confié à la vigilante autorité du général Moussine-Pouchkine, et, très vite, le grand-duc Paul, écœuré par cette dépendance, rentre à Saint-Pétersbourg. Une fois de plus, il a prouvé son incapacité aux yeux du monde. Comme toujours, il rejette sur sa mère la responsabilité de sa déconfiture. Il soupçonne Potemkine d'avoir intrigué pour qu'il soit envoyé sur le front nord, afin de ne l'avoir pas à ses côtés sur le front sud.

Or, le front sud, justement, se réveille. Après avoir laissé passer tout l'été de 1788 en escarmouches sans lendemain, Potemkine se décide enfin à donner l'assaut général contre Otchakov. Souvorov est grièvement blessé. Une épidémie se déclare. Enragé au combat, Potemkine s'expose avec autant de témérité qu'un jeune officier avide de gloire. Pour entraîner ses soldats, il leur promet le pillage. Le 6-17 décembre 1788, c'est la ruée, l'escalade des remparts sous la mitraille, les combats corps à corps dans les rues, la conquête de la ville, maison par maison, le massacre des habitants, le viol, le vol, l'incendie. Soixante mille Turcs et vingt mille Russes trouvent la mort dans cette boucherie. Le butin est immense. La plus belle pièce est une émeraude de la grosseur d'un œuf que Potemkine envoie à Catherine. C'est le colonel Bauer qui est chargé de porter la bonne nouvelle à l'impératrice. Quand il arrive, en pleine nuit, Sa Majesté, souffrante, est couchée. Il remet les dépêches au favori Mamonov, et celui-ci, bouleversé, réveille sa maîtresse. Elle pleure d'allégresse. Le lendemain, à son lever, elle déclare : « J'étais malade, mais la joie m'a guérie. » Les récompenses pleuvent sur la tête de l'émissaire, du prince de Tauride, des officiers, des soldats. Le poète Derjavine compose une ode :

Tonnerre de la victoire, retentis !
Réjouis-toi, Russe valeureux !

Le peintre italien François Casanova est chargé de représenter ce haut fait dans un tableau. Et Catherine écrit à Potemkine : « De mes deux mains, je vous prends par les oreilles, et, en pensée, je vous embrasse mille fois. »

Cependant, les Turcs, vaincus à Otchakov, ne songent pas à déposer les armes, et le roi de Suède, ayant eu raison de l'opposition qui s'était manifestée dans son armée, dissout la Confédération d'Anjala et reprend les hostilités. En même temps, les Pays-Bas, soulevés contre la domination autrichienne, empêchent Joseph II de porter son plein effort contre la Turquie. L'année 1789 commence néanmoins par de beaux succès. Le prince de Nassau, commandant une nouvelle flotte de galères, inflige aux Suédois une sévère défaite à Swenksund; Roumiantsev triomphe sous Galatz; Souvorov et le prince de Cobourg mettent les Turcs en déroute dans la sanglante bataille de Fokchany... Cela ne suffit pas. Au nord comme au sud, l'ennemi résiste, encouragé par l'Angleterre et la Prusse.

Quant à la France, elle est trop préoccupée par ses affaires intérieures pour peser de quelque poids dans l'équilibre du monde. Ce remue-ménage démocratique français agace Catherine. « Votre tiers état élève de bien hautes prétentions, dit-elle à Ségur. Il excitera le ressentiment des deux autres ordres, et cette discorde peut avoir des suites aussi longues que dangereuses. Je crains que le roi ne se voie forcé à trop de sacrifices, sans parvenir à satisfaire les passions. » Néanmoins, elle affirme à Grimm : « Je ne suis pas de ceux qui croient que nous touchons à une grande révolution. » Et soudain, un coup de tonnerre : la prise de la Bastille. Catherine l'apprend par son ambassadeur à Paris, Simoline. Cette fois, elle ne contient plus sa colère : « Comment des cordonniers peuvent-ils se mêler d'affaires? s'écrie-t-elle. Un cordonnier ne sait faire que des souliers! » Elle hait viscéralement cette multitude stupide qui ose s'attaquer au principe monarchique. « Le ton régnant chez vous est le ton de la crapule », écrit-elle à Grimm. Elle déclare la France « en mal d'enfant, en couche d'un avorton pourri et puant... » « L'Assemblée nationale n'est qu'un tas de chicaneurs... Si l'on en pendait quelques-uns et si on leur ôtait à tous leurs dix-huit mille livres d'indemnité, le reste se raviserait peut-être. » Elle dénonce « le système de l'hydre aux douze cents têtes », qu'il faudrait couper pour rendre la tranquillité au pays. L'innocent Grimm l'ayant priée de lui envoyer son portrait pour Bailly, le nouveau maire de Paris, en échange du portrait que ce dernier ferait parvenir à Sa Majesté, elle répond brutalement : « Il convient aussi peu au maire du palais qui a démonarchisé la France d'avoir le portrait de l'impératrice la plus aristocratique d'Europe qu'à celle-ci de l'envoyer au maire du palais démonarchiseur. Ce serait mettre et le maire du palais démonarchiseur et l'impératrice aristocratissime en contradiction avec eux-mêmes et leurs fonctions passées, présentes et futures. » Elle appelle de tous ses vœux le César qui asservira la Gaule. « Quand viendra ce César? Oh! il viendra, gardez-vous d'en douter! » Puis, elle prophétise : « Si la Révolution prend en Europe, il viendra un autre Gengis ou Tamerlan la mettre à la raison. Voilà son sort; soyez-en assuré. Mais ce ne sera pas de mon temps, ni, je l'espère, de celui de M. Alexandre. » Elle a oublié qu'à ce même M. Alexandre elle a donné un précepteur aux convictions républicaines, Laharpe, et qu'elle s'est toujours targuée de libéralisme. Certaines idées généreuses sont très agréables à manier mais ne résistent pas à l'épreuve des faits. On peut s'intéresser à ses sujets, s'employer à améliorer le sort des plus défavorisés, accorder même quelques libertés, par-ci, par-là, et ne pas tolérer la révolte de la canaille. Le rôle du souverain est de gouverner, celui du peuple, d'obéir. Inverser ce rapport de forces, c'est conduire un pays à la ruine. Les élucubrations fumeuses des philosophes de la subversion ne changeront rien à l'évidence. En vérité, Catherine n'a jamais aimé la France, royaume de légèreté, d'agitation, de désordre. Elle a aimé la culture française. Et subitement une angoisse lui vient : les grands écrivains français qu'elle admire tant, Montesquieu, Voltaire, Diderot, Rousseau, d'Alembert, ne sont-ils pas à l'origine de l'horrible déconfiture où s'abîme le pays? N'ont-ils pas préparé par leurs critiques les errements d'une nation qui semble avoir perdu la boussole? Elle interrogera Grimm : « Vous me dites que vous vengerez un jour Voltaire de l'imputation qu'il a contribué à préparer la Révolution et que vous en indiquerez les vrais auteurs? Je vous en prie, nommez-les-moi et dites-moi ce que vous en savez... J'attendrai... le moment où il vous plaira de disculper dans mon esprit les philosophes et garçons d'iceux d'avoir eu part à la Révolution[1]. » A Ségur, que ses sentiments démocratiques rendent favorable à l'abolition du régime féodal, elle dit tout net : « Je vous avertis que les Anglais veulent se venger de leurs revers en Amérique. S'ils vous attaquent, cette nouvelle guerre vous rendrait service en attirant au-dehors le feu qui vous tourmente. »

Ségur a hâte de retourner en France pour se rendre compte, sur place, des bienfaits de la liberté. De plus, paradoxalement, il est incertain du sort de sa famille au milieu du tumulte révolutionnaire. Catherine lui fait remettre ses passeports et lui accorde une audience d'adieu. « Dites au roi combien je fais de vœux pour son bonheur, lui déclare-t-elle. Je vous vois partir avec peine : vous feriez mieux de rester près de moi et de ne pas aller chercher des orages dont vous ne prévoyez peut-être pas toute l'étendue. Votre penchant pour la nouvelle philosophie et pour la liberté vous portera probablement à soutenir la cause populaire ; j'en serai fâchée, car, moi, je resterai aristocrate : c'est mon métier. Songez-y, vous allez trouver la France bien enfiévrée et bien malade. » « Je le crains, Madame, répond-il, mais c'est ce qui me fait un devoir d'y retourner. »

On se sépare avec tristesse et estime. Mais, très vite, l'évolution de la politique intérieure française amènera Catherine à durcir ses sentiments envers Ségur. Un jour, elle écrira, parlant de lui : « Il y a un homme à qui je ne puis pardonner ses fredaines : c'est Ségur. Fi donc ! il est faux comme Judas[2]. » Et encore : « Chez les uns, il se fait passer pour démocrate, chez les autres, pour aristocrate... Nous avons vu arriver ici le *Comte de Ségur*... Présentement, *Louis Ségur* est atteint de consomption nationale. »

A tout prix, il faut préserver la Russie de la lèpre révolution-

1. Lettres des 5 décembre 1793, 11 février et 31 mars 1794, 6 avril 1796. Cf. Henry Vallotton : *Catherine II*.

2. Lettre à Grimm du 2 mai 1791.

naire française. Dès le 3 novembre 1789, M. Genet[1], le nouveau chargé d'affaires de France à Saint-Pétersbourg, note dans sa dépêche au comte de Montmorin : « On prend ici les précautions les plus sages pour prévenir la communication de la fermentation qui désole la France et la livre à de cruelles convulsions. On n'insère dans les papiers publics que des extraits fort courts de nos affaires intérieures; on fait observer sévèrement la défense de parler politique dans les lieux publics... Ces mesures prudentes sont calculées pour le maintien de l'autorité souveraine autant que pour le salut de l'État. Si les paysans russes, qui n'ont aucune propriété, qui sont tous esclaves, brisaient jamais leurs fers, leur premier mouvement serait de massacrer la noblesse qui possède toutes les terres, et ce pays si florissant serait replongé dans la plus affreuse barbarie. »

Pour l'instant, Catherine n'a aucun souci à se faire du côté de son peuple. Les théories pernicieuses des philosophes français n'ont pas pénétré dans l'épaisseur de ces cervelles illettrées. Des siècles de servitude leur tiennent lieu d'idéal. Les Russes travaillent et se battent. Avec succès. Potemkine s'empare de Bender et d'Akkermann, Souvorov remporte les victoires de Martinechti et de Rimnik, les Autrichiens occupent Belgrade, Repnine enlève le petit fort d'Hadchibéï, qui deviendra Odessa. Mais les Turcs, coriaces, ne se résignent toujours pas à demander la paix. L'année 1790 commence pour Catherine par un deuil, qui l'affecte sentimentalement et politiquement : Joseph II, fatigué, malade, s'éteint au mois de février. Son frère, Léopold de Toscane, qui devient empereur, n'a nullement l'intention de suivre, à l'égard de la Russie, la conduite amicale de son prédécesseur. Il se rapproche de la Prusse et songe même à négocier une paix séparée avec la Porte. La Russie va-t-elle rester seule à lutter contre la Turquie et la Suède? Or, voici que le prince de Nassau subit une terrible défaite sur mer, à

1. M. Genet était un frère de Mme Campan.

Swenksund, sur les lieux mêmes où il a triomphé l'année précédente. Que la Prusse attaque de son côté, et Saint-Pétersbourg est perdu. Le prince de Nassau, désespéré, demande à être destitué de son commandement et renvoie à l'impératrice les décorations qu'il a reçues naguère et dont il ne se juge plus digne. Elle n'accepte ni sa retraite ni ses Ordres. « Mon Dieu, lui écrit-elle avec magnanimité, qui n'a pas connu de grands échecs dans sa vie ? Les plus grands capitaines ont eu leurs déboires. Feu le roi de Prusse était grand, en vérité, après une grande défaite... Tout le monde considérait que tout était perdu alors qu'au même moment il défaisait à nouveau l'ennemi. » En s'exprimant ainsi, c'est elle-même autant que son correspondant qu'elle désire convaincre. Un matin, Bezborodko, se présentant chez elle, la trouve en train de lire Plutarque, « pour se fortifier l'âme », dit-elle. Souvent elle passe des nuits blanches. La défaite navale de Swenksund lui semble présager des lendemains sinistres. Mais ce désastre se révélera curieusement bénéfique. Ayant humilié l'orgueilleuse flotte russe, Gustave III, satisfait, se déclare prêt à la conciliation. Au vrai, tous les partis politiques, en Suède, le pressent d'en finir avec cette guerre absurde. Catherine accepte de discuter les conditions d'une paix honorable. Elle ne cédera pas un pouce de ses territoires mais reconnaîtra la nouvelle forme du gouvernement en Suède. Un traité constatant cet accord est signé, le 3-14 août 1790, à Varela. Gustave III, reconnu par la Russie comme roi absolu dans son pays, obtient là un avantage moral incontestable et se sort victorieusement d'une querelle très hasardeuse. Dans une lettre à son ancienne ennemie, il la prie de lui rendre son amitié et d'oublier cette guerre « comme un orage passager ». Un orage passager qui a duré deux ans ! Catherine dresse le bilan avec une lucidité joyeuse. « Nous avons tiré une patte de la boue, écrit-elle à Potemkine ; quand nous aurons tiré l'autre, nous chanterons alleluia. »

L'autre « patte » est encore profondément enlisée. Aucune victoire à célébrer. Depuis des mois, les troupes russes assiègent en vain la citadelle turque d'Ismaïl. Le roi Frédéric-Guillaume de Prusse encourage l'agitation nationaliste en Pologne. Profitant des difficultés de Catherine, il promet aux patriotes polonais de les aider à secouer l'hégémonie russe, de leur restituer la Galicie attribuée à l'Autriche lors du partage, et de les défendre militairement en cas d'agression. Un traité d'alliance défensive entre la Prusse et la Pologne est conclu en mars 1790. Ce traité vise clairement la Russie. Catherine avale toutes les couleuvres. Elle n'est pas en état de riposter. Il lui faut d'abord en terminer avec les Turcs. Enfin une éclaircie : Souvorov enlève Ismaïl, après trois assauts sanglants. Quinze mille Russes périssent dans les fossés de la forteresse. « L'orgueilleuse Ismaïl est aux pieds de Votre Majesté », écrit Souvorov à l'impératrice. Catherine trépigne de joie. Est-ce l'épilogue ? Non, les combats continuent. Elle est lasse. Elle a soixante ans. Elle ne croit plus à la réalisation de son projet grec. Sans doute, son petit-fils Constantin ne sera-t-il jamais empereur de Dacie. Du moins, son petit-fils Alexandre régnera-t-il sur une Russie agrandie, unifiée et consolidée. Grâce à elle. Des pourparlers de paix s'engagent timidement à Jassy. De part et d'autre, on fait traîner la discussion. Chacun s'efforce de fatiguer l'adversaire par l'obstination et la morgue. Les jours passent. Des hommes tombent. Les plénipotentiaires se séparent, se retrouvent. Catherine est résolue à ne pas céder une parcelle des territoires conquis. Elle n'est pas un Louis XV qui renonce à la Louisiane et au Canada, ni un George III qui lâche ses possessions d'Amérique. La Russie lui tient à la peau. En enlever un morceau, ce serait l'écorcher vive. Depuis longtemps, elle a oublié qu'elle est née allemande. Sa légitimité n'est pas une affaire de sang, mais de choix, d'amour, de travail, de durée. Elle s'est fabriqué une patrie et presque des ancêtres. Dans ses rêves, son père ne s'appelle pas Christian-Auguste d'Anhalt-Zerbst, mais Pierre le Grand.

CHAPITRE XXIV

ZOUBOV CONTRE POTEMKINE

A soixante ans passés, Catherine, usée par les travaux, les soucis, apparaît comme une petite femme épaisse, au maintien raide, aux cheveux grisonnants et au regard altier. « J'étais d'abord extrêmement étonnée de la trouver très petite, notera Mme Vigée-Lebrun après une visite à la cour. Je me l'étais figurée d'une grandeur prodigieuse, aussi haute que sa renommée. Elle était fort grasse, mais elle avait encore un beau visage... Le génie paraissait siéger sur son front large et très élevé. Ses yeux étaient doux et fins, son nez tout à fait grec, son teint fort animé et sa physionomie très mobile... J'ai dit qu'elle était petite de taille, pourtant, les jours de représentation, sa tête haute, son regard d'aigle, cette contenance que donne l'habitude de commander, tout en elle enfin avait tant de majesté qu'elle me paraissait la reine du monde. »

Même le très malveillant Masson, professeur de mathématiques des grands-ducs, reconnaît, dans ses *Mémoires secrets sur la Russie,* que l'impératrice sait allier la corpulence à l'élégance et un grand air de noblesse à beaucoup d'amabilité. Elle marche lentement et à petits pas, « le front haut et serein », le regard limpide, salue d'une légère inclination de tête, présente au baiser d'un courtisan sa main blanche et potelée, laisse tomber quelques mots charmants. « Mais c'était alors, écrit le mémorialiste, que l'on voyait se décomposer l'harmonie de son visage et qu'on oubliait un instant la grande Catherine pour ne plus voir que la vieille femme ; car, en ouvrant la bouche, elle ne montrait plus de dents et sa voix était cassée et mal articulée. Le bas de son visage avait quelque chose de rude et de grossier ; ses yeux gris clair (?), quelque chose de faux, et un certain pli à la racine du nez lui donnait un air un peu sinistre. »

Son costume, en dehors des jours de cérémonie, est très simple : une robe flottante de soie violette ou grise, dite « à la moldave », avec de doubles manches, pas de bijoux, des souliers commodes à talons bas. Toute sa coquetterie, Catherine la met dans l'arrangement de ses cheveux : relevés en arrière et légèrement poudrés, ils découvrent un front large et haut. Pour les grandes réceptions, elle coiffe une couronne de diamants et remplace la robe « à la moldave » par un habit « à la russe », en velours incarnat. Afin de réprimer le luxe des toilettes et de combattre l'influence des modes parisiennes, toutes les dames de la cour reçoivent l'ordre d'adopter cette tenue peu seyante. Elles doivent même renoncer aux coiffures *à la Reine* ou *à la Belle-Poule*, un oukase du 22 octobre 1782 ayant interdit les édifices capillaires dépassant deux pouces et demi de hauteur. La sévérité est de règle. C'est du Versailles à la sauce russe. « Ici, écrit le comte de Damas, tout ressemble à une belle esquisse plutôt qu'à un parfait ouvrage... Les maisons en sont à leur façade, les gens en place ne savent pas assez leur rôle... Les costumes, asiatiques pour le peuple, français pour la société, paraissent n'avoir pas été achevés en totalité... Les caractères ne sont que muselés et point adoucis... Il y a des Ninettes à la cour en quantité qui retrouveraient sans répugnance leur village, des mentons rasés qui trouvent encore que la barbe tenait plus chaud. »

En fait, malgré les oukases recommandant une plus grande sobriété dans les toilettes de cour, l'aristocratie de la capitale et celle de la province étalent un faste et une insouciance qui stupéfient les observateurs étrangers. Suivant l'exemple de l'impératrice, les nobles bâtissent à l'envi, dans tous les coins de la Russie, des palais, des villas champêtres, des serres, des manèges, des théâtres privés, plantent des jardins « à la française » ou « à l'anglaise », creusent des lacs, érigent des grottes, donnent des fêtes, des bals, tirent des feux d'artifice. Les lieux de résidence impériale, que ce soit Tsarskoïé-Sélo, Péterhof, Gatchina, sont des terrains de prédilection pour ces folies. La règle est de vivre au-dessus de ses moyens. Les garde-robes sont pléthoriques. Le maréchal Apraxine possède plus de trois cents habits. De petits nobles de fraîche date s'enorgueillissent d'avoir des centaines de bas et de chaussures. On rivalise de splendeur dans le choix des carrosses, des chevaux, des harnais. Beaucoup de hobereaux s'endettent, se ruinent par souci de conserver leur train de maison. Pour se remettre à flot, ils vendent ou hypothèquent une partie de leurs propriétés. L'essentiel est de tenir le rang, de paraître. Il est à la mode d'avoir une domesticité foisonnante. Le crédit d'un haut personnage se mesure à l'importance de sa livrée. Chez les riches, le nombre des serviteurs varie entre trois cents et huit cents. Pour un homme de moyenne envergure, cent cinquante est un bon chiffre. Une vingtaine est le lot des gentilshommes pauvres. La plupart de ces domestiques sont des paysans serfs que leur propriétaire a fait venir de la campagne. Il ignore souvent leur nom et leur visage et se plaint habituellement de leur paresse. Nourris, logés, ils ne touchent aucun salaire et exercent les fonctions les plus diverses. Il y a parmi eux, certes, des maîtres d'hôtel, des laquais, des garçons de course, des femmes de chambre, des cuisiniers, des marmitons, des pâtissiers, des boulangers, des chauffeurs de poêles, des laveuses de vaisselle, des blanchisseuses, des lingères, des couturières, des brodeuses, des cochers, des écuyers, des palefreniers, des piqueurs, des grooms, des portiers, des gardiens, des veilleurs de nuit; mais aussi, dans les plus grandes demeures, des tailleurs, des bottiers, des selliers, des apothicaires, des bouffons, des musiciens, des acteurs, des chanteurs, des peintres. Oui, même les artistes sont recrutés parmi le cheptel humain du seigneur. Des professeurs, venus de l'étranger, instruisent et façonnent les plus talentueux d'entre ces moujiks. Une fois dégrossis, ils sont utilisés pour le divertissement du maître et de ses invités. Le comte Kamenski dépense trente mille roubles pour monter un spectacle de gala sur son théâtre. Le comte Chérémétiev a, dans son village de Kouskovo, une troupe de comédiens et de chanteurs que Catherine lui envie. Pour célébrer la signature de la paix avec la Turquie, Léon Narychkine fait reproduire sur ses terres les principales batailles de la guerre par des figurants en uniforme. Le mélomane Skavronski exige que ses domestiques s'adressent à lui sur le ton d'un « récitatif » d'opéra.

Dans l'ensemble, ces serfs-spécialistes bénéficient de l'indulgence de leur maître, car ils représentent pour lui à la fois un capital et une étiquette de qualité. Les autres, bétail sans défense, dépendent entièrement de la volonté du seigneur, qui peut les faire travailler à outrance, les marier à sa guise, leur appliquer la peine du knout ou les déporter à la moindre faute. Seule la « justice de mort » lui est interdite. Même les plus débonnaires parmi les propriétaires fonciers, ceux qui traitent leurs paysans d'une « manière patriarcale », ne se résignent pas à voir en eux des êtres tout à fait humains. Pour la classe possédante, la population serve des campagnes représente une espèce zoologique à part, dotée d'une âme, probablement, mais dénuée de droits. C'est sans le moindre scrupule que les gens les plus éclairés vendent ou hypothèquent des serfs. Les gazettes de Saint-Pétersbourg et de Moscou publient des annonces au texte singulier : « A vendre un coiffeur et, en plus, quatre bois de lit, un édredon et autres pièces de mobilier. » Ou bien : « A vendre une jeune fille de seize ans, de bonne conduite, et une voiture d'occasion, à peine usagée. » Les prix ne sont guère élevés pour le tout-venant. Un chien de race vaut deux mille roubles, tandis qu'un paysan en vaut trois cents et une jeune fille paysanne, moins de cent. On peut même acheter un enfant pour quelques kopecks. En revanche, un bon cuisinier, un bon musicien atteignent facilement huit cents roubles. Ce commerce de chair sur pied est particulièrement florissant depuis le début du règne de Catherine. Elle ne s'en indigne nullement, malgré son lumineux bagage d'idées libérales. Bien mieux, elle prend plaisir à offrir des villages entiers, comme cadeaux, à ceux dont elle veut récompenser le zèle politique, militaire ou amoureux. Elle a déjà distribué ainsi plus de huit cent mille « âmes ». Le favoritisme coûte cher. Selon des renseignements recueillis a l'époque auprès de « personnes bien informées », le diplomate français J. Castéra a dressé un état approximatif de ces impériales dépenses d'alcôve. Ont reçu en argent, paysans, terres, palais, bijoux, vaisselle, pension :

Les cinq frères Orlov	17 000 000	roubles
Vysotski (comparse non recensé)	300 000	—
Vassiltchikov	1 110 000	—
Potemkine	50 000 000	—
Zavadovski	1 380 000	—
Zoritch	1 420 000	—
Rimsky-Korsakov	920 000	—
Lanskoï	7 260 000	—
Ermolov	550 000	—
Mamonov	880 000	—
Les frères Zoubov	3 500 000	—
Dépenses courantes des favoris depuis le début du règne	8 500 000	—
Total	92 820 000	roubles

Soit, au cours du change de l'époque par rapport à la monnaie française, 464 millions de livres tournois[1]. Ce compte vertigi-

1. Autrement dit, cinq milliards cinq cent soixante-neuf millions de nos francs actuels.

neux correspond à peu près à l'évaluation faite, pour les mêmes chefs d'emploi, par l'ambassadeur d'Angleterre Harris, dans une note adressée en 1782 à son gouvernement. Comme pour répondre à ces listes qui dénoncent ses prodigalités amoureuses, Catherine dresse, dans une lettre à Grimm, le bilan de ses réalisations politiques :

Gouvernements érigés selon la nouvelle formule	29
Villes bâties	144
Conventions et traités conclus	30
Victoires remportées	78
Édits mémorables, portant lois, ou fondations	88
Édits pour soulager le peuple	123
Total	492

Ce total, elle l'oppose fièrement à l'autre. Que pèsent les quelques dépenses qu'elle se permet pour son plaisir au regard des immenses avantages que la Russie retire chaque jour de son action gouvernementale? Son caractère entier l'empêche de se reconnaître jamais en défaut. Du seul fait qu'elle règne, toutes ses décisions sont excusables. « Il n'est pas étonnant que la Russie ait eu pour souverains beaucoup de tyrans, écrit-elle dans ses *Notes*. La nation est naturellement inquiète, ingrate et remplie de délateurs et de gens qui, sous prétexte de zèle, ne cherchent qu'à tourner à leur profit ce qui leur convient. »

« Tyran », elle ne l'est pas, mais elle entend être obéie aveuglément. Dans la bonne humeur, si possible. Et avec des manières françaises. Sa maison est très ouverte. Au rapport d'un voyageur suédois, le comte Sternberg, la salle d'audience du palais, avant l'apparition de l'impératrice, présente l'aspect d'une cohue remuante et bruyante. Toutes les langues de l'Europe et de l'Asie se confondent en une vaste clameur. Le français, le russe et l'allemand dominent. N'importe qui peut se mêler à la foule. Il suffit d'avoir une épée au côté pour accéder à la porte de la salle du trône encadrée par deux chevaliers-gardes en grand uniforme : cuirasse d'argent, frappée de l'aigle impérial, casque d'argent à plumes noires, regard fixe et arme au pied. Seules les personnes figurant sur une liste spéciale peuvent franchir le seuil. Mais la liste est longue. En présence de l'impératrice, les murmures se taisent, les échines se courbent. Sur son « habit à la russe », elle porte en sautoir les croix de Saint-Alexandre Nevski, de Saint-Vladimir et de Sainte-Catherine; d'un côté, elle a le cordon de Saint-André, de l'autre, celui de Saint-Georges, avec les plaques de ces deux Ordres, qui sont les premiers de l'empire. Elle connaît la plupart de ses visiteurs. Son regard vif court d'un visage à l'autre. Elle n'a pas encore renoncé à la compagnie des jeunes hommes. D'après Engelhardt, un neveu de Potemkine, jamais autant de freluquets avides de prébendes n'ont fait les jolis cœurs devant elle. Ils se pressent à la chapelle, dans les salons, dans les jardins, offrant leurs sourires, comme autant de bouquets, sur son passage. Presque tous sont de petite noblesse et tous ont de grandes ambitions. Chacun compte sur sa bonne mine pour retenir l'attention de la vieillissante et impénitente collectionneuse. Mais elle ne songe pas encore à remplacer le favori en exercice, « l'enfant gâté », l' « Habit rouge », Mamonov. Or, après quatre ans d'assiduités, Mamonov éprouve, auprès de son impériale maîtresse, une lassitude, un ennui qu'il ne cherche même plus à dissimuler. Elle a beau multiplier les cadeaux, les prévenances, encourager le goût de son jeune amant pour les objets d'art, le nommer directeur du théâtre de l'Ermitage, l'associer à ses décisions politiques, rien ne le distrait, il souffre d'une mélancolie incurable, il a des malaises, il se plaint d'étouffements, il tombe évanoui pour une parole un peu dure, enfin il se juge plus malheureux qu'un prisonnier dans son cachot.

Un jour, Mamonov reproche à Catherine sa « froideur » et parle avec plus d'insistance encore de la tristesse maladive qui le ronge. Que faire? Il est à bout. Il demande conseil à celle qui a bâti sa fortune. Elle comprend qu'il veut reprendre sa liberté. « Puisqu'une séparation est devenue nécessaire, dit-elle, je penserai à ta retraite. » Comme toujours, elle choisit la clarté dans les rapports humains. Rien de plus laid qu'une vieille liaison qui traîne dans l'habitude et les larmes. Après une nuit de réflexion, elle envoie un billet à Mamonov pour l'assurer qu'il pourra se retirer « avec une situation brillante » et qu'elle a même songé à l'établir en lui faisant épouser la fille du très riche et très illustre comte Bruce : « Elle n'a que treize ans, mais elle est déjà formée, je sais cela. » Au lieu de se réjouir, Mamonov répond par lettre à Sa Majesté : « Les mains me tremblent, et, comme je vous l'ai déjà écrit, je suis seul, n'ayant personne ici, excepté vous... Je ne me laisserai pas tenter par la richesse, ni ne deviendrai l'obligé de personne, hormis de vous, mais pas de Bruce. Si vous désirez donner un fondement à ma vie, permettez-moi d'épouser la princesse Stcherbatov, demoiselle d'honneur... Que Dieu juge ceux qui nous ont amenés où nous en sommes... Je baise vos petites mains et vos petits pieds, et je ne vois pas moi-même ce que j'écris. » Après s'être ainsi expliqué par écrit, il se précipite chez l'impératrice, se prosterne devant elle, frissonne, pleure et confirme qu'il est amoureux, depuis un an, de la demoiselle d'honneur Daria Stcherbatov et qu'il lui a promis le mariage. Catherine reçoit le coup en plein cœur. Ce qui la blesse le plus cruellement, ce n'est pas l'aveu de la faute, mais la conscience d'avoir été bernée par un homme en qui elle avait foi. Toute cette comédie, ces vapeurs, ces absences, pour pouvoir rejoindre la Stcherbatov dans son lit! Ah! ce n'est pas à cette gamine de vingt-six ans que M. l'Habit rouge doit opposer des prétextes de défaillance! Elle a de lui tout ce qu'il refuse, depuis des mois, à l'impératrice de Russie! Peu importe. Elle n'est pas rancunière. Qu'ils se marient, puisqu'ils ont du goût l'un pour l'autre. Le surlendemain au soir, elle fait venir son amant avec celle qu'il s'est choisie pour epouse et annonce publiquement leurs fiançailles. Agenouillés devant leur souveraine, les jeunes gens reçoivent sa bénediction et l'écoutent en pleurant leur souhaiter bonheur et prospérité. Au terme de cette allocution, Mamonov et la demoiselle d'honneur sont si émus, dit-on, qu'ils manquent de se trouver mal. Catherine les contemple d'un œil maternel et, à son habitude, leur promet toutes sortes de largesses. Mais à quelques jours de là, devant son secrétaire Khrapovitski, elle laisse éclater son amertume de vieille maîtresse abandonnée. Khrapovitski note scrupuleusement le dialogue dans son *Journal*. Interrompant la lecture d'un rapport, Catherine s'écrie : « — Voici huit mois que je le soupçonnais !... Il m'évitait... C'était toujours une oppression de poitrine qui le retenait dans sa chambre ! Puis, ces jours-ci, il s'est avisé de parler de scrupules de conscience, le faisant souffrir et lui rendant impossible la continuation de la vie commune. Le traître ! C'était cet autre amour, c'était sa duplicité qui l'étouffait ! Mais, puisqu'il ne pouvait se vaincre, pourquoi ne l'avoir pas avoué franchement ?... Il est incapable d'imaginer ce que j'ai souffert ! » — « Tout le monde s'étonne que Votre Majesté ait donné son consentement à ce mariage ! » observe Khrapovitski. — « Dieu soit avec eux ! dit-elle. Je leur souhaite d'être heureux... Mais, vous le voyez : je leur ai pardonné, j'ai autorisé leur union, ils devraient être dans le ravissement, eh bien ! ils en sont à pleurer tous les deux. Ah ! l'ancienne tendresse n'est pas morte chez lui ! Depuis une semaine et plus, il me suit des yeux partout ! »

L'union sera célébrée en hâte, dans la chapelle du palais. Suivant l'usage établi pour le mariage des demoiselles d'honneur, la toilette de la fiancée est présidée par l'impératrice en personne. Mamonov reçoit une somme de cent mille roubles et un nouveau domaine peuplé de trois mille paysans C'est pour ce domaine que le jeune couple part en trombe, à peine béni. L'ex-demoiselle d'honneur, déjà enceinte des œuvres de l'ex-favori, y fera ses couches.

Encore toute remuée par cette lamentable aventure sentimentale, Catherine s'en ouvre, par lettre, à Potemkine : « Je n'ai jamais été le tyran de personne et je déteste la contrainte. » Potemkine, de loin, compatit. Certes, c'est lui qui a présenté « l'enfant gâté » à l'impératrice. Mais, très vite, il lui a conseillé de « cracher dessus ». Mamonov ne mérite que le mépris puisqu'il n'a pas su garder « son poste ». « Je ne me suis jamais trompé sur lui, écrit le Sérénissime prince de Tauride. C'est un mélange d'indolence et d'égoïsme. Par ce dernier, il était Narcisse à l'outrance. Ne pensant qu'à lui, il exigeait tout sans payer d'aucun retour. »

A quelque temps de là, Catherine résume son état d'esprit dans une missive à Grimm : « L'élève de Mlle Cardel[1] ayant trouvé M. l'Habit rouge plus digne de pitié que de colère et excessivement puni, pour la vie, par la plus bête des passions qui n'a pas mis les rieurs de son côté et l'a décrié comme un ingrat, elle n'a fait que finir au plus tôt, au contentement des intéressés, cette affaire-là... Il y a grande apparence que le ménage ne va pas bien du tout. » Et de fait, très rapidement, Mamonov reconnaît qu'il a lâché la proie pour l'ombre. Les plaisirs conjugaux ne peuvent remplacer pour lui les égards extraordinaires dont l'entourait la cour, alors qu'il était le favori en titre de l'impératrice. Il écrit à Sa Majesté qu'il souffre mille morts depuis leur séparation et que son seul désir est de revenir à Saint-Pétersbourg, afin de retrouver auprès d'elle la chaleur qui lui manque si gravement aujourd'hui. Selon son habitude, Catherine, si habile en politique, se berce d'illusions en amour Elle a, à soixante ans, l'imagination et la candeur d'une jouvencelle. Alors qu'un regard à sa glace devrait suffire à la dégriser, elle persiste à croire qu'un homme peut encore la préférer, avec ses rides, son sourire édenté et son buste croulant, a une jeune épouse. Attendrie, elle dit à Khrapovitski : « Je le sais, il ne peut être heureux. » Pourtant, elle refuse de renouer la liaison : « Une chose est d'aller avec lui au jardin et de le voir pour quatre heures, autre chose est de vivre avec lui[2]. » Aux

1. Elle se désignait ainsi, parfois, dans ses lettres
2. Waliszewski : *Autour d'un trône.*

étranges sollicitations de Mamonov, elle répond, par lettre, en lui conseillant d'attendre un an pour la revoir.

Au moment où elle écrit ces lignes, Catherine est loin de se sentir esseulée. Avant même que Mamonov, protégé de Potemkine, n'ait officiellement quitté ses fonctions, la coterie ennemie de Potemkine — les Tchernychev, les Roumiantsev, les Saltykov — se dépêche de lui trouver un remplaçant. Il s'agit de gagner de vitesse le Sérénissime et de désigner un favori qui ne soit pas à ses ordres. La place etant très convoitée, on n'a que l'embarras du choix. En un clin d'œil, l'heureux élu, convoyé par la confidente habituelle de Catherine, Anna Narychkine, est poussé dans les appartements de l'impératrice. Il se nomme Platon Alexandrovitch Zoubov. Il a vingt-deux ans. Il est lieutenant dans un régiment de la garde. Catherine le connaît de longue date. Elle l'a pris sous sa protection, alors qu'il n'était qu'un écolier de onze ans. Plus tard, elle l'a envoyé poursuivre ses études à l'étranger. Ce soir, elle le voit sous un jour nouveau. Il plaît, il est agréé, il soupe aux chandelles avec la souveraine et reçoit, le lendemain, dix mille roubles et quelques bagues. L'une de ces bagues ira au valet de chambre de Sa Majesté, dont il est utile de se concilier les bonnes grâces. Dans la semaine qui suit son intronisation, Platon Zoubov est nommé aide de camp personnel de l'impératrice. A Anna Narychkine, qui lui a mis le pied à l'étrier, il fait cadeau d'une montre précieuse. Maintenant, on l'aperçoit, écrit Masson, « donnant familièrement le bras à sa souveraine, un grand chapeau à plumet sur la tête, chamarré de son nouvel uniforme, suivi des grands de l'empire qui marchent derrière lui, chapeau bas. Il avait fait, la veille, antichambre chez eux. Le soir, après le jeu, on voit Catherine congédier sa cour et rentrer dans sa chambre à coucher suivie de son favori seul ». Elle est si satisfaite de lui, qu'elle écrit à Potemkine : « Je suis revenue à la vie comme une mouche que le froid aurait engourdie. » Une grosse mouche de soixante ans, remuante, bourdonnante et avide de viande. Cette fois, le morceau est particulièrement appétissant. Dans la galerie des jeunes favoris de l'impératrice, Platon Zoubov est certainement le plus beau. Son visage aux traits fins, à la bouche délicatement modelée, aux souples cheveux bruns, au regard profond respire une sorte d'harmonie aristocratique, de nonchalante assurance. Il est de taille moyenne, mais, note Masson, « souple, nerveuse et bien prise ».

Par une étrange contradiction de la nature, ce jeune homme d'aspect si fluet et si aimable est habité par une ambition, une insolence, un cynisme et un goût de l'intrigue qui éclatent dès son avènement. Très vite, il accapare tous les moyens d'influence, impose sa volonté dans les affaires les plus diverses, et quémande effrontément des faveurs pour lui-même et pour les siens. Une cour de flatteurs l'entoure. « Tous les jours, écrit Langeron, depuis huit heures du matin, son antichambre était remplie de ministres, de courtisans, de généraux, d'étrangers, de solliciteurs, de prétendants à des places ou à des grâces. La plupart du temps, on attendait quatre ou cinq heures sans pouvoir être admis... Enfin, on ouvrait les deux battants, la foule se précipitait, on trouvait le favori devant son miroir, se faisant coiffer et ayant ordinairement un pied sur une chaise ou sur un coin de la table de toilette. Les courtisans se plaçaient devant lui, au milieu d'un nuage de poudre, sur deux ou trois rangs, sans parler et sans remuer, après s'être prosternés. » Et Masson renchérit : « Les vieux généraux, les grands de l'empire ne rougissaient pas de caresser ses moindres valets. Étendu dans un fauteuil, dans le plus indécent négligé, le petit doigt dans le nez, les yeux vaguement tournés vers le plafond, ce jeune homme, d'une physionomie froide et vaine, daignait à peine faire attention à ceux qui l'environnaient. » Platon Zoubov a un petit singe, qui voltige d'un meuble à l'autre, se suspend au lustre, vide les boîtes de pommade et, parfois, saute sur le crâne d'un visiteur et lui tire le toupet. C'est un grand honneur d'être ainsi distingué par le sapajou. Personne ne proteste. Quant à Catherine, les extravagances de son favori lui semblent d'innocentes gamineries. Avec l'âge, elle a perdu toute lucidité en amour. Elle porte des œillères roses. Aveuglée, grisée, elle multiplie les allusions à son bonheur dans les lettres qu'elle adresse à Potemkine. Elle lui affirme que « l'enfant », « le petit noiraud » a « l'âme la plus innocente », qu'il est « sans méchanceté, ni traîtrise, modeste, attaché, reconnaissant au suprême degré », qu'il a le désir de plaire à tout le monde, qu'il montre auprès d'elle une assiduité et même des exigences très flatteuses pour une femme : « Il pleure comme un enfant si on ne le laisse pas entrer chez moi. » Ne pousse-t-il pas la délicatesse jusqu'à vouloir être aimé du lointain mari de sa maîtresse ? « Adieu, mon ami, mande-t-elle encore au Sérénissime. Caresse-nous afin que nous soyons parfaitement heureux. » Et aussi : « Quand il a l'occasion de vous écrire, il le fait avec un empressement marqué et l'amabilité de son caractère me rend plus aimable. »

En vérité, si « le petit noiraud » écrit d'une plume onctueuse à Potemkine, c'est pour le prier de lui donner un brevet de chevalier-garde et de prendre son frère, Valérien Zoubov, dans son état-major. Bien entendu, Catherine appuie cette double sollicitation d'un flot d'éloges qui doivent inciter le prince à mieux aimer l'enfant, « notre enfant ». Potemkine ne peut refuser. Catherine le remercie avec effusion : « L'enfant trouve que vous avez plus d'esprit et que vous êtes plus amusant et plus aimable que tous ceux qui vous entourent, mais sur ceci gardez-moi le secret, car il ignore que je sais cela. »

Valérien Zoubov rejoint l'armée. De là, il expédie à son frère Platon des rapports malveillants sur les négligences et les erreurs du commandant en chef. Ces notes confidentielles croisent les notes, non moins confidentielles, que les amis de Potemkine lui envoient de Saint-Pétersbourg au sujet du favori. Selon ces informations, Catherine est tellement coiffée de son « petit noiraud » qu'elle songe à en faire un ministre. Potemkine s'étrangle de colère. C'est la première fois que la tsarine s'attache à un mignon qui n'est pas sa créature à lui. Et voici que le nouveau venu menace de prendre à la cour et au gouvernement une importance éclatante. Vue de loin, cette ascension semble présager le déclin du prince de Tauride. Cela, Potemkine ne peut l'admettre. Après la chute d'Ismaïl, l'armée a pris ses quartiers d'hiver, mais il doit rester sur place pour conduire des négociations de paix auxquelles il ne croit pas. En attendant de pouvoir s'évader de ses obligations fastidieuses, il envoie Valérien Zoubov à Saint-Pétersbourg avec ordre de dire textuellement à l'impératrice que tout va bien sur le front, mais que le commandant en chef souffre d'une dent gâtée et qu'il espère se rendre bientôt dans la capitale pour se la faire arracher. Or, dent, en russe, se dit *zoub,* et, par ce jeu de mots facile sur Zoubov, Potemkine avertit la tsarine qu'il compte sur elle pour éliminer un rival encombrant. Catherine feint de ne pas comprendre et continue à louer, dans ses lettres, les extraordinaires vertus de Platon.

Alors Potemkine, à bout de nerfs, plante là ses officiers et se met en voyage. Une suite énorme, parmi laquelle de nombreuses femmes, l'accompagne. A l'annonce de son départ, l'impératrice se réjouit en public, mais, en privé, elle montre quelque inquiétude. Elle fait éclairer la route, loin dans la campagne, par des brasiers échelonnés. Dans l'incertitude de la date de l'arrivée, cette illumination est continuée, toutes les nuits, pendant une semaine. Chaque jour, on expédie un messager à la rencontre des voyageurs et il revient, à bride abattue, rapporter à l'impératrice des nouvelles du Sérénissime. Enfin le voici lui-même. Grand, lourd, basané, borgne, vieilli, rayonnant. Au premier abord, il paraît dans d'excellentes dispositions et Catherine peut écrire à Grimm : « Depuis quatre jours, le prince Potemkine est arrivé ici, plus beau, plus aimable, plus spirituel, plus brillant que jamais et de l'humeur la plus gaie possible; voilà ce que c'est qu'une belle et glorieuse campagne, elle met de bonne humeur. » Et, au prince de Ligne : « A voir le prince-maréchal Potemkine, on dirait que les victoires, les succès embellissent. Il nous est arrivé de l'armée beau comme le jour, gai comme un pinson, brillant comme un astre, plus spirituel que jamais, ne se rongeant plus les ongles »

Cette « gaieté de pinson » est de courte durée. Dès ses premiers pas à la cour, Potemkine se rend compte qu'il a eu raison de craindre l'influence grandissante de Platon Zoubov. Superbement vêtu, couvert de bijoux, le nouveau favori en impose, par son arrogance, aux plus hauts dignitaires. Ils tremblent tous, en lui déplaisant, de s'attirer les foudres de l'impératrice. Même le grand-duc Paul accepte en silence ses propos les plus insolents. Un soir, au souper de Sa Majesté, l'héritier du trône approuve à haute voix une remarque politique de l'amant de sa mère. Aussitôt, celui-ci s'écrie : « Eh quoi? Aurais-je dit une sottise? » Un silence gêné s'installe autour de la table. Personne n'ose rabattre la crête à ce jeune coq. Catherine le couve d'un regard énamouré. Potemkine ne peut supporter la vue de cette passion sénile. Certes, lui-même a pour maîtresse sa très jeune et très jolie nièce Alexandra Engelhardt, comtesse Branicka. Mais il n'en perd pas la tête pour autant. Avec une amicale fermeté, il s'efforce de ramener Catherine à la raison : elle s'est entichée d'un bellâtre sot, prétentieux et retors; plus elle lui donnera d'importance, plus elle compromettra son propre prestige; en tout cas, elle ne doit jamais l'associer à la conduite des affaires publiques. Ces sages conseils se heurtent à la rayonnante naïveté d'une vieille femme amoureuse. Subjuguée par Platon Zoubov, Catherine refuse de voir les défauts de son favori et se complaît dans le rêve. Cependant, elle n'en veut pas à Potemkine de ces remontrances. Elle les met sur le compte d'une jalousie bien compréhensible. Comment ne souffrirait-il pas de n'être plus le premier dans le cœur de Sa Majesté? Elle lui marque beaucoup de consideration et de tendresse pour apaiser sa rancœur. Malgré toutes les prévenances dont il est l'objet, il ne tarde pas à comprendre qu'il a le dessous. Platon Zoubov est plus fort que lui. Dans un sursaut de rage orgueilleuse, le Sérénissime décide alors d'éblouir cette souveraine qui se détache de lui par une fête comme elle n'en aura encore jamais vue.

Une prodigalité barbare, une folie désespérée, un désir

profondément slave de se dépasser, d'aller à l'extrême de l'absurde et de l'inutile inspirent Potemkine dans les préparatifs du grand jour. Pendant des mois, des centaines d'artistes — acteurs, danseurs, musiciens — répètent leurs tours dans le nouveau palais de Tauride, sous les yeux du farouche organisateur. Comme pour le voyage en Crimée, il soigne chaque détail du décor et de la figuration. Pour tiédir l'atmosphère de la salle principale, il fait installer, dans les colonnes supportant la voûte, des tuyaux remplis d'eau chaude. Le sol est tapissé de gazon. Une profusion de plantes tropicales s'épanouissent entre les murs de marbre. En plus de l'impératrice et des grands-ducs, c'est toute la cour, tout le corps diplomatique, tous les représentants de la noblesse de province qui sont conviés, le 28 avril 1791, sous le prétexte de célébrer la victoire russe sur les Turcs.

En arrivant, à sept heures du soir, dans son carrosse, devant le palais de Tauride, Catherine tombe au milieu d'une bousculade populaire, bruyante et violente, qui lui fait craindre une émeute. Mais ce n'est que le mouvement naturel des petites gens, assiégeant les tables garnies de victuailles et les tonneaux de vin disposés, par charité, aux abords de la demeure princière. Mettant pied à terre, l'impératrice passe entre deux longues rangées de laquais, aux livrées blanc et argent, brandissant des candélabres. Des milliers de bougies éblouissent ses yeux. Elle sait que Potemkine méprise les chandelles de suif et qu'il a raflé toute la cire des provinces avoisinantes pour réaliser une illumination digne de sa souveraine. Une mélodie triomphale, exécutée par trois cents musiciens, éclate à ses oreilles. Trois mille invités plongent dans une révérence à son approche. Le maître de céans s'avance vers elle. Il est vêtu d'un habit écarlate à broderies d'or. Un long manteau de velours noir est fixé à ses épaules par des agrafes de diamant. Son chapeau, chargé de pierreries, est si lourd qu'il ne peut le garder sur son crâne. Un page le porte derrière lui. L'impératrice est costumée en ancienne *boyarine* russe. Son diadème resplendit au-dessus de son visage las. Elle tient la tête droite. Potemkine s'agenouille devant elle, lui souhaite la bienvenue et la conduit par la main jusqu'à la salle de danse. Assise sur un trône, elle assiste à la représentation. Les grands-ducs Alexandre et Constantin — quatorze et douze ans — dansent gracieusement devant elle, parmi quarante-huit jeunes gens et jeunes filles de la cour, tous habillés de « rose et bleu céleste », et constellés de pierreries. Le célèbre Le Picq termine le ballet par des pas d'une habileté extrême. Après avoir applaudi, on passe dans une autre salle : là, une scène est ménagée devant un éléphant artificiel couvert d'émeraudes et de rubis. Nouveau ballet, suivi d'une courte comédie et d'un défilé de « pompe asiatique », où figurent, dans leurs costumes nationaux, les représentants de tous les peuples soumis à Catherine la Grande. Dans le jardin d'hiver, où la foule des invités reflue ensuite, se dresse, au centre d'un temple circulaire, une statue de l'impératrice en marbre de Paros. Une ode du poète Derjavine, lue à cette occasion, célèbre en vers pompeux l'héroïne de la fête. Derrière elle, les fontaines murmurent, les gemmes étincellent dans l'épaisseur des feuillages exotiques. Les murs d'un autre salon sont tendus de tapisseries de Beauvais, représentant l'histoire d'Esther. Ailleurs, sur un parterre de gazon, s'élève un obélisque en agate portant le chiffre de la tsarine. Un souper, en cinq séries de six cents couverts, rassemble les courtisans autour de la souveraine. Debout derrière elle, Potemkine veut la servir lui-même. Elle ne le lui permet pas et l'oblige à s'asseoir à son côté. Ainsi président-ils le repas ensemble. Comme deux époux impériaux. Non loin d'eux, Platon Zoubov, superbe dans son habit bleu ciel, ne perd pas un geste du couple. Il n'est nullement inquiet. Le vrai sentiment de Catherine lui est connu. L'hommage d'affection qu'elle rend au prince de Tauride n'engage en rien l'avenir. Il n'y a pas la moindre promesse dans le regard qu'elle tourne parfois vers le Sérénissime, mais une sorte de tristesse compatissante. Les toasts se succèdent. On boit à la gloire de Sa Majesté et de son hôte, des grands-ducs et des grandes-duchesses, de l'armée et de la marine. La vaisselle est d'or et d'argent. Le repas, pantagruélique, se compose des mets les plus raffinés d'Europe et d'Asie. Bientôt, la chaleur devient suffocante, à cause du rayonnement des cent quarante mille lampions et des vingt mille bougies qui assurent l'éclairage des salles. Chaque convive reçoit un cadeau royal. Potemkine savoure amèrement son triomphe. Les ambassadeurs étrangers, stupéfaits, assourdis de musiques et de discours, voient en ce géant vêtu de rouge et bardé de décorations une sorte de génie spécifiquement russe, d'une richesse inépuisable et d'une inconséquence qui côtoie l'aberration.

A deux heures du matin, Catherine prend congé. Platon Zoubov la suit comme son ombre. L'orchestre exécute un hymne composé en l'honneur de Sa Majesté. Elle prononce quelques mots aimables pour remercier Potemkine de sa merveilleuse réception. Il met un genou à terre, baise la main qui se tend vers lui et éclate en sanglots. Sans qu'elle lui ait livré le fond de sa pensée, il sait qu'il vient de vivre, auprès d'elle, une fête d'adieu.

Les lumières éteintes, les invités dispersés, Potemkine, soudain, découvre l'inutilité de son existence. Tout l'écœure à Saint-Pétersbourg, et cependant il ne se décide pas à repartir pour le Sud. Là-bas, le prince Repnine a pris le commandement des opérations militaires. C'est un homme de courage et d'expérience. Il passe le Danube et, avec quarante mille soldats, enveloppe et anéantit, à Matchine, les troupes du grand vizir trois fois supérieures en nombre. Catherine rayonne, et Potemkine, rongé de jalousie, regrette d'avoir laissé à un autre la gloire de ce fait d'armes. Les récentes victoires russes incitent les Turcs à se montrer moins exigeants. Le moment paraît donc excellemment choisi pour conclure une paix honorable. Platon Zoubov et son parti sont fermement décidés à traiter. Il n'en faut pas plus pour que Potemkine s'oppose à cette idée. Tout ce qui vient de ce godelureau le hérisse. Pour le prince de Tauride, la guerre doit être poursuivie jusqu'au complet écrasement de la

Turquie. Catherine a beau invoquer la situation précaire des finances de l'État, la fatigue de l'armée, les difficultés intérieures, il s'obstine. Elle hésite à lui donner l'ordre formel de retourner à Jassy pour mettre fin aux hostilités. Dans l'état de révolte où il se trouve, elle craint un refus d'obéissance. Tout au plus essaie-t-elle de lui représenter qu'en signant cette paix, après quatre ans de sanglants combats, il lui fera le plus grand cadeau de son règne.

Soudain, volte-face. A-t-il eu connaissance des conversations entamées par Repnine avec les plénipotentiaires turcs? Se figure-t-il qu'il pourra mieux imposer ses conceptions belliqueuses à Jassy qu'à Saint-Pétersbourg? Le voici, tout de go, qui se déclare prêt à partir. Émue de cette brusque docilité, Catherine veille personnellement à l'aménagement du carrosse qui emportera le Sérénissime dans son long voyage. Il la quitte avec tristesse, désabusé, en proie à de sombres pressentiments et criblé de dettes. La seule note du fleuriste s'élève à 38 000 roubles.

A Kharkov, une mauvaise nouvelle attend le voyageur. Le prince Alexandre de Wurtemberg, qui a servi sous ses ordres, vient de mourir. Potemkine assiste aux obsèques dans un état voisin de l'inconscience et, au moment de rejoindre sa voiture, s'aperçoit avec horreur qu'il s'est avancé, par méprise, vers le corbillard, pour y monter. Superstitieux à l'extrême, il voit dans cette démarche un présage funeste. Son entourage est frappé par l'espèce d'égarement qui marque sa physionomie. Aura-t-il la force de mener à bien les négociations?

Arrivé à Jassy en juillet 1791, il apprend qu'en son absence Repnine a signé les préliminaires du traité de paix. Dans une crise de rage, il accable le général des plus grossiers reproches et déchire le document. Mais Repnine lui répond qu'il a agi selon les ordres secrets de Sa Majesté. Ulcéré, Potemkine comprend que l'impératrice est passée par-dessus sa tête, dans une affaire où leurs opinions divergent. Il ne peut accepter ce manque de confiance de sa souveraine. Tandis que les pourparlers reprennent sur d'autres bases, il éprouve un surcroît de faiblesse et de doute. Une fièvre infectieuse ronge ce grand corps délabré par les excès de toutes sortes. Après un sursaut d'énergie, il ne participe plus guère aux réunions avec les Turcs. Son intérêt pour la politique diminue. Les affaires du monde ne le concernent plus. Malade capricieux, il refuse de suivre les prescriptions des médecins Linman et Massot qui le soignent et ne veut même pas entendre parler de régime. « Le prince se détruisait lui-même, note Langeron. Je l'ai vu, dans un accès de fièvre, dévorer un jambon, une oie salée, trois ou quatre poulets et boire du *kwass*, du *klioukva*, de l'hydromel et toutes sortes de vins. » Entre les repas, il croque des raves crues, pour lesquelles il a une prédilection. Quand il sent monter sa température, il se fait verser sur la tête des ruisseaux d'eau de Cologne et s'asperge lui-même avec de l'eau glacée au moyen d'un goupillon. Sa nièce, Alexandra Engelhardt, comtesse Branicka, qui est aussi sa maîtresse, veille sur les humeurs de ce colosse terrassé. Il ne comprend pas ce qui lui arrive. Les lettres de la tsarine sont sa seule consolation. Il les lit et les relit en pleurant. Dans un effort surhumain, il dicte la réponse et gribouille sa signature, d'une main tremblante, au bas du feuillet. « Je suis très affaibli, lui mande-t-il. Je vous en prie, choisissez et envoyez-moi une robe de chambre chinoise, j'en ai grand besoin. » Lorsqu'un courrier apporte la robe de chambre chinoise, il prétend ressentir un mieux. Tout ce qui vient de Catherine est, pour lui, bénéfique.

Au début du mois d'octobre 1791, il abandonne subitement la conférence de la paix et décide de se rendre à Nicolaïev, ville qu'il a fondée à l'embouchure du Boug. Pourquoi ce déplacement? Il l'ignore lui-même. Une lubie de malade. La santé, le bonheur sont là où il ne se trouve pas. Il part à leur recherche et, avant de monter en voiture, griffonne, à l'intention de l'impératrice, un billet désespéré : « Petite Mère, gracieuse souveraine, je ne peux plus supporter mes tourments. La seule chance qui me reste est de quitter cette ville; j'ai donné l'ordre de me conduire à Nicolaïev. Je ne sais ce qui adviendra de moi.

Ton sujet très fidèle et très reconnaissant — Potemkine. Le seul moyen de me sauver est de partir. »

Sa nièce Alexandra s'installe avec lui dans le carrosse. Un médecin et trois secrétaires accompagnent le Sérénissime. Le chemin est détestable, coupé d'ornières. A chaque cahot, le malade gémit. Au bout de quelques verstes, il demande qu'on arrête l'attelage et qu'on le couche sur l'herbe : « Cela suffit. N'allons pas plus loin. Je meurs. Je veux mourir par terre. » On l'étend au pied d'un arbre, sur un tapis. Le médecin s'affaire. Alexandra pleure. Vers le milieu du jour, Potemkine, le seigneur de tant de domaines, le propriétaire de tant de palais, expire au bord d'une route, comme un vagabond sans toit. On cherche une pièce de monnaie en or pour fermer, selon l'usage russe, son œil unique. Un Cosaque de l'escorte fouille dans sa poche et offre une pièce en cuivre de cinq kopeck, qui est posée délicatement sur la paupière du défunt.

Le 12 octobre 1791, cinq mois et demi après la fête au palais de Tauride, un courrier vêtu de noir apporte à Saint-Pétersbourg la nouvelle de cette fin. Catherine s'évanouit, on la saigne, elle sanglote, elle s'enferme, elle ne veut voir personne. Ses petits-fils eux-mêmes n'ont pas accès auprès d'elle. Le deuil le plus strict est prescrit à la cour. Repliée sur son chagrin, l'impératrice mesure chaque jour davantage la perte immense qu'elle vient de subir en la personne de celui qui a été, tout ensemble, son amant, son mari, son ami, son conseiller, son confident, son ministre, son chef militaire. Même lorsqu'ils étaient loin l'un de l'autre, ils ne cessaient de se consulter. Il a augmenté d'un tiers l'étendue de sa patrie, il a mis en valeur des territoires incultes, il a bâti des villes, creusé des ports, construit des bateaux, gagné des batailles, aimé des femmes, fréquenté les plus grands souverains de son temps, dilapidé des fortunes, montrant en toute chose une âme vigoureuse, à la fois tendre et sauvage, folle et avisée, et, à cinquante-deux ans, voici que cette force de la nature, ce volcan de passions, n'est plus qu'un corps sans vie, enseveli au bout du monde, à Kherson. « Comment remplacer un tel homme? dit Catherine à son secrétaire Khrapovitski. Il ne me vendait pas et on ne pouvait l'acheter. Rien ne sera jamais plus pareil. Qui aurait cru qu'il partirait avant Tchernychev et les autres vieux? A présent, ceux-là vont sortir leur tête comme des escargots! Mais moi aussi, je suis vieille! » Là-dessus, la voici qui saisit une plume. Au plus fort de son désarroi, il faut qu'elle écrive. Vite, une feuille de ce beau papier doré sur tranches qui sert à sa correspondance. Comme d'habitude, elle s'adresse à son « souffre-douleur », à son cher Grimm, qui comprend tout :

« Un terrible coup de massue a frappé de nouveau ma tête. Vers six heures de l'après-midi, un courrier m'a apporté la bien triste nouvelle que mon élève, mon ami et presque mon idole, le prince Potemkine le Taurique, est mort après un mois environ de maladie, en Moldavie. Je suis dans une affliction dont vous n'avez pas d'idée : à un cœur excellent il joignait un entendement rare et une étendue d'esprit peu ordinaire; ses vues étaient toujours grandes et magnanimes; il était fort humain, rempli de connaissances, singulièrement aimable, et ses idées toujours nouvelles; jamais homme n'eut le don des bons mots et de l'à-propos comme lui. Ses qualités militaires, pendant cette guerre, ont dû frapper, car il ne manqua jamais, ni sur terre ni sur mer, un seul coup. Personne au monde n'a été moins mené que lui... En un mot, c'était un homme d'État pour le conseil et l'exécution. Il m'était attaché avec passion et zèle, grondant et se fâchant quand il croyait qu'on pouvait faire mieux; avec l'âge et l'expérience, il se corrigeait de ses défauts... La qualité la plus rare en lui était un courage de cœur, d'esprit et d'âme qui le distinguait parfaitement du reste des humains, et ceci faisait que nous nous entendions parfaitement et laissions babiller les moins entendus à leur aise. Je regarde le prince Potemkine comme un très grand homme, qui n'a pas rempli la moitié de ce qui était à sa portée. »

Quand Catherine reparaît à la cour, tout le monde, autour d'elle, affecte une profonde douleur. Mais, sous des airs de circonstance, Zoubov et ses amis jubilent. Certains chuchotent que Potemkine a été empoisonné sur l'ordre de Platon. En tout cas, celui-ci insiste auprès de l'impératrice pour qu'elle ne donne pas à la mort du prince une importance démesurée. Elle se résigne, par amour pour le nouveau favori, à mettre en sourdine le chagrin que lui cause le décès de l'ancien. Puisque Platon le lui demande, elle ne publiera pas de manifeste sur la disparition du grand homme et n'élèvera pas de monument pour perpétuer sa mémoire. Déjà, les ennemis innombrables de Potemkine supputent avec avidité la distribution de sa succession politique. Le 25 décembre 1791, quelques semaines après la mort du Sérénissime, le comte Rostoptchine peut écrire :

« Le partage des terres du prince n'a pas encore été fait. Il a bien laissé quelques dettes, mais aussi soixante-dix mille âmes de paysans en Pologne, six mille en Russie, et un million et demi de roubles en diamants. Ce qu'il y a de plus extraordinaire, c'est qu'il est déjà totalement oublié. Les générations à venir ne béniront pas sa mémoire. Il possédait au plus haut degré l'art de faire du mal avec le bien et d'inspirer de la haine contre lui, tout en répandant les bienfaits d'une main négligente. On aurait pu croire que le but principal de sa vie était d'abaisser toujours les autres pour s'élever au-dessus de tous. Sa plus grande faiblesse a été de s'amouracher de toutes les femmes et de vouloir passer pour un polisson. Ce désir, si ridicule qu'il fût, eut un plein succès. Les femmes recherchaient ses faveurs avec la même persévérance que les hommes mettent à se faire donner un emploi. Il quitta Saint-Pétersbourg après avoir dépensé huit cent cinquante mille roubles qui furent payés par l'impératrice, sans compter les autres dettes. »

A Kherson, où le Sérénissime a été enterré dans l'église Sainte-Catherine, sa nièce bien aimée, Alexandra, lui érige un mausolée. Mais nul ne songe à s'incliner devant Potemkine mort parmi tous ceux qui se sont inclinés devant Potemkine vivant.

CHAPITRE XXV

POLOGNE ET FRANCE

La disparition de Potemkine déclenche une redistribution des rôles autour de l'impératrice. Pour remplacer le Sérénissime à la conférence de Jassy, elle désigne Bezborodko. Il part immédiatement pour la Moldavie, nanti de recommandations conciliantes. Qu'on en finisse au plus vite! Le 29 décembre 1791-9 janvier 1792, la paix est signée. Le traité laisse à la Russie tout le territoire situé entre le Boug et le Dniestr, reconnaît solennellement que la Crimée et Otchakov sont russes et, pour le reste, confirme les accords de Kutchuk-Kaïnardji. Si toute la côte septentrionale de la mer Noire appartient désormais à la Russie, cette mer elle-même lui reste fermée par le verrou turc des Détroits. Quatre ans de luttes sanglantes, de sacrifices inouïs se soldent par des gains territoriaux assez minces. Catherine n'a pas pris Constantinople. Son petit-fils Constantin ne sera pas couronné dans cette ville. Mais le prestige de la Russie demeure intact. Platon Zoubov, qui a préconisé cette paix hâtive et de maigre profit, triomphe. Catherine le nomme, à la place de Bezborodko, retenu dans le Sud par les négociations, président du Collège des Affaires étrangères. Elle a en lui une confiance entière. Par sa joliesse et son application, il satisfait chez elle, tout ensemble, la vocation pédagogique, l'instinct maternel et une sensualité de femme sur le retour. Il est « un bon élève » et elle s'extasie devant son secrétaire Khrapovitski : « Ce qu'il fait, il le fait bien, et savez-vous pourquoi? Parce qu'il est impartial et n'a pas de vues particulières. »

Il la contente aussi d'une autre manière. A en croire Masson, « les désirs lubriques (de Catherine) n'étaient pas encore éteints et on la vit tout à coup renouveler les orgies et les lupercales qu'elle avait célébrées autrefois ». Sans aller jusqu'à prétendre, comme le fait ce mémorialiste, que les deux frères Zoubov et leur ami Saltykov se « relayaient » auprès de la tsarine « dans une carrière si vaste et si difficile à remplir », il est permis de supposer qu'elle a encore du goût pour l'amour physique. Même si, avec les années, l'embrasement des sens n'est plus ce qu'il était, elle ne peut se passer de la présence d'un jeune corps chaud dans son lit. Tous les subterfuges lui sont bons pour réveiller l'étincelle sous la cendre. Obèse, essoufflée, édentée, elle recherche encore l'illusion de l'étreinte avec un partenaire bien disposé. Puis on parle politique. Comme avec Lanskoï. Mais Platon Zoubov est plus coriace, plus avide que son charmant prédécesseur. Non content d'être à la tête du Collège des Affaires étrangères, il obtient de la tsarine la présidence du Collège de la Guerre. Toute la politique extérieure est ainsi concentrée entre ses mains. Éperdue de reconnaissance, Catherine met à sa disposition les anciens appartements de Potemkine dans une aile de l'Ermitage, le couvre de cadeaux, lui octroie le grand cordon d'Alexandre-Nevski, l'Ordre de Saint-André, lui donne officiellement son portrait en médaillon, comme autrefois au prince de Tauride. Platon Zoubov est tellement décoré qu'il ressemble, dit Masson, « à un marchand de rubans et de quincaillerie ». Son insignifiance intellectuelle et morale consterne ses plus proches collaborateurs, mais l'impératrice crie au miracle. « Potemkine dut presque toute sa grandeur à lui-même, écrit le même Masson, témoin de cette singulière élévation; Zoubov ne dut la sienne qu'à la décrépitude de Catherine. On le vit gagner en pouvoir, en richesse et en crédit, en raison de ce que Catherine perdait en activité, en vigueur et en génie... Il avait la manie de vouloir ou de paraître tout faire... Rien n'égalait sa hauteur que la bassesse de ceux qui s'empressaient à se prosterner devant lui... Tout rampait aux pieds de Zoubov; il resta debout et se crut grand. »

Pour épauler son étrange ministre, Catherine fait appel à Bezborodko, de retour de Jassy. Ne peut-il guider de ses conseils éclairés ce jeune homme qui est plein d'idées mais manque d'expérience? Bezborodko rattrape à temps quelques gaffes, puis abandonne sa place de mentor à un certain Markov. Celui-ci ne s'occupe que des affaires courantes. Les vastes desseins appartiennent à Platon Zoubov et à Catherine. Ils sont d'accord sur tout. Et d'abord sur la nécessité de reculer les frontières de la Russie. La grandeur d'un pays est fonction non du bonheur de ses habitants mais de la superficie de son territoire. Maintenant que la guerre contre la Turquie est terminée, on va pouvoir s'occuper sérieusement de la Pologne. C'est froidement que Catherine juge la situation de ce pays infortuné, où règne son délicat et fidèle amant d'autrefois, Stanislas Poniatowski. « Dans les affaires politiques, dit-elle volontiers, on doit se laisser guider ou bien par les principes de l'humanité, ou bien par l'intérêt... Il s'agit, pour chaque souverain, de prendre une décision nette dans un sens ou dans l'autre; un flottement entre les deux ne peut aboutir qu'à un gouvernement faible et stérile. » En l'occurrence, elle penche pour l'intérêt. Aucun scrupule ne l'a jamais retenue dans ses rapports avec les puissances étrangères. Et Platon Zoubov l'approuve de préférer le succès immoral à la bonne conscience inefficace. C'est lui qui organise le nouveau coup contre la Pologne.

Après la conclusion, en mars 1790, du traité d'alliance défensive entre la Pologne et la Prusse qui a tellement irrité Catherine, les patriotes polonais et le roi se décident à préparer un bouleversement politique. Le 3 mai 1791, la Diète, dont un grand nombre de députés appartenant à la petite noblesse sont en vacances, approuve une nouvelle Constitution, d'après laquelle, à la mort de Stanislas Poniatowski, le trône de Pologne deviendrait héréditaire dans la famille du prince électeur de Saxe, le *liberum veto* et les Confédérations dissidentes étant supprimés. Cela revient à établir une monarchie constitutionnelle de type démocratique et à écarter les risques de troubles dans un État dont l'anarchie est fort appréciée de Catherine. Sans sourciller, elle déclare que la Constitution du 3 mai est une émanation de « l'esprit révolutionnaire », que les projets de réforme du roi sont « inspirés par les clubs jacobins de Paris », que la France exporte sa pourriture en Pologne et que tout cela est contraire aux clauses du premier traité de partage du pays. Ainsi, tout en refusant de prendre part à la coalition austro-prussienne contre la nation française, prétend-elle combattre l' « hydre révolutionnaire » sur un terrain plus proche de ses intérêts. Pendant que l'Autriche et la Prusse rétabliront l'ancien régime en France, elle le rétablira, dit-elle, en Pologne. Or, c'est là une mauvaise excuse, car, si la Révolution française est destinée à amoindrir et même à anéantir le pouvoir royal, la Constitution polonaise du 3 mai tend, au contraire, à affermir la royauté et à éliminer les causes de discorde. Raisonnable par éducation et par tempérament, Catherine cependant refuse de se rendre à l'évidence lorsqu'elle trouve un avantage pratique dans l'obstination. Le partage de la Pologne vaut bien quelques entorses à la vérité et à la justice.

Pendant que les Autrichiens envahissent la Belgique et se heurtent aux troupes françaises, soixante-quatre mille soldats russes pénètrent en Pologne et trente-deux mille en Lituanie. Quelques Polonais hostiles à la Constitution forment une nouvelle Confédération à Targovicie, destinée à collaborer avec les Russes. Les autres, les « résistants », implorent la Prusse de leur venir en aide, conformément au traité d'alliance de 1790. Mais Frédéric-Guillaume, ayant essuyé des revers en Belgique et à la bataille de Valmy, se juge en droit de réclamer une

« réparation » du côté polonais. Reniant ses engagements, il déclare qu'il « n'est pas obligé de défendre une Constitution rédigée par les Polonais à son insu ». Au lieu de secourir ses amis, il est tout disposé à se payer sur leur dos. Par ailleurs, l'Autriche, devant la conquête de la Belgique par Dumouriez, doit renoncer à son projet primitif d'échanger la Belgique contre la Bavière et cherche une compensation aux dépens de la Pologne. En janvier 1793, la Russie et la Prusse signent une convention en vue d'un deuxième partage. Stanislas Poniatowski supplie qu'on n'ampute pas, une fois de plus, son territoire. Catherine refuse catégoriquement de l'entendre. La Diète est convoquée à Grodno. Sous la menace des armes, elle ratifie un nouveau traité. La Russie prend les régions de Vilna, de Minsk, de Kiev, la Volhynie et la Podolie, en tout 4 550 kilomètres carrés et trois millions de nouveaux sujets. La Prusse reçoit Posen et sa province, Thorn, Dantzig et une bande de territoire le long de la frontière silésienne, soit mille kilomètres carrés et un million et demi d'habitants. L'Autriche, moins favorisée, avale néanmoins quelques lopins. Le deuxième partage étant ainsi consommé, la Russie conclut avec la Pologne démembrée et saignée à blanc un traité qui lui enlève toute indépendance politique · la direction des affaires intérieures et extérieures du pays relève désormais exclusivement de Saint-Pétersbourg. Catherine, engraissée de ses nouvelles conquêtes, pavoise et affirme qu'elle a « maté la révolution à l'est de l'Europe ».

Mais l'affaire polonaise est loin d'être finie. Des organisations patriotiques clandestines se multiplient sous la direction du général Thadée Kosciuszko, qui a commandé naguère les troupes rebelles contre les Russes. Il a l'appui moral de Robespierre et de tout ce qui porte bonnet rouge. Il n'en faut pas plus pour que Catherine songe à anéantir définitivement cette succursale révolutionnaire de Paris. Les francs-tireurs se groupent en nombre autour de Kosciuszko, devenu héros populaire. Débordé par l'enthousiasme de ses partisans, il se voit obligé de diriger une révolte qu'il juge prématurée. Des émeutes éclatent. Surprise, la garnison russe abandonne Varsovie. Dans les rangs des insurgés, c'est du délire. Toutefois, la réaction est immédiate. La Prusse envoie des troupes, l'Autriche promet d'en faire autant, mais exige en échange que Cracovie et Sandomir tombent dans son panier. Catherine charge Souvorov de réduire Varsovie. Kosciuszko est battu à Maciejovice, blessé et capturé. Le 22 octobre-2 novembre, Souvorov prend d'assaut Praga, faubourg de Varsovie, la ville capitule et les soldats russes enragés se livrent à un massacre. Stanislas Poniatowski abdique en pleurant, après trente et un ans d'un règne pitoyable. Par ordre de l'impératrice, il est emmené à Grodno. N'éprouve-t-il pas quelque soulagement à déposer cette couronne qu'il n'a jamais voulue pour n'être plus enfin qu'un prisonnier du gouvernement russe?

Les trois vainqueurs de cette manœuvre sans gloire se préoccupent maintenant de répartir les prises. Décidée à encourager l'Autriche et la Prusse à poursuivre énergiquement la guerre contre la France, sans s'associer elle-même aux opérations, Catherine se déclare prête à dédommager ses alliés de leur effort antirévolutionnaire en leur abandonnant de belles parts du gâteau. Encore faut-il que ces parts soient égales. Les marchandages, les chamailleries entre les souverains durent pendant des mois. Catherine joue un jeu de finesse entre Frédéric-Guillaume et Léopold, dont l'avidité la fait sourire. Au vrai, c'est elle qui, des trois, a le plus gros appétit. Penchée sur la carte de la Pologne, elle taille et retaille dans la chair vive. Pas une seconde, elle ne se sent responsable d'un crime. Elle fait les comptes de son « petit ménage » selon sa propre expression : vingt millions de sujets à son avènement, trente-six millions aujourd'hui. Qui dit mieux parmi les monarques d'Europe? Puisqu'elle a su renforcer la puissance de son pays, elle peut paraître le front haut devant le tribunal de l'Histoire. Quant aux protestations qui s'élèvent, çà et là, à l'étranger, autour du partage, ce ne sont que les effets de la jalousie ou de l'incompréhension. N'ayant rien à se reprocher, elle méprise ces clabauderies. D'ailleurs, le démembrement de la Pologne est l'aboutissement d'une lutte séculaire, datant de l'époque où l'empire slave d'Occident s'en prenait à la Moscovie asiatique, où l'Église catholique romaine armait ses fidèles contre l'Église grecque orthodoxe. Catherine n'a fait, pense-t-elle, que mettre un point final à une évolution commencée bien avant sa venue. Le troisième traité de partage est signé le 13-24 octobre 1795. La Russie s'approprie la Courlande et le reste de la Lituanie jusqu'au Niémen, l'Autriche obtient, comme elle le souhaitait, Cracovie, Sandomir et Lublin, à la Prusse échoit le nord-ouest du pays avec Varsovie. Tout est fini. Il n'y a plus de Pologne. Les vaincus baissent la tête. Il ne leur reste plus que « des regrets inutiles, des souvenirs déchirants et le désespoir [1] ».

Pendant toute cette affaire polonaise, Catherine a travaillé jour et nuit. Elle confie à Grimm : « Il arrive quatre postes à la fois qu'avaient retenues les vents contraires, trois ou quatre courriers de tous les recoins du monde, de façon que neuf tables assez grandes suffisent à peine pour contenir tout ce fatras et que quatre personnes, tour à tour, me lisent depuis six heures du matin jusqu'à six heures du soir, pendant trois jours. »

Elle veut examiner elle-même, les moindres détails de l'opération. Pourtant, lorsque Kosciuszko est amené, captif, à Saint-Pétersbourg, elle refuse de voir ce champion malheureux de la cause polonaise et déclare avec une cruelle hauteur : « Il a été reconnu pour un sot dans toute la valeur du terme, très au-dessous de la besogne. » Estropiant son nom, elle l'appelle par dérision : « Ma pauvre bête de Kostiouchka. » Stanislas Poniatowski n'a pas droit à plus d'égards. Elle en a fait un roi jadis, malgré lui, elle en fait un prisonnier maintenant, avec la même tranquille assurance. Déjà sur le bateau, lors du voyage en Crimée, elle ne voyait en lui qu'un vaincu. Elle ne comprend

1. Lettre de la princesse Lubomirska à Maurice Glayre, conseiller privé de Poniatowski. Cf. Daria Olivier : *Catherine la Grande.*

pas comment, elle, qui apprécie tant la force de caractère chez un homme, a pu s'éprendre de cette tendre loche. Elle ne le plaint même pas. Elle le méprise. Qu'il finisse donc ses jours dans une captivité douillette. Retiré à Grodno, au milieu d'une petite cour dérisoire, il ne peut faire un pas sans se heurter à une sentinelle russe. Il a passé la cinquantaine, il est rompu, amer, il n'espère plus rien de l'avenir et, pour se consoler, retourne infatigablement au souvenir des moments heureux qu'il a vécus auprès de Catherine. Les *Mémoires* qu'il rédige pour occuper ses loisirs ne sont qu'un nostalgique hommage à la souveraine qui l'a comblé autrefois et qui aujourd'hui le dédaigne. Le vrai temps de sa royauté n'est pas celui où il occupait le trône de Pologne mais celui où Catherine le recevait dans sa chambre.

Tout en augmentant, à coups d'annexions, la grande famille russe, Catherine se préoccupe activement de sa petite famille personnelle. Ce qu'elle construit, elle veut être sûre que son successeur ne le détruira pas. Aussi est-elle de plus en plus décidée à écarter du trône son fils Paul au profit de son petit-fils Alexandre. Paul, retranché à Gatchina, s'adonne à la « soldatomanie » avec une fureur grandissante. Tout, autour de lui, est muet, craintif et tendu. Son cœur ne se repose qu'à la vue de ses régiments, habillés à la prussienne, qu'il fait manœuvrer par tous les temps jusqu'à la limite de leurs forces. « Le pire, écrit la princesse Augusta de Saxe-Cobourg, ce sont ces beaux soldats russes défigurés par des uniformes prussiens de coupe antédiluvienne, datant de l'époque de Frédéric-Guillaume Ier. Le Russe doit être russe, il le sent; chacun d'eux considère qu'en tunique courte et les cheveux coupés au bol il est infiniment plus beau qu'avec une natte et dans cet uniforme étriqué qui le rend malheureux, à Gatchina... J'étais peinée de voir ce changement, parce que j'aime ce peuple au plus haut point [1]. »

Les extravagances de Paul désarment ceux-là mêmes dont il

1. Constantin de Grunwald : *L'Assassinat de Paul Ier*.

voudrait faire ses conseillers, tel le comte Rostoptchine [1]. Celui-ci écrit au comte Vorontzov, ambassadeur à Londres : « Après le déshonneur, rien ne peut m'être plus odieux que la bienveillance de Paul. Le grand-duc a la tête remplie de fantômes et est entouré de gens dont le plus honnête mériterait la potence sans jugement. » Il le représente querellant tout le monde, suscitant partout l'inimitié et la peur, s'appliquant à imiter Pierre III dans sa folie. « On ne peut voir sans pitié et sans horreur tout ce que fait le grand-duc père, poursuit Rostoptchine. On dirait qu'il invente les moyens de se faire haïr et détester. Il s'est mis en tête qu'on le méprise et qu'on cherche à lui manquer; partant de là, il s'accroche à tout et punit sans distinction... Le moindre retard, la moindre contradiction le mettent hors de ses gonds et il s'emporte... » Le comte Adam Czartoryski renchérit : « Tout le monde a peur de Paul. On admire d'autant plus la puissance et les hautes capacités de sa mère qui le tient sous sa dépendance, loin du trône qui lui appartient de droit. » Et l'ambassadeur de Suède, comte Stedingk, mande à Stockholm, dans une dépêche chiffrée : « Le grand-duc Paul continue à se conduire fort mal et à perdre non seulement dans l'esprit des grands, mais aussi dans celui du peuple. »

Plus que jamais, Paul se sent isolé, écarté, maudit. Il ne peut pardonner à ses fils, Alexandre et Constantin, l'adoration qu'ils ont pour leur grand-mère et englobe le trio dans une même haine. Dans ce climat de discorde familiale, la tâche du précepteur, Laharpe, est difficile. Fidèle à son idéal républicain, il continue à prôner, devant ses élèves, les bienfaits de la liberté et les devoirs du souverain envers son peuple. L'aimable Alexandre est enchanté par cet enseignement. Constantin, en revanche, se rebiffe. Coléreux, violent à l'exemple de son père, il en arrive, un jour, à mordre cruellement la main de son maître. Une autre fois, il lui crie que, quand il sera au pouvoir, il

1. Le comte Fédor Rostoptchine est celui-là même qui, gouverneur de Moscou en 1812, incitera, dit-on, la population à incendier la ville lors de l'entrée des Français. Il aura pour fille la comtesse de Ségur.

pénétrera avec toutes ses armées en Suisse et détruira le pays. Imperturbable, Laharpe répond : « Il y a dans mon pays, près de la petite ville de Murten, un bâtiment où l'on met les ossements de tous ceux qui nous rendent de telles visites. »

Malgré l'indignation que lui causent les nouvelles de la Révolution française, Catherine garde toute son estime à cet éducateur au caractère ferme et aux vues généreuses. C'est qu'elle fait la différence entre les principes de justice sociale qui ont enflammé sa jeunesse et dont elle souhaite qu'Alexandre soit, lui aussi, pénétré, et les désordres où tombe un pays lorsque la plèbe imbécile accède au pouvoir. La grande-duchesse, en elle, est pour la liberté, la tsarine, pour l'autocratie. Autant elle condamne les convulsions brutales de la populace parisienne, autant elle accepte d'entendre parler de sages réformes. Pougatchev est à décapiter, Laharpe est à écouter. C'est une sorte de plaisir intellectuel et, pour ainsi dire, musical. Elle ne doute pas que, grâce à toutes les bonnes paroles qu'il a recueillies, Alexandre ne soit préparé à être un grand souverain libéral.

Pour mieux assurer l'avenir de ce petit-fils exceptionnel, elle décide de le marier et invite à sa cour les deux jeunes et jolies princesses de Bade. L'aînée, Louise, a quinze ans. Alexandre en a seize. Sa future épouse ne peut être qu'une Allemande. Quelle autre nation offrirait les mêmes garanties matrimoniales ? La dynastie russe a besoin de sang germanique pour se fortifier. Bien entendu, Catherine laissera ignorer à Alexandre les motifs exacts de la venue des deux sœurs. Elle lui tendra un piège sentimental. « C'est un tour diabolique que je lui joue, avoue-t-elle à Grimm, car je l'induis en tentation. »

Les princesses arrivent de nuit, par une tempête qui les effraie. Reçues par l'impératrice, elles tombent à ses pieds et lui baisent la robe et les mains, jusqu'à ce qu'elle les relève. Le lendemain, selon une tradition bien établie, elle leur apporte le cordon de l'Ordre de Sainte-Catherine, des bijoux, des étoffes et se fait montrer leur garde-robe. « Mes amies, dit-elle, je n'étais pas si riche que vous quand j'arrivai en Russie! » Elle trouve les jeunes filles tout à fait dignes de leurs portraits. L'aînée surtout est séduisante. « Taille charmante, note la comtesse Golovine, cheveux blonds cendrés retombant en boucles sur la nuque, teint blanc de lait, des feuilles de rose sur les joues, bouche très agréable. » Elle fera un beau couple avec Alexandre. Quand il paraît, en compagnie de son frère Constantin, Louise est éblouie. Cet adolescent prestigieux est « doué de toutes les grâces naturelles ». Grand, élancé, il a des épaules d'athlète, une démarche d'ange, un visage noble, régulier et doux, une soyeuse chevelure châtain clair, de profonds yeux bleus et un sourire enjôleur. Sa physionomie respire tout ensemble la force et la grâce, l'affabilité et le mystère. En quittant les jeunes filles après cette première entrevue, Alexandre reconnaît que Louise est charmante. « Ah! point du tout! s'écrie Constantin. Elles ne le sont (charmantes) ni l'une ni l'autre : il faut les envoyer à Riga pour les princes de Courlande; elles ne seront bonnes que pour eux[1]! » Le propos élogieux d'Alexandre est rapporté à sa grand-mère, et elle se réjouit. Elle a vu juste. Il mord à l'hameçon. Lors de la présentation des jeunes étrangères à la cour, Louise fait un faux mouvement, se heurte à l'angle des degrés du trône et tombe de tout son long. On la relève, on la console, Alexandre lui sourit, l'incident est oublié. La sœur cadette, dont Constantin ne veut pas, est renvoyée, avec une charretée de cadeaux, sur les bords du Rhin[2]. La sœur aînée apprend le russe, abjure sa religion, est baptisée orthodoxe, se voit proclamée grande-duchesse et troque son nom de Louise contre celui d'Elisabeth Alexeievna. « Le grand-duc est fort amoureux de sa future, note Stedingk, et il n'est pas possible de voir un couple plus beau et plus intéressant. » Quant à la nouvelle Elisabeth, émerveillée et effarouchée des premières audaces d'Alexandre, elle écrit à sa mère : « Lorsque nous étions seuls dans ma

1. Masson : *Mémoires secrets sur la Russie.*
2. Elle épousera, plus tard, le roi de Suède.

chambre, il m'a embrassée, et à présent je crois qu'il le fera toujours. Vous ne pouvez vous imaginer comme cela m'a paru drôle. »

La Russie venant de terminer heureusement trois guerres, une foule de généraux chamarrés assiste à la cérémonie des fiançailles. Il y a là aussi quantité de Suédois, admirateurs de Catherine, des magnats polonais « dévoués et soumis », des khans tartares, des pachas turcs et des députés moldaves. Catherine dîne sur un trône, élevé au milieu des autres tables. « Couverte et couronnée d'or et de diamants, écrit Masson, elle promenait un œil serein sur cette assemblée immense, composée de toutes les nations, et semblait les voir toutes à ses pieds... Un poète l'eût prise pour Junon assise parmi les dieux. »

Cependant Junon n'est pas exempte de soucis. Les brillantes fiançailles de son petit-fils sont assombries, pour elle, par les événements de France. Depuis longtemps, elle considère que ce pays traverse une crise de folie. Et elle craint la contagion. Lorsqu'elle apprend la fuite de Louis XVI et son arrestation à Varennes, elle se désespère. On chuchote que l'ambassadeur de Russie à Paris, Simoline, a participé en secret à la préparation de ce malheureux départ. C'est par miracle que le diplomate a échappé à la vindicte de la foule révolutionnaire assemblée au Palais-Royal, puis sur les Champs-Élysées. « Ils voulaient se saisir de moi et m'exterminer, en tant que complice dans l'organisation de la fuite du roi », écrit-il à Catherine.

Les premiers réfugiés français qui arrivent à Saint-Pétersbourg y sont reçus avec empressement. En face du républicain Laharpe, défilent les Sénac de Meilhan, les Saint-Priest, les Bombelles, les Esterhazy, les Choiseul-Gouffier. Tous ces déracinés papotent, s'indignent, conspirent, s'installent. « Mme Vigée-Lebrun va bientôt se croire à Paris, tant il y a de monde à ces réunions », écrit le prince de Ligne. Et le comte Rostoptchine constate amèrement : « Quand on étudie les Français, on trouve quelque chose de si léger dans tout leur être qu'on ne conçoit pas comment ces gens tiennent à la terre. Les scélérats et les imbéciles sont restés dans leur patrie et les fous l'ont quittée pour grossir le nombre des charlatans de ce monde. » Devant ces afflux d'émigrés, le chargé d'affaires français Genet, partisan d'une révolution raisonnable, est dans ses petits souliers. En vain essaie-t-il de soutenir, contre toute évidence, que Louis XVI jouit d'une certaine liberté. Catherine le considère comme un « démagogue enragé » et refuse de le recevoir à la cour. Elle en veut à Louis XVI d'avoir accepté la Constitution. « Eh bien! ne voilà-t-il pas que le sire Louis XVI vous flanque sa signature à cette extravagante Constitution et qu'il s'empresse de faire des serments qu'il n'a aucune envie de tenir et que personne ne lui demande, qui plus est! écrit-elle à Grimm. Mais qui sont donc ces gens sans jugement qui lui font faire toutes ces bêtises-là?... Quand vous reviendrez à Paris, et s'ils ne sont pas tous pendus encore, prenez une verge et donnez bonnement le fouet aux écoliers conseillers du roi de France! » Les Russes résidant en France ont ordre de regagner immédiatement leur patrie. Simoline, ambassadeur de Russie à Paris, plie bagage. *Le Moniteur* traite l'impératrice de « Messaline du Nord ». Elle réplique en interdisant aux Russes de porter des cravates parisiennes et en reléguant au grenier le buste de Voltaire. Il est coupable. Elle le sait avec certitude maintenant. La preuve? Le 11 juillet 1791, les révolutionnaires français ont transféré solennellement les cendres du philosophe au Panthéon. La plèbe en armes escortait, dit-on, le char funèbre. Une délégation d'hommes de lettres, avec Beaumarchais en tête, représentait « la famille de Voltaire ». Eh bien! s'il repose au Panthéon à Paris, il reposera sous les combles à Saint-Pétersbourg. Oui, cette fois, les chers encyclopédistes ont perdu tout crédit aux yeux de Catherine. Après les avoir tant admirés, elle ne voit plus en eux que des monstres de duplicité intellectuelle. En prêchant la liberté, l'égalité, la fraternité, ils se sont faits les fourriers de l'intolérance, de la haine, du massacre. Des utopistes aux mains rouges de sang. Leurs œuvres complètes servent de socle à la guillotine. « Je propose à toutes les puissances protestantes d'embrasser la religion grecque pour se préserver de la peste irreligieuse, immorale, anarchique, scélératique et diabolique, ennemie de Dieu et des trônes », écrit-elle. Et elle déclare à Grimm : « Je soutiens qu'il ne faut s'emparer que de deux ou trois bicoques en France et que tout le reste tombera de soi-même... Vingt mille Cosaques seraient beaucoup trop pour faire un tapis vert depuis Strasbourg jusqu'à Paris... » Pourtant elle n'a garde d'ordonner à ces vingt mille Cosaques de se mettre en campagne.

En apprenant, au début de 1793, la mort de Louis XVI, elle éprouve un choc si violent que ses médecins craignent pour sa santé. Elle a une trop haute idée de l'institution monarchique pour supporter sans frémir cette fin ignominieuse d'un monarque, sur la guillotine. C'est elle que la foule insulte, c'est sur son cou à elle que tombe le couperet. « A la nouvelle de la criminelle exécution du roi de France, écrit Khrapovitski, Sa Majesté s'est mise au lit, malade de chagrin. Grâce à Dieu, cela va mieux aujourd'hui. Elle m'a parlé de la barbarie des Français, de l'illégalité manifeste du compte des voix (qui se prononcèrent pour la condamnation du roi) : « C'est une injustice criante, même envers un particulier... *Égalité* est un monstre, il veut être roi. »

Dès lors, Catherine est toute hérissée de piquants. Ses violences verbales font frémir Genet. Dans la bouche de l'impératrice, La Fayette devient « Dadais le Grand », Paris, « un repaire de brigands » et les révolutionnaires, « des crapules ». « Il faut exterminer jusqu'au nom des Français. » Pour elle, la capitale de la France n'est plus Paris, mais Coblence, quartier général des émigrés. Elle abroge le traité de commerce conclu avec Ségur pendant le voyage en Crimée ; elle interdit l'accès des ports russes aux navires français ; elle rompt les relations diplomatiques avec la France et renvoie dans son pays Genet, l'indésirable. « L'on dit, écrit-elle à Grimm, qu'il est parti de Pétersbourg en enfonçant sa tête dans un bonnet de laine rouge. Ceci est si fou que j'ai éclaté de rire en l'apprenant. » Enfin, elle prend un oukase ordonnant à tous les Français résidant en Russie de signer, sous peine d'expulsion immédiate, un serment au texte virulent : « Je soussigné jure devant Dieu tout-puissant et sur son saint Évangile que, n'ayant jamais adhéré de fait ni de volonté aux principes impies et séditieux professés maintenant en France, je regarde le gouvernement qui s'y est établi comme une usurpation et une violation de toutes les lois, et la mort du roi très chrétien Louis XVI comme un acte de scélératesse abominable... En conséquence, jouissant de l'asile assuré que Sa Majesté impériale de toutes les Russies daigne m'accorder dans ses États, je promets d'y vivre dans l'observance de la sainte religion dans laquelle je suis né et dans une profonde soumission aux lois instituées par Sa Majesté impériale, de rompre toute correspondance dans ma patrie avec les Français qui reconnaissent le gouvernement monstrueux actuel de la France, et de ne la reprendre que lorsque, à la suite du rétablissement de l'autorité légitime, j'en aurai reçu la permission expresse de Sa Majesté impériale. »

Car Catherine ne doute pas d'un retour du pouvoir personnel en France, après tant de désordres sanglants et de lois stupides. Avec une prescience extraordinaire, elle écrira, en 1794 : « Si la France en réchappe, elle sera plus forte qu'elle ne l'a jamais été jusqu'ici... Il lui faut seulement l'homme supérieur, plus grand que ses contemporains, plus grand peut-être qu'un siècle entier. Est-il déjà né?... Viendra-t-il? Tout dépend de cela! » L' « homme supérieur » est déjà né. A Ajaccio, en 1769. Il a vingt-quatre ans et vient de s'illustrer au siège de Toulon.

Cependant, les Français de Russie prêtent serment avec zèle. Catherine les considère déjà non plus comme des invités, mais comme de nouveaux sujets qui lui doivent obéissance. L'arrivée du comte d'Artois, en 1793, la transporte d'aise. Elle avait rêvé, avant Varennes, de donner asile à Louis XVI lui-même. « Ce serait, disait-elle, l'acte le plus remarquable de mon règne. » Une princesse de Zerbst offrant refuge et protection au petit-fils de son ennemi juré Louis XV et à la fille de Marie-Thérese d'Autriche qui lui avait témoigné tant de mépris, quelle revanche! A défaut de mieux, elle reçoit le comte d'Artois avec pompe et séduction. Beaucoup de bonnes paroles et le moins de secours possible, telle est sa devise. Avant tout, elle tient, par un amour-propre très féminin, à ce que les fastes du palais d'Hiver rivalisent avec ceux de Versailles. Son invité est traité par elle et par Platon Zoubov en fils de France et en lieutenant général du royaume. Il se montre d'une parfaite nullité politique, mais simple, aimable et « sans jactance ». Malgré tous ses efforts, il ne réussit pas à obtenir de la tsarine l'aide militaire qu'il espérait. Elle se borne à verser entre ses mains un million de roubles pour ses frais d'entrée en campagne et lui ouvre un crédit, jusqu'à concurrence de quatre millions, auprès de l'ambassade de Russie à Londres. Puis, afin de le stimuler dans sa lutte sacrée contre la Révolution française, qu'elle appelle « l'Égrillarde », elle lui remet, après l'avoir fait bénir, une riche épée, dont la lame porte ces mots : « Donné par Dieu pour le roi. » Déçu, le comte d'Artois prend cette arme symbolique dont il n'a que faire et remercie, dit un témoin, « avec trop peu de physionomie ». Catherine écrit, tout crûment, au vice-chancelier Ostermann : « Je me casse la tête pour engager les cours de Berlin et de Vienne dans les affaires françaises... pour avoir mes coudées franches. J'ai beaucoup d'entreprises non achevées. Il convient que la Prusse et l'Autriche ne me gênent pas. » Plus tard, toujours préoccupée par la tournure des « affaires françaises », elle recherchera une entente avec la Grande-Bretagne. Un traité défensif sera signé entre les deux pays. Mais Catherine n'y attachera guère d'importance. Le 26 avril 1793, le comte d'Artois part pour l'Angleterre.

Le mariage du grand-duc Alexandre est célébré le 28 septembre de la même année. Le couple est si gracieux qu'on le surnomme « Amour et Psyché ». Catherine espère devenir bientôt arrière-grand-mère. Ce serait, songe-t-elle, une garantie de plus pour l'avenir du pays. Ainsi aurait-elle construit non seulement dans l'espace mais dans le temps. D'abord, il faut s'assurer des intentions d'Alexandre. Nourri des belles idées de Laharpe, il tient, au cours d'une réception, des discours enthousiastes sur *les Droits de l'Homme* qui scandalisent son auditoire. Exaltation irresponsable de la jeunesse, pense Catherine. L'exécution abominable de Marie-Antoinette, après celle de Louis XVI, rabat vite le caquet au Suisse libéral et à son élève. L'horreur du résultat fait douter de l'excellence du principe. Le salut, c'est la monarchie. Catherine veut en persuader Alexandre et, dans le même temps, l'instruire du projet qu'elle a formé pour lui.

Dès les premières conversations, elle est épouvantée. Alexandre ne désire pas régner. Il prétend détester le despotisme, la violence, les intrigues de cour. Son tempérament tendre et conciliant le pousse, dit-il, à aimer la tranquillité, la vie simple, les sages vertus familiales. Une maison à la campagne, un foyer chaleureux, une bonne femme, de bons enfants, les soucis et les joies domestiques du commun des mortels. Au lieu du futur tsar qu'elle comptait trouver, Catherine découvre un petit bourgeois helvétique. Alors, elle appelle Laharpe, dont elle connaît l'influence sur son disciple, et le somme de ramener Alexandre au sentiment du devoir impérial. Il faut non seulement que le jeune grand-duc accepte son destin, mais encore qu'il se considère comme l'héritier direct du trône, son père étant écarté de la succession. Cette dernière condition révolte Laharpe. Il estime qu'il se rendrait complice d'un grave manquement à la morale en incitant un fils à voler la place qui revient de droit à l'auteur de ses jours. Éducateur d'Alexandre, il ne lui a pas inculqué le respect des parents et l'amour du prochain pour le pousser à une telle infamie. Bref, il refuse d'être l'agent politique de la tsarine. Elle n'insiste pas, espérant gagner à sa cause, à défaut de Laharpe, la naïve épouse d'Alexandre. Mais Laharpe s'emploie maintenant à rapprocher Paul et son fils. Il va même jusqu'à trahir, devant son élève, le secret de la conversation qu'il a eue avec l'impératrice. Bouleversé, Alexandre redouble de gentillesse envers son père. Il ne manque pas une occasion de l'honorer, de le flatter. Il l'appelle même, par anticipation, « Majesté impériale », comme pour marquer sa soumission à l'ordre de dévolution de la couronne. Catherine, avertie de cette recrudescence d'amour filial chez le jeune homme, convoque Laharpe et lui signifie son renvoi. Quand il revient dans la salle d'études des grands-ducs — bien que marié, Alexandre continue à s'instruire —, Laharpe est livide. Les larmes aux yeux, il raconte son entrevue avec l'impératrice. Alexandre éclate en sanglots et se suspend au cou de son maître. Resté seul, il lui écrit une lettre déchirante : « Adieu, mon cher ami! Comme il m'en coûte d'écrire ce mot! N'oubliez pas que vous laissez ici un homme qui vous est dévoué, qui ne saurait vous témoigner assez de reconnaissance, qui vous doit tout si ce n'est la naissance... Soyez heureux, mon cher ami, c'est le vœu d'un homme qui vous aime tendrement, qui vous honore et vous estime au-delà de toute expression. Adieu pour la dernière fois, mon ami le meilleur. Ne m'oubliez pas! Alexandre. » Plus tard, il dira : « Tout ce que je suis, je le dois à un Suisse. »

Après le départ de Laharpe, Alexandre, privé de recours spirituel, éprouve une sensation de flottement, de déréliction tragique. Tout en se conduisant en fils respectueux, il est consterné par les bizarreries, la sottise et la méchanceté mesquine de son père. S'il se tourne vers sa grand-mère, il est saisi d'admiration devant sa puissance de travail, son intelligence, son autorité, sa bienveillance, et navré devant la faiblesse sénile qu'elle manifeste envers son jeune amant, Platon Zoubov. « Je me sens malheureux de me trouver dans la société de gens que je ne voudrais pas avoir pour domestiques », confie-t-il à son ami Kotchoubey. Cependant, et c'est là un trait de son caractère malléable, il file doux devant le favori. Bien mieux, il supporte que ce dernier, mettant le comble à son arrogance, fasse une cour assidue à sa jeune épouse. Comment rabrouer un homme de cette importance? Et comment empêcher une femme d'allumer les cœurs par sa seule beauté? Elisabeth Alexeievna n'a rien à se reprocher. Elle est même très importunée des hommages que Platon Zoubov lui prodigue en public. D'ailleurs, le gaillard est, paraît-il, sincère. Fatigué de l'impératrice, il brûle pour la grande-duchesse. Il serait prêt à tout sacrifier pour assouvir cette passion. On est au bord du scandale. Et Alexandre le craint plus que quiconque. Il a toujours eu horreur des couleurs tranchées. Il est l'homme du ni oui ni non. Il confie à son cher Kotchoubey : « Ma femme se conduit comme un ange. Pourtant vous avouerez que la conduite qu'on doit tenir avec Zoubov est furieusement embarrassante... Si on le traite bien, c'est comme si on approuvait son amour, et, si on le traite froidement pour l'en corriger, l'impératrice, qui ignore le fait, peut trouver mauvais qu'on ne distingue pas un homme pour lequel elle a des bontés. Le milieu qu'il faut tenir est extrêmement difficile à garder, surtout devant un public aussi méchant et aussi prêt à faire des méchancetés que le nôtre [1]. »

Informée de cette lamentable aventure, Catherine avale la pilule sans grimacer. Peut-elle en vouloir au beau Platon de tourner ses regards, de temps à autre, vers une rivale plus fraîche? En le choisissant si jeune, elle a pris le risque d'être parfois trompée en imagination. Mais quelle idée a-t-il eue de jeter son dévolu sur la grande-duchesse! Décidément, ces Russes étonneront toujours Catherine : l'illogisme est leur élément. Voici un homme, Platon Zoubov, qu'elle aime éperdument, qu'elle a élevé aux honneurs, qu'elle a chargé des plus délicates responsabilités politiques, et il est sur le point de renoncer à toutes ces chances pour s'abandonner à un sentiment condamnable et infructueux. En face, voici un autre homme, Alexandre, qui, lui aussi, a du sang russe dans les veines, à qui elle a proposé le trône le plus prestigieux du monde, et qui recule devant le pinacle, sous prétexte qu'il veut vivre en paix, à l'abri des remous des affaires publiques. Elle pense à Potemkine

1. Cf. Daria Olivier : *Catherine la Grande.*

rêvant, au faîte de la gloire, de se retirer dans un monastère. Il faut mettre un peu de bon sens germanique dans cette absurdité slave. Catherine raisonne son amant et son petit-fils. Le premier se laisse finalement convaincre de s'écarter du sillage de la grande-duchesse, et le second, de ne point prendre ombrage d'un empressement sans lendemain.

Reste l'histoire de la succession. Catherine revient à la charge. De toute sa volonté, de toute sa tendresse, elle pèse sur l'esprit flexible d'Alexandre. Elle lui affirme que, si c'est Paul qui accède au pouvoir, il s'opposera aveuglément à toute réforme libérale, alors que, si c'est lui, Alexandre, qui hérite directement de la couronne, il aura tout loisir d'appliquer à son peuple les sages préceptes de Laharpe. Ainsi, par opposition à la sanglante Révolution française, démontrera-t-il ce que peut, dans un grand pays, la volonté d'un monarque éclairé. Destiné, par sa naissance et son éducation, à cette tâche admirable, il n'a pas le droit de s'y dérober pour des motifs personnels. Qu'il accepte, et elle finira ses jours en paix avec elle-même. Cette fois, Alexandre est ébranlé. Selon son habitude, il ne donne pas de réponse nette. Mais Catherine sait, par intuition, que l'affaire est en bonne voie.

Du côté de Platon Zoubov, c'est également l'embellie après la bourrasque. Détaché de la grande-duchesse, il a une autre idée en tête : reprendre, sous une nouvelle forme, le projet grec cher à Catherine. A l'exemple de Potemkine, il veut agrandir l'empire par une conquête hardie à laquelle son nom restera attaché. Pourquoi pas la Perse? De là, on poussera jusqu'aux Indes. L'opération sera conduite par Valérien Zoubov, le frère de Platon, qui a fait la campagne de Pologne comme simple lieutenant et qui y a perdu une jambe. Pendant ce temps, Souvorov marchera sur Constantinople, par les Balkans. La flotte russe entrera dans le Bosphore et investira la capitale turque par la mer. Afin de magnétiser les marins, on pourra même faire conduire cette escadre par Catherine en personne. Dans l'entourage de l'impératrice, c'est la consternation. Une expédition de ce genre apparaît aux yeux de tous comme une dangereuse chimère. Alexandre lui-même cache difficilement son scepticisme. Sa grand-mère ne va pas céder, une fois de plus, au mirage! Eh bien, si! Fatiguée et le jugement obscurci, Catherine ne sait rien refuser à son adorable Platon. Puisqu'il a envie d'une guerre, elle n'aura pas la cruauté de l'en priver.

Dans les derniers jours de février 1796, Valérien Zoubov se met en campagne, avec vingt mille soldats. Il promet d'entrer à Ispahan en septembre. Mais, après la prise de Derbent et de Bakou, qui ne lui opposent guère de résistance, il arrête sa progression. A la fin de l'été, il est encore séparé de la frontière persane par un désert de six cents verstes où il craint de s'aventurer. De Saint-Pétersbourg, on lui envoie un ingénieur avec des documents géographiques et des instructions. Penché sur les cartes, il comprend mieux la folie de son entreprise et décide de ne pas bouger de Bakou.

De nouveau, Catherine voit s'éloigner son rêve d'hégémonie orientale. Elle n'en garde pas moins l'espoir de vivre assez longtemps pour assister à la chute de Byzance. Elle a soixante-sept ans, ses forces baissent, son cœur bat irrégulièrement, ses jambes sont enflées au point qu'elle a de la peine à monter trois marches et que certains courtisans font poser sur les escaliers de leurs demeures des plans doucement inclinés pour la recevoir. Son visage adipeux porte, selon les observateurs, « des signes certains annonçant la dissolution et l'hydropisie ». Mais elle refuse de se considérer comme vieille et impotente. « Je suis gaie et leste comme un pinson », écrit-elle à Grimm. Quand elle éprouve un malaise, elle l'analyse et le soigne à sa façon. « Je crois que c'est la goutte qui s'est placée dans mon estomac, dit-elle à l'un de ses intimes. Je l'en chasse avec du poivre et un verre de vin de Malaga que je bois tous les jours. »

Comme par le passé, une discipline impitoyable règle ses journées. Elle travaille avec un acharnement maniaque. Mais Platon Zoubov est toujours auprès d'elle. Aucune décision ne se prend en dehors de lui. C'est lui encore qu'elle retrouve, la nuit, dans sa chambre. Elle sait qu'il sera le dernier de ses amants. Et elle ne lui en est que plus reconnaissante de ses efforts pour la satisfaire. L'ambassadeur de Suède Stedingk donne, dans ses dépêches, quelques aperçus de cette collaboration à la fois politique et sensuelle. « Ce qui relève le crédit du favori, écrit-il, c'est que l'impératrice doit être décidée à ne plus en changer jamais... Zoubov va et vient chez l'impératrice à toute heure. C'est chez lui que se tiennent les délibérations. C'est de sa chancellerie que s'expédient la plupart des affaires. L'impératrice ne tient plus jamais conseil chez elle... La faveur de Zoubov va croissant et augmente dans la même proportion que diminue l'estime qu'on lui accorde. » Pour le jour de la fête du favori, le poète Derjavine compose une ode où il compare Platon Zoubov à Aristote et les jeunes pensionnaires de l'Institut Smolny lui présentent un ouvrage brodé de leurs mains avec cette formule : « Monseigneur, joie de la patrie, pour vos prospérités notre cœur est attendri. »

Un notable événement familial marque encore, pour Catherine, l'année 1796. Au mois de juin, la grande-duchesse mère, Marie Fedorovna, l'épouse de Paul, met au monde son neuvième enfant : un fils : Nicolas! Le troisième rejeton mâle de cette femme aux flancs généreux. Catherine feint l'attendrissement de l'aïeule. En fait, elle est agacée. Ce bambin-là arrive trop tard dans sa vie pour qu'elle puisse espérer l'élever comme elle l'a fait pour Alexandre et Constantin. Il sera livré tout entier à l'influence pernicieuse de son père. Qui sait quelles catastrophes présage, pour la Russie, le spectacle de ce fou en uniforme prussien, penché sur un nouveau berceau[1]?

1. Nicolas Ier (1796-1855) montera sur le trône en 1825, à la mort de son frère aîné Alexandre, après avoir maté la révolte des décembristes.

CHAPITRE XXVI

LA FIN

Pourvu que l'épidémie révolutionnaire se cantonne dans les limites de la France! Aux approches de la vieillesse, Catherine ne craint rien tant que l'extension à la Russie de ces idées libérales dont, jadis, elle se prétendait inspirée. La terrible révolte de Pougatchev lui ayant montré que le peuple russe était tout aussi capable de violence que le peuple français, elle ne peut tolérer, dans le pays, aucun mouvement d'opinion qui risque d'ébranler la stabilité sociale ou simplement la tranquillité des esprits. Gardienne de l'ordre, elle poursuit avec une sévérité d'acier ceux de ses sujets qu'elle juge coupables de « jacobinisme ». Même ses amis de naguère n'ont plus grâce à ses yeux, pour peu qu'ils penchent vers « la gauche ». Après s'être sentie très proche du journaliste, libraire et éditeur Novikov, au point de collaborer anonymement à son journal *le Peintre,* elle lui en veut de prendre trop énergiquement la défense des serfs et lui reproche même bientôt son affiliation au mouvement franc-maçon. A ses débuts en Russie, ce mouvement était empreint d'un parfait loyalisme à l'égard du gouvernement. Mais, très vite, il s'est compliqué d'illuminisme, et cette tendance mystique a inquiété Catherine comme une première atteinte à sa souveraineté. Elle a l'esprit positif : la prolifération des sectes en marge de l'Église lui paraît de nature à semer le trouble dans une population inculte et facilement exaltée; Novikov et ses partisans projettent, dit-on, d'exploiter le goût de Paul pour les théories « martinistes »; on a même proposé au grand-duc d'être le grand maître de l'ordre des francs-maçons, à Moscou. Eh bien, non! La bonne formule, c'est une patrie, une foi, un monarque. On a trop vu où les philosophes français ont entraîné leur malheureux pays! Catherine vivante, les philosophes russes n'auront pas le droit de vaticiner dans des loges, dans des salons ou dans la rue. En 1792, Novikov est arrêté; son affaire est instruite avec une fermeté particulière; Catherine elle-même dicte les questions que les juges poseront à l'inculpé; la sentence est dure : quinze ans de prison dans la forteresse de Schlüsselbourg; autodafé des livres subversifs; fermeture de toutes les loges maçonniques en Russie. Bien des années auparavant, l'impératrice écrivait dans son journal, *Mélanges*[1] : « Nous voulons marcher sur terre et non planer dans les airs, encore moins grimper jusqu'au ciel. » « De plus, ajoutait-elle, nous n'aimons pas les écrits mélancoliques. »

Cette même rigueur envers les mirages humanitaires, elle la retrouve lors de la publication par Radichtchev de son livre : *Voyage de Saint-Pétersbourg à Moscou.* Cet ouvrage, à la fois document et pamphlet, récit et réflexion, dénonce les horreurs du servage et préconise la libération immédiate des paysans par un acte généreux du gouvernement. Dieu sait si Catherine a rêvé autrefois d'affranchir les moujiks! Mais elle a appris, en régnant, le risque qu'il y aurait à placer brusquement ce peuple habitué à l'esclavage devant le gouffre lumineux de l'indépendance. Déchargé, depuis des siècles, de toute responsabilité et de toute initiative, ne tombera-t-il pas dans la folie à l'annonce de son émancipation? Ne regrettera-t-il pas la sécurité que représentait pour lui l'asservissement à un maître tout-puissant?

1. *Vsiakaïa Vsiatchina.*

De toute façon, il faut préparer lentement le seigneur et le paysan au futur bouleversement de leurs rapports. Le livre de Radichtchev vient trop tôt. Sa lecture peut enfiévrer des cervelles faibles comme il y en a tant en Russie. Tout compte fait, estime Catherine, l'auteur, à cause même de son talent, est « plus dangereux que Pougatchev ». Condamné à mort, Radichtchev bénéficie cependant de la clémence impériale et se voit déporté pour dix ans, en Sibérie.

Quant à Kniajnine, auteur de deux comédies à succès, *le Fanfaron* et *les Extravagants,* c'est après son décès qu'il subira la colère de l'impératrice. La princesse Dachkov, présidente de l'Académie russe, ayant fait imprimer une tragédie posthume de l'écrivain, intitulée *Vadim de Novgorod,* Catherine en prend connaissance, lui trouve un parfum républicain et ordonne de saisir et de détruire tous les exemplaires de la brochure. En apprenant cette décision, la princesse Dachkov s'écrie, face à la tsarine : « Qu'est-ce que cela peut me faire, Majesté, si cet ouvrage est brûlé de la main du bourreau? Ce n'est pas moi qui aurai sujet d'en rougir[1]! » Cette mise en garde n'ébranle nullement la volonté de Catherine. L'exécution a lieu. Les cendres de *Vadim de Novgorod* sont dispersées au vent. Après cet affront, la princesse Dachkov démissionne avec éclat de son poste académique et décide de quitter Saint-Pétersbourg pour se retirer à Moscou. Mais, avant de partir, elle sollicite de Catherine une entrevue d'adieu. Ne sont-elles pas de très anciennes amies? Sa Majesté fait attendre la visiteuse pendant une heure dans l'antichambre avant de la recevoir. Enfin les deux femmes sont tête à tête. Catherine est de pierre. Comme la princesse Dachkov s'incline devant elle, en silence, elle lui dit sèchement : « Bon voyage, madame. » L'ex-présidente de l'Académie n'en tirera pas un mot de plus. Cependant, à d'autres Catherine donnera l'explication de sa sévérité en matière de censure. « Le théâtre est l'école de la nation, dira-t-elle. Il doit

1. Princesse Dachkov : *Mémoires.*

être absolument sous ma surveillance; je suis le premier maître de cette école, parce que mon premier devoir devant Dieu est de répondre des mœurs de mon peuple[1]. »

Dans l'ensemble, tout en s'intéressant, par goût et par fonction, à l'essor de la littérature nationale, elle affirme, au-dessus du petit monde des écrivains russes, une autorité nuancée de dédain. Fervente admiratrice des cultures française et allemande, elle ne voit de salut, pour la culture de son pays, que dans l'imitation des modèles occidentaux. Peu de grands noms sont venus s'ajouter, sous son règne, à ceux des célébrités du règne d'Elisabeth, tels Lomonossov, le fondateur de la langue russe, mort en 1765, ou Soumarokov, mort en 1777, auteur de fables, de satires et de pièces de théâtre inspirées de Racine et de Voltaire. Il y a évidemment le poète officiel Derjavine, au lyrisme fulgurant, mais son long poème *Félitsa* n'est qu'une œuvre de commande réunissant le panégyrique de l'impératrice et la critique des courtisans qui l'entourent. Avec le temps, Derjavine s'abaissera jusqu'à chanter les louanges de Platon Zoubov. Kheraskov, de son côté, singe encore les Français, et particulièrement Voltaire, en rimant sa *Russiade*, et Bogdanovitch s'efforce de parer sa *Douchenka* de grâces empruntées aux *Amours de Psyché* de La Fontaine. Combien plus original est Fonvizine, surnommé le Molière russe, ridiculisant, dans sa comédie *le Brigadier*, la gallomanie des Trissotins moscovites et évoquant, dans *le Dadais* (ou *le Mineur*), la vie oisive et rude des hobereaux de campagne! L'idée générale qui le guide dans cette dernière pièce est que la société russe périra si elle ne sait pas élever son cœur et éduquer son esprit. Une conception toute « catherinienne ». Pourtant, Fonvizine doit lutter contre la censure qui d'abord interdit la représentation de sa comédie. Le grand-duc Paul intervient. *Le Mineur* est joué avec un succès immense. Mais, après, Fonvizine n'écrit plus rien. Une grave maladie l'emporte, à l'âge de quarante-huit ans. Catherine en est

1. Ettore Lo Gatto : *Histoire de la littérature russe*

moins affectée que de la mort d'un Voltaire ou d'un Diderot. Tous ces écrivains russes sont, pour elle, des apprentis. Elle ne semble pas se douter du génie naissant d'un Karamzine, dont les *Lettres d'un voyageur russe* et les récits sentimentaux enchantent déjà de nombreux lecteurs, ni des prodigieuses promesses d'un Krylov, qui publie ses premiers essais satiriques en attendant de donner sa mesure dans des fables.

Pas plus que les écrivains russes, les architectes russes n'ont la confiance de l'impératrice. Elle a « la fureur de bâtir » et affirme que jamais tremblement de terre ne renversera plus de monuments qu'elle n'en élève. Avec passion, elle embellit Saint-Pétersbourg et ses environs. Dans la capitale même, elle construit le Petit Ermitage, l'Institut Smolny, la superbe façade de l'Académie des Beaux-Arts, le palais de Marbre et le palais de Tauride, destiné à Potemkine, transforme la vieille cathédrale de la Trinité ; à Gatchina, elle édifie le Grand Château ; à Péterhof, elle développe celui de Pierre Ier, tout en lui conservant son aspect « versaillais » ; à Tsarskoïé-Sélo, elle fait mille aménagements et érige le nouveau palais Alexandre. La plupart de ces ouvrages sont dus à des artistes italiens ou français. Du côté russe, on ne peut citer que Starov, Bajenov, Kasakov... De toute façon, le style de ces réalisations n'est en rien national, et s'inspire, sans aucune adaptation au climat ni au milieu, des écoles italienne et française. Alors qu'Ivan III, au XVIe siècle, avait obtenu des architectes bolonais et milanais appelés à Moscou une conception originale, accordée à la tradition russe, Catherine, suivant en cela les leçons de Pierre le Grand, a transplanté sur les bords de la Néva des édifices admirables certes, mais inventés pour un autre horizon.

Les peintres, les sculpteurs, les hommes de science spécifiquement russes sont, eux aussi, en minorité autour du trône. Catherine ne les conforte guère et témoigne même à leur égard d'une condescendance voisine du mépris. Falconet, lors de son séjour en Russie, s'indigne des duretés de la tsarine envers l'excellent peintre Lossienko. « Le pauvre honnête garçon, avili, sans pain, voulant aller vivre ailleurs qu'à Saint-Pétersbourg, venait me dire ses chagrins », écrit-il. Un voyageur (Fortia de Piles) s'étonne que Sa Majesté laisse un sculpteur du talent de Choubine croupir dans un cabinet étroit, sans modèles, sans élèves, sans offres de travail officielles. Durant tout son règne, elle ne fournit de commandes ou de subsides qu'à de très rares artistes russes, réservant ses largesses à l'achat d'œuvres étrangères.

Les gens de science qui ont droit à sa sollicitude viennent, eux aussi, d'au-delà des frontières. Ils ont nom Euler, Pallas, Boehmer, Storch, Kraft, Muller, Bachmeister, Georgi, Klinger... Cependant, si l'on excepte les fameux voyages du naturaliste Pallas, les recherches historiques de Muller et quelques ouvrages de biologie, il ne semble pas que le séjour de tous ces savants à l'Académie des Sciences de Saint-Pétersbourg ait enrichi le patrimoine des connaissances humaines. Le principal mérite de Catherine aura été d'encourager la publication d'un grand nombre de vieilles chroniques relatives au passé du pays, tel le fameux *Dit de la campagne d'Igor*. On recueille et on imprime également, sous son égide, les premières *Bylines* (chants épiques) transmises jusque-là, de génération en génération, sous la forme orale. Pour montrer l'intérêt qu'elle porte à l'histoire, elle va jusqu'à rédiger des *Mémoires relatifs à l'Empire russe*. Dans ces notes, hâtivement jetées sur le papier, elle accumule les erreurs, invente des « rois de Finlande », les marie à d'hypothétiques princesses de Novgorod, fait intervenir Rurik dans des circonstances abracadabrantes et s'efforce de démontrer l'importance universelle de la vieille Moscovie. Elle écrira, parlant de ses investigations historiques et linguistiques : « J'ai ramassé des connaissances en quantité sur les anciens Slavons, et je pourrai, dans peu, démontrer qu'ils ont donné les noms à la plupart des rivières, montagnes, vallées et contrées en France, Espagne, Écosse et autres lieux. »

Bientôt, du reste, elle se lasse de ces travaux et confie à des savants professionnels, tels Stcherbatov et Golikov, le soin de construire une œuvre d'érudition sérieuse et durable. Puis, l'âge et la Révolution française aidant, elle considère tous les hommes de science d'un œil soupçonneux. Elle a rêvé jadis d'un cercle d'académiciens dissertant de sujets abstraits, avec une amabilité inoffensive. Soudain, elle voit en eux des incendiaires. Toute idée neuve effraie cette ancienne disciple des encyclopédistes. En 1795, elle s'aperçoit que la Société d'économie de Saint-Pétersbourg lui coûte quatre mille roubles par an pour ses publications « plus bêtes les unes que les autres ». Elle se cabre, traite les membres de la docte assemblée de « fripons » et leur coupe les vivres.

A cette époque, elle a déjà renvoyé Laharpe et applique tous ses efforts à persuader Alexandre de ceindre la couronne de Russie. Après avoir longtemps rêvé de couler des jours heureux loin de la cour, à la campagne, peut-être sur les bords du Rhin, le jeune grand-duc cède, pas à pas, devant son intraitable grand-mère. Au cours de l'été 1796, il fait son examen de conscience et écrit à son ancien précepteur : « Vous connaissez le vœu que j'ai formé de m'expatrier. Pour le moment, je ne vois aucune possibilité de le réaliser. La situation malheureuse de ma patrie a donné à mes pensées une tout autre direction. » Cette « autre direction » est évidemment celle du trône. Cependant, avec son frère Constantin, Alexandre est devenu, depuis peu, un hôte assidu de Gatchina, où le grand-duc Paul l'initie au métier militaire. Habillé d'un uniforme prussien, chaussé de hautes bottes, le jeune homme se passionne pour l'instruction des recrues, les marches, les contremarches, les exercices d'artillerie, le maniement de l'épée et du mousquet. Séduit par l'atmosphère martiale de la petite garnison, il n'en est pas moins consterné de voir que, dans un large rayon autour du château, le maître des lieux a fait démolir les maisons, couper les forêts, niveler le terrain, afin que les sentinelles puissent mieux surveiller la campagne environnante. Des cordons de police enferment la résidence. Pour les franchir, il faut figurer sur les listes des amis du grand-duc. Il voit des espions derrière chaque porte.

L'impératrice a raison de le tenir pour un fou. Mais ce fou est attirant. Alexandre flotte entre le plaisir de jouer au soldat avec son père et le plaisir, non moins vif, de jouer à l'héritier du trône avec sa grand-mère. Pourtant, il est loin d'approuver la politique qu'elle mène. Le souvenir de Laharpe colore toutes ses pensées. A son nouvel ami, le jeune Polonais Adam Czartoryski, il ose, au cours d'une promenade, avouer ses tourments de conscience. « Le grand-duc me dit, raconte Czartoryski dans ses *Mémoires,* qu'il ne partageait nullement les idées et les doctrines du cabinet et de la cour ; qu'il était loin d'approuver la politique et la conduite de sa grand-mère, qu'il condamnait ses principes... Il m'avoua qu'il détestait le despotisme partout et de quelque manière qu'il s'exerçât ; qu'il aimait la liberté ; qu'elle était due également à tous les hommes ; qu'il avait pris le plus vif intérêt à la Révolution française ; que, tout en réprouvant ses terribles écarts, il souhaitait des succès à la République et s'en réjouissait... Je m'en allai, je l'avoue, hors de moi, profondément ému, ne sachant si c'était un rêve ou la réalité. Quoi ! Un prince de Russie, le successeur de Catherine, son petit-fils et son élève bien-aimé, qu'elle aurait désiré, en écartant son fils, voir régner après elle, duquel on disait que ce serait lui qui continuerait Catherine, ce prince reniait et détestait les principes de sa grand-mère, repoussait l'odieuse politique de la Russie, il aimait avec passion la justice et la liberté, il plaignait la Pologne et aurait voulu la voir heureuse ! N'était-ce pas miraculeux ?... »

Catherine est parfaitement au courant des rêves républicains d'Alexandre. A son âge, elle pensait de même. Fièvre de jeunesse. Il en guérira. Comme elle. Son instinct l'avertit qu'il a en lui l'étoffe d'un vrai monarque. Et puis, elle n'a pas le choix. Tout plutôt que l'affreux Paul, avec son prussianisme et ses aberrations. Il faut faire vite, sinon on risque de se laisser surprendre par les événements. Ne rien livrer au hasard. Un acte écrit. Noir sur blanc. Irréfutable. Avec l'aide de Bezborodko, elle prépare, en secret, un manifeste destiné à écarter son fils Paul de la succession au profit de son petit-fils Alexandre. Ce manifeste, enfermé dans sa cassette privée, elle compte le publier au début de l'année suivante. Auparavant, selon la suggestion de Platon Zoubov, elle veut fiancer l'aînée de ses petites-filles, Alexandra Pavlovna, au tout jeune roi de Suède, Gustave IV. « Frère Gu », autrement dit Gustave III, est mort assassiné, quatre ans plus tôt, et depuis, malgré les efforts des diplomates, les relations entre Stockholm et Saint-Pétersbourg ne se sont guère améliorées. En unissant le nouveau souverain de Suède, âgé de dix-huit ans, avec Alexandra, qui en a treize, on résoudrait en famille bien des problèmes politiques. L'affaire se présente d'autant mieux que Gustave a, dit-on, une « physionomie charmante, où l'esprit et l'agrément sont peints », et qu'Alexandra est la plus jolie, la plus candide et la plus douce des princesses disponibles en Europe. Comme elle est encore d'un âge trop tendre pour se comporter en épouse, on retardera le mariage de deux ans. Mais on peut, dès aujourd'hui, conclure les fiançailles. C'est Platon Zoubov qui, en qualité de ministre des Affaires extérieures, conduit les négociations. Elles sont, pour le moins, épineuses. La cour de Suède considère comme indispensable la conversion de la future reine à la foi protestante; Catherine, au contraire, estime que sa petite-fille est d'un rang trop élevé pour souscrire à cette condition. Née de sang impérial, Alexandra doit garder sa religion et avoir, à Stockholm, sa chapelle orthodoxe et ses prêtres. En se déclarant aussi intransigeante sur le chapitre de la confession, la tsarine ne veut-elle pas montrer le chemin gravi par elle depuis le temps où, petite princesse allemande, elle était obligée de renoncer au luthérianisme pour épouser l'héritier de Russie? Quelle éclatante revanche sur le passé! Platon Zoubov et son conseiller Markov essaient de louvoyer avec les Suédois. Les discussions s'aigrissent, s'apaisent, s'embrouillent et se terminent, de part et d'autre, par des demi-promesses qui ne clarifient guère la situation. Des deux côtés, on compte sur la bousculade du dernier moment pour emporter la résistance de l'adversaire et

« bâcler » la cérémonie des fiançailles, selon l'expression de Markov.

Le jeune roi de Suède et son oncle, le duc de Sudermanie, régent du royaume, arrivent en Russie au mois d'août 1796. Les négociateurs sont encore sur leurs gardes, mais, entre Gustave et Alexandra, c'est le coup de foudre. Gustave apparaît à la jeune fille comme le prince charmant des contes de fées de sa petite enfance. La comtesse Golovine confirme cette impression : « L'habit noir suédois du roi, ses cheveux tombant sur ses épaules ajoutent à sa noblesse un air chevaleresque... » Catherine renchérit, dans une lettre à Grimm : « C'est un bien précieux jeune homme, et assurément, dans l'Europe présentement, aucun trône ne peut se vanter de rien de pareil en espérance. » Et, quelques jours plus tard : « Tout le monde raffole du jeune roi, grands et petits. Il est d'une grande politesse, parle très bien, jase et fort joliment. Il est d'une figure charmante ; ses traits sont beaux et réguliers, ses yeux, grands et vifs ; il a le port majestueux ; il est assez grand, mais mince et leste ; il aime à sauter et danser, et tous les exercices du corps, et s'en acquitte avec adresse et très bien. On dirait qu'il se plaît, ici... Il paraît aussi comme si la demoiselle n'avait aucune répugnance pour le susdit sire : elle a perdu certain air embarrassé qu'elle avait eu au commencement, et paraît fort à son aise avec son amoureux. Il faut avouer que c'est un couple rare. »

Guettés par toute la cour, les jeunes gens se dévorent des yeux, se parlent d'une voix pressée et recherchent les moindres occasions d'être ensemble. Catherine se frotte les mains. « L'amour, dit-elle, va tambour battant. » Encore quelques jours, et l'affaire sera dans le sac. Après un bal à l'ambassade d'Autriche, elle écrit encore à Grimm : « Ce bal était fort gai, parce que le bruit courait que tout était définitivement convenu en paroles. Je ne sais comment il se fit, par gaieté ou autrement, que notre amoureux s'avisa de presser un peu, en dansant, la main de sa future. La voilà pâle comme la mort et qui va dire à sa gouvernante : « Imaginez-vous, je vous prie, ce qu'il fait! Il m'a pressé la main en dansant. Je ne savais que devenir. » L'autre lui dit : « Que fîtes-vous donc? » Elle répondit : « Je me suis tellement effrayée que je pensais tomber! »

Séduit par tant de naïveté, Gustave, sans même consulter le régent, va droit à l'impératrice et lui déclare, avec fougue, qu'il aime Alexandra et qu'il sollicite sa main. La grand-mère éclate de joie : décidément, l'amour est plus fort que tous les diplomates du monde. L'idylle, officiellement autorisée, fleurit de plus belle. La grande-duchesse mère écrit billet sur billet à son mari, le grand-duc Paul, resté à Gatchina, pour le tenir au courant du comportement des chers petits : « Nos jeunes promis sont assis à côté l'un de l'autre à se parler bas, et c'est toujours la voix du promis que j'entends. » Le roi de Suède est tellement épris qu'il souhaiterait avancer la date du mariage. La grande-duchesse mère l'assure de son appui : « Prenez confiance en moi, monsieur Gustave (*sic*). Voulez-vous que j'en parle à l'impératrice? » Il accepte et, au souper, se montre « caressant même devant le monde avec la petite ». Le lendemain, nouvelle satisfaction et nouveau billet de la mère au père : « Mon cher et bon ami, bénissons Dieu : les promesses sont fixées à lundi soir... Elles seront faites par le métropolite... Il y aura bal dans la chambre du trône. »

Le lundi soir, 11 septembre, à sept heures, la grande salle s'emplit de courtisans. Il y a là les principaux dignitaires de l'empire, le corps diplomatique au complet, des représentants du haut clergé, des invités étrangers de marque. Toutes les constellations du ciel semblent descendues sur ces illustres poitrines : ce ne sont que croix, crachats, plaques, chiffres de diamants. L'impératrice, couronne en tête, sceptre à la main et manteau d'hermine sur les épaules, siège, imperturbable, sur le trône que domine un baldaquin portant l'aigle bicéphale. A sa droite, le grand-duc Paul, officiellement héritier. A sa gauche, son préféré, Alexandre. A ses pieds, sur un tabouret, toute pâle, la fiancée engoncée dans une robe de cérémonie blanche, à broderies d'argent. L'orchestre, dans la tribune, est prêt à éclater en fanfares d'allégresse, dès que le signal lui en sera donné. On n'attend plus que le jeune roi. Il est en train d'examiner, avec Platon Zoubov, dans un salon voisin, le contrat de fiançailles. Ce contrat comprend évidemment la petite clause d'après laquelle, une fois mariée, Alexandra conservera sa religion. Le fait, estime Catherine, a été implicitement admis par Gustave lors de ses conversations amoureuses avec la jeune fille. Il s'agit d'une simple régularisation. Une signature est vite donnée. Que se passe-t-il donc là-bas? Pourvu que Platon Zoubov ne se soit pas heurté à quelque difficulté imprévue!

En fait, il y a bien une difficulté, et elle est de taille. Ayant lu le contrat, le roi de Suède fulmine, prétend qu'on lui a tendu un chausse-trape, jure qu'il n'acceptera jamais de donner à son peuple une reine orthodoxe et jette le document par terre. Affolé, Platon Zoubov lui représente que l'impératrice ne peut céder sur ce point, que, d'ailleurs, il est trop tard pour revenir en arrière, que non seulement une charmante princesse se morfond derrière la porte, mais que toute la cour, toute la Russie, toute l'Europe attendent, en retenant leur souffle, le oui des fiancés. Quel affront pour Sa Majesté, s'il s'obstine dans son refus!

Tandis que Platon Zoubov s'évertue à réparer la gaffe qu'il a commise en ne précisant pas, dès l'abord, les conditions du mariage, dans la salle du trône l'étonnement se mue en inquiétude. La fiancée lève fréquemment les yeux vers l'impératrice comme pour implorer son aide. Catherine demeure de marbre, mais ceux qui la connaissent bien devinent, sous ce calme apparent, la montée du courroux impérial. Les minutes passent, interminables. Il semble que le monde se soit fixé pour toujours dans l'immobilité. Enfin, la porte s'ouvre à deux battants. Un soupir de délivrance s'échappe de cent poitrines. La fête va pouvoir commencer. Le chef d'orchestre brandit sa baguette. Hélas! Platon Zoubov apparaît sans le roi et son visage livide, bouleversé est celui d'un messager de malheur. Il s'avance entre deux haies de courtisans pétrifiés, gravit les degrés du trône et parle à l'oreille de l'impératrice. Le masque lourd et flétri de Catherine ne tressaille pas. Simplement son œil se fige. Elle remue les lèvres. On l'entend murmurer : « J'apprendrai à ce morveux ! » Alexandra l'interroge d'un regard suppliant. Un silence sépulcral pèse sur l'assemblée. Catherine absorbe le choc. Cette avanie de salon est plus humiliante pour elle qu'une défaite sur un champ de bataille. Son valet Zotov lui tend un verre d'eau. Elle l'avale. Au bout d'un long moment, elle prononce d'une voix atone, méconnaissable : « Sa Majesté Gustave IV de Suède s'est trouvée prise d'une indisposition subite ; la fête des fiançailles est remise. »

Ensuite elle se lève péniblement et quitte la salle, appuyée au bras de son petit-fils Alexandre, le pas traînant, les traits flasques, le souffle court. Derrière elle, la jeune fiancée tombe sans connaissance. On l'emporte. La foule se disperse en chuchotant.

Dans la nuit, Catherine éprouve un étourdissement qui ressemble à une petite attaque. Elle s'en remet immédiatement et, dès le lendemain, décide de reprendre les pourparlers afin de parvenir à un compromis. Elle n'a jamais aimé s'avouer vaincue. Ce n'est pas un freluquet qui lui fera lâcher le morceau. On donnera un bal. Gustave y paraîtra. En revoyant la jolie Alexandra, il renoncera, par amour, à ses prétentions ridicules de monarque protestant. Mais la jeune fille, malade de chagrin, implore sa grand-mère de lui épargner l'épreuve d'une rencontre avec celui qui l'a publiquement humiliée. Aussitôt, Catherine lui envoie un billet griffonné d'une main rageuse : « Pourquoi pleurez-vous ? Ce qui est différé n'est pas perdu. Lavez vos yeux avec de la glace et vos oreilles aussi... C'est moi qui étais malade, hier. Vous êtes fâchée du retard, et c'est tout. »

Ainsi sermonnée, Alexandra se rend au bal, les yeux rougis et la démarche molle. Gustave est là, lui aussi, avec toutes les apparences de la courtoisie. Mais les rapports entre les deux jeunes gens se sont détériorés. Dès le premier coup d'œil,

Catherine se rend compte qu'il n'y a pas de raccommodage possible. Alexandra n'a plus auprès d'elle un prétendant amoureux, mais un luthérien intransigeant, plein de morgue royale. Un Suédois qui fait le difficile devant une grande-duchesse de Russie! Il ne reviendra pas sur sa décision. Et Catherine, de son côté, ne peut céder sans perdre la face. Elle n'a pas régné avec éclat pendant trente-quatre ans pour plier aujourd'hui le genou. Tant pis pour « la petite[1] ». La plus à plaindre, dans l'affaire, ce n'est pas cette enfant blessée dans son amour-propre et peut-être dans son amour, mais elle, l'impératrice, dont le prestige a été éclaboussé et l'autorité battue en brèche pour la première fois de sa vie. Il lui semble parfois que ce sont les sources profondes de son énergie qui ont été atteintes par l'échec à la fois sentimental et politique de la soirée du 11 septembre. Allons, il faut en finir! L'alliance russo-suédoise est enterrée. On ne parle plus de fiançailles. Après excuses, compliments et ronds de jambes, le roi de Suède et le régent repartent pour Stockholm.

Alexandra, épuisée par les larmes, tombe malade. Catherine l'entoure d'une tendresse inquiète. Mais elle-même se plaint de fréquents malaises. Les coliques, qu'elle ressent d'habitude après une émotion violente, ne la laissent plus en repos. Des plaies suppurent sur ses jambes. Un médecin de rencontre lui conseille des bains de pieds d'eau de mer glacée. Un soir qu'elle se promène avec Mme Narychkine dans le parc de Tsarskoïé-Sélo, elle aperçoit une étoile filante et soupire : « Voilà qui présage ma mort. » Son amie lui fait observer qu'autrefois Sa Majesté refusait de croire aux signes et condamnait la superstition. « Oui, autrefois », répond-elle avec tristesse. Et elle ajoute qu'elle se sent « baisser à vue d'œil ». Elle s'était juré de vivre jusqu'à quatre-vingts ans; elle en a soixante-sept et ses forces sont à bout. « Catherine seconde est venue après Pierre premier, lui écrivait Diderot, en 1774, mais qui remplacera Catherine

1. Alexandra épousera, trois ans plus tard, l'archiduc Joseph d'Autriche et mourra lors de ses premières couches.

seconde ? Cet être extraordinaire peut ou lui succéder immédiatement ou se faire attendre des siècles. » Plus que jamais, elle a le souci d'assurer l'héritage impérial. Paul est, dans son esprit, définitivement sacrifié. Le lumineux, le généreux Alexandre montera sur le trône à sa place, et, sans renoncer à son idéal de justice, résistera aux tempêtes révolutionnaires venues de France. Le manifeste instituant un nouvel ordre de succession devait primitivement être rendu public au début de 1797. Pourquoi attendre si longtemps ? Saisie d'une hâte soudaine, Catherine décide de proclamer son intention dès le 24 novembre 1796, jour de sa fête patronymique.

En prévision de ce grand événement, elle se ménage et ne paraît aux yeux de la cour que le dimanche, pour la messe, et à dîner. Elle marche de plus en plus difficilement, appuyée sur une canne. Le 4-15 novembre, Sir Charles Whithworth la trouve « plus gaie et plus affectueuse que jamais ». Mais Rostoptchine, mieux renseigné, écrit : « Sa santé est mauvaise. Un orage, étrange occurrence en cette saison, dans nos régions, et comme on n'en avait point vu depuis la mort de l'impératrice Elisabeth, l'a fortement impressionnée. Elle ne sort plus. » Cependant, elle continue à suivre de très près les affaires de l'Europe. Ainsi se réjouit-elle en recevant la nouvelle de la retraite du général Moreau, obligé de repasser le Rhin. Le Directoire lui est aussi odieux que la Convention. Elle rêve de l'écrasement de la France régicide. D'une plume frétillante, elle trace quelques lignes à l'intention du diplomate autrichien Cobenzl : « Je m'empresse d'annoncer à l'excellente Excellence que les excellentes troupes de son excellente cour ont complètement battu les Français. » Le soir même, elle réunit ses intimes à l'Ermitage et s'amuse des plaisanteries de l'incorrigible fantoche Léon Narychkine. Déguisé en marchand ambulant, il lui offre, dans un boniment de saltimbanque, des mers, des montagnes, des rivières, des couronnes, des peuples. Elle rit de si bon cœur qu'elle en éprouve, dit-elle, des coliques, et se retire dans ses appartements privés.

Le lendemain matin, elle se lève très tôt, comme d'habitude, bavarde aimablement avec sa camériste, se déclare enchantée de la nuit qu'elle a passée, fait promptement sa toilette en se frottant le visage avec un glaçon, boit son café noir brûlant, reçoit Platon Zoubov, qui l'entretient des affaires courantes, convoque ses secrétaires, travaille avec eux sans montrer la moindre fatigue et les renvoie enfin pour s'isoler dans sa garde-robe. Au bout d'un assez long temps, comme elle ne revient pas, on s'inquiète. Le valet Zotov et la camériste Pérékouzikina pénètrent dans la chambre, puis dans le cabinet de toilette. Personne. Ils frappent à la porte de la garde-robe. Pas de réponse. Avec un respect religieux, ils poussent le battant. Horreur ! L'impératrice est là, inerte, à demi affalée sur le tapis, contre la chaise percée. La porte ne lui a pas permis d'allonger ses jambes. Les yeux clos, la face congestionnée, l'écume à la bouche, elle râle faiblement. Les cris de Zotov ameutent les autres serviteurs. Ils se précipitent et, unissant leurs efforts, parviennent à soulever ce corps pesant. Titubants et maladroits, ils commencent par coucher la malade au pied de son lit, sur un matelas de cuir enlevé à un sofa. Elle reste là, étendue sur le dos, la mâchoire décrochée. Une attaque d'apoplexie. Averti en premier, Platon Zoubov accourt, se désespère et ordonne d'appeler le médecin attitré de Sa Majesté, l'Anglais Rogerson. Celui-ci constate la paralysie et, sans conviction, pratique des saignées, pose des sinapismes aux pieds. D'autres médecins, venus en renfort, le secondent. Considérant que l'impératrice est perdue, ils n'en tiennent pas moins à essayer sur elle « tous les moyens recommandés par l'art ».

Derrière la fenêtre, la neige tombe sur Saint-Pétersbourg. Catherine est maintenant allongée dans son grand lit à baldaquin. Les médecins impuissants s'effacent devant les prêtres. Un murmure de prières enveloppe la mourante. Elle n'a pas rouvert les yeux. Étrangère à l'agitation qui l'entoure, elle continue à respirer bruyamment, avec, au fond de la gorge, un clapotement sinistre. Son râle s'amplifie. On l'entend jusque dans l'antichambre. Au chevet du lit, Platon Zoubov sanglote convulsivement. Qu'adviendra-t-il de lui après la mort de l'impératrice? Toutes les haines qu'il a suscitées en coulisse, comme favori, lui éclateront à la figure. Du jour au lendemain, il sera honni, moqué, chassé. Si encore il savait à quelle branche se raccrocher! Mais on ignore même qui sera l'héritier du trône! Comment se fait-il qu'Alexandre ne soit pas encore là? On le cherche partout. Il est allé se promener en traîneau, avec son frère Constantin. Enfin on l'amène. Il paraît accablé. Cependant, la comtesse Golovine prétend qu'il est tout heureux « de ne plus obéir à une vieille femme ».

Singulier caractère qu'Alexandre! Sans aucun doute il est au courant de l'acte déposé dans la cassette impériale. Il lui suffirait de produire le manifeste pour être proclamé empereur de toutes les Russies. Pourtant il ne fait pas ce geste que la mourante souhaite de ses dernières forces. Encore quelques jours, et, le 24 novembre, pour la Sainte-Catherine, elle l'aurait désigné elle-même, officiellement, comme son successeur. Alors, il n'aurait eu qu'à s'incliner. Les affres de la décision lui auraient été épargnées. Mais la tsarine est tombée juste avant, tout près du but. A présent, s'il brandit ce document, il blessera son père. Il n'en a pas le courage. Toujours, il a eu besoin, pour agir, d'avoir, derrière son dos, un personnage énergique : Laharpe, sa grand-mère... Livré à lui-même, il préfère l'équivoque, le clair-obscur, les chemins de traverse, la dérobade dans les fourrés. Puisque les événements jouent contre lui, il n'y a qu'à les laisser faire. Après tout, il ne tenait pas tellement à régner!

Autour de lui, le palais d'Hiver bourdonne comme une ruche. Les courtisans s'affairent avec des mines épouvantées. Certains tremblent, saisis de fièvre. Ce n'est pas le sort de Catherine qui les inquiète, mais leur propre sort, après sa disparition. En attendant son dernier soupir, ils se livrent à des calculs hâtifs, supputent de nouvelles alliances, redoutent des inimitiés anciennes, jonglent, en pensée, avec la faveur et la disgrâce. A la cour, chaque changement de règne équivaut à une redistribution de cartes entre les joueurs. Sortant de son hebetement, Platon Zoubov envoie son frère Valérien, « le Persan », revenu récemment, tout déconfit, de Bakou, alerter le grand-duc Paul. Par cette démarche, il espère gagner la mansuétude du futur souverain. Rostoptchine part de son côté, jugeant que c'est à lui d'annoncer la nouvelle à l'héritier du trône, dont il est l'ami et le confident.

Paul et sa femme déjeunent avec des intimes au moulin de Gatchina, à quelques verstes du château. Les deux époux se disent très impressionnés par un rêve qu'ils ont fait, l'un et l'autre, en même temps, la nuit précédente : une main puissante les tirait irrésistiblement vers le ciel. A peine Paul a-t-il achevé le récit de sa vision, qu'on lui annonce un messager venu de Saint-Pétersbourg avec des nouvelles alarmantes de Sa Majesté. Aussitôt, il fait atteler un traîneau et se lance sur la route blanche de la capitale. Vers quoi court-il ainsi? Il ne peut le savoir. Tant d'intrigues l'entourent! La moitié de sa famille est contre lui. Peut-être s'agit-il d'un guet-apens? On va l'arrêter, l'enfermer dans une forteresse! Au nom de l'impératrice! Ou au nom d'Alexandre! Cent fois, Paul a entendu parler, à mots couverts, de sa destitution probable. Tout se jouera, à pile ou face, entre son fils et lui. Un moment, il songe à rebrousser chemin. Mais d'autres estafettes, qu'il croise sur le trajet, le rassurent : l'impératrice a vraiment eu une attaque. Enfin, voici Rostoptchine avec des nouvelles fraîches. Paul le serre dans ses bras. Alors, où en est-on, là-bas? C'est sans crainte, repond le nouveau venu, que le fils peut se rendre au chevet de sa mère. Toute la cour l'attend. Paul fait monter Rostoptchine dans le traîneau, l'installe sur la banquette, en face de la grande-duchesse Marie Fedorovna, et ordonne au cocher d'accélérer l'allure. Les clochettes tintent. Le grand-duc semble transfiguré par l'extase. Au sommet d'une colline, non loin de Saint-Pétersbourg, il fait arrêter les chevaux, descend de voiture et, le visage grimaçant, les joues baignées de larmes, contemple le paysage de neige, figé dans un clair de lune irréel. « Monseigneur, quel moment pour vous ! » murmure Rostoptchine. « Attendez, mon cher, attendez, dit Paul en lui serrant la main. J'ai vécu quarante-deux ans. Dieu m'a soutenu. Peut-être me donnera-t-il la force et la raison pour supporter l'état auquel il me destine. Espérons tout de sa bonté ! »

On repart. A mesure qu'il approche de Saint-Pétersbourg, Paul se persuade davantage que l'heure de sa revanche a sonné. Après avoir vécu si longtemps en fils dédaigné, en prince humilié, il va connaître enfin l'éclat de la puissance. A moins qu'un incident de dernière minute ne compromette la marche des événements. Tout est possible avec une mère aussi autoritaire que Catherine. Même moribonde, elle est à craindre. Droit au palais d'Hiver.

Quand Paul y fait son entrée, vers huit heures trente du soir, il juge, dès l'abord, que les choses se présentent bien. Tous les hauts dignitaires rassemblés là s'inclinent jusqu'à terre en le voyant paraître. Platon Zoubov, réduit à l'état de pantin, et le vice-chancelier Bezborodko, qui craint pour sa place, tombent à genoux devant lui. Il les relève, les embrasse, traverse la foule des courtisans qui murmurent des bénédictions sur son passage, pénètre dans la chambre de la mourante, lance un froid regard sur cette face mafflue, crispée, couverte de marbrures, se prosterne au pied du lit, se redresse, interroge les médecins. D'après eux, la fin est proche. Qu'on appelle donc l'archevêque Gabriel pour administrer les derniers sacrements.

Dans le bureau voisin, où Paul s'est retiré, les visiteurs se succèdent. On y prépare l'avenir. Le vice-chancelier Bezborodko supplie Rostoptchine d'intercéder en sa faveur auprès du futur maître de la Russie. Les grands-ducs Constantin et Alexandre se présentent à leur père avec une déférence qui le ravit. L'un et l'autre, pour lui complaire, ont revêtu l'uniforme à la prussienne des bataillons de Gatchina. Jamais, du temps de l'impératrice, ils n'auraient osé venir au palais dans cette tenue. Maintenant, c'est sûr, Alexandre a renoncé au trône. Il n'en appellera pas à la garde pour soutenir ses droits. Mieux qu'aucune déclaration verbale, cet habit de gros drap vert est le garant de la soumission. Cependant, de l'autre côté du mur, Catherine lutte toujours contre la mort. Elle n'en finit pas de s'accrocher à la Russie. Les échos de son râle rauque, saccadé, se mêlent aux conversations de ceux qui, à deux pas d'elle, songent au lendemain. La nuit s'écoule dans une atmosphère d'incertitude angoissée, d'impatience funèbre.

Au matin du 6-17 novembre 1796, l'imperatrice est toujours là. Sa figure, note Rostoptchine, change souvent de couleur, passant du blême au rouge ou au violacé : « Tantôt le sang, monté à la tête, défigurait ses traits, tantôt il se retirait, les rendant à leur aspect naturel. » De temps à autre, le docteur Rogerson, ou le valet Zotov, ou la femme de chambre Pérékouzikina s'approchent de la malade pour arranger ses oreillers et essuyer la bave rose qui coule de ses lèvres. Platon Zoubov suit leurs mouvements d'un œil vide. D'après les témoins de la scène, il offre l'aspect d'un homme dont « le désespoir ne peut se comparer à rien ». On craint qu'il ne devienne fou. Pérékouzikina pleure bruyamment en tournant autour du lit de sa maîtresse, « comme si elle attendait son réveil ».

Insensible à ces lamentations, Paul va au plus pressé. Il donne l'ordre à Bezborodko et au procureur général Samoïlov de trier et de sceller tous les papiers qui se trouvent dans le bureau de l'impératrice et dans celui de Platon Zoubov. On vide les tiroirs, on ficelle des paquets de lettres, de rapports, le sceau impérial s'imprime dans la cire chaude. Le manifeste de déchéance figure-t-il parmi ces archives? Oui, selon les contemporains. Bezborodko attire l'attention de Paul sur un pli fermé, entouré d'un ruban noir, et portant l'inscription : « A ouvrir après ma mort, dans le conseil. » Sans mot dire, l'héritier du trône s'empare du papier et, comme Bezborodko lui désigne du regard une cheminée où brûle un feu de bois, il jette le document dans les flammes. Il n'y a plus de preuve de la volonté de Catherine [1].

A neuf heures, le docteur Rogerson entre dans le cabinet de Paul pour lui annoncer que les derniers moments approchent. Accompagné de sa femme, d'Alexandre, de Constantin et de plusieurs hauts dignitaires, le grand-duc se rend au chevet de celle qui est, pour quelques instants encore, l'impératrice de Russie. Un soufflet se plie et se déplie, avec un bruit horrible, dans la poitrine de la moribonde; sa face livide se convulse; dans sa bouche entrouverte, ballotte un bout de langue recourbée.

« Cette minute restera présente à ma mémoire jusqu'à la fin de mes jours, note Rostoptchine. A la droite, se tenaient le grand-duc héritier, la grande-duchesse et leurs enfants, au chevet, moi, et Plestchéïev; à gauche, les médecins et toutes les personnes du service intime de l'impératrice... Le silence de tous les assistants, la fixité des regards dirigés tous vers le même objet, la demi-obscurité qui régnait dans la chambre, tout inspirait l'effroi et annonçait la venue de la mort. Le quart de dix heures sonna et Catherine la Grande, ayant poussé un dernier soupir, à l'égal de tous les mortels, comparut devant le tribunal de Dieu. »

A peine la vie a-t-elle quitté Catherine, que son visage reprend un air de majestueuse sérénité. Paul s'agenouille, se signe, se relève. Derrière les portes, grouille la foule des courtisans. Le procureur général Samoïlov s'avance vers eux et annonce : « Messieurs, l'impératrice Catherine est morte, et son fils, l'empereur Paul, est monté sur le trône. » Tous adoptent une mine de circonstance. « Il semblait, dira encore Rostoptchine, que l'on se trouvât dans la position d'un voyageur qui a perdu son chemin; mais chacun espérait le retrouver bientôt. » Une joie grave s'impose. On s'embrasse en pleurant. La Russie

1. Parmi les papiers saisis dans le cabinet de Catherine, se trouvait, aux dires de certains, la fameuse lettre par laquelle Alexis Orlov s'accusait du meurtre de Pierre III. Voir ci-dessus, p. 191.

continue. Ordre de se rendre immédiatement dans la chapelle du palais pour la prestation de serment. Il est midi. C'est la bousculade, la ruée. Un trône a été apporté en hâte dans le sanctuaire. Paul, ivre d'une chance qu'il n'espérait plus, s'assied, de tout son poids, à la place de sa mère. Sa face simiesque, au nez camus, à la lippe molle, aux yeux globuleux et glauques, exprime une arrogante satisfaction. Le défilé commence. D'abord, c'est l'impératrice qui, ayant baisé la croix et l'Évangile, s'approche de l'empereur et lui baise, par trois fois, la bouche et les yeux. Puis, vient le tour du grand-duc Alexandre et de sa femme, suivis du grand-duc et de la grande-duchesse Constantin [1], des grandes-duchesses Alexandra, Hélène, Marie et Catherine, filles de Paul. En lisant la formule du serment, tous mettent le genou à terre devant Sa Majesté et lui effleurent la main droite avec leurs lèvres. Succédant à la famille impériale, le métropolite Gabriel, le clergé, les hauts dignitaires de la cour jurent fidélité au nouveau tsar. Il ne se lasse pas de savourer son triomphe. La cérémonie terminée, il va jeter un dernier regard sur la dépouille de l'impératrice, toute de blanc vêtue, passe en revue un régiment de la garde, manifeste son mécontentement de la mauvaise tenue des troupes en soufflant à pleines joues et en tapant du pied, puis se retire dans son cabinet de travail pour conférer avec ses intimes. Devenu maître de la Russie, il n'a qu'une idée : abolir tout ce qui a été établi par sa mère et reprendre le fil de l'histoire à l'assassinat de son père, en 1762.

En apprenant la mort de l'impératrice, le prince de Ligne s'écrie : « Catherine le Grand (j'espère que l'Europe confirmera ce nom que je lui ai donné), Catherine le Grand n'est plus. Ces mots sont affreux à prononcer!... L'astre le plus brillant qui éclaira notre hémisphère vient de s'éteindre! » Cette oraison

1. Constantin avait fini par épouser une princesse de Saxe-Cobourg.

funèbre n'ajoute rien au prestige de la disparue. Elle a déjà connu les plus folles louanges de son vivant. Et aussi les pires injures. « Sémiramis » et « Messaline ». Tout au long de son existence, elle a travaillé à sa propre gloire. Certes, elle a aimé sincèrement, passionnément le peuple russe, mais n'a-t-elle pas pensé d'abord à sa légende personnelle au moment de signer une alliance ou de déclarer une guerre? Les résultats sont là, indéniables : anéantissement de la puissance turque, annexion de la Crimée et des ports de la mer Noire, partage de la Pologne... Le tout au nom de la justice, de l'équilibre international, des intérêts sacrés de l'empire. Au vrai, de conquête en conquête, c'est Catherine qui s'est agrandie. Ce roc de volonté est d'une structure complexe. Ses nobles idées philosophiques ne l'ont pas empêchée d'aggraver le servage, en Russie, par la distribution de terres et de paysans aux proches serviteurs de son trône ou de son lit. Elle s'est cent fois proclamée libérale, elle a donné le « jacobin » Laharpe comme précepteur à ses petits-fils, mais elle a toujours agi en autocrate, fronçant le sourcil au premier frémissement du tissu social. L'insurrection, la Révolution, la Convention ont été les bêtes noires de cette souveraine au cœur républicain. Elle a très ostensiblement protégé les écrivains, les artistes étrangers, mais moins par amitié pour eux que par souci de propagande européenne. Elle a beaucoup lu, mais sans discernement, « à bâtons rompus », selon sa propre expression, et sa culture s'est trouvée être un salmigondis des connaissances a la mode. Elle s'est comportée en chef de l'Église orthodoxe, tout en professant un scepticisme à la Voltaire. Elle a prétendu gouverner seule et s'est constamment appuyée sur la noblesse qui, grâce à elle, est devenue une classe dominante, aussi bien dans le domaine économique que dans le domaine politique. Dans ses rapports amoureux, elle s'est montrée pudibonde en paroles et effrénée en actes. D'un tempérament sanguin et impétueux, elle n'a jamais obéi au vice. Simplement à un appétit naturel. Les hommes ont été à ses yeux des instruments de plaisir. Elle les a choisis jeunes, beaux, forts et, si possible, point trop sots. Certains, en plus, sont devenus ses amis, ses conseillers. Mais rarement elle les a laissés gagner à la main. La vie, pour elle, s'est toujours ramenée à un rapport de forces entre les individus. Les faibles doivent périr. L'avenir est aux ambitieux, aux fougueux, aux têtus, aux mâles. Ces mâles, d'ailleurs, peuvent avoir l'aspect extérieur séduisant d'une femelle. N'en est-elle pas la preuve? Par intervalles, elle a su être douce, bonne, sentimentale. C'est le clair de lune germanique. Aussitôt après, elle se reprend vigoureusement. Que n'a-t-elle pas apprécié dans le monde? le rire, les livres, les hommes, les bêtes, les arbres, les enfants! Mais rien de tout cela ne l'a jamais détournée de la politique. Une travailleuse acharnée. Et, en même temps, une enjôleuse, alliant les grâces de son sexe à une autorité virile. Tout ce qu'elle a désiré, elle l'a obtenu par la patience, l'intelligence, la dureté, le courage, prenant des risques incroyables quand il le fallait, changeant soudain de cap pour arriver plus sûrement au but. Petite princesse allemande, elle ne s'est pas contentée d'apprendre le russe et de se convertir pour être digne de gouverner son pays d'adoption. Elle a épousé l'âme même de cette nation singulière. Elle a voulu incarner la Russie, elle qui n'avait pas une goutte de sang russe dans les veines. Et ce tour de force demeure peut-être sa plus extraordinaire réussite. Celle que ses pires détracteurs mêmes n'osent lui refuser. Dès l'annonce de sa mort, le peuple s'est rassemblé sous les fenêtres du palais d'Hiver. Par centaines, des inconnus s'agenouillent dans la neige. Après tout, on n'a pas trop mal vécu sous le règne de la « petite mère Catherine »! De quoi sera fait l'avenir, avec ce Paul Ier que l'on dit plus teuton que russe?

Déjà, les troupes de Gatchina, habillées à la prussienne, entrent dans la capitale. Moins de vingt-quatre heures après le décès de Catherine, la cour, si gaie, si raffinée, est transformée en un corps de garde. « On n'entendait plus que bruit d'éperons, de bottes fortes, de briquets, et, comme dans une ville conquise, tous les logements furent envahis par une nuée d'hommes de guerre qui faisaient un vacarme assourdissant », écrit Derjavine. « De petites gens, qu'on ignorait encore la veille, s'agitaient, bousculaient tout le monde et donnaient impérieusement des ordres », note, de son côté, un autre contemporain, Chichkov. Et le prince Golitzine renchérit : « Le palais est changé en caserne... Dès l'entrée, on s'aperçoit du goût exagéré qu'a l'empereur pour le militaire, principalement pour l'exactitude et la régularité dans les mouvements, à l'instar de Frédéric, roi de Prusse, dont l'empereur essaie de copier les attitudes. »

Tout doit être à la prussienne. Une guerre à mort est déclarée aux chapeaux ronds, aux cols rabattus, aux gilets, aux habits à la française, aux bottes à revers. Les glorieux étendards du régiment des dragons d'Iekaterinoslav sont traités par le nouveau général-major Araktchéïev de « vieilles jupes de Catherine ». Le souvenir de la tsarine est, à chaque pas, maudit ou ridiculisé.

Réfugié chez sa sœur, Mme Gerebtsov, Platon Zoubov feint d'être malade et attend avec anxiété que l'empereur ait statué sur son sort. Soudain, coup de théâtre : alors qu'il courbe le dos en prévision de l'orage, il apprend que Paul Ier lui fait cadeau d'un hôtel luxueusement meublé, avec vaisselle plate, chevaux, voitures, laquais. Comble d'honneur, le couple impérial lui rend visite, dès le lendemain de son installation dans sa nouvelle maison. Comme il se jette aux pieds du monarque, celui-ci le réconforte en lui citant le proverbe russe : « Qui se souvient des injures passées mérite de perdre un œil. » Après quoi, prenant un verre de champagne, le tsar dit encore : « Autant qu'il y a de gouttes dans ce verre, autant je te souhaite de prospérités. » Platon Zoubov nage dans une félicité irréelle. Sa joie est de courte durée. Paul ne l'a relevé que pour mieux l'abattre. Quelques jours après cette réception, toutes les charges de l'ex-favori lui sont ôtées, le séquestre est mis sur ses terres et il reçoit la permission, autrement dit l'ordre, de voyager à l'étranger. Douce punition. Mais Paul s'en amuse. Comme pour contrarier feue l'impératrice dans son dernier sommeil, il fait sortir de la forteresse de Schlüsselbourg le franc-maçon Novikov, dont elle a ordonné l'incarcération, et rappelle d'exil le fameux publiciste Radichtchev, auteur du *Voyage de Saint-Pétersbourg à Moscou.* Bien mieux, il se rend au palais de Marbre, où le patriote polonais Kosciuszko a été enfermé sous bonne garde, et, l'ayant couvert de cadeaux, l'autorise à partir pour l'Amérique. A un autre prisonnier polonais, Potocki, il déclare, avant de le libérer : « Je sais que vous avez beaucoup souffert, que vous avez été longtemps maltraité, mais, sous le précédent règne, tous les honnêtes gens ont été persécutés, moi le premier. » De même, Stanislas Poniatowski est tiré, par ses soins, de sa retraite de Grodno et installé superbement à Saint-Pétersbourg.

Cela ne suffit pas à satisfaire son instinct de redresseur de torts. Il se sent appelé par le Très-Haut à réparer toutes les erreurs, tous les crimes de sa mère. Après avoir réhabilité les vivants, il prétend imposer sa justice jusque dans le domaine des ombres. Sur son ordre, le cercueil de son père est extrait des caveaux du couvent Alexandre Nevski, décoré des insignes du pouvoir impérial, transporté en grande pompe au palais d'Hiver et déposé dans la salle des colonnes, à côté du cercueil de Catherine. Ainsi, dans un sinistre rendez-vous conjugal, le cadavre de la vieille femme, morte quelques jours auparavant, retrouve le squelette de son jeune époux, mort depuis trente-quatre ans. Au-dessus du lit de parade, s'étire une banderole, avec cette inscription, en russe : « Divisés pendant leur vie, associés dans leur trépas. » Les habitants de Saint-Pétersbourg sont invités à défiler, après les courtisans, les diplomates et les hauts dignitaires, devant les deux dépouilles réunies par un fils qui veut nier le passé. « Que dire, écrit le baron Stedingk, de cette femme orgueilleuse qui dictait ses volontés aux souverains et qui se trouve maintenant exposée aux yeux et au jugement du public, à côté d'un mari qu'elle a fait mourir. Voilà une terrible leçon que la Providence donne aux pervers. » En contemplant le catafalque à deux places, Paul, dans une sorte de délire macabre, éprouve le sentiment de corriger le cours de l'histoire. Les cérémonies d'expiation, dont il a réglé les moindres détails, se continuent par le transfert des corps de Pierre III et de Catherine II à la cathédrale Saint-Pierre et Saint-Paul où doivent avoir lieu les obsèques. Le cortège traverse la ville enneigée, par un froid de moins dix-huit degrés. Les cloches sonnent le glas. Pour rendre les honneurs au tsar assassiné, Paul a désigné, avec une astuce démoniaque, les quelques survivants du complot de 1762. Ce sera leur châtiment. Alexis Orlov, « le Balafré », principal responsable du meurtre, s'avance en tête du défilé, portant sur un coussin la couronne de sa victime; Passek et Bariatinski, ses complices d'autrefois, tiennent les cordons du poêle. Tous trois ont beaucoup vieilli depuis les événements. Parmi la foule accourue pour voir passer la procession, bien peu ont entendu parler de ce Pierre III qu'on enterre pour la seconde fois. Ce n'est pas lui, c'est Catherine, la « petite mère », qu'on pleure dans le peuple. Des sanglots s'élèvent autour de Paul. Dédaigneux de ces momeries, il marche, tête haute, derrière les deux cercueils, suivi de l'impératrice Marie Fedorovna, des grands-ducs et de toute la cour. Il a conscience d'accomplir un devoir sacré en réunissant dans la mort un père qu'il admire bien que l'ayant peu connu et une mère qu'il déteste pour l'avoir trop connue.

Dans la cathédrale, les prêtres, en chasubles noires lamées d'argent, célèbrent les doubles funérailles avec toute la solennité voulue. Les mêmes nuages d'encens et les mêmes chants séraphiques saluent, pendant des heures, l'une et l'autre dépouille du couple impérial reconstitué. On dirait des noces d'outre-tombe. L'Église recommande à la mansuétude du Seigneur les âmes de deux souverains russes, cousins issus de germains, venus tout enfants, l'un de Kiel, l'autre de Zerbst, pour gouverner un pays dont, au début, ils ignoraient la langue et ne professaient pas la religion. Le règne du premier a duré six mois, le règne de la seconde trente-quatre ans. Mais, pour leur fils, la seconde a moins d'importance que le premier. Il la récuse, il la rejette, il voudrait vivre assez longtemps pour détruire tout ce qu'elle a bâti.

A l'issue de la cérémonie religieuse, il retire son manteau de deuil et passe en revue les troupes massées sur la Millionnaïa. Cependant, les exercices militaires ne calment que par intermittence son esprit bouillonnant. Toujours, la pensée de Catherine et de Pierre le hante. Les amants de sa mère défilent en longue cohorte dans son souvenir. La rage le reprend. Effacer tout cela! Soudain, il se rappelle que le fastueux Potemkine a été inhumé dans l'église Sainte-Catherine de Kherson. Celui-là a été non seulement l'amant de sa mère, mais encore, dit-on, son époux. Situation inadmissible. Insulte à la memoire de Pierre III, le vrai, le seul mari de Catherine. Qu'on ouvre le mausolée du « Sérénissime », qu'on disperse ses ossements maudits! L oukase est exécuté en hâte par des fossoyeurs tremblants. Ayant installé ses parents dans leur sépulture et chassé de la sienne le prince de Tauride, Paul Ier se sent mieux. Il a fait le ménage du passé, il peut se tourner vers l'avenir.

Quatre ans et demi plus tard, ayant terrorisé le pays par ses extravagances, il périra assassiné, comme Pierre III. Au premier rang de ses meurtriers se trouvera Platon Zoubov, revenu de voyage juste à temps pour prendre part à la conspiration. Le fils de Paul Ier, l'indécis, le mystérieux Alexandre, de connivence tacite avec les conjurés, montera sur le trône de Russie. Et ainsi la volonté de Catherine la Grande s'accomplira, une fois de plus, contre vents et marées.

CHRONOLOGIE

	Vie de Catherine II	Les événements en Russie
1729	*21 avril / 2 mai :* Naissance à Stettin de Sophie-Frédérique-Augusta d'Anhalt-Zerbst, future Catherine II.	Oukase aggravant la situation des serfs.
1730		*29 janvier :* Mort du tsar Pierre II, avènement d'Anne Ivanovna / Traité sino-russe de Kiakhta / Paix russo-persane.
1731		Suppression du tarif protectionniste / Remplacement du Haut Conseil par le Cabinet de trois membres et création de la Chancellerie secrète.
1732		Entente austro-prusso-russe de Lœwenwolde / Les Russes abandonnent les conquêtes de Pierre Ier sur la Caspienne.
1733		*Septembre :* Invasion russo-saxonne en Pologne et installation d'Auguste III à Varsovie.

LES ÉVÉNEMENTS DANS LE MONDE	LA VIE DE L'ESPRIT
Révolte des Natchez à la Louisiane / Traité de Séville / Ouverture du premier cabaret de Paris / Mode des jardins anglais / Mort de Law.	Bach : *La Passion selon saint Mathieu* / Montesquieu en Angleterre / Goldoni : *Le gondolier vénitien* / Gray : transmission de l'électricité / Bouguer : photométrie / Haller : *Les Alpes* / Mort de Congreve / Naissance de Lessing, Écouchard-Lebrun, Monsigny / Voltaire : *Histoire de Charles XII*, « *Brutus* », *Les Lettres philosophiques*.
Abdication de Victor-Amédée II de Savoie / Walpole au gouvernement / Mort de Benoît XIII / Début du pontificat de Clément XII / Déposition d'Achmet III / Mort de Frédéric IV / Avènement de Christian VI de Danemark / Orry, contrôleur général.	Célébrité du salon de Mme du Deffand / Hamilton : *Contes* / Rollin : *Histoire ancienne* / Marivaux : *Le Jeu de l'amour et du hasard* / Buffon en Angleterre / Goldoni : *Don Juan* / Métastase : *Alexandre* / Début de l'emploi du sextant / Naissance de Gessner.
Dupleix à Chandernagor / La langue anglaise remplace le latin dans les tribunaux anglais / Dispersion du Club de l'Entresol / Affaire de la Cadière / Fondation de l'Académie de chirurgie.	Holberg : *Théâtre danois* / Marivaux : *La Vie de Marianne* / Abbé Prévost : *Manon Lescaut* / Fielding : *La Tragédie des tragédies* / Tull : théorie des enclosures / Mort de Defoe, Houdart de la Motte / Naissance de W. Cowper.
Fondation de la colonie anglaise de Géorgie / Traité de Varsovie / Naissance de Washington, Necker. Fermeture du cimetière de Saint-Médard.	Berkeley : *Alcyphron* / Métastase : *Demetrius* / Destouches : *Le Glorieux* / Montesquieu se fait initier à la franc-maçonnerie en Angleterre / Voltaire : *Ériphile, Zaïre* / Fondation du *London Magazine* / Lesage : *Don Guzman d'Alfarache* / Marivaux : *Les Serments indiscrets* / Boerhaave : *Éléments de chimie* / Maupertuis : *Discours sur la figure des astres* / Bach : *Cantate du café* / Mort de Boulle / Naissance de Fragonard, Lalande, Haydn, Beaumarchais.
Début de la guerre de Succession de Pologne / Établissement de la conscription en Prusse / Campagne de Villars en Italie / Traité de Turin / Fondation de la colonie espagnole des Philippines / En France : Établissement de l'impôt du dixième / Mme de Mailly devient la maîtresse de Louis XV / Traité franco-bavarois, traité franco-hollandais / Mort de Forbin.	Début de la publication de *l'Histoire littéraire de la France* par les bénédictins de Saint-Maur / Rameau : *Hippolyte et Aricie* / Bach : *Messe en si mineur* / Pope : *Essai sur l'homme* / Marivaux : *L'Heureux Stratagème* / Voltaire : *Temple du goût* / Franklin : *Almanach du pauvre Richard* / Pergolèse : *La Servante maîtresse* / Kay invente la navette volante / Mort de Couperin / Naissance de Priestley, Wieland, Mesmer, Ducis, Malfilâtre, Zoffany, Borda, H. Robert.

	Vie de Catherine II	Les événements en Russie
1734		Siège et prise de Dantzig par les Russes / Traité de commerce anglo-russe / L'Ukraine passe sous contrôle russe / Création d'une école de ballet.
1735		Oukase créant des écoles populaires / Guerre russo-turque.
1736		Les Russes envahissent la Crimée et prennent Azov.
1737		Les Russes doivent évacuer la Crimée / Vains pourparlers de paix. Les Russes établissent un poste à Astrakan. L'Allemand Biron, favori de l'impératrice, est fait duc de Courlande / Incendie de Saint-Pétersbourg.
1738		Apparition du faux tsarevitch Alexis Pétrovitch.

L'empereur déclare la guerre à la France / Bataille de Parme / Zinzendorf : unité des Frères moraves / Fondation de l'université de Göttingen / Lettre de cachet contre Voltaire qui se cache à Cirey chez Mme du Châtelet ; le duc d'Holstein, héritier présomptif de Russie, lui propose de le prendre à son service / Mort de Berwick, Villars.

Montesquieu : *Considérations... de la grandeur et de la décadence des Romains* / Hogarth : *La vie d'une courtisane* / Bach : *Oratorio de Noël* / Réaumur : *Histoire des insectes* / Gresset : *Vert-Vert* / Goldoni : *Bélisaire* / Tartini : *Sonates pour violon* / Mort de S. Ricci / Naissance de Restif de la Bretonne, Dorat, Rulhière, Romney.

Armistice franco-autrichien / La Bourdonnais, gouverneur de l'Ile-de-France / Ordonnance sur les testaments en France.

Dom Calmet : *Histoire universelle* / Marivaux : *Le Paysan parvenu* / Nivelle de la Chaussée : *Le Préjugé à la mode* / Hogarth : *La Carrière d'un roué* / Salvi : *Fontaine de Trevi* à Rome / La Condamine et Maupertuis mesurent le méridien terrestre / Mme de Tencin : *Mémoires du comte de Comminges* / Du Halde : *Description de l'empire de la Chine* / Voltaire : Première représentation de *La mort de Jules César* / Lemoyne décore l'hôtel Soubise / Rameau : *Les Indes galantes* / Bach : *Concerto italien* / Mort de Stradivarius / Naissance du prince de Ligne, Lépicié.

Révolte indienne en Louisiane / Fondation de la Banque de Copenhague / Construction du palais d'Été de Pékin / Débuts de l'opéra italien à Saint-Pétersbourg / Convention franco-autrichienne.

Marivaux : *Le Legs* / Lesage : *Le Bachelier de Salamanque* / Voltaire : premières représentations d'*Alzire* et de l'*Enfant prodigue*, *Épître à Mme du Châtelet sur la calomnie* / Chardin : *Le Château de cartes* / Pergolèse : *Stabat Mater* / Création de la verrerie de Murano / Hull dépose son brevet de bateau à vapeur / Mort de Pergolèse, Pater / Naissance de Lagrange, Watt.

Premier théâtre à Prague, Stockholm / Disgrâce de Chauvelin en France.

Salon au Louvre / Linné : classification des végétaux / Marivaux : *Les Fausses Confidences* / Goldoni : *L'Homme accompli* / Rameau : *Castor et Pollux* / Gluck en Italie / Walpole en France / Mort de Lemoyne / Naissance de Bernardin de Saint-Pierre, Parmentier.

Traité de Vienne : fin de la guerre de Succession de Pologne / Stanislas Leczinski, duc de Lorraine / L'Angleterre adhère au traité de Vienne / Traité franco-suédois / Révoltes ouvrières en Angleterre / Prédica-

Piron : *La Métromanie* / Salon au Louvre / Paul invente le métier à filer / Haendel : *Israël en Égypte* / Rollin : *Histoire romaine* / Crébillon : *Les Égarements du cœur et de l'esprit* / Bernouilli : *Hydrodynamique* /

	Vie de Catherine II	Les événements en Russie
1739	A Kiel la princesse Sophie (future Catherine II) fait la connaissance de Pierre-Ulric de Holstein-Gottorp.	Victoire turque à Krotzka / Les Russes reprennent Jassy / Traité de Belgrade : les Russes gardent la forteresse d'Azov / *Décembre* . Arrivée à Saint-Pétersbourg de l'ambassadeur français La Chétardie.
1740		*17-28 octobre :* Mort de l'impératrice Anne Ivanovna, avènement d'Ivan VI, âgé de quelques mois, sous la régence du ministre Biron puis d'Anne Léopoldovna, mère du petit tsar.
1741		*Août :* La Suède déclare la guerre à la Russie / *25 nov-6 déc :* Elisabeth, fille de Pierre le Grand, renverse le petit Ivan et monte sur le trône.
1742	*Juillet :* Le père de Sophie (future Catherine II) nommé feld-marechal par Frédéric II de Prusse.	*Février* . Arrivée à Moscou de Pierre de Holstein-Gottorp, appelé par la tsarine Elisabeth / *7 novembre :* Pierre proclamé héritier du trône / *22 décembre :* Pacte

tion de Whitefield. En France : Ordonnance sur la corvée / Mlle de Nesle, maîtresse de Louis XV / Achèvement du canal Crozat (en Picardie).

Mesure de la vitesse du son par Cassini, Thury, Maraldy et La Caille / Création de la Manufacture de porcelaine de Vincennes (transférée à Sèvres) / Lancret : *Les Quatre Saisons* (Mmes de France) / Voltaire : Mort de Bœrhaave / Naissance de Beccaria, Herschel, Boufflers, Delille.

Fondation du Comptoir français de Karikal / Philippe V adhère au traité de Vienne / Walpole déclare la guerre à l'Espagne / Fondation de l'Académie des sciences de Stockholm / Buffon, intendant des jardins du roi, en France

Mme de Tencin : *Le Siège de Calais* / Salon au Louvre / Hume : *Traité de la nature humaine* / Bouchardon : *Fontaine* de la rue de Grenelle à Paris / Tocqué : *Portrait du dauphin* / Deluze réalise les premières impressions sur tissu / De Brosses : *Lettres familières d'Italie* / Voltaire : *Vie de Molière, Pièces fugitives en vers et en prose* / Recherches de Clairaut sur le calcul intégral / Haendel : *Suzanne* / Naissance de La Harpe.

31 ma. . Mort du Roi-Sergent / Avènement de Frédéric II ; il envahit la Silésie / Mort de Clément XII / Début du pontificat de Benoît XIV Mort de Charles VI / Avènement de Marie-Thérèse d'Autriche : début de la guerre de Succession d'Autriche / Premier journal grec / Louis XV envoie un ultimatum à l'Angleterre ; rupture / Voltaire rend visite pour la première fois à Frédéric II à Clèves.

Fondation de l'imprimerie Pellerin à Épinal / Salon au Louvre / Coustou : *Les Chevaux de Marly* / Chardin : *Le Benedicite* / Richardson : Pamela / Crébillon : *Le Sopha* / Voltaire : *Zulime* / Marivaux : *L'Épreuve* / Abbé Goujet : *Bibliothèque française* / Naissance de Sade, Oberlin.

Alliance franco-prussienne / Échec de Walpole aux élections / Alliance franco-bavaroise / Entente franco-hanovrienne Armistice secret austro-prussien / Charles-Albert de Bavière se fait proclamer roi de Bohême / Nouveaux débats sur la bulle *Unigenitus* en France.

Haendel : *Le Messie* / Destruction des vitraux de Notre-Dame de Paris Gabriel, premier architecte du roi / Salon au Louvre / La Tour : *Portrait du président de Rieux* / Hume : *Essais moraux et politiques* / Goldoni : *La femme de tête* / Favart : *La Chercheuse d'esprit* / Abbé Prévost : *Histoire d'une grecque moderne* / Voltaire : *Mahomet* / Mort de J.-B. Rousseau, Vivaldi, Rollin / Naissance de Lavater, Laclos, Houdon, Chamfort, Füssli.

Benoît XIV condamne la politique des jésuites en Chine / Les Autrichiens reprennent Linz / Charles-Albert de Bavière, roi de Bohême, élu empereur sous

Salon au Louvre L. Racine : *La Religion* / Fielding : *Joseph Andrews* / Young : *Les Nuits* / Piranesi : *Prisons* / Tresaguet met au point le macadam / Mort de Massillon.

	Vie de Catherine II	Les événements en Russie
		défensif entre la Russie et l'Angleterre / Mariage secret de l'impératrice Elisabeth avec Alexis Razoumovski.
1743		*17 août :* Traité russo-suédois d'Abo : la Russie garde une partie de la Finlande / Alexis Razoumovski promu comte et grand veneur.
1744	*10 janvier :* Départ de Sophie et de sa mère pour la Russie, via Berlin / *3-14 février :* Arrivée de Sophie à Saint-Pétersbourg / *9-20 février* : Arrivée de Sophie à Moscou / *28 juin* : Sophie embrasse la religion orthodoxe et devient la grande-duchesse Catherine Alexeievna / *29 juin :* Fiançailles officielles avec le grand-duc Pierre.	*Juin :* L'ambassadeur français La Chetardie doit quitter la Russie.
1745	*21 août :* Mariage de Catherine avec le grand-duc Pierre / *28 septembre :* Départ de la princesse d'Anhalt, mère de Catherine. Disgrâce du médecin Lestocq.	
1746		Mort en prison d'Anne Léopoldovna, mère d'Ivan VI / *22 mai :* Traité entre la Russie et l'Autriche / Oukase ordonnant aux roturiers de vendre leurs domaines et leur défendant d'acheter des serfs.

le nom de Charles VII / Démission de Walpole / Alliance franco-danoise / Traité de Berlin / Chute de Prague / Début du « règne » des maîtresses de Louis XV.

Guerre franco-sarde / Second pacte de famille / Frédéric II reconstitue l'Académie de Berlin qui publiera ses travaux en français / Fondation de l'Académie danoise / Les La Verendrye découvrent les Montagnes Rocheuses / Mort de Fleury / D'Argenson, ami de Voltaire, secrétaire d'État à la Guerre / La marquise de Tournelle, maîtresse de Louis XV / Naissance de Jeanne Bécu (la future Mme du Barry).

Débuts de Mlle Clairon à la Comédie-Française / Haendel : *Joseph et ses frères* / Salon au Louvre / Fielding : *Jonathan Wilde* / D'Alembert : *Traité de dynamique* / Mort de Vivaldi, Grécourt, Faa Ghislandi, H. Rigaud, Desportes, Lancret, Lorrain / Naissance de Cagliostro, Lavoisier, Condorcet, Jacobi.

Première conférence générale méthodiste / Frédéric II prend Prague / Construction du château de Schœnbrunn / *28 novembre :* D'Argenson, ministre des Affaires étrangères / Louis XV déclare la guerre à l'Angleterre et à l'Autriche, envahit le Piémont et les Pays-Bas, prend Fribourg / Loi accordant la propriété du sous-sol à l'État.

Albinoni : *Symphonies* / Pigalle : *Mercure* / Hogarth : *Le Mariage à la mode* / Gluck : *Sophonisbe* / Frédéric II : *Le Miroir des Princes* / Hénault : *Abrégé chronologique de l'histoire de France* / Métastase : *Antigone* / Mort de Vico, Pope, Campra / Naissance de Herder, Lamarck.

Convention d'Aranjuez / Charles Stuart débarque en Écosse / Mort de l'empereur / Élection à l'Empire de François III de Lorraine (François Ier), époux de Marie-Thérèse d'Autriche / *11 mai :* Bataille de Fontenoy / Début de la faveur de la Pompadour / Machault, contrôleur général des Finances.

Morelly : *Essai sur le cœur humain* / Swedenborg : *Du Culte et de l'Amour de Dieu* / Voltaire : *Bataille de Fontenoy* / Servandoni : *Portail de Saint-Sulpice* / Tiepolo : *Fresques du palais Cornaro* / Salon au Louvre / Gluck : *Hippolyte* / Destouches : *Œuvres* / Rameau : *Pygmalion* / Mort de Swift, Guarnerius, J.-B. Vanloo / Naissance de Volta, Goya, Huet.

Prise de Bruxelles par les Français / Bataille de Plaisance / Mort de Philippe V / Avènement de Ferdinand VI / Capitulation de Gênes / Bataille de Raucoux / Fondation de l'Université de Princeton / Christophe de Beaumont, archevêque de Paris / Mort de Torcy / *25 avril :* Voltaire est élu à l'Académie / *28 juin :* Voltaire membre de l'Acadé-

Salon au Louvre / Rousseau dépose son premier enfant aux Enfants-assistés / Diderot : *Pensées philosophiques* / Vauvenargues : *Réflexions et maximes* / Abbé Prevost : *Histoire générale des voyages* / Marivaux : *Le Préjugé vaincu* / Haendel : *Judas Macchabée* / Mort de R. Walpole, Largillière, Coustou / Naissance de Monge, Pestalozzi.

1747	Mort du prince Christian-Auguste d'Anhalt-Zerbst, père de Catherine.	*Juin :* Alliance anglo-russe.
1748		Traité de neutralité perpétuelle entre la Turquie et la Russie.
1749		
1750		

mie de Saint-Pétersbourg / *Novembre :* Voltaire, gentilhomme ordinaire de la Chambre du roi.

Révolution orangiste en Zélande / Guerre franco-hollandaise / Prise de Berg-op-Zoom par les Français / Disgrâce d'Argenson / Naissance de Louis-Philippe d'Orléans (le futur Philippe-Égalité).

Le libraire Le Breton confie la direction de l'*Encyclopédie* à Diderot et d'Alembert / Bach : *L'Offrande musicale* / Salon au Louvre / Franklin : le paratonnerre / Trudaine fonde l'École des mines de Paris / Gresset : *Le Méchant* / La Tour : *Portrait de M. de Saxe* / Johnson : *Dictionnaire de la langue anglaise* / Gluck : *Les Noces d'Hébé et d'Hercule* / Nivelle de la Chaussée : *L'Amour castillan* / Mort de Vauvenargues, Lesage, Solimena / Naissance de Galvani.

Traité d'Aix-la-Chapelle : fin de la guerre de Succession d'Autriche « Règne » de Mme Henriette de France.

Crébillon : *Catilina* / Haendel : *Samson* / Débuts de Vestris à l'Opéra / Construction de l'Opéra de Bayreuth / Salon au Louvre / Grimm arrive à Paris / Diderot : *Les Bijoux indiscrets* Montesquieu : *L'Esprit des lois* / Hume : *Essais philosophiques* / Richardson : *Clarissa Harlowe* / Klopstock : *La Messiade* / Voltaire : première représentation de *Sémiramis*, *Panégyrique de Louis XV* / Euler : Travaux sur l'analyse mathématique / Needham : Théorie de la génération spontanée / Découverte des ruines de Pompéi / Pigalle : *Vénus* La Tour : *Portrait de Louis XV* / La Mettrie : *L'Homme-machine* / Naissance de Berthollet, David, Jussieu, Bentham, Coraïs.

Ligue italienne contre les corsaires d'Afrique du Nord / Guerre de l'impôt du vingtième en France / Disgrâce de Maurepas.

Huntsmann réalise la fonte de l'acier / Célébrité du salon de Mme Geoffrin / Bach : *L'Art de la fugue* / Salon au Louvre / Buffon : *Histoire naturelle* / Fielding : *Tom Jones* / Swedenborg : *Les Arcanes célestes* / Tournefort : *Études d'anatomie comparée* / Diderot : *Lettre sur les aveugles ;* il est enfermé à Vincennes / Mort de Magnasco, J. van Huysum, Clérambault / Naissance de Gœthe, Alfieri, Mirabeau (fils), Subleyras.

Mort de Jean V / Avènement de José Ier de Portugal / Ministère Pombal / Dissolution

Goldoni : *Le Café* / Rousseau : *Discours sur les sciences et les arts* / Distribution du

	Vie de Catherine II	Les événements en Russie
1751		Disgrâce de Bestoujev. Montée de Pierre Chouvalov.
1752	Liaison de Catherine avec Serge Saltykov.	
1753		Suppression des douanes intérieures.
1754	*20 septembre*. Naissance de Paul Pétrovitch, fils de Catherine et futur Paul Ier.	Création en Russie d'établissements de crédit. Projet de cadastre et projet d'un nouveau code.

LES ÉVÉNEMENTS DANS LE MONDE	LA VIE DE L'ESPRIT
des États du Languedoc / Émeute à Paris / Machault garde des Sceaux.	*Prospectus de l'Encyclopédie* Pigalle : *L'Enfant à la cage* / Marmontel : *Cléopâtre* / Mort de Bach, Muratori, Oudry / Naissance de Berquin, Valenciennes.
Le gouvernement portugais interdit les autodafés / « Règne » de Mme Adélaïde en France.	Salon au Louvre / Diderot : *Lettre sur les sourds et muets* Burlamaqui : *Principes du droit politique* / Haendel : *Jephté* / Gozzi : *Rimes burlesques* / Fielding : *Amelia* / Hume : *Enquête sur les principes de la morale* / Duclos : *Considérations sur les mœurs de ce siècle* / Voltaire : *Siècle de Louis XIV* / Publication du premier volume de l'*Encyclopedie* (*discours préliminaire* de d'Alembert) Mort de La Mettrie Naissance de Sheridan, Gilbert, Jouffroy d'Abbans.
Stanislas Leczinski fait entreprendre la construction de la place qui porte son nom à Nancy / Construction du palais de Caserte / Affaires des billets de confession en France / Dernière persécution des protestants.	Réaumur : Expériences sur la digestion / Hume : *Discours politiques* Rousseau : *Le Devin du village* / Première condamnation de l'*Encyclopédie* / Maupertuis : *Œuvres complètes* Wieland : *De la nature* Gainsborough : *Portrait de M. et Mme Sandby* / Mort de J.-F. de Troy, Ch. A. Coypel / Naissance de Filangieri.
Guerre américano-canadienne / Conférence de Londres sur les questions indiennes / Grandes remontrances du Parlement en France / Rappel du Parlement.	Favart : *Bastien et Bastienne* Holberg : *La Maison hantée* / Salon au Louvre La Tour : *Portrait de Rousseau et de d'Alembert* / Début de la *Correspondance littéraire de Grimm* Buffon à l'Académie : *Discours sur le style* / Gabriel entreprend la construction de l'opéra de Versailles / Richardson : *Sir Charles Grandison* / Liguori : *Théologie morale* Publication du 3e volume de l'*Encyclopédie* avec une préface de d'Alembert / Mort de Berkeley / Naissance de J. de Maistre, Outamaro, Parny, Rivarol.
Dupleix quitte l'Inde / Fondation du King's College à New York / Expulsion des jésuites du Brésil / *23 août :* Naissance du Dauphin (futur Louis XVI) / Machault à la marine.	Rousseau : *Discours sur l'inégalité* / Début de la publication de *L'Année littéraire*, de Fréron / Condillac : *Traité sur les sensations* / Diderot : *Pensées sur l'interprétation de la nature* Gabriel entreprend la construction de la place Louis XV (place de la Concorde) à Paris Hume : *Histoire d'Angleterre* / Goldoni : *Le philosophe à la*

	Vie de Catherine II	Les événements en Russie
1755	Liaison de Catherine avec Stanislas Auguste Poniatowski.	Fondation de l'Université de Moscou / Convention anglo-russe.
1756		Ivan VI au secret dans la forteresse de Schlüsselbourg / Oukase établissant un théâtre à Saint-Pétersbourg.
1757	*9 décembre*. Naissance d'Anne, fille de Catherine.	*2 février :* Alliance austro-russe / *15 juillet :* Les Russes prennent Memel / *Août :* Victoire russe sur les Prussiens à Gross Jaegersdorff / Fondation de l'académie des Beaux-Arts.
1758		Conspiration Apraxine et arrestation de Bestoujev / Prise de Königsberg par les Russes / *25 août :* Bataille sanglante entre Russes et Prussiens à Zorndorf.
1759	*Mars :* Mort de la petite grande-duchesse Anne.	Victoires russes de Zullichau et de Kunersdorf. Les Russes prennent Francfort-sur-l'Oder.
1760	Début de la liaison de Catherine avec Grégoire Orlov / *16 mai :*	Les Russes occupent la Poméranie / *Octobre :* Sac de Berlin par les Austro-russes.

campagne / Winckelmann en Italie / Boucher : *Mlle O'Murphy* / Falconet : *Milon de Crotone* / Mort de Holberg, Fielding, Piazetta / Naissance de Bonald.

Rupture diplomatique franco-anglaise / *1er novembre :* Tremblement de terre de Lisbonne / Expulsion des jésuites du Paraguay / Construction du château de Compiègne / Exécution de Mandrin.

Salon au Louvre / Publication du tome V de l'*Encyclopédie* / Black invente le gaz carbonique / Morelly : *Code de la nature* / Lessing : *Miss Sarah Sampson* / Greuze : *Le Père de famille* / La Tour : *Portrait de Mme de Pompadour* / Mort de Montesquieu, Saint-Simon, Gentil-Bernard, Maffei / Naissance de Fourcroy, Corvisart, Florian, Quatremère de Quincy, Collin d'Harleville, Fabre d'Églantine, Debucourt, E. Vigée-Lebrun, Prony.

Début de la guerre de Sept Ans / Montcalm au Canada / Premier ministère Pitt / Troubles en Dauphiné.

Rousseau : *Lettre sur la providence* / Voltaire : *Essai sur les mœurs* / Naissance de Lacépède, Mozart, Raeburn.

5 novembre : Frédéric II écrase l'armée française à Rossbach / *4 janvier :* Attentat de Damiens.

Salon au Louvre / Diderot : *Le fils naturel* / Helvétius : *De l'Esprit* / Mme Leprince de Beaumont : *Le Magasin des enfants* / Rameau : *Les Surprises de l'amour* Burke : *Les Établissements européens en Amérique* / Mort de Fontenelle, Réaumur, Vadé, R. Carriera / Naissance de W. Blake.

Mort de Benoît XIV / Début du pontificat de Clément XIII / Prise de Frontenac, Gorée et Saint-Louis du Sénégal par les Anglais / Lally-Tollendal aux Indes / Choiseul secrétaire d'État aux Affaires étrangères.

Rousseau : *Lettre à d'Alembert* / D'Alembert quitte l'*Encyclopédie* / Diderot : *Le Père de famille* / Voltaire : rédaction de l'*Histoire de la Russie* / Quesnay : *Tableau économique* / Swedenborg : *Le Ciel et l'Enfer* / Naissance de Prudhon, C. Vernet.

Les jésuites expulsés du Portugal / Bataille de Minden / Capitulation de Québec / Les Anglais à la Guadeloupe M. de Silhouette réforme l'administration des Fermes en France.

Salon au Louvre (Diderot) / Condamnation au feu de l'*Encyclopédie* par le Parlement / Wieland : *Cyrus* / Sterne : *Tristram Shandy* / Gossec : *Symphonies* / Fondation du British Museum / Mort de Haendel, Montcalm / Naissance de Schiller, Burns, Wilberforce.

Mort de George II / Avènement de George III d'Angleterre / Capitulation de

D'Alembert : *Équations differentielles* / Macpherson : *Ossian* / Voltaire : représen-

	Vie de Catherine II	Les événements en Russie
	Mort de la princesse d'Anhalt-Zerbst, mère de Catherine.	
1761		*Décembre :* Prise de Kolberg par les Russes.
1762	*25 déc. 1761 — 5 janvier 1762 :* Mort de l'impératrice Élisabeth et avènement de Pierre III, époux de Catherine. *11 avril :* Naissance d'Alexis Bobrinski, fils naturel de Catherine et de Grégoire Orlov. *28 juin-9 juillet :* Pierre III renversé par Orlov, Catherine proclamée impératrice. *6-17 juillet :* Assassinat de Pierre III par ordre d'Orlov / *22 septembre :* Couronnement de Catherine II à Moscou.	Abolition de la chancellerie secrète, sécularisation des biens ecclésiastiques, remplacement de la conférence sénatoriale par le Haut Conseil secret. Paix avec la Prusse. *Juillet :* Oukase protégeant les « gentilshommes propriétaires ». *Octobre-novembre :* Complot militaire contre Orlov : trois officiers arrêtés et exécutés.
1763		Catherine confirme les privilèges de la noblesse. Oukase divisant le Sénat en six départements. Des colons allemands appelés en Ukraine et sur la Volga. *Septembre :* les Russes envahissent la Lituanie.
1764	*Octobre :* Catherine se fait vacciner contre la variole.	*26 février-8 mars :* Confiscation des biens d'Église / *Mars :* Traité défensif avec Frédéric II / *4-15 juillet :* Assassinat d'Ivan VI / Fondation de l'Institut Smolny pour l'éducation des « demoiselles nobles ».
1765		Catherine ordonne l'arpentage de toutes les terres. Confirmation des privilèges sociaux de la noblesse. Mort du poète et savant Michel Lomonossov.

Montréal / Siège de Pondichéry / Petite poste à Paris / Les impôts augmentent en France.

tations de *Tancrède* et de *L'Écossaise* à Paris / Spallanzani : *Nouvelles recherches physiologiques* / Gainsborough : *Portrait de l'amiral Hawkins* / Palissot : *Les Philosophes* / Naissance de Cherubini, (le comte de) Saint-Simon, Hokusaï.

Capitulation de Pondichéry / *18 février :* Exécution du pasteur Rochette / *13 octobre :* Suicide de Marc-Antoine Calas / Choiseul, secrétaire d'État à la Guerre et à la Marine / Négociations de Versailles : le pacte de famille.

Salon au Louvre (Diderot) / Rousseau : *La Nouvelle Héloïse* / Gozzi : *Le Corbeau* / Greuze : *L'Accordée de village* / Mort de Richardson / Naissance de Boilly.

10 mars : Exécution de Jean Calas à Toulouse / Le Parlement ordonne la suppression des jésuites / Condamnation de l'*Émile* de J.-J. Rousseau par le Parlement / Les Anglais à Manille et à La Havane / Préliminaires de paix franco-anglo-espagnole.

Rousseau : *Émile, Du contrat social* / Curé Meslier : *Mon testament* / Lord Chesterfield : *Lettres* / Gluck : *Orphée* / Pigalle : *Louis XV* / Gabriel : *Le Petit Trianon* / Naissance de Fichte, A. Chénier.

Traités de Paris et d'Hubertsbourg.

Salon au Louvre (Diderot) / Voltaire, tome II de l'*Histoire de Russie, Traité sur la tolérance* / Beccaria : *Traité des délits et des peines* / Reynolds : *Portrait de Mlle O'Brien* / Mort de Marivaux, l'abbé Prévost, L. Racine.

Affaire Wilkes / L'archiduc Joseph élu roi des Romains / *18 mai :* Mort du maréchal de Luxembourg / Procès et condamnation de Sirven / Mort de Mme de Pompadour / Stanislas Poniatowski élu roi de Pologne.

Rousseau : *Lettres écrites de la montagne* / Voltaire : *Dictionnaire philosophique* / Soufflot : *Le Panthéon* / Winckelmann : *Histoire de l'art antique* / Houdon : *Saint-Bruno* / Walpole : *Le Château d'Otrante* / Premier *almanach* de Gotha / Mort de Hogarth, Rameau / Naissance de M.-J. Chénier, A. Radcliffe.

Frédéric II crée la Banque de Berlin / Commerce libre pour tous les sujets du roi de France / Réhabilitation de Calas.

Salon au Louvre (Diderot) / L'*Encyclopédie* est achevée / Greuze : *La Malédiction paternelle* / Sedaine : *Le philosophe sans le savoir* / Voltaire : *La Philosophie de l'histoire,* visite

1766		Catherine rédige son *Nakaz* (*Instruction en vue de l'élaboration d'un code de lois*) / *22 juin :* traité d'amitié et de commerce avec l'Angleterre / Mort de Bestoujev.
1767		Réunion de la « Grande Commission » pour étudier le projet de réformes.
1768		Création du Conseil d'empire / *Décembre :* Dissolution de la « Grande Commission » / *Décembre :* Déclaration de guerre de la Turquie.
1769		Début de la guerre russo-turque Victoire de Roumiantsev à Khotin. Les Russes occupent les principautés danubiennes. Création de la monnaie de papier en Russie / *Avril :* La flotte russe quitte Cronstadt pour gagner, par Gibraltar, la mer Égée.

Les événements dans le monde	La vie de l'esprit
	de l'ambassadeur de Russie à Ferney / Turgot : *Formation et distribution des richesses* / Cavendish : Étude de l'hydrogène / Mort du comte de Caylus, Pannini, C. Vanloo.
Condamnation des jésuites en Espagne / Réunion de la Lorraine à la couronne de France / Exécution du chevalier de La Barre.	Rousseau à Londres chez Hume / Fondation de l'école vétérinaire de (Maisons-) Alfort / Saint-Lambert : *Les Saisons* / Goldsmith : *Le Vicaire de Wakefield* / La Tour : *Portrait de Belle de Zuylen* / Début du voyage de Bougainville / Mort de Nattier, Aved / Naissance de Germaine Necker (la future Mme de Staël), Malthus, Maine de Biran.
Le Danemark acquiert le Slesvig et le Holstein / Révision du procès Sirven en France.	Salon au Louvre (Diderot) / Watt : machine à vapeur / Rousseau : *Dictionnaire de musique* / Priestley : *Histoire de l'électricité* / Lessing : *Minna von Barnhelm* / Holbach : *Le Christianisme dévoilé* / Voltaire : *L'Ingénu* / Mort de Malfilâtre / Naissance de B. Constant, Schlegel, G. de Humboldt, Girodet, Isabey.
Convention de Boston / Maupeou, chancelier de France / Début de la faveur de Mme du Barry / Acquisition de la Corse par la France.	Premier voyage de Cook / Quesnay : *La Physiocratie* / Carmontelle : *Proverbes dramatiques* / Sedaine : *La Gageure imprévue* / Voltaire : *L'Homme aux quarante écus, Précis du siècle de Louis XV, La Princesse de Babylone* / Diderot et Mme d'Épinay prennent la relève de Grimm pour la *Correspondance littéraire* / Euler : *Études de calcul intégral* / Monge : *Géométrie descriptive* / Gainsborough : *Portrait d'Élisa Linley* / Mort de Winckelmann, Canaletto, Sterne / Naissance de Chateaubriand, J. Crome.
Mort de Clément XIII / Début du pontificat de Clément XIV / Suppression du privilège de la Compagnie française des Indes.	Salon au Louvre (Diderot) / Voltaire : *Histoire du Parlement de Paris* / Naissance de Cuvier, A. de Humboldt, N. Bonaparte, Lawrence.

1770		Victoire de Roumintsev à Kagoul / *5 juillet :* Victoire navale sur les Turcs à Tchesmé, dans la rade de Chio.
1771		Conquête de la Crimée par les Russes / La peste à Moscou.
1772		*Janvier-février :* Signature de conventions avec la Prusse et l'Autriche en vue du partage de la Pologne / *30 mai :* Armistice de Fokchany avec la Turquie / *25 juillet-5 août :* Premier traité de partage de la Pologne.
1773	Faveur de Vassiltchikov et chute d'Orlov / *29 septembre-10 octobre :* Mariage du grand-duc Paul, fils de Catherine, avec Wilhelmine de Hesse, devenue la grande-duchesse Nathalie.	*Juin :* Reprise de la guerre contre les Turcs / Victoire de Roumiantsev à Choumla / Début de la révolte de Pougatchev / Échec russe en Roumanie / *Octobre :* Arrivée de Diderot en Russie.
1774	Faveur de Potemkine.	*Mars :* Siège d'Orenburg par Pougatchev / Nouvelle offensive russe aux Balkans / *21 juillet :* Paix de Kutchuk-Kaïnardji avec les Turcs / *24 août-4 septembre :* Défaite de Pougatchev.

Mission de Dumouriez en Pologne / Mariage du Dauphin et de Marie-Antoinette / Conflit entre Louis XV et le Parlement / *24 décembre :* Chute de Choiseul.

Rousseau achève les *Confessions* / Saint-Lambert à l'Académie / Holbach : *Le Système de la nature* / Raynal : *Histoire des établissements européens dans les Indes* / Goldsmith : *Le Village abandonné* / Gainsborough : *L'Enfant en bleu* / Mort de G.-B. Tiepolo, Boucher, Moncrif, Hénault / Naissance de Beethoven, Hölderlin, Wordsworth, Gérard, Hegel.

Abolition du servage en Savoie / Gustave III roi de Suède / Le duc d'Aiguillon secrétaire aux Affaires étrangères.

Salon au Louvre (Diderot) / Poinsinet : *Le Cercle* / Bougainville : *Voyage autour du monde* / Lavoisier analyse la composition de l'air / Houdon : *Diderot* / Goya décore la cathédrale de Saragosse / Mort d'Helvétius, L.-M. Vanloo / Naissance de Bichat, W. Scott, Gros.

Warren Hastings, gouverneur des Indes / Banqueroute partielle en France.

Lagrange : *Addition à l'algèbre d'Euler* / Priestley : *Observations sur l'air* / Goldsmith : *Elle s'abaisse pour conquérir* / Cazotte : *Le Diable amoureux* / Wieland : *Le Miroir d'or* / Diderot achève *Jacques le Fataliste* / Voltaire : *Ode* (pour le deuxième centenaire du massacre de la Saint-Barthélemy) / Deuxième voyage de Cook / Mort de Swedenborg, Duclos, Tocqué / Naissance de Novalis, Coleridge, Broussais, Ricardo, Geoffroy-Saint-Hilaire, Fourier.

Clément XIV dissout la Compagnie de Jésus / Diderot en Russie / Construction du premier pont en fer, à Coalbrookdale / Fondation du Grand Orient de France / Affaire Beaumarchais-Goezman.

Salon au Louvre / B. de Saint-Pierre : *Voyage à l'Ile-de-France* / Goethe : *Goetz von Berlichingen* / Diderot est remplacé par Meister pour la *Correspondance littéraire* / Mort de Piron / Naissance de J. Mill.

Mort de Clément XIV / *10 mai :* Mort de Louis XV / Avènement de Louis XVI / Maurepas, conseiller intime / Vergennes, secrétaire d'État aux Affaires étrangères / Turgot à la Marine et aux Finances : Établissement de la libre circulation des grains, réduction des attributions de la Ferme générale, rétablissement du Parlement.

Wieland : *Les Abdéritains* / Goethe : *Werther* / Voltaire : *Le Crocheteur borgne* / Études de Priestley sur l'oxygène / Scheele découvre le chlore / Herschel construit son grand télescope / Mort de Goldsmith, Quesnay, La Condamine / Naissance de Southey, C.-D. Friedrich

	Vie de Catherine II	Les événements en Russie
1775		*10-21 janvier :* Supplice de Pougatchev / Ordonnance sur les gouvernements modifiant les circonscriptions de l'empire / La Russie cède la Bukovine à l'Autriche / *Mai :* Incarcération de la pseudo-fille de l'impératrice Eiisabeth, la princesse Tarakanova.
1776	*Février :* Faveur de Pierre Zavadovski et fin de la liaison avec Potemkine / *15 avril :* Mort de la grande-duchesse Nathalie, belle-fille de Catherine, après la naissance d'un enfant mort-né / *26 septembre :* Second mariage du grand-duc Paul, fils de Catherine, avec Sophie-Dorothée de Wurtemberg, devenue la grande-duchesse Marie Fedorovna.	
1777	Faveur du Serbe Simon Zoritch / *12-23 décembre :* Naissance du petit-fils de Catherine, Alexandre Pavlovitch, futur Alexandre Ier.	*2 avril :* Alliance avec la Prusse / Difficultés russes en Crimée
1778	Faveur de Rimsky-Korsakov.	
1779	*8 mai :* Naissance du deuxieme petit-fils de Catherine, le grand-duc Constantin Pavlovitch.	Catherine II établit la liberté d'entreprise en Russie / *31 mars :* Nouvelle convention russo-turque.
1780	Rupture avec Rimsky-Korsakov, faveur de Lanskoï / *septembre :* Le prince de Ligne à la cour de Russie	*Juin :* Première rencontre à Mohilev de Catherine et de Joseph II / Le prince royal de Prusse à Saint-Pétersbourg / Renvoi du ministre Panine

Début de la guerre d'indépendance américaine : Washington, commandant en chef / Début du pontificat de Pie VI / Disette à Paris : guerre des farines.

Salon au Louvre (Diderot) Gentil-Bernard : *L'Art d'aimer* / Beaumarchais : *Le Barbier de Séville* / Diderot : *Le Rêve de d'Alembert* / Sheridan : *Les Rivaux* / Mort de Voisenon, F.-H. Drouais / Naissance d'Ampère, Turner, C. Mayer, Boieldieu, Schelling.

4 juillet : Déclaration de l'indépendance américaine / Fondation du premier syndicat ouvrier en Angleterre / Suppression provisoire de la corvée et des corporations / Démission de Malesherbes / Chute de Turgot / Necker adjoint au contrôleur général des Finances / Franklin à Paris.

Jouffroy fait naviguer un bateau à vapeur sur le Doubs / Troisième voyage de Cook / Début de la publication des 4 volumes du *Supplément de l'Encyclopédie* / Restif de la Bretonne : *Le paysan et la paysanne pervertis* / Gibbon : *Histoire de la décadence et de la chute de l'Empire romain* / Holbach : *La Morale universelle* / Mably : *Principes des lois* / A. Smith : *La Richesse des nations* / Mort de Hume, Fréron / Naissance de Constable, Avogadro.

La Fayette en Amérique / Vote des articles de la constitution fédérale helvétique / Necker directeur général des Finances / Création de l'École de guerre / Traité d'alliance franco-suisse

Salon au Louvre / *Le Journal de Paris,* premier quotidien français / Lavoisier : théorie de la combustion / Sheridan : *L'École de la médisance* / Houdon : *Diane* / Pigalle : *Monument du maréchal de Saxe* / Mort de Gresset, Natoire / Naissance de Gauss, Kleist, Dupuytren.

Cook aux îles Hawaii / Frédéric II envahit la Bohême / Création de la Caisse d'escompte de Paris.

Rousseau achève les *Rêveries d'un promeneur solitaire* / Parny : *Poésies érotiques* / Buffon : *Les Époques de la nature* / Mozart : *Les Petits Riens* / Lamarck : *La Flore française* / Houdon : *Molière* / Mort de Piranesi, Linné, Pitt, Voltaire / Naissance de Foscolo, Gay-Lussac, Bretonneau.

Alliance franco-espagnole d'Aranjuez / Paix de Teschen entre la Prusse et l'Autriche, grâce à la médiation de Catherine.
Assemblée provinciale en Guyenne / Suppression du servage sur les domaines royaux.

Goethe : Iphigénie / Lessing : *Nathan le Sage* / Reynolds : *Portrait de la duchesse de Devonshire* / Gluck : *Iphigénie* / Falconet : *Statue de Pierre le Grand* / Mort de Chardin / Naissance de Berzelius.

Rochambeau en Amérique / Bataille de Camden / Fin du siège de Gibraltar / Abolition en France de la Question préparatoire.

Burke : *Discours sur la réforme économique* / Wieland : *Obéron.*

	Vie de Catherine II	Les événements en Russie
1781	Voyage en Europe du grand-duc Paul et de la grande-duchesse Marie Fedorovna, fils et belle-fille de Catherine.	Pacte d'alliance entre la Russie et l'Autriche.
1782		
1783	*12 avril :* Mort de Grégoire Orlov / Arrivée de Laharpe à Saint-Pétersbourg / Naissance de la grande-duchesse Alexandra, petite-fille de Catherine.	Les Russes occupent la Crimée / Mort de Panine.
1784	*Juin :* Mort de Lanskoï, de dysenterie / Naissance de la grande-duchesse Hélène, petite-fille de Catherine / Faveur de Ermolov.	*Janvier :* Annexion de la Crimée par les Russes / Ordonnance autorisant les imprimeries privées.
1785	Disgrâce d'Ermolov, faveur de Mamonov.	Statut de la noblesse et des villes.
1786	Naissance de la grande-duchesse Marie, petite-fille de Catherine.	Statut des écoles populaires.

Édit de tolérance en Angleterre / De Grasse à la Martinique / Révolte de Tupac au Pérou / Abolition de la main-morte paysanne en Autriche / Démission de Necker / Édit réservant les grades militaires à la noblesse / Mort de Maurepas / Fondation de l'usine du Creusot.

Herschel découvre la planète Uranus / Kant : *Critique de la raison pure* / Publication des *Confessions* de Rousseau / Schiller : *Les Brigands* / Mozart : *L'Enlèvement au sérail* / Mort de Lessing, Turgot, Soufflot / / Naissance de Laënnec.

Joseph II établit la liberté du travail et sécularise les couvents. Échec franco-espagnol devant Gibraltar / Préliminaires de paix anglo-américaine / Suffren aux Indes / Rétablissement du troisième vingtième en France.

Laclos : *Les Liaisons dangereuses* / Mort de A. J. Gabriel, Metastase / Naissance de Paganini, Lamennais.

Ministère du second Pitt / Révolte paysanne en Bohême / Calonne, contrôleur général des Finances en France / Traité de Versailles.

Lavoisier : analyse de l'eau / Invention du puddlage par Cort et Onions / Ascensions de Montgolfier et Pilâtre de Rozier en ballon / Kant : *Prolégomènes* / Mably : *De la manière d'écrire l'histoire* / David : *Andromaque* / Beaumarchais : *Le Mariage de Figaro* / Gainsborough : *La Famille Bailey* / Mort de d'Alembert, Euler / Naissance de Stendhal, W. Irving.

Fondation de la colonie espagnole des Philippines / Fondation de la Banque de New York.

Haüy : Structure des cristaux / B. de Saint-Pierre : *Études de la nature* / Herder : *Idées sur la philosophie de l'histoire* / Schiller : *Intrigue et amour* / Mort de Diderot, S. Johnson / Naissance de Rude.

Révolte paysanne en Hongrie / Ordonnance sur la vente des terres de l'ouest américain / Rappel de W. Hastings / Expédition et désastre de la Pérouse / Affaire du collier de la Reine / Calonne recrée la Compagnie française des Indes / Traités de Fontainebleau / Cagliostro à Paris.

Berthollet : analyse de l'ammoniaque / Invention du métier mécanique de Cartwright / Création de la première filature à vapeur de coton à Nottingham / Blanchart traverse la Manche en ballon / Lamarck : *Dictionnaire de botanique* / Mozart : *Les Noces de Figaro* / David : *Le Serment des Horaces* / Kant : *Fondement de la métaphysique des mœurs* / Necker : *Traité de l'administration des finances* / Mort de Pigalle, Mably / Naissance de J. Grimm, Boeckh, Manzoni.

Grève de l'impôt en Belgique / Mort de Frédéric II / Ouverture du Mexique au commerce international / Projet de réforme

Naissance d'Arago, W. Grimm.

1787		Voyage de Catherine en Crimée / *11 janvier :* Traité de commerce franco-russe / *Août :* Nouvelle guerre russo-turque / Dernière rencontre de Catherine avec Stanislas Poniatowski / Entrevue de Kherson entre Catherine et Joseph II.
1788	Naissance de la grande-duchesse Catherine, petite-fille de l'impératrice.	*Mai :* La Russie impose son protectorat à la Pologne / Guerre suédo-russe : menace suédoise sur Saint-Pétersbourg / *Décembre :* siège et prise d'Otchakov.
1789	Infidélité de Mamonov. Faveur de Platon Zoubov.	*Juillet :* Victoire de Souvorov sur les Turcs à Fokchany / Potemkine s'empare de Bender, Akkerman et Kilia / *14 juillet :* Combat naval indécis entre les flottes russes et suédoises sous Bornholm.
1790		*Mars :* Pacte d'assistance avec la Pologne / *Juin :* Échec de la flotte russe à Svenksund /

financière de Calonne / Mission secrète de Mirabeau à Berlin / Première ascension du mont Blanc.

Convention américaine et vote de la constitution / Accusation de Warren Hastings / Rétablissement du stathoudérat aux Pays-Bas / Les Anglais en Australie / En France : Mort de Vergennes / Assemblée des Notables / Chute de Calonne / Loménie de Brienne / Renvoi des notables / Exil du Parlement / Émeutes à Paris / Rappel du Parlement / Édit accordant un état-civil aux protestants / Établissement des municipalités rurales.

Lagrange : *Mécanique analytique* / Bernardin de Saint-Pierre : *Paul et Virginie* Schiller : *Don Carlos* / David : *La Mort de Socrate* / Mozart : *Don Juan* Mort de Gluck / Naissance d'Ohm, Uhland.

Entrée en vigueur de la Constitution américaine / Procès de W. Hastings / Folie de George III / Régence du prince de Galles / Diète polonaise / Guerre austro-turque / Traités de Berlin et de La Haye / Fondation de Sidney / En France : Abolition de la Question préalable / Affaire d'Esprémesnil / Émeutes en province / Assemblée de Vizille / Convocation des États généraux / Banqueroute / Disgrâce de Brienne / Rappel de Necker / Disgrâce de Lamoignon / Rappel du Parlement / Seconde assemblée des notables.

Création du *Times* / Kant : *Critique de la raison pratique* / Bentham : *Introduction aux principes de la morale* / Monge : *Traité de statistique* / Goethe : *Egmont* / Houdon : *Washington* / Cherubini : *Iphigénie en Aulide* / Mort de Gainsborough, Quentin de la Tour Naissance de Byron, Fresnel, Schopenhauer.

Mission de l'abbé de Fontbrune à Madrid / Révolte en Belgique / Avènement de Selim III / Washington président des U.S.A. / En France : Disette / Émeutes / Ouverture des États généraux / Serment du Jeu de paume / Renvoi de Necker / Prise de la Bastille / Rappel de Necker / Émigration du comte d'Artois / La Grande Peur / Abolition des privilèges / Déclaration des droits de l'homme / Journées d'octobre / Loi martiale / Les biens du clergé à la disposition de la nation Fondation du club des Jacobins / Faillite de la Caisse d'escompte / Création des assignats.

Jussieu : *De la génération des plantes* / Lavoisier : *Traité de chimie* / David : *Le Serment du Jeu de paume* / Mort d'Holbach, J. Vernet / Naissance de F. Cooper, S. Pellico, Cauchy.

Rupture du Pacte de famille / Mort de Charles III : avènement de Charles IV / La

Jussieu organise le Jardin des plantes à Paris / Priestley : travaux sur l'air / Kant :

14 août : Traite de paix de Varela entre la Russie et la Suède / *Décembre :* Prise d'Ismaïl par Souvorov.

1791 *Août :* Début des négociations avec la Turquie / Projet d'une expédition contre l'Inde / *Octobre :* Mort de Potemkine.

1792 *29 décembre 1791-9 janvier 1792 :* Paix russo-turque de Jassy / *Mai :* Entrée des Russes en Pologne / *Juillet :* Renvoi du représentant français Genet.

Belgique proclame son indépendance / Mort de Joseph II : avènement de Léopold II / En France : Fondation du club des Cordeliers / Mirabeau vend ses services à la Cour / Création de la commission des poids et mesures / Émeutes contre-révolutionnaires / Vente des biens du clergé / Élections des assemblées départementales / Vote de la constitution civile du clergé / Réorganisation de la justice / Nouveau système fiscal.

Critique du jugement / Burke : *Réflexions sur la Révolution française* / Goethe : *Torquato Tasso* / Mozart : *Cosi fan tutte* / Mort de A. Smith, Ch.-N. Cochin / Naissance de Lamartine.

Le pape condamne la constitution civile du clergé / Déclaration de Pillnitz / Nouvelle constitution polonaise / Premiers amendements à la constitution américaine / Le Kentucky admis au nombre des États / Autonomie des Canadiens français / En France : Abolition des corporations / Mort de Mirabeau / Dépréciation de l'assignat / Loi Le Chapelier / Fuite de Louis XVI; son arrestation à Varennes / L'Assemblée suspend le roi / Fondation du club des Feuillants / Fusillade du Champ-de-Mars / Augmentation du cens / Louis XVI prête serment à la constitution / Séparation de l'Assemblée / Réunion de la Législative / Décrets contre les émigrés, les princes et les réfractaires / Narbonne ministre de la Guerre / Rattachement d'Avignon à la France.

Lenoir crée le Musée des monuments français / Volney : *Les Ruines* / Mozart : *La Flûte enchantée* / Paine : *Les Droits de l'homme* / Mort de Mozart / Naissance de Meyerbeer, Faraday, Grillparzer.

Ultimatum français à l'Autriche et déclaration de guerre / Manifeste de Brunswick / Bataille de Valmy / Prise de Chambéry, Nice, Spire et Mayence par les Français / Bataille de Jemmapes / Dumouriez conquiert la Belgique / Annexion de la Savoie / Émeutes en Angleterre / Godoy Premier ministre en Espagne / Assassinat de Gustave III; avènement de Gustave IV / En France : Émeutes / Ministère girondin : Dumouriez / Rouget de Lisle : *La Marseillaise* / Décret contre les réfractaires / Renvoi du ministère girondin / Journée du 20 juin / La Patrie en danger / Journée du 10 août / Suspension de Louis XVI /

Travaux de Galvani sur l'électricité / Fichte : *Essai d'une critique de toute révélation* / Goethe : *Élégies romaines* / Schiller : *Histoire de la guerre de Trente ans* / Mort de Reynolds / Naissance de Shelley, Pradier, V. Cousin, Rossini.

1793	*28 septembre :* Mariage du grand-duc Alexandre Pavlovitch, petit-fils de Catherine, avec la princesse Louise de Bade.	*23 janvier :* Deuxième partage de la Pologne / *Février :* Rupture avec la France / Fondation d'Odessa.
1794		*Mars :* Insurrection polonaise, les Russes sont chassés de Varsovie et de Cracovie / *Octobre :* Défaite et capture du chef polonais Kosciuszko / Écrasement de l'insurrection.

Mesures contre les suspects / Désertion de La Fayette / Abolition des droits féodaux / Massacres de septembre / Réquisitions pour l'armée / Réunion de la Convention / Laïcisation de l'état-civil / Institution du divorce / Abolition de la royauté / Procès de Louis XVI.

Déclaration de guerre à l'Angleterre, la Hollande et l'Espagne / Première coalition / Annexion de la Belgique et de la Rhénanie / Bataille de Nerwinden / Cobourg prend Condé et Valenciennes / Chute de Mayence / Siège de Landau et de Perpignan / Victoire de Hondschoote / Siège de Maubeuge / Victoire de Wattignies / En France : condamnation et exécution du roi / L'Amalgame / Création du tribunal révolutionnaire / Soulèvement de la Vendée / Trahison de Dumouriez / Création du comité de salut public / Cours forcé de l'assignat / Procès et acquittement de Marat / Loi du maximum / Arrestation des Girondins / Vote de la constitution / Lutte de Robespierre contre les Enragés / Assassinat de Marat / Embargo sur les capitaux et les exportations / Suppression des universités / Levée en masse / Emprunt forcé / Journées populaires / Création de l'armée révolutionnaire / Loi des suspects / Procès et exécution de Marie-Antoinette / Exécution des Girondins / Déchristianisation / Écrasement des Vendéens / Fermeture des églises / L'instruction primaire gratuite et obligatoire / Reprise de Toulon aux Anglais / Annexion de Nice.

Création du Museum d'histoire naturelle / Adoption du système métrique / Whitney invente la machine à égrener le coton / Fichte : *Rectifications aux jugements du public* / Herder : *Lettres pour le progrès de l'humanisme* / Mort de Goldoni, Guardi / Naissance de Chasles, Lobatchevski.

Neutralité armée scandinave / Traité de La Haye / Les Français en Catalogne / Victoire de Fleurus / Prise de Fontarabie, Anvers, Cologne, Coblentz / Négociations de paix franco-prussiennes / Les Français en Hollande / Suspension de l'*habeas corpus* en Écosse / Massacre de Praga / Les Anglais annexent Lahore / En France : Décrets de Ventôse / Les Cordeliers en état d'insurrection / Arrestation et exécution des danto-

Fichte : *Fondements de la doctrine générale de la science* / Condorcet : *Esquisse d'un tableau historique des progrès de l'esprit humain* / Dupuis : *De l'origine de tous les cultes* / Mort de Beccaria, Lavoisier, Chénier, Condorcet / Naissance de Raspail.

1795	Naissance de la grande-duchesse Anne, petite-fille de Catherine.	*Janvier :* traité austro-russe / *Octobre :* Troisième partage de la Pologne.
1796	Rupture des fiançailles de la grande-duchesse Alexandra, petite-fille de Catherine, et de Gustave IV de Suède / *Juin :* Naissance du grand-duc Nicolas, petit-fils de Catherine et futur Nicolas Ier / *6-17 novembre :* mort de Catherine II et avènement de Paul Ier.	Campagne russe le long de la mer Caspienne et prise de Bakou.

nistes et des hébertistes / Création de l'École polytechnique / Culte révolutionnaire / Attentats contre Robespierre / Fête de l'Être suprême / Réorganisation du tribunal révolutionnaire / Création des Archives nationales / 9 thermidor : chute de Robespierre / Séparation de l'État et des Églises / Création du Conservatoire des arts et métiers et de l'École normale supérieure / Fermeture du club des Jacobins / Procès et exécution de Carrier / Abolition du maximum.

Pichegru s'empare de la flotte hollandaise / Traités de Bâle et de La Haye / Armistice franco-autrichien / Émeutes à Dublin et à Londres / Révolte en Hongrie / En France : négociations avec les Chouans / Abandon de l'Église constitutionnelle / Rappel des Girondins / Création de l'École des langues orientales / Journées du 12 germinal et du 1er prairial / Désarmement du faubourg Saint-Antoine / Suppression du tribunal révolutionnaire / Terreur blanche / Réouverture des églises / Révolte de Charette en Vendée / Dépréciation de l'assignat / Vote de la Constitution de l'an III / 13 vendémiaire : Bonaparte écrase les royalistes / Loi Lakanal sur l'enseignement / Création de l'Institut / Séparation de la Convention / Installation du Directoire.

J. de Maistre : *Considérations sur la France* / Turner : L'Abbaye de Tintern / Mort de Cagliostro / Naissance de Keats, A. Thierry, Carlyle, Barye, Ranke.

Campagne d'Italie / Traité de Paris / Moreau et Jourdan envahissent l'Allemagne / Convention de Bologne avec le pape / Tentative de débarquement de Hoche en Irlande / Fondation de la république cispadane / Indépendance du Montenegro / Le Tennessee admis parmi les États-Unis / En France : Ramel ministre des Finances / Destruction de la planche aux assignats / Répression de la chouannerie / Création des mandats territoriaux / Complot et arrestation de Babeuf / Loi sur les droits civiques / Bonaparte commandant en chef de l'armée d'Italie / Le Directoire repousse les propositions de paix anglaises.

Travaux de Jenner sur la vaccine / Senefelder invente la lithographie / Laplace : *Exposition du système du monde* / Bonald : *Théorie du pouvoir* / Fichte : *Principes du droit naturel* / Goethe : *Wilhelm Meister* / Mort de Burns, Raynal / Naissance de Corot.

BIBLIOGRAPHIE

Les ouvrages consacrés à Catherine II et à son temps se comptent par centaines. Je me bornerai à indiquer ici les plus importants parmi ceux que j'ai consultés.

I

SOURCES

CATHERINE II — *Œuvres de l'impératrice Catherine II* (en russe et en français), présentées par Pypine, 12 vol. 1907.

— *Mémoires* (en français), publiés en 1857 par Herzen, puis par l'Académie des Sciences de Saint-Pétersbourg, enfin, en 1953, dans un texte établi et présenté par Dominique Maroger et Pierre Audiat (Hachette).

— *Lettres d'amour de Catherine II à Potemkine,* publiées par Georges Oudard, Paris, Calmann-Lévy, 1934.

— *Lettres de Catherine II à Grimm,* éditées par Grot, Saint-Pétersbourg, 1878.

— *Lettres de Catherine II à Stanislas-Auguste Poniatowski, roi de Pologne.* (*1762-1764*). Paris, 1914.

— *Lettres de Catherine II à Voltaire et à Diderot,* citées dans la publication de l' « Antiquité russe ».

— *Lettres de Catherine II au prince de Ligne.*

Archives du ministère des Affaires étrangères, à Paris. Correspondance politique de Russie, vol. LXVIII à CXXXIX.

Archives du prince M. L. Vorontzov, Moscou, 1870-1895 (en russe).

Recueil des publications de la Société impériale de l'histoire de Russie (en russe) vol. I à LXXII.

La Cour de Russie il y a cent ans, recueil de lettres et de dépêches, Berlin 1864.

ALLONVILLE, le comte d' : *Mémoires secrets,* Paris, 1838.

CASTÉRA, J. : *Vie de Catherine II,* 3 vol. Paris, 1797.

CHOISEUL, duc de : *Mémoires,* Paris, Buisson, 1790.

CORBERON, le chevalier de : *Un diplomate français à la cour de Catherine II,* Paris, Plon, 1901.

DACHKOV, princesse Catherine : *Mémoires,* Paris, Mercure de France, 1966.

ENGELHARDT, L. N. : *Mémoires,* Moscou, 1863.

ESTERHAZY, comte Valentin : *Mémoires,* Paris, Plon, 1905.

— *Lettres,* Plon, 1907.

— *Nouvelles Lettres,* Plon, 1909.

FALCONET : *Correspondance avec Catherine II,* Paris, Champion, 1921.

FRÉDÉRIC II : *Mémoires,* 2 vol. Paris, Plon, 1866.

GOLOVINE, comtesse, née Golitzine : *Souvenirs,* Paris, Plon, 1910.

KHRAPOVITSKI : *Journal* (en russe), Saint-Pétersbourg, 1874.

LIGNE, prince de : *Mémoires,* Paris, 1860.

MASSON : *Mémoires secrets sur la Russie,* 3 vol. Paris, 1802.

OBERKIRCH, baronne d' : *Mémoires,* 2 vol. Paris, 1853.

PONIATOWSKI, Stanislas-Auguste : *Mémoires secrets et inédits,* Leipzig, 1862.

RADICHTCHEV : *Voyage de Saint-Pétersbourg à Moscou* (en russe), 1790.

RIBEAUPIERRE, comte de : *Mémoires,* dans « Archives russes », 1877.

RULHIÈRE, C. de : *Histoire ou anecdotes sur la Révolution de Russie en 1762,* Paris, 1797.

SABATIER DE CABRE : *Catherine II, sa cour et la Russie en 1772,* Berlin, 1861

SÉGUR, comte de : *Mémoires*, Paris, 1859.
SHERER, Jean-Benoît : *Anecdotes intéressantes et secrètes sur la cour de Russie*, Paris, 1792.
TCHITCHAGOV, Paul : *Mémoires*, 2 vol. Paris, 1862.
TOOKE, révérend père M. : *Mémoires secrets*, 3 vol. Amsterdam, 1800.
VIGÉE-LEBRUN, Mme : *Souvenirs*, 3 vol. Paris, 1835-1837.

II

OUVRAGES SUR CATHERINE II ET SON TEMPS

BILBASSOV, V. A. : *Histoire de Catherine II* (en russe), 3 vol., Berlin, 1900.
BRIAN-CHANINOV, Nicolas : *Catherine II, impératrice de Russie*, Paris, Payot, 1932.
— *Alexandre Ier*, Paris, Bernard Grasset, 1934.
— *Histoire de Russie*, Paris, Fayard, 1929.
BRUCKNER, A. : *Histoire de Catherine II* (en russe), 3 vol., Saint-Pétersbourg, 1885.
La culture russe en France, édition de l' « Héritage littéraire » (en russe), 3 vol., Moscou, 1937.
DOUBROVINE : *Pougatchev et ses complices*, 3 vol.
GAÏSSINOVITCH, A. : *La Révolte de Pougatchev*, Paris, Payot, 1938.
GAXOTTE, Pierre : *Le Siècle de Louis XV*, Paris, Fayard, 1933.
— *Frédéric II*, Paris, Fayard, 1938.
GREY, Ian : *La Grande Catherine.*
GRUNWALD, Constantin de : *L'Assassinat de Paul Ier, tsar de Russie*, Paris, Hachette, 1960.
— *Alexandre Ier, le tsar mystique*, Paris, Amiot-Dumont, 1955.
— *Trois siècles de diplomatie russe*, Paris, Calmann-Lévy, 1945.
HASLIP, Joan : *Catherine the Great* (en anglais), 1977.
HENRI-ROBERT : *Les Grands Procès de l'histoire*, IIIe série, Paris, Payot, 1924.
KAUS, Gina : *Catherine la Grande*, Paris, Grasset, 1934.

KOBEKO, Dimitri : *Le Prince Paul Pétrovitch.*

KRAKOWSKI, Edouard : *Histoire de Russie*, Paris, Édition des Deux Rives, 1954.

LARIVIÈRE, Charles de : *Catherine II et la Révolution française*, Paris, 1895.

LAVATER-SLOMAN, M. : *Catherine II et son temps*, Paris, Payot, 1952.

LEROY-BEAULIEU, A. : *L'Empire des tsars et les Russes*, Paris, 1883-1889.

LORTHOLARY : *Le Mirage russe en France au XVIIIe siècle*, Paris, Boivin, 1951.

MELGOUNOVA : *Mœurs russes du temps de Catherine II, d'après les souvenirs des contemporains* (en russe), Moscou, 1922.

MICHEL, R. : *Potemkine*, Paris, Payot, 1936.

MILIOUKOV, Seignobos et Eisenmann : *Histoire de Russie*, 3 vol. Paris, Leroux, 1932-1933.

MORANE : *Paul Ier de Russie*, Paris, Plon, 1907.

OLDENBOURG, Zoé : *Catherine de Russie*, Paris, Gallimard, 1966.

OLIVIER, Daria : *Catherine la Grande*, Paris, Librairie Académique Perrin, 1965.

ORIEUX, Jean : *Voltaire*, Paris, Flammarion, 1966.

PASCAL, Pierre : *Histoire de la Russie*, Paris, 1961.

— *La Révolte de Pougatchev*, Paris, Julliard, 1971.

PINGAUD, Léonce : *Les Français en Russie et les Russes en France*, Paris, 1889.

PLATONOV, S. F. : *Histoire de Russie*, Payot, 1929.

POLOVTSOFF, A. : *Les Favoris de Catherine la Grande*, Paris, Plon, 1939.

RAMBAUD, A. : *Histoire de Russie*, 6e édition, 1913.

SAINT-PIERRE, Michel de : *Le Drame des Romanov*, Paris, Robert Laffont, 1967.

SCHIDLER, N. : *Histoire anecdotique de Paul Ier*, Paris, Calmann-Lévy, 1899.

SÉGUR, comte A. de : *Vie du comte Rostopchine*, Paris, 1871.

SOLOVEÏTCHIK, G : *Potemkine*, Paris, Gallimard, 1940.

SOLOVIOV : *Histoire de la Russie* (en russe), Saint-Pétersbourg.

TCHOULKOV, G. : *Les Derniers Tsars autocrates*, Paris, Payot, 1928.

TEGNY, Edmond : *Catherine II et la princesse Dachkov*, Paris, 1860.

VALLOTTON, Henry : *Catherine II*, Paris, Fayard, 1955.

WALISZEWSKI, K. : *Le Roman d'une impératrice,* Paris, Plon, 1893.
— *Autour d'un trône,* Paris, Plon, 1894.
WORMSER, Olga : *Catherine II,* Paris, le Seuil, 1962.
— *Catherine II,* Club français du Livre, 1957.

INDEX

A

B

C

D

E

F

G

H

I

J

K

L

M

R

S

T

U

V

W

Z

TABLE DES MATIÈRES

Achevé d'imprimer le 9 décembre 1977
sur les presses de l'Imprimerie Bussière
à Saint-Amand (Cher)

— N° d'édit. 8802. — N° d'imp. 1812. —
Dépôt légal : 4e trimestre 1977.
Imprimé en France

CATHERINE LA GRANDE